D0585492

l'entreprise et son milieu

Richard H. Buskirk

Donald J. Green

William C. Rodgers

Traduit et adapté par:

Yvon Saint-Jules
Collège du Vieux-Montréal

Richard Langdeau
Collège du Vieux-Montréal

Les Éditions **HRW** Ltée
Montréal Toronto

Adaptation de:
Concepts of Business
an introduction to the business system

Maquette de la couverture:
Ginette Gratton

Dépôt légal 2e trimestre 1974
Bibliothèque nationale du Québec

ISBN 0-03-928244-9

Imprimé au Canada
2 3 4 5 78 77 76

Les Éditions HRW Ltée
8035 est, rue Jarry
Anjou, Québec

préface

Après avoir enseigné l'Introduction aux Affaires ou à la structure des entreprises au niveau collégial pendant un certain temps, il nous a semblé nécessaire de présenter notre étude dans une nouvelle perspective pour l'étudiant d'aujourd'hui.

Premièrement, nous avons décidé d'aborder le sujet du point de vue des «systèmes», mais en insistant sur leur activité plutôt que sur leurs différents aspects quantitatifs.

Deuxièmement, nous avons voulu insister sur les principes du comportement en affaires par opposition aux habituelles descriptions accompagnées de statistiques qui ne veulent rien dire. Le titre même du volume, L'entreprise et son milieu, *met en lumière les différents concepts qui régissent les rapports entre le monde des affaires et le milieu ambiant.*

Finalement, il nous a semblé important que nos propos s'inscrivent à l'intérieur de la structure traditionnelle d'un cours d'introduction aux affaires, puisque les sujets qui y sont habituellement traités sont toujours d'actualité.

Certains aspects méritent des explications. Vous découvrirez que le marketing est un sujet sur lequel nous avons beaucoup insisté, car nous croyons que de nombreux étudiants feront carrière dans la vente et le commerce de détail.

En ce qui concerne le profit, il nous est apparu nécessaire de faire valoir pleinement le rôle joué par ce dernier dans notre système économique nord-américain. Il n'était pas question de le camoufler dans un chapitre quelconque.

Les questions en marge constituent une nouvelle façon de présenter les traditionnelles questions de fin de chapitre. Le but visé est de permettre à l'étudiant d'approfondir son raisonnement et sa compréhension au moment même de la lecture ou de la discussion d'un sujet.

Cet ouvrage n'aurait pas été complet si nous avions négligé d'aborder des sujets comme la gestion financière, les investissements, les valeurs mobilières et l'assurance. Le fait de les traiter ne peut être que valable, car ils ont un impact sur la vie de la plupart des individus.

Enfin, nous avons tenté de faire un volume qui, tout en informant le lecteur, est facile et agréable à lire.

table des matières

Quatrième partie: LE MARKETING 89

Sixième partie: LA GESTION FINANCIÈRE 227

Septième partie: LE CONTRÔLE DES OPÉRATIONS 293

1

le milieu

Notre milieu conditionne toutes nos activités et institutions. Le milieu joue un rôle capital dans toutes les activités de l'individu, et quelqu'un qui ignore son milieu est un infirme incapable de prendre de sages décisions. Il est donc logique de commencer notre étude du monde des affaires par l'analyse du milieu.

Une analyse rapide des systèmes nous donnera un bref aperçu des nouveaux principes d'administration et nous montrera à quel point ceux-ci affectent la décision administrative. Nous examinerons les principales caractéristiques de divers systèmes socio-économiques. Puis, nous traiterons du système socio-économique nord-américain, de ses principes de base et de son évolution.

L'examen du système dans son ensemble nous amènera à définir son élément essentiel: l'homme. Nous devrons comprendre l'homme et son comportement afin d'entretenir avec lui des relations profitables.

Nous verrons ensuite dans notre étude les créations de l'homme - ses institutions - avant d'entreprendre un examen détaillé du rôle que joue le profit dans notre système. Mais, vous direz-vous: «Pourquoi se poser tant de questions sur tant de choses sans toucher véritablement au monde des affaires? Pourquoi ne pas simplement parler affaires?» La réponse est simple: parce que tous ces éléments constituent justement les affaires. De tout temps, on a accusé les hommes d'affaires d'être des spécialistes à l'esprit étroit et l'enseignement de l'administration d'être un champ d'apprentissage limité. En fait, comme nous pourrons le constater, l'enseignement de l'administration et de la gestion des entreprises est probablement la discipline la plus vaste que l'on puisse trouver.

chapitre 1

les systèmes socio-économiques

Il fut un temps où l'homme vivait presque isolé, mais très rapidement il a senti le besoin de vivre en groupe. Il répondait ainsi à son instinct grégaire. Le besoin de se protéger, de survivre, d'établir des contacts humains sont aussi des raisons qui ont obligé l'homme à vivre en groupe. Vivant à l'intérieur de ces groupes, il n'avait besoin que de peu de choses: nourriture, vêtements et abri. Au fur et à mesure que les groupes purent produire pour satisfaire leurs besoins, les hommes les plus habiles créèrent un surplus. Il se peut très bien que l'on ait produit plus d'armes en silex que ne l'exigeaient les besoins du groupe. Le premier élément d'échange était né - le surplus. Un groupe voisin avait de son côté accumulé un surplus de peaux. Du moment qu'un groupe possède un surplus d'un produit dont un autre groupe a besoin, il existe une possibilité de transaction. Dans le cas d'un échange de biens entraînant une satisfaction mutuelle des parties, sans utilisation de monnaie, on fait du troc.

La transaction est donc la pierre angulaire de tout notre système; elle a lieu chaque fois que l'on effectue une vente ou un achat et la sommation des milliards de transactions effectuées chaque jour constitue le commerce ou les affaires.

QU'EST-CE QUE LE COMMERCE?

Le commerce est un ensemble de transactions. Il concrétise les désirs de l'homme. Le commerce est également identifié au travail, et il constitue de ce fait le fondement même de notre système socio-économique. Le commerce est un système que l'homme a développé pour satisfaire ses besoins et se donner un mode de vie. Qu'est-ce que le commerce? On peut le définir comme on l'entend puisque ce mot a été appliqué à des activités tellement diverses qu'il est devenu presqu'impossible de lui donner une définition précise. Toutefois, nous définirons le commerce comme étant un système créé pour répondre aux besoins et aux aspirations de la société.

En appliquant le concept des systèmes à l'étude du commerce, nous pourrons mieux comprendre le réseau compliqué d'institutions qui entrent en jeu pour produire les biens et les services dont nous jouissons. Comme tout système, le commerce doit se fixer des buts à atteindre.

Quels sont les buts de notre système socio-économique?

SYSTÈMES ET SOUS-SYSTÈMES

Le commerce n'est que l'un des sous-systèmes du système socio-économique global. Les principaux sous-systèmes sont: les systèmes scolaires, qui sont reliés les uns aux autres et à l'État; les systèmes religieux; les systèmes philanthropiques comme la *Croix Rouge*, la *Fondation du Coeur*, ou l'*Armée du Salut*; et les affaires, qui représentent environ 85% du total de l'activité économique dont la mesure s'appelle le produit national brut.

Le produit national brut (PNB)

C'est la valeur monétaire globale des activités économiques requises pour la production des biens et des services d'une collectivité dans une période de temps définie, habituellement une année. C'est un indice qui nous permet de déterminer le bien-être matériel et/ou les faiblesses économiques d'une collectivité.

Le monde des affaires peut être considéré comme un système global comprenant un ensemble de sous-systèmes que nous appelons industries. De plus, chaque industrie comprend un ensemble de sous-systèmes répartis sous forme d'entreprises manufacturières, d'entreprises de gros, d'entreprises de distribution. À ces dernières sont reliées des sociétés de conseillers en administration, des agences de comptables, des agences de placement, des maisons d'ingénieurs conseils, des services d'entretien, et des institutions financières telles que: banques, sociétés de fiducie, bourses, etc. Le tableau 1.1 nous donne un exemple de système industriel, soit celui de l'aviation commerciale.

TABLEAU 1.1 Un système industriel: l'aviation commerciale

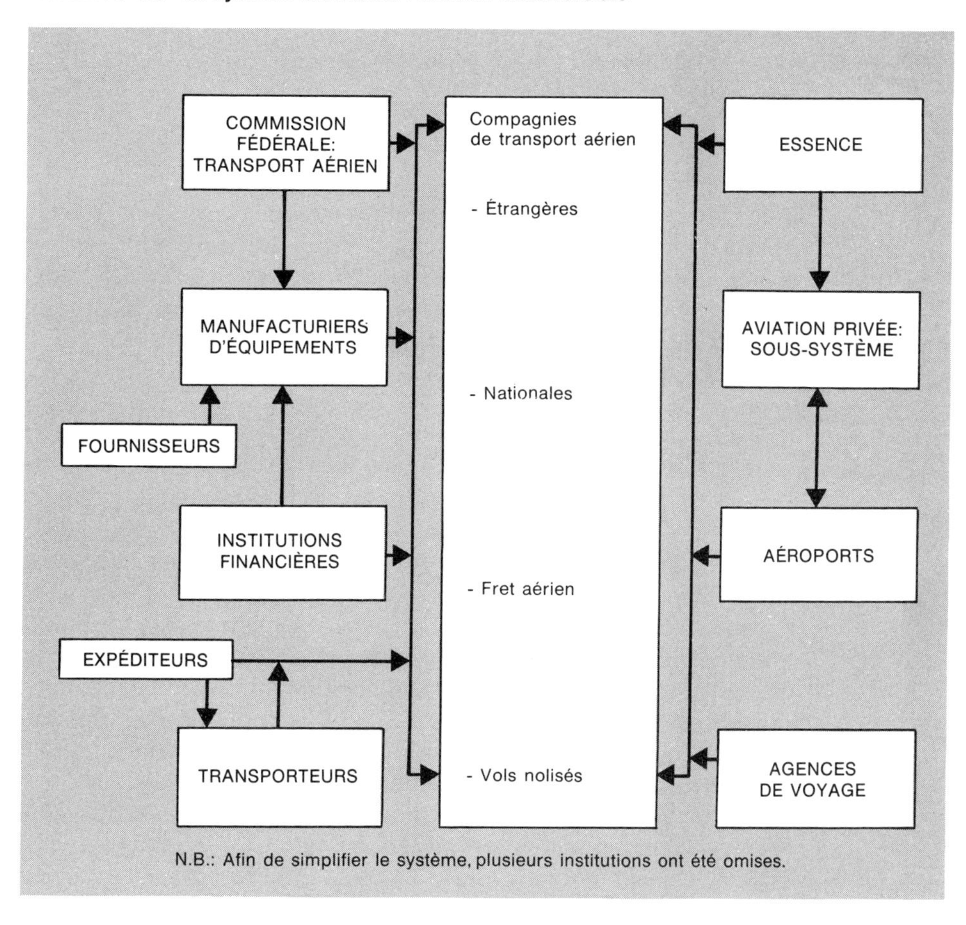

Chaque type d'industrie possède ses propres institutions, sous-systèmes et réseaux. On remarque cependant que l'industrie de l'aviation commerciale est reliée à d'autres systèmes industriels tels que le pétrole, la fabrication des avions, les agences de voyages, le transport et les secteurs financiers. Ni l'industrie, ni l'entreprise ne se suffisent à elles-mêmes; elles sont liées à d'autres systèmes dont elles dépendent et qui en dépendent.

Par ailleurs, chaque entreprise comprend plusieurs sous-systèmes - production, marketing, finance... Chaque champ d'activité à l'intérieur d'une entreprise possède ses propres sous-systèmes tels que: l'achat, le contrôle des matériaux ou matières premières, l'administration de l'usine, la gestion du personnel, etc. Et chacun de ces sous-systèmes possède ses propres ramifications.

Définition d'un système

Plusieurs définitions peuvent être proposées, mais les plus appropriées sont:
1) Un tout composé de différentes parties;
2) La réunion de membres d'une même organisation;
3) Un ensemble de méthodes harmonisées et coordonnées.
Notre définition est plus simple:
Un système est l'ensemble des activités nécessaires à la réalisation d'une tâche.

Il est maintenant facile de constater que notre société se compose d'une foule de gens travaillant à l'intérieur de nombreux systèmes. Cette façon de concevoir les activités de notre collectivité n'est pas le fruit d'un exercice intellectuel. Les administrateurs contemporains ont découvert que le concept des systèmes a déjà permis de réaliser des progrès significatifs et des économies dans la conduite des affaires. Il est ainsi plus facile aux administrateurs de préciser les problèmes relatifs à un système particulier et de les corriger.

Dressez une liste des systèmes à l'intérieur desquels vous évoluez.

Objectif des systèmes

L'homme prépare et développe des systèmes pour répondre à ses besoins dans un temps donné et à un coût acceptable. Sans l'application d'un système, les coûts seraient grandement exagérés, les activités de l'homme seraient sporadiques, le manque d'organisation des groupes se traduirait par un travail non productif. Le concept des systèmes est basé sur le fait que l'organisation méthodique et rationnelle du travail permet une utilisation plus efficace du temps et des ressources. Par activité rationnelle, nous entendons la mise au point d'un système capable de traiter des données le plus efficacement possible afin d'obtenir le résultat désiré. Notre comportement est donc réduit à une routine qui annule graduellement le besoin de réfléchir. Plus le travail routinier est assimilé, moins grand est le besoin de réfléchir et meilleur est le rendement. Le but poursuivi dans la mise au point de systèmes est donc d'atteindre une meilleure utilisation de nos ressources humaines et matérielles. Le travail routinier ne doit toutefois pas être immuable! Il doit s'adapter.

ADAPTATION

Pour qu'un système soit viable, il doit continuellement être en évolution et s'adapter aux changements de son milieu. Les Postes, immense système gouvernemental dont la mission est d'assurer des services de communication à divers éléments de notre société, en sont un parfait exemple. Nous savons peu de choses sur l'efficacité de ce système à ses débuts, mais nous savons très bien qu'il se doit d'améliorer son rendement dans les années à venir si nous ne voulons pas payer toujours davantage pour obtenir les mêmes services. Les changements qui ont affecté le service postal au cours des dernières années sont:

a) L'augmentation du travail à faire;
b) Le déclin qualitatif et quantitatif d'une main-d'oeuvre voulant faire carrière dans les postes;
c) L'augmentation salariale occasionnée indirectement par d'autres secteurs d'emploi.

Ces forces obligent le système postal à investir pour obtenir de l'équipement mécanisé plus efficace. Ce système gouvernemental doit s'adapter pour atteindre son objectif: livrer le courrier à un coût raisonnable.

L'impact du changement

L'évolution du milieu et les nouveaux besoins exprimés obligent le système à s'adapter. À titre d'exemple, prenons une découverte technologique connue: l'automobile. Il est à peu près impossible d'énumérer tous les effets d'une telle découverte sur l'ensemble des systèmes existant dans notre société. Cependant, il nous est facile de concevoir que l'impact a été aussi important que l'avènement de la télévision ou la découverte de la bombe atomique. L'automobile a provoqué la construction de routes et d'autoroutes, qui, à leur tour, ont obligé à relocaliser certains centres et imposé de nouveaux modes de vie en faisant naître une foule d'établissements accessibles à l'automobiliste tels que: supermarchés, cinémas, restaurants, terrains de golf, banques, etc. L'idée même d'immenses centres commerciaux est impensable sans l'automobile. Le tourisme ne pourrait être l'industrie que l'on connaît sans l'automobile.

L'automobile est à l'origine de nombreuses industries, comme le pneu, l'essence, les entreprises fournissant les pièces de rechange et l'assurance auto. Imaginons maintenant l'adaptation incroyable qui devrait s'opérer dans un grand nombre de ces systèmes si la société bannissait l'usage du moteur à combustion interne en faveur d'un moteur utilisant l'énergie électrique. Une telle perspective ne serait-elle pas effrayante pour un administrateur d'entreprise pétrolière?

Précisez l'impact de l'usage généralisé d'une automobile à énergie électrique sur nos différents systèmes socio-économiques.

SYSTÈMES INSTITUTIONNALISÉS

La plupart des systèmes sont décrits plus clairement par les institutions qui les composent. Un système industriel comprend des institutions telles qu'usines de fabrication, fournisseurs, grossistes, vendeurs au détail, compagnies de transport, agences de crédit, agences de publicité, banques, courtiers en placement, syndicats, etc. Négocier avec des systèmes implique nécessairement qu'il faut traiter avec leurs institutions. Les institutions sont donc des sous-systèmes qui possèdent une entité légale et une orientation administrative distincte des autres sous-systèmes de l'industrie. Ainsi, les institutions sont en quelque sorte elles-mêmes des systèmes, et elles doivent évoluer selon les demandes faites au système industriel à l'intérieur duquel elles fonctionnent.

Nommez certains des facteurs qui ont obligé les entreprises de transport maritime à opter pour le «container» et les cargos à plus gros tonnage.

Nous pourrions aussi définir un système par le réseau reliant toutes les institutions qui le composent. Le tableau 1.1 nous a montré celui de l'industrie de l'aviation commerciale. Le tableau 1.2 nous dévoile le réseau du système de crédit d'un grand magasin. Le grand problème de tout réseau est l'établissement du type de relation entre les unités. Certaines unités sont reliées directement par l'échange de marchandises ou par l'échange de main-d'oeuvre. Chez d'autres, la relation est indirecte et constituée d'échanges strictement verbaux. On connaît, par exemple, l'influence de la Commission du salaire minimum sur les décisions de certaines entreprises d'augmenter ou non leurs effectifs ouvriers, et pourtant, très peu d'entre elles ont déjà eu un contact direct avec cet organisme.

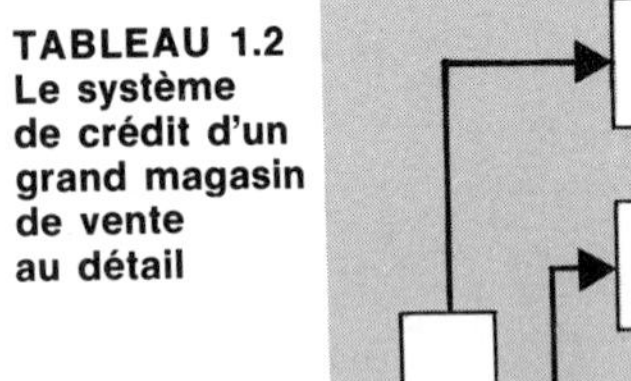

TABLEAU 1.2
Le système de crédit d'un grand magasin de vente au détail

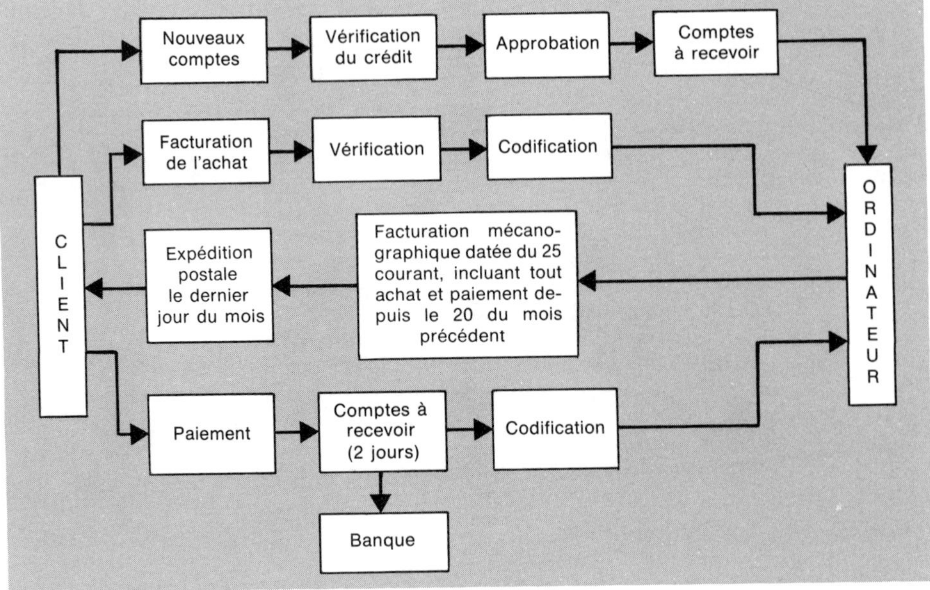

ÉLÉMENTS D'UN SYSTÈME

Les institutions forment l'ossature d'un système. La mise sur pied et la vitalité du système dépendent des aptitudes, des connaissances, des ressources dont il dispose, de l'organisation, de l'administration qu'il se donne et des attributs culturels qui le sous-tendent.

Les aptitudes manuelles

Nous n'accordons que très peu d'intérêt à nos aptitudes manuelles. Elles sont pourtant innombrables, elles sont à la base de notre puissance et elles sont la force de nos systèmes. Il ne faut jamais déprécier l'habileté qu'a développée le soudeur, le menuisier, l'électricien, le mécanicien ou la secrétaire. En fait, c'est la somme de ces aptitudes qui a rendu possible ce que nous avons. Il y a quelques décennies, l'homme était fier de son savoir-faire; de nos jours, on déprécie ces mêmes aptitudes pourtant naturelles à l'homme. Il y a là matière à réflexion.

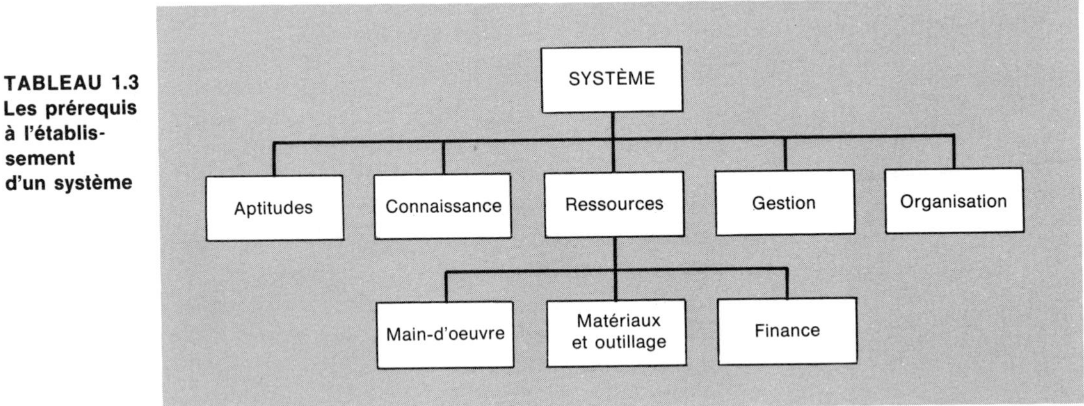

TABLEAU 1.3
Les prérequis à l'établissement d'un système

La connaissance

La connaissance est un élément essentiel à tout système. Le royaume des Hittites, dont l'ancienne culture s'était développée au Moyen-Orient, s'est édifié surtout en raison de l'utilisation du fer. Nos sociétés modernes valorisent la connaissance et s'y appuient fortement. Les ressources financières accordées à l'éducation prouvent l'importance que nous accordons à la connaissance comme base du bien-être futur de notre société. L'utilisation rationnelle des aptitudes est basée sur la connaissance.

Les ressources

La société ne dispose fondamentalement que de trois (3) ressources: les hommes, les matériaux et les outils. Notre système économique en a créé une quatrième: l'argent. Nous possédons ainsi les quatre (4) ressources nécessaires à la réussite de tout système - les hommes qui veulent travailler, les matériaux à transformer, les outils qui sont indispensables pour ce faire, et l'argent qui permet à l'ensemble de fonctionner. Certains systèmes peuvent faillir parce que leurs hommes sont peu motivés au travail, parce qu'ils ont peu de matériaux ou d'outils (moyens), ou encore parce qu'ils n'ont pas d'argent. Ce dernier cas est bien souvent le résultat d'une mauvaise utilisation des ressources humaines et matérielles.

L'organisation

Les aptitudes, la connaissance et les ressources ne peuvent qu'engendrer le chaos s'il n'y a pas d'organisation. Les sciences politiques nous enseignent que le but fondamental d'un gouvernement est de veiller à ce que le système soit structuré, organisé. L'organisation est à ce point importante que, sans elle, on ne peut parler de productivité et encore moins d'atteinte d'objectifs.

L'administration

Celle-ci se distingue de l'organisation. L'exemple de la Russie soviétique nous permet de mieux saisir cette distinction. Il n'y a pas de doute que ce pays possède un système hautement organisé, mais de nombreuses preuves nous indiquent que sa capacité à produire est sérieusement handicapée par des inaptitudes administratives à l'intérieur des structures. La plus belle organisation ne produit rien si elle n'est pas bien administrée. Le tableau 1.3 nous montre les éléments nécessaires à l'établissement d'un système.

Les attributs culturels

Dans la description d'un système socio-économique, il est d'usage de mettre en relief les attributs culturels ou caractéristiques affectant le bien-être de ses membres. Voici les plus importants:

LES CARACTÉRISTIQUES PHYSIQUES Sans aucun doute, certaines nations ont prospéré grâce à l'ardeur au travail et aux aptitudes physiques de leurs ressortissants. La prospérité actuelle de l'Allemagne de l'Ouest et du Japon est en bonne partie due à l'ingéniosité de leurs habitants.

RELIGION ET PHILOSOPHIE La pensée philosophique a toujours joué un rôle de premier plan dans l'édification des systèmes. Certaines philosophies restreignent la productivité alors que d'autres la stimulent.

Il est généralement admis par les différentes écoles de pensée que la prospérité des civilisations occidentales, et des États-Unis en particulier, est liée à la philosophie de Jean Calvin. Le calvinisme fut la première école de pensée de l'histoire à enseigner que le travail qui rapporte de l'argent était une vertu et que l'homme riche pouvait tout aussi bien que le pauvre se mériter le bonheur éternel. La philosophie de Calvin affirmait que c'était presqu'un péché que d'être pauvre et paresseux. Si le groupe social dont vous faites partie croit que le dur labeur et l'épargne sont des vertus et que paresse et luxure sont des péchés, vous vous y plierez. De fait, la pression sociale motive très fortement l'individu à adopter le comportement qui lui procurera l'estime de ses pairs. Les philosophies créent donc des forces psychologiques qui influencent les croyances et le comportement de l'individu.

LE SYSTÈME D'APPRENTISSAGE L'importance de l'écriture dans les communications est un fait évident. L'absence de langage écrit dans les cultures primitives rendait précaires les communications entre les gens et la transmission des connaissances d'une génération à l'autre. Les cultures anciennes que l'on connaît le mieux aujourd'hui sont celles qui ont développé un langage écrit.

De plus, le langage écrit doit posséder certaines caractéristiques. Les Japonais et les Chinois, par exemple, ont toujours éprouvé des difficultés à utiliser leurs langages écrits, lesquels manquent de flexibilité. Les langues d'origine latine au contraire ont prouvé leur grande souplesse.

LE SYSTÈME SCOLAIRE Toute culture ayant survécu pendant un certain temps se donne un système scolaire. L'éducation est à ce point importante que les pays ne disposant pas d'une structure scolaire suffisante envoient leurs futurs dirigeants s'instruire à l'étranger. L'éducation est donc un attribut essentiel au succès d'un système socio-économique.

LA TECHNOLOGIE Certains pays ne possèdent qu'une technologie élémentaire, agraire. Ils ne peuvent satisfaire leus nombreux besoins qu'en dépendant de pays à technologie avancée. Ces derniers sont dits producteurs et ne laissent souvent aux systèmes socio-économiques plus faibles que le statut de fournisseurs de matières premières. L'ère moderne ne permet à un système d'être productif que s'il possède une technologie moderne, avant-gardiste.

LE SYSTÈME POLITIQUE Tous les pays ont des systèmes gouvernementaux, mais aucuns ne sont identiques. L'exemple du Canada et des États-Unis, dont les problèmes sont souvent similaires, est frappant. On serait porté à croire que leurs systèmes politiques sont les mêmes, mais tel n'est pas le cas. Il faudrait plusieurs pages pour noter toutes les différences entre les deux formes de gouvernement. Les raisons de ces différences sont nombreuses, mais ce qui importe, c'est de savoir que chaque société possède un type de gouvernement qui lui convient.

LA TRADITION Chaque société possède ses traditions ou activités sociales particulières ayant comme origine un événement quelconque. À titre d'exemple, citons la Noël, le premier de l'An, la fête du Travail, les finales de la Coupe Stanley, le mariage, la collation des grades, les élections, la fête organisée par l'entreprise la veille de Noël, les vacances, et de nombreux autres événements qui sont devenus des habitudes sociales. La tradition peut être une cécémonie très formelle, comme l'ouverture d'une Session parlementaire par le Discours du Trône, ou, au contraire, très informelle comme la partie de quilles hebdomadaire des employés du bureau.

Les traditions sont chères aux individus et font consommer beaucoup de temps et d'énergie. Elles visent généralement un but, et de nombreuses activités sont consacrées à les entretenir. À mesure que les temps changent, les traditions doivent évoluer sinon elles deviennent des anachronismes. Celles qui disparaissent sont remplacées par de nouvelles qui répondent au besoin qu'ont les hommes d'avoir des habitudes sociales.

La connaissance des traditions est-elle utile à l'homme d'affaires?

LES TABOUS Les tabous ou comportements défendus sont communs à toutes les sociétés. Dans certaines sociétés, leur non-respect par un étranger peut lui attirer des ennuis de la part des habitants, voire même une sanction légale par les autorités. De nombreuses firmes américaines récemment installées en pays étrangers ont eu à se repentir d'avoir ignoré et violé les tabous. Les tabous évoluent constamment. Il fut un temps, où il était impensable de voir fumer une femme, seule ou en public. Aujourd'hui, ce tabou est disparu.

LES RELATIONS ENTRE INDIVIDUS Dans les sociétés moins évoluées les relations permanentes entre individus ont souvent pour origine les liens familiaux. Les sociétés modernes ont beaucoup évolué à cet égard. Les familles ne sont plus aussi unies qu'autrefois. La mobilité de la population a déraciné les individus et les a placés dans de nouveaux milieux où ils ont dû créer de nouveaux types de relations les uns avec les autres. De tels développements ont eu un impact profond sur le système socio-économique.

CONCLUSION

On pourrait douter de l'intérêt de tout cela pour le monde des affaires. Toutefois, l'administrateur moderne est conscient que son entreprise n'existe que pour répondre aux besoins de la société. Son personnel cadre doit être formé de façon à tenir compte du fait social et de ses forces agissantes. Vous avez été initiés à la notion de système et aux caractéristiques importantes des systèmes socio-économiques. Vous comprendrez davantage les particularités d'une entreprise si vous avez une vue d'ensemble juste du système dans lequel vous et l'entreprise devez évoluer.

le système nord-américain

L'étude de l'histoire nous permet de mieux comprendre notre situation actuelle par la connaissance des événements antérieurs qui ont causé cette situation. Examinons maintenant les concepts importants sur lesquels notre système est fondé afin de mieux le comprendre et l'apprécier.

LE CAPITALISME

La plupart des gens qualifient notre société actuelle de «capitaliste», c'est-à-dire fondée sur les préceptes du capitalisme. Le capitalisme doit son nom à l'usage, dans les premières années d'existence de notre système, de remettre les profits d'une entreprise aux propriétaires des capitaux qu'elle utilisait. Le capitalisme suppose l'existence de plusieurs droits. Premièrement, celui de la propriété privée; deuxièmement, celui de la libre entreprise; finalement, celui de signer des contrats et de les faire respecter par un système juridique. Il ne faut pas faire l'erreur de réunir ces droits en un seul bloc, car ils peuvent exister, et existent, indépendamment les uns des autres. Chacun de ces concepts devra être étudié et évalué séparément.

Pourquoi l'entreprise privée doit-elle exister dans un système capitaliste?

Pourquoi est-il juste de s'engager par un contrat? Pourquoi est-ce important de le faire?

En fait, si Adam Smith, un des premiers économistes classiques, revenait aujourd'hui voir ce qu'est l'entreprise nord-américaine, il ne qualifierait probablement pas le système de «capitaliste». Lorsque les divers gouvernements perçoivent environ 40% du produit national d'une part et, d'autre part, que les coûts de main-d'oeuvre s'élèvent à environ 50% du produit national, il n'est pas juste de qualifier ce système de «capitaliste». Le tableau 2.1 montre la distribution du revenu de l'industrie de l'acier.

TABLEAU 2.1 Distribution du revenu dans l'industrie de l'acier en 1967

Pourcentage	total en millions		dollars par employé
100%	$17 241,3	Revenus	$24 731
		Répartis comme suit:	
41,1%	7 595,0	Produits et services achetés (assure des emplois aux fournisseurs et à leurs fournisseurs)	10 894
38,6%	6 659,5	Coûts de la main-d'oeuvre directe (payés aux employés)	9 553
7%	1 216,6	Coûts de dépréciation et épuisement (procure de l'emploi aux fournisseurs de nouvelles usines et équipements et à leurs fournisseurs)	1 745
4,2%	732,7	Impôts (revenus des gouvernements)	1 051
2,1%	356,5	Revenus réinvestis dans l'entreprise	511
2,9%	492,1	Dividendes (compensation pour l'épargne investie)	706
1,1%	118,9	Intérêt (compensation pour l'épargne prêtée)	271

Il est sage d'éviter l'utilisation de termes tels que capitalisme, socialisme ou tout autre «isme» dans la description des systèmes économiques. Il est préférable de dépeindre les systèmes tels qu'ils sont réellement. Dans notre système, le gouvernement exerce divers contrôles dans différents domaines. Malgré cela, la libre entreprise existe, les gens ont généralement le droit de posséder et de contracter. Cependant, il y a des limites dans l'étendue de tous ces droits. En tant que citoyen canadien, vous n'avez pas le droit de fabriquer des bombes atomiques, de distiller sans permis, etc. Ces restrictions sont dictées par l'intérêt commun, par le bien public.

Plus vite les hommes d'affaires laisseront tomber le qualificatif de capitaliste, mieux ce sera, car il évoque trop d'images antagonistes dans plusieurs esprits critiques. Il serait préférable que nous admettions que nous avons notre propre forme de socialisme tout en essayant de rendre notre système flexible, productif, exploitable.

Socialisme

Nous définissons le socialisme comme étant un système socio-économique dans lequel le gouvernement s'approprie une part importante du produit national et l'utilise pour ce qu'il conçoit être le bien public. Le socialisme implique un contrôle considérable des activités économiques par les autorités gouvernementales. Souvent même, les industries clés sont possédées par le gouvernement.

La propriété privée

Lors d'un ralliement sur un campus, un radical dénonçait «l'establishment» et le concept de la propriété privée. Il déclarait que la propriété privée était la source de tous nos problèmes sociaux et qu'elle devrait être abolie. Une jeune femme, apparemment aussi fanatique, encouragea le jeune homme à continuer, l'appuyant énergiquement. Comme elle s'approchait de lui, elle montra le foulard qu'il portait au cou et dit: «Oh, quel joli foulard! Donnez-le-moi! Je le veux.»

Le conférencier recula, protestant: «Non, il est à moi!»
La jeune femme répliqua: «Mais je pensais que nous étions d'accord pour que la propriété privée soit abolie, alors le foulard est autant à moi qu'à vous. Vous l'avez porté durant un moment, c'est maintenant à mon tour.»

La foule hurlait pendant que le jeune homme balbutiait et tentait de se tirer de ce dilemne. La jeune femme dénonça alors l'hypocrisie de ces gens qui veulent abolir la propriété privée, pour les autres! De plus, fait intéressant, le radical s'esquiva de la réunion dans une Corvette de l'année.

La plupart des communistes orthodoxes admettent maintenant qu'ils ne s'étaient pas rendu compte jusqu'à quel point le concept de propriété privée était enraciné chez l'homme. Essayez seulement de dire à un fermier que la récolte de pommes de terre qu'il prépare n'est pas à lui, mais à l'État. Essayez de dire à un garçon qui a élevé un petit agneau que l'animal appartient à la communauté. Instinctivement, les hommes développent de fortes attitudes de propriétaires pour protéger ce qu'ils considèrent être leur bien. Ne pas avoir tenu compte de ce profond sentiment a été une erreur fondamentale de la théorie communiste. En conséquence, la plupart des sociétés fondées sur le marxisme ont dû accorder un droit de propriété individuelle. Il ne faut jamais sous-estimer la vigueur avec laquelle un homme protégera ce qui lui appartient.

L'expérience indique que le désir de posséder est une force vitale qui motive les hommes à travailler. Sans ce droit à la possession, on ne pourrait pas accumuler de capital et il serait inutile d'épargner de l'argent si nous ne pouvions pas l'investir dans la propriété.

Si vous développiez un système dans lequel la propriété privée n'existe pas, à quel comportement vous attendriez-vous de la part des gens en ce qui a trait à la propriété?

Les biens

Le concept de propriété privée concrétise le droit et l'aptitude d'un individu à utiliser et à disposer d'objets matériels ou immatériels. Quand un bien est acquis par un individu selon les formes prescrites par la loi, il devient la propriété de cette personne. Les biens sont répartis en deux grandes catégories: les immeubles et les meubles. Un immeuble est un terrain et/ou toutes structures ou choses qui y sont attachées. Un meuble est tout bien qui n'est pas immeuble. En réalité, ce qu'on possède, c'est le droit de faire certaines choses avec ses biens, mais les droits que l'on a sont limités. Par exemple, vous pouvez posséder une maison, mais cela ne vous donne pas le droit d'y mettre le feu.

Qu'est-ce qu'une création légale? Nommez-en quelques-unes. Pourquoi n'avez-vous pas le droit de mettre le feu à votre maison? Est-ce votre maison, ou non?

Le droit de contracter

Vous êtes libre d'assumer des obligations contractuelles: c'est votre droit de signer des contrats et de les faire respecter par les tribunaux. Sans ce droit, les affaires seraient impossibles car elles sont le résultat de transactions. Pour qu'une transaction ait lieu, il faut que les parties contractantes croient à l'exécution des obligations résultant de l'entente. En effet, vous ne pouvez et ne voulez pas contracter avec quelqu'un qui ne peut pas tenir sa parole. Les bons hommes d'affaires protègent soigneusement leurs obligations contractuelles puisque le désir des autres de faire affaire avec eux en dépend. En fait, on pourrait définir les affaires comme un ensemble de démarches aboutissant à des contrats. Le droit de contracter est donc essentiel en affaires.

Contrat

Un contrat est une convention par laquelle une ou plusieurs personnes s'obligent envers une ou plusieurs autres à donner, à faire ou à ne pas faire quelque chose. S'il y a non-respect de cette convention, la loi prévoit des recours que les tribunaux peuvent imposer.

La libre entreprise

La libre entreprise met en application le droit de l'individu de choisir ce qu'il désire faire pour gagner sa vie. C'est une liberté fondamentale que de pouvoir entrer dans l'entreprise sociale ou économique de son choix. Toutefois, même si notre système favorise plus que tout autre la libre entreprise, plusieurs restrictions existent à propos de cette liberté d'action. Vous devez avoir, au préalable, des qualifications certaines pour agir dans la plupart des entreprises. Vous devez obtenir les permis appropriés et respecter les réglementations locales si vous voulez établir une compagnie. Vous devez avoir un certain niveau d'éducation, d'expérience et d'aptitude pour être un médecin, un avocat ou un comptable agréé. Vous devez être membre d'une association ou d'un syndicat pour exercer certains métiers.

En dépit de telles restrictions, vous avez, dans notre système, plus de liberté pour choisir la voie dans laquelle vous vous engagerez que dans tout autre système connu de l'histoire de l'homme. Cette liberté devrait être jalousement gardée parce qu'elle est une des plus précieuses que vous ayez. Représentez-vous un système dans lequel quelqu'un d'autre que vous dicterait ce que vous devez faire de votre temps, de votre vie.

Est-il possible d'avoir un gouvernement très socialiste et de maintenir encore un système solide de libre entreprise? Est-ce incompatible?

Le libre choix

Quoique très près du concept de libre entreprise, le concept de libre choix mérite d'être mentionné séparément. Tandis que la libre entreprise se rapporte à la liberté de sélectionner ce que vous voulez faire de votre vie, le libre choix traduit la possibilité d'acquérir ce que vous désirez. Dans certains systèmes, les consommateurs n'ont que peu ou pas de choix quant à ce qu'ils peuvent acheter. Notre système est basé sur l'idée que le consommateur devrait être libre d'acheter ce qu'il veut. Ce libre choix est à la base de la concurrence.

La concurrence

La concurrence constitue un élément très important de notre système. Quand cela est possible, la compétition entre hommes d'affaires pour la conquête d'un marché est bénéfique aux consommateurs. Nous avons plusieurs preuves que des situations concurrentielles provoquent une baisse des prix, de meilleurs produits et plus d'innovations. Au contraire, un monopole est habituellement assuré d'un profit convenable et ne se préoccupe pas d'améliorer ses produits, son service et de réduire ses prix.

Pourquoi, alors, avons-nous des monopoles?

TABLEAU 2.2 Calcul de la productivité de l'industrie de l'acier 1958-1967

		1958	1967
Production en millions de tonnes d'acier brut		85,3	127,2
Ressources en millions d'heures-homme		753	816
OU			
coût des salaires ($ millions)		$2 644	$3 876
PRODUCTIVITÉ =	$\frac{85,3}{753}$ =	0,11 tonne par heure-homme	
	$\frac{127,2}{816}$ =		0,16 tonne par heure-homme
	OU		
	$\frac{85,3}{2644}$ =	0,0323 tonne par $1 de salaire	
	$\frac{127,2}{3876}$ =		0,0328 tonne par $1 de salaire

Interprétation: **La productivité a augmenté de 0,11 tonne/heure-homme en 1958 à 0,16 tonne/heure-homme en 1967. Cependant, quand on a introduit dans le tableau l'augmentation du salaire payé par heure-homme, la productivité n'a augmenté que d'un montant insignifiant, de 0,0323 tonne par $1 de salaire à 0,0328 tonne par dollar de salaire. Il est clair que l'augmentation de productivité dans l'industrie de l'acier durant cette période a profité aux travailleurs.**

La productivité

La productivité est représentée par le rapport entre la quantité de produits fabriqués (output) et les facteurs de production (input) que sont la main-d'oeuvre, les ressources, l'argent...Naturellement, il s'ensuit que le bien-être d'un système dépend de la production qu'il peut obtenir avec les ressources dont il dispose. Par exemple, les pays industrialisés ont un taux de production élevé par unité de main-d'oeuvre dont ils disposent tandis que les pays sous-développés ont un taux beaucoup plus bas. La productivité est évidemment la mesure de l'abondance. Le tableau 2.2 présente la productivité de l'industrie de l'acier.

Comment le rendement peut-il être mesuré?
Pourquoi se sert-on d'heures-homme pour mesurer les ressources? Devrait-on utiliser des dollars ou une autre unité pour mesurer la productivité?

LES FONDEMENTS PHILOSOPHIQUES

Le puritanisme

Le chapitre précédent met l'accent sur l'importance de la philosophie d'une culture et souligne le rôle des philosophies calvinistes dans notre système. Elles se sont manifestées dans les premières années par le puritanisme qui incitait les gens à travailler avec ardeur, à épargner leur argent et à ne pas pécher. La consommation dépassant les besoins primaires était un péché. De telles attitudes ont créé beaucoup d'épargne et tandis que la consommation était minimisée, la productivité était maximisée. Cette épargne a contribué à l'édification d'un empire industriel. De nos jours, la pensée puritaine, malgré son déclin, influence encore nos attitudes.

Le pragmatisme

Une doctrine pragmatique était associée au puritanisme. Les Nord-Américains ont toujours accordé la première place à l'action, à la pratique. Ce pragmatisme a encouragé des inventeurs à trouver de nouvelles façons de résoudre les problèmes auxquels ils devaient faire face. Si une technique de production ne donnait pas de résultats, une autre méthode était recherchée. Le pragmatisme peut certainement être rangé parmi une de nos doctrines fondamentales.

Le matérialisme

Un autre aspect de notre philosophie socio-économique est souvent appelé matérialisme. Une grande part de la population apprécie plus les choses matérielles que spirituelles. Nous aimons nos biens et nos services, notre niveau de vie. Nous voulons continuellement améliorer notre bien-être matériel. Cette attitude constitue une importante motivation des travailleurs à une plus grande productivité. En effet, si les travailleurs ne désiraient pas posséder de biens matériels, ils n'auraient pas d'intérêt à les produire. Si vous êtes satisfaits de ce que vous avez, vous avez peu de motivation pour produire davantage. Sans poser de jugement de valeur, nous constatons que les sociétés non matérialistes n'ont qu'une productivité faible. Donc, vous ne pouvez pas, à la fois, rejeter le matérialisme et vous plaindre de votre niveau de vie trop bas. C'est souvent une relation de cause à effet.

L'idéalisme

Ces considérations ne contredisent pas, comme plusieurs de nos critiques ont l'habitude de le faire, le fait que l'idéalisme a aussi été une des philosophies de notre peuple. Qui, sinon un idéaliste, aurait eu assez de courage pour entreprendre la construction de vastes canaux, de relier les deux côtes d'un continent par des voies ferrées? Qui, sinon un idéaliste, investirait d'énormes sommes d'argent dans des industries nouvelles dont la rentabilité n'est pas prouvée. Si on veut les voir, les exemples d'idéalisme sont nombreux dans le monde des affaires. L'idéalisme a certainement été une philosophie qui a servi à l'édification de notre système.

LE SYSTÈME AGRAIRE

Très tôt, les colonisateurs nord-américains ont constaté qu'il y avait de très grands espaces et très peu de main-d'oeuvre. Ces faits expliquent en grande partie notre développement. Puisque la main-d'oeuvre était rare, les fermiers devaient innover en cherchant de nouvelles façons de rendre leur travail plus productif. Voilà pourquoi nous avons été les premiers à industrialiser l'agriculture. Alors que, dans l'industrie la plus vieille du monde, l'humanité a peiné durant environ cinquante siècles; nous avons, en très peu de temps, mis au point des innovations qui ont révolutionné l'équipement, la technologie et la production agricoles.

En outre, de grands espaces offraient aussi d'immenses possibilités car, dans les premières années, il n'y avait aucune restriction. Un homme pouvait toujours aller où il voulait et s'approprier autant de terrains qu'il pouvait en garder. Cela procurait une certaine sécurité sociale en ce sens que les plus pauvres avaient la possibilité de modifier leur situation.

À cause des grandes étendues de ce continent, nous avons rapidement ressenti le besoin d'un excellent système de transport. Ainsi, notre société a toujours recherché le meilleur système de transport possible. Le transport est si important pour la prospérité de notre système que notre gouvernement a continuellement subventionné directement et indirectement cette industrie. Le transport constitue, aujourd'hui, une partie non négligeable du produit national brut. Constatons l'importance de l'industrie de l'automobile et de tous ses systèmes auxiliaires!

Étant une société agraire qui disposait de grandes étendues de terrains et qui était éloignée des grands centres industriels européens, nous avons appris à nous suffire à nous-mêmes. Les complexes industriels si diversifiés et le système socio-économique que nous connaissons aujourd'hui résultent de l'initiative de cette société décentralisée qui prit les moyens pour satisfaire ses besoins.

L'INDUSTRIALISATION ET SES CONSÉQUENCES

La révolution industrielle du dix-neuvième siècle en Angleterre est bien expliquée dans la plupart des manuels d'histoire et il n'est pas nécessaire d'y revenir ici. Nous tenterons plutôt de décrire l'impact de l'industrialisation sur notre système actuel. Cette transition d'une société agraire à une société industrielle est à l'origine de la plupart des problèmes économiques et sociaux que nous connaissons aujourd'hui, le processus d'industrialisation n'étant pas terminé. L'influence agraire subsiste encore et nous suscite des difficultés. Comment un homme, élevé sur une petite ferme du Nord-Ouest de la Province, peut-il évoluer et réussir quand il est projeté soudainement dans une société industrielle complexe pour laquelle il n'a eu aucune préparation? Que peut faire un fermier de soixante ans quand son produit ne peut plus concurrencer ceux des grandes fermes industrialisées? Comment les gouvernements feront-ils face aux problèmes des grandes concentrations métropolitaines et au dépeuplement des campagnes?

La famille rurale et toutes ses qualités font partie du folklore canadien et américain. Qu'est-ce que l'industrialisation a fait à cette famille?

L'urbanisation

L'industrialisation a provoqué l'urbanisation. Les coûts de transport forcent les manufacturiers à s'établir près de leurs marchés. Les grandes régions métropolitaines, par leur concentration de population, deviennent attrayantes pour les manufacturiers. Nous n'avons pas encore trouvé la façon de combattre cette tendance à la centralisation. Même si plusieurs écrivains insistent sur l'urgence d'une décentralisation industrielle, nous n'avons pas encore élaboré un plan de travail pour agir en ce sens. Notre urbanisation est rapide et presque complète.

Notre système fait maintenant face à tous les problèmes économiques et sociaux inhérents à l'urbanisation et nous nous efforçons de les résoudre.

Imaginez un programme pour renverser la tendance à l'urbanisation. Comment pourrions-nous le faire si nous le voulions vraiment?

La sécurité

Une famille vivant sur une ferme se suffisant à elle-même était autrefois presque indépendante du bien-être économique du système. Quand il y avait des moments difficiles, elle n'était pas réduite à mourir de faim ou à manquer d'un toit. Elle avait encore du travail à faire. Il n'y avait pas nécessité d'un constant revenu en argent.

Prenez cette famille rurale et transportez-la dans une grande ville où ses membres doivent travailler et recevoir un salaire; la situation s'inverse! La vie familiale dépend maintenant d'un apport continu d'argent. Elle doit maintenant payer en argent sa nourriture et son logement. Ses membres devront faire face aux problèmes de la retraite obligatoire et ils auront toujours besoin d'argent. La famille est maintenant dépendante de l'économie pour survivre. Le travail et la sécurité d'emploi prennent alors une importance monétaire et psychologique différente. Les salariés chercheront par d'autres moyens à retrouver la sécurité que conférait l'exploitation d'une ferme aux agriculteurs.

L'éducation

L'éducation n'était pas nécessaire pour survivre dans une société agraire. Les connaissances nécessaires à l'opération de la ferme s'obtenaient de la famille et des pairs. Au contraire, l'homme sans éducation est perdu dans une société très industrialisée, car l'industrialisation repose sur des connaissances et des compétences qui ne peuvent habituellement pas être acquises auprès de la famille ou des amis. Elle exige une éducation qui n'est généralement accessible qu'à la jeunesse. En effet, comment rééduqueriez-vous un quinquagénaire déplacé d'une société agraire dans une société industrielle?

En plus des raisons monétaires, pourquoi est-ce important d'avoir un emploi?

La perte d'identité

Les systèmes sociaux agraires sont habituellement petits et définis. Le statut de chaque membre y est établi et respecté, et l'individu est reconnu. Les gens le connaissent depuis sa naissance et ce jusqu'à sa mort. De plus, tous le connaissent par son nom et chacun sait quand il fait quelque chose de bien ou de mal. Cela fait pression sur l'individu pour qu'il se comporte selon les normes du groupe et il est alors socialement reconnu. Son identité est clairement établie. Il existe!

Placez cet homme dans une métropole, travaillant pour une grande compagnie, et la situation est inversée. Qui est-il? Personne ne le connaît en dehors de sa famille immédiate et de quelques compagnons de travail. Son voisin peut même ne pas le connaître. Il tend à perdre son identité. Les pressions du groupe sont réduites car s'il fait mal, qui le saura? S'il fait bien, qui s'en apercevra? Les mécanismes sociaux du système agraire ne fonctionnent pas aussi bien dans une société industrialisée. Nous essayons de développer de nouveaux mécanismes mieux adaptés, mais ce n'est pas facile.

De quelles manières les individus dans une société industrielle peuvent-ils acquérir une identité?
Comment l'entreprise peut-elle utiliser cette connaissance?

Le système monétaire et bancaire

Dans de véritables sociétés agraires, il n'est pas nécessaire d'avoir un excellent système monétaire et bancaire. Les premiers fermiers avaient peu d'argent et ils troquaient leur production selon leurs besoins. Une société purement agraire se constitue en grande partie une économie de troc.

Plusieurs raisons ont fait que notre système monétaire et bancaire fut lent à se développer. Ce fut seulement avec l'expansion industrielle rapide que l'on réalisa la nécessité d'un tel système. Nous avons résolu le problème et aujourd'hui une série de lois régissent ces importantes activités de notre économie.

Notre société industrielle a dépassé le stade d'une économie monétaire et forme une économie de crédit dans laquelle relativement peu d'argent liquide est requis. La plupart des transactions sont financées par l'emploi d'instruments de crédit. Certaines entreprises envisagent même le jour où l'argent sera inutile; les transactions seront alors enregistrées sous forme d'entrées comptables grâce à un système complexe d'ordinateur.

Imaginez comment pourrait fonctionner une société sans argent. Supposez qu'il n'y ait pas d'argent en circulation. Comment fonctionnerait le système? Pourquoi l'argent existe-t-il encore?

Les besoins de capitaux

L'industrialisation exige des fonds. Dans les premières années d'existence de notre système, l'établissement d'une petite ferme ne demandait pas de grand investissement. Tout ce qui était nécessaire était assez de courage pour se rendre au-delà des frontières et s'approprier une étendue de terrains. Cependant, plus nous nous industrialisons, plus les besoins en capitaux augmentent.

La technologie

La société industrialisée a développé une dépendance envers la technologie qui a permis sa croissance. Puisque la société doit continuellement évoluer, elle doit tenter d'améliorer sa technologie et, en conséquence, elle doit dépenser de l'argent pour la recherche. La société industrielle est donc orientée vers la recherche et les résultats permettront d'améliorer les systèmes et les procédés industriels. Cette amélioration augmentera la productivité et constitue l'espoir de survie de cette société.

Au cours du dix-neuvième siècle, on n'entendait presque pas parler de la recherche. Les chercheurs faisaient rire d'eux. Les écoles d'agriculture ont connu des difficultés en voulant vendre l'idée de la recherche agricole à la communauté agraire. Après plusieurs décades de travaux, les écoles d'agriculture réussirent à prouver que la recherche procure une plus grande productivité. Et elles ont gagné le respect des gens qu'elles tentaient de servir.

Le fermier ne voit pas la nécessité de la recherche parce qu'il n'a pas confiance en la technologie. À l'opposé, le président d'une grande firme telle que DuPont, IBM, ou Bombardier, comprend que la survie de l'entreprise dépend de son hégémonie technique dans son domaine; aussi, n'hésite-t-il pas à encourager la recherche.

LA SITUATION ACTUELLE

On pourrait définir notre système actuel comme étant une bureaucratie socio-technique comprenant des éléments capitalistes. Notre société est presque complètement industrialisée; même les biens agricoles ne peuvent plus être considérés comme les produits d'une société agraire parce que la majorité de nos aliments est produite par des grandes entreprises agricoles qui ont peu de choses en commun avec les sociétés agraires décrites plus haut. Nous utilisons le mot bureaucratie pour signifier que la plupart de nos institutions sont gérées par des administrateurs professionnels engagés par les propriétaires des entreprises. Le mot «socio-technique» se justifie parce que d'une part nous dépendons de la technologie et que, d'autre part, notre système se préoccupe de plus en plus des gens et de leur façon de vivre.

Les responsabilités des entreprises

Durant les deux dernières décennies, on a discuté des responsabilités de l'homme d'affaires dans ce système. Plusieurs individus voudraient que l'homme d'affaires assume la responsabilité des actions nécessaires pour opérer les changements qu'ils souhaitent. Ils proposent que l'entreprise soit une force agressive et positive de changement social. Il y a des aspects valables dans ces points de vue et l'homme d'affaires pourrait certainement jouer un rôle prépondérant dans l'évolution du système.

D'autre part, certains penseurs voient de graves dangers dans cette attitude progressiste de l'homme d'affaires. Ils ne veulent pas que l'homme d'affaires dirige le changement parce qu'ils ne savent pas s'ils seront heureux de l'issue de cette transformation. Cette école de pensée soutient que la fonction de l'entreprise est de servir les gens, non de les mener.

Qui mène dans notre société?

CONCLUSION

Vous aurez un point de vue légèrement différent sur notre système d'entreprise si vous laissez de côté les clichés qu'on lui applique habituellement et si vous examinez soigneusement ce qu'il est réellement et comment il fonctionne. Vous devriez comprendre maintenant les concepts de base de notre système socio-économique et voir pourquoi ils sont si importants. Les concepts de la libre entreprise, de la propriété privée et de la liberté de contracter sont vitaux pour notre système et pour toute société productive libre. Pour comprendre plusieurs des problèmes actuels que nous rencontrons, nous devons aussi comprendre la complexité du passage d'une société agraire à une société industrielle. Il ne peut pas être effectué du jour au lendemain et nous sommes encore dans les dernières étapes de la transition.

En dépit des critiques, notre système est valable parce qu'il est flexible.

l'homme: ses besoins, son comportement

Pourquoi les gens agissent-ils comme ils le font? Si un jour vous pouvez répondre à cette question, vous aurez acquis une compréhension du comportement humain qui vous permettra de connaître les hommes, de savoir ce qu'ils veulent et pourquoi ils le veulent; il sera alors clair dans votre esprit, que les relations humaines sont à la base de toute activité de gestion.

Dans votre vie, vous évoluerez constamment au milieu d'humains. Il sera nécessaire, si vous voulez réussir, de maîtriser les éléments qui conditionnent le comportement humain.

L'étude du présent chapitre vous initiera aux sciences du comportement. À vous, ensuite, de poursuivre le travail.

LES SCIENCES DU COMPORTEMENT

Le terme «sciences sociales» englobe habituellement six champs de connaissances: l'anthropologie, l'économie, l'histoire, les sciences politiques, la psychologie et la sociologie. Trois d'entre eux traitent directement du comportement humain: l'anthropologie, la psychologie et la sociologie. Notons également que certains aspects de l'économie et des sciences politiques traitent aussi du comportement humain.

Ces sciences sont jeunes car la plupart des connaissances acquises l'ont été au cours des quarante dernières années. Les théories développées sur un sujet aussi vaste et complexe que le comportement humain ont donné lieu à de vives controverses et nous ne pouvons espérer que l'unanimité se crée autour de l'une ou l'autre de ces théories. D'ailleurs, il arrive souvent que plusieurs théories soient énoncées pour tenter d'expliquer un seul aspect du comportement humain. À titre d'exemple, les théories sur l'apprentissage ont maintes fois fait l'objet d'études en psychologie, et le désaccord demeure profond quant à notre façon d'apprendre.

Comment expliquer autant d'opinions divergentes au sein des sciences du comportement?

Certains reprochent à ces sciences d'attacher trop d'importance à des problèmes de second ordre, de négliger les questions fondamentales, de se lancer dans les grandes théories et d'ignorer les faits réels, de s'en tenir à des vérités évidentes, de fournir trop d'indices et pas assez de preuves, de rejeter ou de mépriser les leçons du passé, enfin, de tenir un langage ésotérique.

Pourquoi certains champs de connaissance semblent-ils vouloir développer un jargon qui leur soit propre?
Quels avantages et quels inconvénients cela présente-t-il?

La dernière décennie fut marquée par la publication d'un très grand nombre d'ouvrages sur le rôle des sciences du comportement dans le monde des affaires, notamment dans les domaines de la gestion et du marketing. Les administrateurs se doivent de maîtriser les différents aspects de ces sciences puisque leur travail consiste surtout à comprendre et à orienter le comportement des autres personnes. L'intérêt, par exemple, du spécialiste en marketing doit se porter sur le comportement du consommateur, sur les motifs qui amènent celui-ci à acheter un produit plutôt qu'un autre.

L'administration: une science du comportement?

Plusieurs hommes d'affaires rejettent l'idée que l'administration s'appuie sur les sciences du comportement déjà existantes; ils maintiennent que l'administration constitue une science du comportement au même titre que les autres. Selon eux, l'administration contribue à comprendre des aspects importants du comportement humain, à savoir la production et l'acquisition d'un niveau de vie par l'individu. Nous pouvons donc affirmer que l'administration est une science du comportement de plein droit. En effet, non seulement a-t-elle ses théories propres mais elle utilise aussi les conclusions et les connaissances précisées par les disciplines connexes. De la même façon, nous pensons que les autres sciences du comportement auraient avantage à reconnaître et à utiliser les résultats des travaux faits en administration.

LA SOCIOLOGIE ET L'ADMINISTRATION (MONDE DES AFFAIRES)

La sociologie étudie le comportement de l'homme en groupe dans son milieu de vie afin de déterminer des principes sur la nature humaine; la connaissance de l'organisation et des interactions sociales, la culture constituent autant d'éléments mis au jour par la sociologie et nécessaires à la science administrative. Elle se préoccupe aussi du comportement de divers groupes d'individus: acheteurs, vendeurs, travailleurs, intermédiaires, actionnaires, ainsi que des groupes qui sont davantage motivés par les pressions sociales que par les impulsions individuelles. La sociologie s'interroge sur l'individu comme entité propre dans un groupe et s'intéresse à ses réactions face aux incitations du milieu social de même qu'aux influences qu'il peut exercer sur son milieu de vie. La sociologie apporte beaucoup de données à la science administrative par ses études sur la population, la motivation des consommateurs, l'écologie, les comportements collectifs, la famille, les phénomènes de communication et les méthodes de recherche.

La population et les diverses segmentations

On entend souvent le truisme suivant: «les marchés de consommateurs sont constitués de groupes de gens qui ont de l'argent à dépenser». Une telle affirmation nous indique à quel point la société crée un impact sur le monde des affaires. D'ailleurs, la consultation de textes commerciaux nous révèle la segmentation des marchés par le développement de sujets tels que: le monde des adolescents, les citoyens d'âge mûr, les jeunes mariés, les mouvements ville-banlieue, l'explosion démographique et les déplacements de population.

Quelle est la meilleure source d'information concernant les caractéristiques et les tendances d'une population?

Les études démographiques fournissent indiscutablement les informations essentielles à partir desquelles l'homme d'affaires pourra déterminer l'importance, le site et le comportement probable d'un marché éventuel. Elles permettent ainsi de prévoir suffisamment à l'avance les besoins et de vérifier si ceux-ci existent encore au moment de l'expansion.

La motivation du consommateur

Les motivations du consommateur conditionnent les plans de marketing. En effet, malgré les budgets élevés qui sont consacrés à ces études, elles ne sont pas concluantes et nous éclairent très peu sur les raisons profondes du comportement du consommateur lors de l'achat. Néanmoins, c'est à la sociologie que nous devons les découvertes les plus significatives dans ce domaine. La motivation était antérieurement définie en termes d'instinct, de besoins physiologiques et de quelques vagues impulsions caractérisant l'individu. Il n'était pas tenu compte du milieu social, de la culture et des groupes d'appartenance. Aujourd'hui, les hommes d'affaires savent que les pressions et les normes des groupes influencent très fortement les motivations des consommateurs. Cette évolution est due surtout à la sociologie, laquelle a attiré l'attention sur le rôle des classes et des statuts, sur le processus de motivation et le style de vie de différentes personnes.

Pourquoi est-il difficile d'analyser la motivation des gens?

L'écologie humaine

L'écologie humaine étudie comment l'homme s'adapte à son environnement de façon à satisfaire les besoins de la société, et comment les hommes et leurs institutions modifient leur comportement dans un milieu en évolution. L'écologie a étudié l'implantation et l'évolution des institutions dans la société agraire. Elle a constaté comment certaines institutions se sont adaptées et comment d'autres ont été créées pour faire face aux besoins d'une société post-industrielle fortement urbanisée. Ces changements ne sont pas survenus sans provoquer de nombreuses perturbations économiques et sociales. Les marchés traditionnels sont disparus au profit d'emplacements nouveaux, les goûts des consommateurs ont changé, et les façons de dépenser sont plus nombreuses et plus variées.

L'ANTHROPOLOGIE ET L'ADMINISTRATION (MONDE DES AFFAIRES)

Malheureusement, ici nous devons reconnaître que l'administration (monde des affaires) fut privée en quelque sorte des contributions qu'aurait pu lui apporter l'anthropologie, à cause de la trop grande importance accordée à la sociologie et à la psychologie. Ce fut une erreur car les administrateurs ont perdu un apport précieux.

L'apport de l'anthropologie

Les anthropologues ont participé à plusieurs programmes d'action pour des entreprises visant le marché international. Emmagasinant des connaissances sur les cultures étrangères, ils ont été en mesure de prévenir des erreurs grossières. Ils ont même mis au point des méthodes d'entraînement des vendeurs comportant une analyse du rythme oratoire du représentant selon les catégories de clients éventuels. Ils ont aussi collaboré à plusieurs projets industriels où il était nécessaire de procéder à des mensurations du client. Ce fut le cas de produits tels que les chaises, les vêtements et les automobiles. L'anthropologue est particulièrement apte à préciser les caractéristiques nationales, culturelles ou distinctives d'une nation. Il peut aussi établir les disparités régionales en termes de mode de vie et distinguer les éléments d'une sousculture. Certains s'intéressent particulièrement à l'étude des comportements nonverbaux, comme le geste, la posture, les préférences dans le boire et le manger. D'autres s'intéressent aux significations symboliques des divers rites qui marquent le passage des étapes de la vie, à savoir l'atteinte de la majorité, le mariage, l'achat du premier pantalon, la retraite, etc.

Les cérémonies de mariage représentent l'un de nos rites.
Énumérez les actes qui en résultent au niveau du comportement du consommateur.

Certains produits n'atteignent pas le marché québécois parce que leur appellation anglaise est incompréhensible à un francophone, ou tout simplement parce que la traduction littérale du nom constitue un non-sens. Cela peut créer des difficultés à une entreprise. Ainsi, à un manufacturier de produits de beauté qui demandait à un anthropologue s'il devait continuer à utiliser l'emblème fleurdelisé sur ses emballages, on répondit que ce symbole rappelait la royauté française et qu'il avait une signification masculine. Une enquête confirma cette assertion et l'emblème fut rayé des emballages.

Les entreprises qui veulent augmenter leur pénétration dans plusieurs marchés secondaires font de plus en plus appel à des données anthropologiques susceptibles de les aider à comprendre les comportements qui sont propres à ces groupes de consommateurs. Les anthropologues connaissent les composantes fondamentales d'une culture et peuvent ainsi diriger les efforts des administrateurs.

Dans le cas du distributeur de bonbons, par exemple, qui savait que ses boîtes de chocolats étaient généralement achetées pour faire un cadeau, mais qui était incapable de tirer profit de cette connaissance, un anthropologue proposa un mode de présentation de la boîte et un moyen de faire une promotion basée sur le symbole «don d'un présent». On se rendit compte, après étude, de la signification des grandes fêtes de l'année; ce qui permit de suggérer de nouveaux thèmes pour l'agencement des vitrines, et d'orienter différemment la promotion.

Élaborez des programmes de promotion reliés au symbole «don d'un présent».

Il est relativement facile de profaner involontairement les tabous culturels d'une nation, surtout si vous vendez sur les marchés étrangers. Par exemple, en Iran, le bleu est une couleur de deuil et il est de mauvais augure d'employer cette couleur sur un emballage. Le vert est la couleur nationale de l'Égypte et de la Syrie et cela les insulte lorsque vous utilisez cette couleur dans un but commercial. Par ailleurs, le pourpre est un symbole de mort en Amérique latine alors que le blanc joue un rôle analogue au Japon. Les Thaïlandais considèrent les pieds comme méprisables, aussi ne favorisent-ils pas un produit qui utilise cette image.

À la lumière de ces quelques faits, nous pouvons dire que les anthropologues jouent véritablement un rôle important dans les affaires. Le monde des affaires ne saurait donc négliger cet apport qu'est l'indication de symboles et de thèmes susceptibles de favoriser la pénétration d'un marché.

LA PSYCHOLOGIE ET L'ADMINISTRATION

Les domaines de la psychologie qui intéressent le plus l'homme d'affaires sont: la perception, la motivation, le comportement, l'apprentissage et le développement de la personnalité. Le psychologue s'intéresse à l'équilibre émotionnel d'un individu; il analyse ses attitudes, ses appréhensions, ses motivations, sa recherche du bonheur. Il existe de nombreux recoupements entre la sociologie et la psychologie. Il ny a pas de démarcation nette entre ces deux sciences et l'on peut dire que le milieu, le statut d'un individu à l'intérieur d'un groupe, le rôle qu'il y joue ainsi que les normes du groupe influencent très fortement les motivations individuelles.

L'apprentissage

Un des premiers sujets d'étude des psychologues fut le phénomène de l'apprentissage: quel en est le processus? Comment l'apprentissage modifie-t-il le comportement? En affaires, ces connaissances sont d'autant plus précieuses qu'elles facilitent la recherche de solutions aux problèmes d'entraînement et de perfectionnement des employés, de relations extérieures, de publicité..., bref de tous les problèmes où il faut tenir compte de l'élément humain.

Quelles sont les conditions requises pour assurer un bon apprentissage?

La perception

Une bonne compréhension du comportement humain exige une connaissance du mécanisme qui fait que l'homme entre en contact avec son milieu, l'interprète et en tient compte dans ses actes. Ce mécanisme, c'est la perception. Ce procédé complexe permet à l'homme de choisir, d'organiser, d'interpréter ses stimuli, ses sensations afin d'obtenir une image cohérente et significative du monde qui l'entoure. La connaissance de ces phénomènes rend de grands services à l'homme d'affaires. À titre d'exemple, citons le principe de Weber. Celui-ci affirme que la capacité d'un individu à percevoir les différences entre les divers stimuli varie proportionnellement à l'intensité initiale d'un stimulus.

L'analyse de l'application de ce principe au facteur prix nous fait constater qu'une coupure dans les prix doit être d'au moins 10% pour avoir un certain effet: une réduction de $5 sur le prix d'un télécouleur passera inaperçue alors qu'une diminution de $5 sur le prix d'un appareil radio de $25 aura un effet certain.

La motivation

Nous ne pouvons toutefois pas expliquer tout le comportement d'un être humain en termes aussi simples que ceux d'une réaction immédiate à un stimulus particulier. L'exemple suivant illustrera ce fait. Une femme voit une robe à un étalage (le stimulus) et l'achète (la réaction). Nous savons, par expérience, que la vue d'un objet est rarement la vraie raison d'un achat. De nombreux motifs et parfois toute une série d'actions peuvent avoir provoqué une réaction: le désir de bien paraître lors d'une prochaine sortie, le fait que la dame se sente déprimée et qu'elle ait l'impression que l'achat de la robe lui remontera le moral. Toutes ces hypothèses peuvent expliquer les motifs de l'achat. Il peut aussi en exister de plus profonds. La motivation s'étudie par l'analyse des objectifs des êtres humains, de leurs besoins, de leurs désirs et des actes qu'ils posent pour les réaliser. Il faut aussi tenir compte de leurs croyances et de leurs craintes.

La personnalité

Certains psychologues se spécialisent dans l'étude de la personnalité, de ses éléments et de son rôle dans le comportement d'un individu. Étant donné que non seulement le marketing concentre ses efforts sur la personnalité du consommateur, mais aussi que toutes les activités de gestion gravitent autour de personnalités humaines, ils nous apparaît nécessaire pour l'homme d'affaires de se familiariser avec les éléments de la psychologie, d'en comprendre les principales composantes et notamment les caractéristiques de la personnalité.

LES ÉLÉMENTS DU COMPORTEMENT LES PLUS IMPORTANTS POUR L'HOMME D'AFFAIRES

L'homme d'affaires devra tenir compte des connaissances apportées par les sciences du comportement en ce qui a trait aux besoins de l'individu et à son influence sur divers groupes.

Les besoins

Satisfaire les besoins est l'objectif premier de toute entreprise. Même si ce fait est critiqué ou rejeté par certains, il n'en demeure pas moins l'élément fondamental du comportement de l'entreprise. L'homme d'affaires détecte un besoin particulier et cherche à le satisfaire, espérant, ce faisant, une rémunération. La satisfaction d'un besoin n'est pas une force qui agit seulement au niveau de l'homme d'affaires, elle motive aussi l'individu et oriente son comportement.

LES TYPES DE BESOINS On a beaucoup écrit sur ce sujet. Nous ne présentons ici qu'une structuration des besoins qui semble faire l'unanimité dans notre société. Il faut au départ préciser que ce sujet n'est pas clos, il est l'objet de spéculations constantes et donc susceptible d'évolution. Il est généralement admis de regrouper les besoins de l'individu en cinq catégories:
Les besoins physiologiques Ce sont la nourriture, le logement, le vêtement, en un mot le minimum vital.

Les besoins de sécurité Ils font que l'individu cherchera à protéger les mécanismes de satisfaction des besoins physiques qu'il a éprouvés.

Les besoins sociologiques Une fois assuré de sa subsistance, l'individu cherchera à satisfaire un autre de ses besoins: l'appartenance à un groupe, à une société.

Les besoins de considération Un besoin satisfait en attirant un autre, l'individu tentera, une fois qu'il aura acquis un sentiment d'appartenance à un groupe, de s'y faire une place importante, de faire reconnaître sa propre valeur; de conquérir l'estime de ses concitoyens.

Les besoins de réalisation Puis vient chez l'homme le désir de se réaliser, de créer, de développer au mieux toutes ses potentialités. Il est certain que nous ne pouvons pas généraliser et dire que tous les gens recherchent les mêmes satisfactions pour les mêmes besoins. La personnalité humaine est plus complexe que cela. Toutefois, certains types de sociétés seront orientés vers la satisfaction de besoins sociologiques alors que d'autres auront des préoccupations d'un ordre différent. Cette situation nous amène à préciser le concept du niveau ou standard de vie.

Est-ce que le niveau de vie n'est qu'une question de richesse matérielle?

Concept du niveau de vie

Notre système a précisé ce concept suivant lequel nous définissons ce que nous estimons être le niveau de vie minimum. Nous avons projeté au niveau de nos objectifs politiques cette aspiration collective, au point que nos gouvernements se sont engagés à assurer ce minimum à chacun. De plus, nous nous sommes engagés dans un processus qui exige une amélioration constante de ce niveau de vie. Parce que nous sommes portés à définir ce niveau de vie en termes de bien-être matériel plutôt que spirituel, cela implique une production croissante de biens et de services.

L'INFLUENCE DES BESOINS SUR L'ENTREPRISE Dans notre monde complexe, les besoins des individus ne sont pas toujours apparents ou clairement définis. En effet, il ne suffit pas de savoir que les gens ont besoin de nourriture, d'abris, de vêtements... Un homme d'affaires doit connaître le genre de nourriture, la sorte de maison et le type de vêtement qui correspond le mieux aux besoins exprimés. Des besoins non précisés ne permettent pas de faire fonctionner une ligne de production. Il faut autre chose. C'est pourquoi un homme d'affaires dépensera beaucoup de temps et d'argent afin de délimiter les besoins des marchés éventuels. Souvent, cette recherche sera la clé de son succès. L'entreprise Bombardier a conquis le marché de la motoneige parce qu'elle a présenté, au bon moment, un produit qui correspondait à un besoin bien précis. Cette même entreprise n'a pas connu un succès aussi foudroyant avec le «Sea-doo», probablement parce que le marché n'était pas prêt à recevoir ce genre d'innovation.

Une difficulté que rencontre l'homme d'affaires est l'expression quantitative des besoins. Ne pouvant arriver à une certitude, il devra souvent se contenter d'une approximation. Pour minimiser ses risques, il cherchera des techniques capables de confirmer son estimation. Par exemple, il procédera à une étude démographique d'un segment du marché afin de déterminer les caractéristiques et le nombre des acheteurs éventuels de son produit. Les hommes d'affaires se doivent donc de comprendre les divers besoins d'une population de façon à y répondre adéquatement.

Quelle influence peut avoir une population vieillissante sur la demande?
Est-ce que le nombre de mariages prévus pour l'année à venir peut intéresser l'homme d'affaires? Dans l'affirmative, dire pourquoi et comment en déterminer le nombre.
Quelle influence peut avoir le taux des naissances sur une entreprise?

«Motivation» est le terme utilisé pour indiquer le pourquoi des actions humaines. Cette connaissance est utile à un administrateur puisque sa fonction consiste à amener les gens à faire quelque chose pour lui: travailler, acheter, prêter, vendre, etc. Le succès de son entreprise est conditionné par sa connaissance des motifs poussant les individus à l'action ou à l'inertie.

Il n'existe pas de réponse simple à la question fort complexe du pourquoi des actions humaines. Ce qui complique la recherche des motifs est le fait que ceux qui posent les actes ignorent souvent eux-mêmes les vraies raisons de leur comportement. Si une personne n'a pas une profonde connaissance d'elle-même, comment pourrait-elle expliquer ce qui la pousse à acheter une automobile Chrysler plutôt qu'une Renault? De plus, l'étude des motivations se complique par le fait que de nombreux motifs réels sont socialement inacceptables; ils sont réprimés au profit de ceux que la société admettra. Une personne dissimulera donc souvent ses vrais motifs pour n'énoncer que ceux acceptés par son milieu.

LA THÉORIE DU MOI Longtemps, les théoriciens de la motivation se sont contentés de dresser des listes de motifs observés. Cette approche n'était pas scientifique et ne fournissait pas une base théorique solide expliquant le comportement humain. Il y avait trop d'éléments non-expliqués ou superficiellement présentés, trop de failles ou de chevauchements. Certains termes tels que: ego, estime de soi, orgueil, fierté, étaient pratiquement synonymes et n'étaient différenciés que par les définitions qu'on leur donnait. Cette approche ne conduisait qu'à des querelles de sémantique.

Heureusement, un chercheur suggéra la théorie du Moi. Cette idée, à la suite de certaines modifications, devint la meilleure explication théorique globale du comportement humain. Cette théorie, quoique directement reliée à la notion de l'ego, la dépasse pour nous fournir une explication plus entière du comportement. Elle a aussi l'avantage de s'appliquer à tous les types de comportements, qu'ils soient de nature sociale ou économique. Elle est universelle.

Il est utile à l'homme d'affaires de connaître cette théorie fort complexe. Toutefois, notre objectif n'est pas ici de faire de vous des maîtres en cette matière, mais plutôt de vous sensibiliser à certains éléments de psychologie, qui vous seront utiles lors d'études ultérieures. Nous visons également à vous permettre de scruter votre comportement et celui de ceux qui vous entourent, sous un angle nouveau. Nous nous contenterons donc d'énoncer la terminologie de cette théorie et de vous initier sommairement à son fonctionnement.

Il y a quatre notions à posséder: le vrai Moi, le Moi idéal, l'Autre réel, et l'Autre idéal.

Le vrai Moi représente la perception véritable qu'un homme a de lui-même. Ce qu'il croit réellement être. C'est la conception de sa personnalité, de sa compétence, bref, de ce qu'il est.

Le Moi idéal exprime ce que voudrait être l'individu, ce qu'il aimerait être. Cela représente son objectif personnel. Tout son comportement tendra à identifier le vrai Moi au Moi idéal. Prenons un exemple. Un homme rêve de devenir un joueur de football vedette; son vrai Moi lui dit qu'il est un joueur moyen. Son objectif va le motiver à augmenter sa compétence et à fournir des efforts supplémentaires pour devenir ce qu'il voudrait être.

L'Autre réel représente la perception par un individu de ce que les autres pensent de lui, de ses capacités, de sa personnalité. Cette perception peut être complètement fausse et différente de la façon dont autrui le perçoit véritablement. Il croit être perçu comme un homme agréable, charmant, alors qu'on l'identifie à un ours.
L'Autre idéal représente ce qu'une personne souhaiterait que les autres pensent d'elle. Si une femme désire que son milieu la considère comme une bonne épouse et une bonne mère de famille, elle agira en conséquence. Par exemple, elle achètera des produits susceptibles de créer cette impression sur son entourage.
INFLUENCE SUR LE COMPORTEMENT L'homme s'extériorise par les actes qu'il pose; c'est également par ses actes qu'il est perçu par les autres. Or les activités de consommation étant prédominantes dans notre société moderne, c'est donc dire que la perception d'un individu par autrui est basée en grande partie sur ses agissements en tant que consommateur.

L'homme tente constamment de rapprocher son Moi réel de son Moi idéal, il s'efforce aussi de faire coïncider son Autre réel à son Autre idéal. Il faut noter également que Moi idéal et Autre idéal ne sont pas nécessairement la même chose, qu'un homme peut vouloir projeter une image différente de ce qu'il est ou voudrait être.La façon dont un individu consomme des biens et des services et la façon dont il affiche ses biens sont directement reliées à ce phénomène. Il est évident, rappelons-le, que plusieurs théories peuvent être proposées pour expliquer le comportement humain; c'est pourquoi la thèse que nous donnons ici ne se veut pas l'expression d'une Vérité mais plutôt d'une hypothèse de travail.

Imaginez les différentes réactions d'un individu lorsqu'il conduit une voiture luxueuse dont il est propriétaire.
Quelle influence cela peut-il avoir sur son Moi?

Que veut-il exprimer? Son action n'a-t-elle pour but que d'épater les autres? Que veut-il se prouver?

Une femme se prélasse à l'intérieur d'un logis luxueux, meublé richement; imaginez l'influence que cela peut avoir sur son moi. Cette influence se fait sentir même si peu de personnes connaissent sa situation. Tous ces symboles consolident la perception du Moi. Évidemment, si un symbole est perçu positivement par autrui, on en tire une plus grande satisfaction. Mais toutes les actions n'ont pas comme but d'impressionner les autres. Un homme fortuné peut s'acheter des vêtements très dispendieux pour la seule satisfaction qu'il en retire.

La perception du Moi n'est pas fixe. Elle change constamment avec l'expérience, la modification des attitudes, des philosophies et des objectifs. Les changements peuvent s'effectuer dans le sens d'une amélioration ou dans le sens d'une dégénérescence du Moi.

Le rôle des groupes

Dans le processus de motivation de l'être humain, l'influence des groupes d'appartenance est très grande. Ces groupes établissent des modèles de comportement qui seront imités par les individus poussés par leur besoin d'appartenance et d'acceptation. Leur Moi idéal et leur Autre idéal seront souvent définis par les règles du groupe de référence. Lorsqu'un individu change de groupe, l'effet sur ses perceptions se fera rapidement sentir.

D'autre part, le processus d'identification au groupe peut comporter la négation de certains comportements en raison de:

- l'incompatibilité de l'action et des convictions,
- le risque de déviation de l'image,
- la culpabilité,
- le manque d'autorité ou d'autonomie.

INCOMPATIBILITÉ DE L'ACTION ET DES CONVICTIONS Certaines actions ne conviennent pas du tout aux idées d'une personne. Un homme d'affaires ayant obtenu du succès ne portera que très rarement des vêtements débraillés; il ne négligera pas sa tenue vestimentaire puisque ce comportement serait incompatible avec sa conception de lui-même. Une étude faite pour connaître les motivations des consommateurs de café instantané a démontré que de nombreuses femmes considéraient l'achat de ce produit comme étant incompatible avec leur conception de la maîtresse de maison cordon bleu. Elles croyaient que l'achat de café instantané était un signe de paresse et de gaspillage. Un golfeur expert se sentirait mal à l'aise avec des bâtons pour débutants. Sa compétence l'amène à ne vouloir jouer qu'avec un équipement de qualité. Un autre exemple de l'incompatibilité de certaines actions, compte tenu des convictions, nous est fourni par les fabricants de mélanges à gâteaux. Ils ont conclu que la condition nécessaire à l'achat de ce produit par la ménagère était de lui laisser un rôle à jouer dans la préparation. Elle doit sentir qu'elle est pour quelque chose dans la préparation du gâteau. Ça ne doit pas être un gâteau acheté tout fait. Cette condition est indispensable pour la satisfaire et lui donner l'impression qu'elle remplit son rôle de maîtresse de maison.

RISQUE DE DÉVIATION DE L'IMAGE Une personne s'efforce constamment de rapprocher son Moi réel de son Moi idéal. En conséquence, elle posera tous les gestes qu'elle croit nécessaires à l'atteinte de cet objectif. Si une action comporte un risque d'éloignement de l'objectif, si petit soit-il, cela est généralement suffisant pour empêcher la personne d'agir et lui faire préférer le statu quo.

Comment cet élément de risque influence-t-il le choix des divers produits à consommer chez une personne?

LA CULPABILITÉ Parfois certains désirs sont contradictoires ou opposés les uns aux autres. Un homme d'affaires peut croire qu'il est très perspicace et capable de tirer le maximum de profit d'une situation donnée, et en même temps, se considérer comme un patron pour qui il est intéressant de travailler. Dans la réalité, ces deux approches s'opposent à bien des niveaux dans l'entreprise. Le choix final dépend de ce qui est le plus important pour l'homme en cause. Un ouvrier, père de famille nombreuse, aimerait peut-être posséder une voiture sport, mais ce désir ne peut pas être satisfait parce qu'il crée un sentiment de culpabilité en regard de ses autres désirs. L'achat d'une voiture sport est un acte égoïste pour ce père de famille, puisqu'il favorise la satisfaction d'un seul membre au détriment des besoins de toute la famille. Toutefois, si un homme peut rationaliser son comportement et fournir une justification socialement acceptable, alors les choses sont beaucoup plus simples. Il devient relativement facile de justifier l'achat d'équipements sportifs en disant que cela aide à maintenir la santé et permet des amusements de famille.

LE MANQUE D'AUTORITÉ OU D'AUTONOMIE Il est plus facile de vendre à une personne ayant le pouvoir de prendre des décisions. Le célibataire n'ayant personne à soutenir achètera ce qui lui plaît sans consulter personne. Ce n'est souvent pas le cas d'un homme marié dont l'épouse peut refuser la dépense ou du moins influencer sa décision. Cette différence se retrouve également entre le propriétaire d'entreprise qui a la liberté d'agir à sa guise, et le jeune cadre qui doit se préoccuper de l'opinion de son patron en ce qui a trait à une prise de décision.

Une variante de la théorie énoncée ci-dessus précise que le comportement d'un individu est déterminé par la perception qu'il a du rôle qu'il joue dans un environnement donné. L'homme peut jouer plusieurs rôles dans une journée. À titre d'exemple, considérons la journée d'un homme d'affaires de 40 ans. Durant la matinée, au bureau, il jouera le rôle d'un administrateur dynamique. Il sera bien vêtu, il parlera et agira comme doit le faire tout homme d'affaires. En fin d'après-midi, il sera peut-être à son club sportif. Ce n'est plus le même homme. Son comportement sera celui qu'il croit être acceptable dans un tel endroit. À son retour au foyer, il sera le père de famille conscient de ses devoirs. Et, si en soirée il fait une sortie avec son épouse, son comportement sera dicté par la perception de ce que devrait être son rôle dans l'environnement particulier où il se trouve. Naturellement, à chacun de ces rôles correspondent de nombreux symboles. Les individus achèteront, par exemple, les biens et les services dont ils ont besoin afin de tenir correctement les divers rôles qu'ils jouent.

CONCLUSION

Dans la gestion de toute activité, économique ou sociale, il est important de comprendre les hommes et leur comportement. Ce chapitre a démontré l'importance des sciences humaines dans l'étude des motivations de l'individu. Vous avez pu constater comment l'entreprise utilise ces renseignements et en tire parti.

Nous vous incitons très fortement à approfondir vos connaissances en ce domaine.

l'homme et ses institutions

Une institution est un ensemble d'individus et de ressources unis pour accomplir une mission et atteindre un objectif. Les compagnies, associations, corporations, banques, bourses, caisses populaires, gouvernements, armées, églises, écoles, clubs sociaux, mutuelles, fraternités, journaux, télévision... bref toutes organisations qui ont un but en sont. Les institutions forment l'ossature de notre système socio-économique.

Une compagnie (société commerciale) est un élément d'un réseau d'institutions et elle se maintient en activité grâce aux communications qu'elle entretient avec les autres éléments de son réseau. Ce fait nous amène à dire que la meilleure façon d'étudier un sujet est d'examiner minutieusement les institutions par lesquelles il se manifeste. Ainsi, nous pouvons acquérir une bonne connaissance de la finance en étudiant les opérations des banques, des bourses, des compagnies privées.

NÉCESSITÉ DES INSTITUTIONS

Dans tous les systèmes, les institutions sont souvent critiquées, étant jugées archaïques, désuètes, inutiles, lourdes, réactionnaires et immuables. Il est certain que ces qualificatifs s'appliquent à quelques-unes de nos institutions qui sont en perte de vitesse ou qui ont perdu leur justification sociale ou économique. Une fois créée, une institution ne disparaît pas facilement. Plutôt que de disparaître, l'institution qui a accompli sa mission se définit d'autres objectifs. Elle change et survit. Certaines tentent de survivre sans s'adapter et elles deviennent un fardeau pour la société. C'est le cas de maintes agences gouvernementales.

Comment peut-on se débarrasser de ces institutions?

Un fait peut vous consoler: ces institutions, à la longue, seront rejetées par la société. Plusieurs institutions tombèrent ainsi dans l'oubli parce que la société n'avait plus besoin d'elles. C'est ce qui menace actuellement l'épicerie du coin.

Quelles sont les institutions qui sont en voie d'être rejetées par la société parce qu'elles ne répondent plus aux besoins?

À l'inverse, de nouvelles institutions se forment pour répondre à des besoins nouvellement exprimés. L'obligation pour les hommes d'affaires de se déplacer plus rapidement et plus fréquemment a créé le besoin d'une carte de crédit et les compagnies offrant ce genre de service se sont développées. La popularité des banlieues força les détaillants à trouver de nouveaux moyens d'atteindre la clientèle. Cela obligea les grands magasins à fonder des succursales dans les divers centres commerciaux de banlieue. Eaton's, La Baie, Simpsons ont des magasins dans des centres commerciaux comme les Galeries d'Anjou, Rockland... Ce fait modifia les structures de fonctionnement d'une façon assez radicale.

Énumérez quelques institutions créées par la société au cours des dernières années.

TYPES D'INSTITUTIONS

Il existe divers systèmes de classification des institutions. Chez-nous, la première distinction se fait à partir du critère profit: les entreprises à but lucratif et les entreprises sans but lucratif. Les lois qui régissent chaque catégorie sont différentes sur plusieurs points.

Les institutions sans but lucratif

Cette catégorie regroupe principalement les organisations gouvernementales, scolaires, religieuses, charitables et sociales.

LES GOUVERNEMENTS Les institutions gouvernementales sont nombreuses, complexes et variées quel que soit leur niveau: municipal, provincial ou fédéral. La constitution du Canada fait le partage des champs d'activité entre le fédéral et le provincial, alors que le municipal tire son autorité du provincial par délégation. Toutes ces institutions ont développé des services qui souvent se recoupent ou traitent du même objet: les services de police et de statistiques en sont des exemples. Il en résulte que le gouvernement tend à devenir un employeur, qu'il peut être à la fois arbitre et partie dans un conflit, que les procédures de travail deviennent archaïques, que tout cela est extrêmement coûteux pour le contribuable. L'histoire nous apprend qu'une société ne peut se permettre de débourser qu'un pourcentage défini de son produit national brut pour financer ses activités de gouvernement. Si ce point est dépassé, les conséquences sont fâcheuses: l'esprit d'entreprise diminue, la productivité décroît, le système tend à devenir désuet. Car les institutions gouvernementales, qui contribuent à une grande part du produit national brut, sont moins flexibles que les institutions privées et, en conséquence, prendront plus de temps à réagir et le feront moins efficacement.

Pourquoi les institutions gouvernementales ont-elles grandi rapidement au cours des dix dernières années?
Pourrait-on éliminer certains niveaux de gouvernement?
Est-ce que cela s'est déjà fait?

LES INSTITUTIONS SCOLAIRES Nous retrouvons ici un autre système d'institutions structurées. Il existe un réseau public et un réseau privé contrôlés par les mêmes instances gouvernementales. Chaque réseau se subdivise afin de répondre à un besoin précis: élémentaire - secondaire - collégial - universitaire.

Malgré l'existence de ce double réseau, nous voyons apparaître une foule d'autres institutions d'enseignement répondant à un besoin et à un marché particuliers. Ce sont les cours par correspondance, les cours spécialisés... Ce phénomène illustre le principe, énoncé plus haut, que la société qui a un besoin non satisfait créera l'institution capable d'y répondre.

La société actuelle a-t-elle des besoins non satisfaits?
Identifiez-les.

LES INSTITUTIONS RELIGIEUSES Sous ce vocable se regroupent plusieurs institutions qui tentent de satisfaire des besoins sociaux. Ces institutions constituent un groupe important parmi les institutions à but non lucratif. Elles font face, présentement, à une très forte pression sociale qui les incite à évoluer et à s'adapter à notre monde actuel.

Quelles sont les pressions qui agissent sur les institutions religieuses? Comment leur existence influe-t-elle sur notre économie?

LES ORGANISMES DE CHARITÉ Cette catégorie englobe une vaste gamme d'institutions telles que la Fédération des Oeuvres de Charité du grand Montréal, la Société Saint-Vincent-de-Paul, The Red Feather, la Croix-Rouge, etc. Quelques-uns de ces organismes ont atteint des proportions considérables. C'est le cas de la Fondation Ford et de la Fondation Rockefeller.

Commentez l'effet sur les institutions charitables de l'abolition des dons de charité comme déductions d'impôt sur le revenu. Est-ce que ces organismes devraient être taxés?

LES ORGANISMES SOCIAUX Cette classe inclut différents mouvements: les clubs Richelieu, Lions, Rotary, les organismes Drogue-secours, Alcooliques anonymes, les centres culturels, les Scouts... Pour eux aussi, le phénomène de l'évolution sociale joue un rôle très important. Certains croissent, se développent; d'autres déclinent. L'explication en est toujours la satisfaction des besoins sociaux.

Ces institutions peuvent être classées selon divers critères: taille, état légal, produits fabriqués.

Le chapitre 6 traitera plus particulièrement des formes légales des entreprises.

Toutes ces entreprises qu'elles soient à propriétaire unique, sociétés ou compagnies, peuvent aussi être classées selon leurs activités, selon leurs fonctions. D'abord quelques grandes catégories: la fabrication, la distribution, la finance, le transport, la main-d'oeuvre, les communications, les services privés et publics. Chacune de ces catégories peut ensuite être divisée en groupes plus spécifiques. Enfin, les groupes sont subdivisés en sous-groupes spécialisés selon le client, le produit...

On trouvera des exemples dans les tableaux suivants:

4.1 Schéma de la classification industrielle standard (Standard Industrial Classification).

4.2 Tableau complet de la classification industrielle standard à trois chiffres.

La loi des Renseignements sur les compagnies du Ministère des Institutions financières du Québec inclut cette classification dans ses textes et oblige les entreprises à s'identifier selon cette nomenclature.

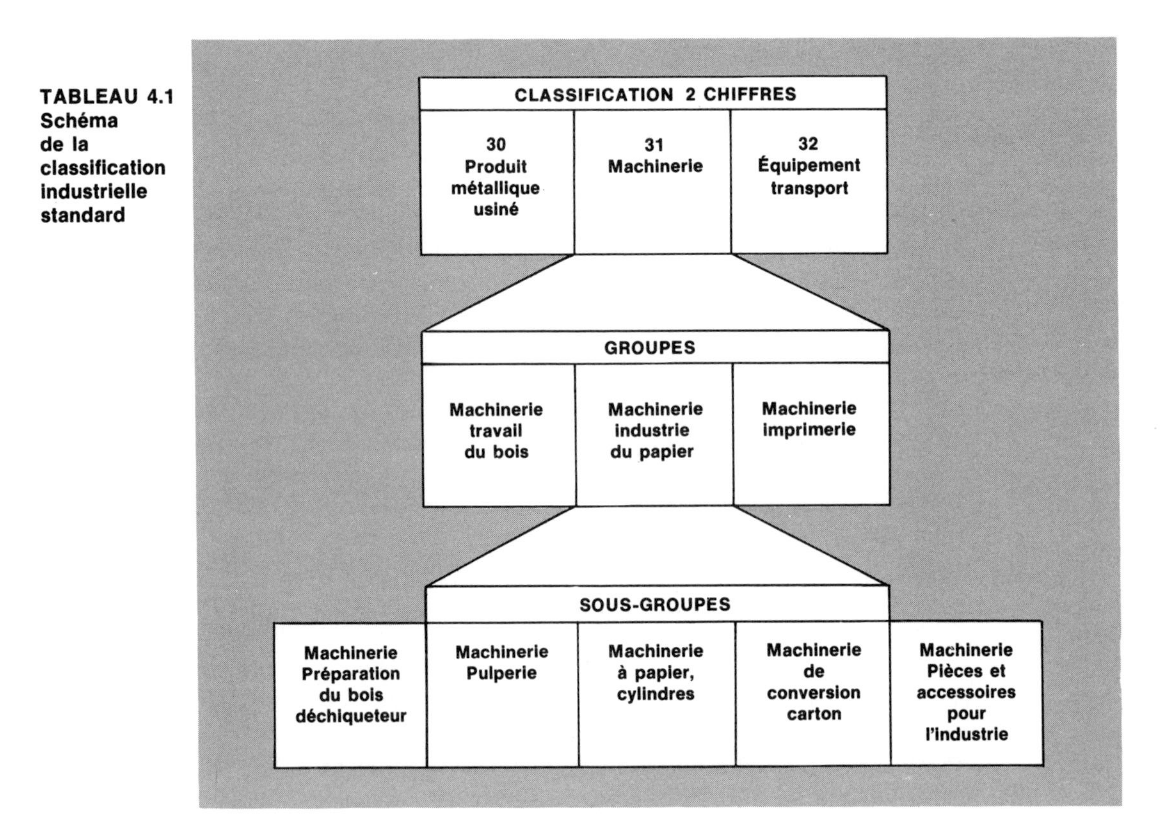

TABLEAU 4.1 Schéma de la classification industrielle standard

À cette classification, on peut opposer théoriquement l'argument qu'il n'y a pas deux entreprises identiques, que celles qui se ressemblent ont des divergences assez fortes dues à leurs objectifs propres, leur style de direction, leur clientèle. Même si cet argument est, en principe, valable, on peut trouver des entreprises dont les produits sont suffisamment approchants pour justifier l'utilisation de la classification industrielle standard.

L'ÉVOLUTION DES INSTITUTIONS

Le fait à retenir est que les institutions sont et doivent être en continuelle évolution afin de satisfaire les besoins du système dont elles font partie. Celles qui n'évoluent pas échouent. Aucun administrateur ne peut se permettre le luxe de rester inactif, car le statu quo signifie la faillite. L'histoire économique est remplie d'exemples d'institutions qui se sont reposées sur leurs lauriers, qui se sont opposées aux changements et qui l'ont regretté. Les chemins de fer ont vainement tenté de limiter la croissance du camionnage et ce ne fut pas à leur avantage.

Que serait l'industrie des chemins de fer si elle avait intégré le transport par camions au lieu de s'y opposer?
Comment s'est développé le besoin d'un transport par camions?
Comment expliquer la croissance rapide de l'aviation commerciale?

Les banques n'ont pas été capables de répondre aux besoins et cet échec a permis l'avènement des compagnies de finance, des caisses populaires, des caisses d'épargne et de crédit. Le domaine du commerce de détail a connu des changements rapides et profonds créant des centres commerciaux, des maisons d'escompte, des «drive-in», des «libre-service».

Expliquez la naissance des postes d'essence libre-service.
Expliquez l'évolution des magasins généraux, des pharmacies.
Expliquez l'incidence du coût de la main-d'oeuvre sur l'évolution des commerces de détail.
Expliquez l'influence de l'automobile sur l'essor des commerces de détail.

Actuellement, les institutions financières, surtout les bourses et les maisons de courtage, subissent des changements à la suite d'expériences de gestion. Le grand volume d'activités des années '60 leur a fait constater leur incapacité d'assumer toutes les transactions. Parallèlement au marché des actions, s'est développé un fort marché d'obligations; les fonds mutuels desservent un autre segment de la population.

C'est là une autre preuve qu'un système créera les institutions dont il a besoin.

Choisissez une institution que vous connaissez bien et examinez l'évolution qu'elle devra subir pour continuer à satisfaire les besoins de son milieu.

TABLEAU 4.2 Nomenclature-type des activités d'entreprises

AGRICULTURE

001 Fermes expérimentales et universitaires
003 Fermes d'institutions
006 Petites exploitations résidentielles ou non résidentielles
011 Fermes d'élevage de bétail et volaille spécialisées et mixtes
013 Fermes de grandes cultures spécialisées ou mixtes
015 Fermes fuitières et maraîchères
017 Fermes mixtes de cultures et d'élevage de bétail
019 Fermes spécialisées diverses
021 Services connexes à l'agriculture

FORÊT

031 Coupe de bois
039 Services forestiers

PÊCHE ET PIÉGEAGE

041 Pêche
045 Services des pêcheries
047 Chasse et piégeage

MINES, (Y COMPRIS BROYAGE) CARRIÈRES ET PUITS DE PÉTROLE

051 Mines d'or
052 Mines de quartz aurifère
053 Mines de cuivre-or-argent
054 Mines de nickel-cuivre
055 Mines d'argent-cobalt
056 Mines d'argent-plomb-zinc
057 Mines d'uranium
058 Mines de fer
059 Autres mines métalliques
061 Mines de charbon
063 Puits de pétrole et de gaz, mines de schistes bitumineux et schistes pétrolifères
071 Mines d'amiante
073 Mines de gypse
077 Mines de sel
079 Autres mines non-métalliques
083 Carrières de pierre
087 Dépôts ou carrières de sable
096 Entreprises de forage de pétrole
098 Autres entreprises de forage
099 Autres services inhérents aux mines

INDUSTRIES MANUFACTURIÈRES

Aliments et boissons

101 Abattoirs et salaisons
103 Préparation de la volaille
105 Produits laitiers
107 Industrie du fromage refait
111 Préparation du poisson
112 Préparation et mise en conserve des fruits et légumes
123 Fabrication de provendes
124 Moulins à farine
125 Fabrication de céréales de table
128 Biscuiteries
129 Boulangeries
131 Confiseries
133 Raffinage du sucre
135 Industries des huiles végétales
139 Pâtes alimentaires
141 Fabrication d'eaux gazeuses
143 Distilleries
145 Brasseries
147 Industrie du vin

Produits du tabac

151 Traitement du tabac en feuilles
153 Fabrication de produits du tabac

Caoutchouc

161 Fabrication de chaussures en caoutchouc
169 Autres industries du caoutchouc

Cuir

172 Tanneries
174 Fabrication des chaussures
175 Fabrication de gants en cuir
179 Autres articles en cuir

Textiles

183 Filage et tissage du coton
193 Filage de la laine
197 Fabrication de tissus de laine
201 Fabrication des textiles synthétiques
211 Préparation des fibres
212 Fabrication du fil
213 Industrie des cordes et ficelles
214 Industrie des tissus étroits
215 Industrie du feutre pressé et feutre aéré
216 Industrie des tapis et carpettes
218 Teinture et apprêt des textiles
219 Industrie des linoleums et des tissus enduits
221 Industrie de la grosse toile
223 Industrie des sacs de coton et de jute
229 Fabriques de textiles divers

Bonneterie

231 Industrie des bas et chaussettes
239 Industrie des tricots (autres que bas et chaussettes)

Vêtement

243 Industrie des vêtements d'hommes
244 Industrie des vêtements de femmes
245 Industrie des vêtements d'enfants
246 Industrie des articles en fourrure
247 Chapellerie
248 Industrie des corsets et soutiens-gorge
249 Fabriques de vêtements divers

Bois

251 Scieries
252 Fabrication des placages et contre-plaqués
254 Manufactures de portes et chassis, parquets
256 Fabrication des boîtes en bois
258 Industrie des cercueils
259 Industries diverses du bois

Meubles et ameublement

261 Industrie des meubles de maison
264 Industrie de meubles de bureaux
266 Autres industries de meubles
268 Fabrication de lampes électriques et d'abat-jour

Pâtes et papiers

271 Industrie des pâtes et papiers
272 Fabrication du papier asphalté pour toitures
273 Manufactures de boîtes ou de sacs en papier
274 Autres transformations du papier

Imprimerie, édition et reliure

286 Ateliers d'imprimerie, de reliure et de lithographie
287 Ateliers de gravure et de composition commerciale
288 Édition
289 Imprimerie et édition

Industries métalliques primaires

291 Industrie du fer et de l'acier
292 Fabrication de tubes et de tuyaux d'acier
294 Fonderie de fer
295 Fonte et affinage
296 Laminage, moulage et refoulage de l'aluminium
297 Laminage, moulage du cuivre et alliages
298 Laminage, moulage et refoulage des métaux (n.c.a.)

Produits en métal

301 Industrie des chaudières et des ouvrages de tôle forte
302 Fabrication d'éléments de charpentes métalliques
303 Fabrication de produits métalliques d'architecture et d'ornementation
304 Estampage, matriçage et revêtement des métaux
305 Industrie du fil métallique et de ses produits
306 Quincaillerie, coutellerie et fabrication d'outillage
307 Fabrication d'équipement de chauffage
308 Fabrication de pièces mécaniques
309 Fabrication de produits métalliques divers

Machinerie

311 Fabrication d'instruments aratoires
315 Fabrication de machines et de matériel divers
316 Fabrication de matériel de réfrigération et de climatisation pour les établissements commerciaux
318 Fabrication de machines de bureau et de magasin

Matériel de transport

321 Industrie aéronautique
323 Fabrication de véhicules automobiles
324 Fabrication de carrosseries de camions et de remorques
325 Fabrication de pièces et d'accessoires d'automobiles
326 Industrie du matériel roulant de chemin de fer
327 Construction et réparation de navires
328 Construction et réparation d'embarcations
329 Construction de véhicules divers

Appareils électriques

331 Fabrication de petits appareils électriques
332 Fabrication de gros appareils (électriques et non électriques)
334 Fabrication d'appareils ménagers de radio et de télévision
335 Fabrication de matériel de télécommunications
336 Fabrication de matériel électrique industriel
337 Fabrication de piles et d'accumulateurs
338 Fabrication de fils et de câbles électriques
339 Fabrication d'appareils électriques

Produits minéraux non métalliques

341 Industrie du ciment
343 Industrie de la chaux
345 Fabrication de produits du gypse
347 Fabrication de produits du béton
348 Industrie du béton armé
351 Usine de fabrication des produits de l'argile
352 Fabrication de produits réfractaires
353 Fabrication des produits en pierre
355 Fabrication de produits de l'amiante
356 Fabriques de verre et de produits en verre
357 Industrie des abrasifs
359 Fabrication d'autres produits minéraux non métalliques

Produits du pétrole et de la houille

365 Raffineries de pétrole et usines de fabrication des huiles
369 Fabrication d'autres dérivés du pétrole et de la houille

Produits chimiques et connexes

371 Fabrication d'explosifs et de munitions
372 Fabrication d'engrais mélangés
373 Fabrication de matières plastiques et de résines synthétiques
374 Industrie des produits médicinaux et pharmaceutiques
375 Industrie des peintures et vernis
376 Savonnerie et fabrication de produits d'entretien
377 Fabrication de produits de beauté
378 Fabrication de produits chimiques industriels
379 Autres industries chimiques (n.c.a.)

Industries diverses

382 Bijouterie et orfèvrerie
383 Industrie des balais, brosses et vadrouilles
384 Fabrication de stores vénitiens
385 Fabrication d'articles en matière plastique (n.c.a.)
393 Industrie des articles de sport, jeux, jouets
395 Apprêt teinture de la fourrure
397 Industrie des enseignes et étalages
398 Fabriques d'articles divers
399 Industries diverses

INDUSTRIE DE LA CONSTRUCTION

404 Construction d'édifices et de maisons
406 Construction de routes, rues et ponts
409 Travaux publics
421 Entrepreneurs spécialisés
422 Autres constructeurs spécialisés

TRANSPORTS, COMMUNICATIONS ET SERVICES CONNEXES

Transport

501 Transports aériens
502 Services auxiliaires des transports aériens
504 Transports par eau
505 Services auxiliaires des transports par eau
506 Transports ferroviaires
507 Transports par camion
508 Transports interurbains et ruraux par autobus
509 Transports urbains en commun
512 Exploitation des taxis
515 Transport par pipe-line
516 Entretien des routes et ponts
517 Autres services auxiliaires des transports
519 Autres transports
524 Entrepôts
527 Autres entrepôts

Communications

543 Radiodiffusion et télévision
544 Services téléphoniques
545 Services télégraphiques et de câbles
548 Postes
572 Production et distribution d'électricité
574 Distribution de gaz
576 Services d'eau
579 Autres services d'utilité publique

COMMERCE

Commerce en gros

602 Commerce en gros du bétail
604 Commerce en gros des grains et céréales
606 Commerce en gros du charbon et du coke
608 Commerce en gros des dérivés du pétrole
611 Commerce en gros du papier et des produits du papier
613 Commerce en gros de marchandises diverses (mixtes)
614 Commerce en gros de produits alimentaires
615 Commerce en gros des produits du tabac
616 Commerce en gros des produits pharmaceutiques et des articles de toilette
617 Commerce en gros de l'habillement et des tissus
618 Commerce en gros de meubles et d'articles d'ameublement
619 Commerce en gros d'automobiles et d'accessoires pour automobiles
621 Commerce en gros de matériels électriques
622 Commerce en gros de machines et d'instruments agricoles ou aratoires
623 Commerce en gros de machines et matériels
624 Commerce en gros de quincaillerie, d'équipement sanitaire et de chauffage
625 Commerce en gros de métaux et articles en métal
626 Commerce en gros du bois d'oeuvre et des matériaux de construction
627 Commerce en gros de produits de récupération et de déchets
629 Commerce en gros (n.c.a.)

Commerce de détail

631 Magasins d'alimentation
642 Magasins à rayons
647 Bazar
652 Commerce de pneus, accumulateurs et accessoires
654 Poste d'essence (station service)
656 Commerce de véhicules-automobiles
658 Atelier de réparations de véhicules automobiles
663 Magasins de chaussures
665 Magasin de vêtements pour hommes et garçons
667 Magasins de vêtements prêts à porter pour dames
669 Magasins de vêtements et de tissus
673 Quincaillerie
674 Maisons et chalets préfabriqués
676 Magasins de meubles et appareils ménagers
678 Ateliers de réparation de postes de radio, de télévision et d'appareils électriques
681 Pharmacies
691 Librairies et papeteries
692 Fleuriste
693 Commerce de combustibles
694 Bijouterie
695 Réparation de montres et de bijoux
696 Spiritueux, vins et bières
697 Débits de tabac
699 Autres détaillants

FINANCE, ASSURANCE ET IMMEUBLE

Banques et quasi-banques

711 Banque du Canada
712 Banque à charte
713 Banque d'épargne du Québec
714 Société de Fiducie
715 Société d'épargne et de prêts hypothécaires
716 Crédit Union
717 Caisse populaire
718 Banques d'épargne

Autres institutions de crédit

721 Société de Financement à l'Exportation
723 Société de financement des ventes
725 Société de prêts à la consommation
727 Société de financement du commerce et de l'industrie
729 Compagnie de cautionnement

Bourses et titres

741 Courtiers et négociants de titres, bourses, établissement de change étranger

Compagnies d'investissement et holdings

751 Fonds mutuel à capital variable
752 Fonds mutuel à capital fixe
754 Corporation personnelle
756 Holding et holding de gestion

Autres institutions financières

761 Compagnie de fiducie
763 Caisse des Dépôts et Placements
765 Société financière étrangère
767 Société de holding à caractères spéciaux
769 Autres institutions financières

Assurances et assureurs

771 Compagnie d'assurance-vie
772 Compagnies d'assurance autres que vie
775 Fonds de pension

Agences d'assurance et d'immeubles

781 Agences d'assurance et d'immeubles

Exploitant immobilier et agence de développement

791 Exploitant immobilier et agent de location
793 Agence de développement immobilier

SERVICES SOCIAUX, COMMERCIAUX, INDUSTRIELS ET PERSONNELS

Éducation et services connexes

801 Ecoles élémentaires et secondaires
803 Ecoles professionnelles
805 Collèges et universités
807 Bibliothèques, musées et autres conservatoires
809 Enseignement et services connexes

Services de santé et des oeuvres sociales

821 Hôpitaux
823 Cabinets de médecins
825 Cabinets de dentistes
827 Autres services de santé
828 Oeuvres de bienfaisance
831 Organismes religieux

Cinématographie et services récréatifs

851 Cinémas et distribution de films
853 Salles de quilles et de billards
859 Autres services récréatifs

Services extérieurs des entreprises

861 Comptabilité
862 Publicité
864 Services techniques
866 Conseils juridiques
869 Autres services extérieurs des entreprises

Services personnels

871 Réparation des chaussures
872 Salons de coiffure et instituts de beauté
873 Ménages privés — services domestiques
874 Blanchissage, nettoyage et pressage
875 Hôtels, restaurants et tavernes
876 Pensions, logeurs et cercles ou clubs domiciliaires
877 Entreprise de pompes funèbres
878 Couture
879 Autres services personnels

Services divers

891 Associations professionnelles et syndicats ouvriers
893 Photographie
894 Maréchalerie et soudure
896 Ateliers de réparations générales
897 Entretien des bâtiments
899 Autres services divers

CONCLUSION

Les institutions forment l'ossature de notre système. Elles sont les organismes grâce auxquels nous accomplissons les tâches que nous devons faire. Ayant des caractéristiques propres, les entreprises peuvent être néanmoins regroupées en deux catégories distinctes: les entreprises à but lucratif et les entreprises sans but lucratif. Toutefois, toutes ont en commun la nécessité d'adapter continuellemnt leurs stratégies et leurs procédures afin de satisfaire aux besoins du système dont elles font partie.

les entreprises à but lucratif

Lorsqu'on parle d'entreprise, on pense généralement à une institution à but lucratif, c'est-à-dire à un organisme qui tente de réaliser un profit par la vente d'un produit à un prix plus élevé que son coût de revient. La tendance à la maximisation du profit a fait couler beaucoup d'encre. Ne nous méprenons pas! Il ne s'agit pas d'une course effrénée aux profits, car les hommes d'affaires sont conscients des dangers qu'elle comporte. Les conditions socio-économiques du milieu déterminent souvent les chefs d'entreprises à se battre bien plus pour leur survie et leur solvabilité que pour la réalisation d'un profit mirifique. Il arrive qu'une solution permettant l'augmentation des profits comporte une contrepartie telle qu'elle met en danger l'existence même de l'entreprise; il faut donc l'écarter parce qu'elle entraîne trop de risques.

Nous nous proposons, dans cette partie, d'étudier le profit et ses éléments.

le rôle du profit

Le mot «profit» est mal perçu dans certains milieux. Les éditorialistes dénigrent le profiteur et les moralistes critiquent l'entreprise dont les bénéfices semblent trop élevés. Même des parlementaires, dans certaines de leurs déclarations et dans les législations qu'ils promulguent, témoignent d'une certaine ignorance du vrai rôle social et économique du profit. Il est aussi important que fondamental de comprendre la véritable nature du profit ainsi que son rôle et ses fonctions dans notre système.

LE CONCEPT DE PROFIT

Il existe plusieurs définitions du profit; aucune, malheureusement, n'a la précision souhaitée pour nous permettre de développer le concept. Nous avons donc choisi, en guise d'exemple, d'étudier les transactions d'un concessionnaire d'automobiles.

Conception profane du profit

Supposons que Piere Lapierre ait acheté une Supersonic «8» 1974 dont le prix de vente est de $6 000 et le prix de revient au concessionnaire de $4 500. Pierre ne l'a payée que $5 000. Il croit probablement que le commerçant a réalisé un profit de $500 sur la transaction alors que même un débutant en sciences commerciales comprend que ces $500 ne sont pas du tout le profit. Même si certains comptables prétendent que cette différence entre le coût d'achat et le prix de vente est un profit, le «profit brut», l'usage courant des affaires tend à l'appeler la «marge brute» ou simplement «marge» sur la transaction. Ce n'est pas un profit parce que les coûts du concessionnaire, autres que celui de l'auto même, n'ont pas été pris en considération. En effet, avec cette marge brute de $500, il doit payer les vendeurs, les frais généraux et les autres frais découlant directement du service après vente.

Conception comptable du profit

Le comptable du concessionnaire nous présente un aspect complètement différent du profit concernant l'achat de Pierre. Pour cela, il se base sur l'expérience d'une année. Tel qu'il le montre au tableau 5.1, il pense que le concessionnaire a perdu de l'argent à cause de cette transaction une fois que tous les coûts ont été pris en considération.

TABLEAU 5.1 Analyse du profit sur la vente de l'auto de Pierre Lapierre

	Expérience annuelle de profits et pertes du concessionnaire, en pourcentage	Vente à Pierre	
Ventes brutes	100%	$5 000	100%
Coûts des marchandises vendues	77%	$4 500	90%
Marge brute	23%	$500	10%
Dépenses	18%	$900	18%
Profit net (perte) avant impôt	5%	($400)	(8%)

L'homme d'affaires moyen pense indéniablement en termes d'une définition comptable du profit: le solde, une fois toutes les dépenses pertinentes déduites des revenus provenant des ventes.

Dans l'état des profits et pertes, le comptable présente ce qui semble être une mesure précise du profit d'une entreprise pour une période donnée. Cette précision peut, hélas, être trompeuse. Le comptable et l'homme d'affaires ont conscience qu'il existe légalement une grande latitude dans la présentation des coûts et des revenus, donc, dans l'établissement des profits comptables. Prenons par exemple la politique d'amortissement. Supposons que le concessionnaire choisisse d'amortir son édifice et son équipement sur une période de quarante (40) ans plutôt que sur une période de vingt (20) ans; ses frais d'amortissement seront réduits de moitié, augmentant ainsi considérablement son profit.

Conception économique du profit

L'économiste estime qu'il y a certaines graves erreurs quant à la façon d'analyser les éléments du profit dans les affaires. Ses critiques portent essentiellement sur l'omission par l'homme d'affaires de certains coûts dans son évaluation. Le meilleur exemple en est probablement le coût de l'intérêt sur le capital employé.

L'économiste, lui, établit une nette distinction entre profit et intérêt. L'intérêt est le prix payé pour l'utilisation de l'argent et tout argent exige un intérêt, qu'il soit payé en fait ou non. Supposons que le concessionnaire d'automobiles utilise un capital de $300 000 mais qu'il paie en fait un intérêt de $9000 dollars sur une tranche de $100 000 seulement, montant prêté par la banque. Un économiste prétendrait que le concessionnaire a d'autres frais d'intérêt de $18 000 (9% sur $200 000) qu'il néglige de calculer à titre de coût opérationnel. Cet économiste insisterait sur le fait que, dans le profit du concessionnaire, le montant de $18 000 ne représente pas un profit réel, mais plutôt un intérêt sur les fonds qu'il a utilisés.

Si l'économiste doit se montrer si méticuleux au sujet des distinctions entre l'intérêt et le profit, la raison en est bien simple: il tient à distinguer entre l'argent gagné par l'opération de l'entreprise et l'intérêt perçu sur les fonds investis dans l'entreprise et qui pourraient être placés ailleurs à leur tour à des taux d'intérêt. C'est ainsi que les $200 000 du concessionnaire auraient pu être investis en obligations à un taux d'intérêt d'environ 9%, argent gagné complètement en dehors des opérations même de concessionnaire. L'économiste veut différencier l'argent gagné par l'opération d'une entreprise de l'intérêt sur les fonds investis. L'intérêt, après tout, provient de la propriété de l'argent et n'a rien à voir avec le talent d'administrateur. L'homme d'affaires habile fait donc une distinction entre profit et intérêt.

En comptabilisant les profits des petites entreprises, les salaires des administrateurs ne manquent pas de susciter aussi des problèmes aux économistes. De nombreux hommes d'affaires n'incluent pas les coûts potentiels de leur travail d'administration dans leurs coûts opérationnels.

Le coût potentiel (opportunity cost) du propriétaire est la somme d'argent qu'il pourrait gagner à travailler ailleurs. S'il pouvait gagner $20 000 par année à travailler pour quelqu'un d'autre, les économistes prétendent que ce chiffre serait alors son prix pour sa propre entreprise. S'il n'inclut pas les $20 000 ou une bonne partie de ce montant comme dépense dans l'état de profits et pertes de sa firme, il surestime le profit de l'entreprise.

D'un autre côté, s'il se versait un salaire de $30 000 par année, les économistes pourraient dire que, sur ce montant, $10 000 représentent un profit économique et $20 000 représentent son coût administratif réel.

Coût potentiel

Un coût potentiel est la perte de revenu que l'on subit en renonçant à une occasion en faveur de ce que l'on fait actuellement. Le coût d'intérêt mentionné antérieurement est réellement un coût potentiel.

LES FONCTIONS DU PROFIT

Quelle est exactement la notion du profit? Plusieurs sociétés semblent avoir proscrit cette notion telle que nous la connaissons aujourd'hui. Pourquoi alors y sommes-nous apparemment si attachés? Pour plusieurs raisons: outre qu'il est stimulant, le profit est à l'origine de nos ressources; c'est notre unité de comparaison pour mesurer l'efficacité et la productivité; il finance notre croissance et il procure à la société un contrôle sur les activités des entreprises.

Stimuler

La notion de profit est étroitement liée au concept de la libre entreprise, le profit constituant la force motrice de ce système. C'est le carburant qui propulse les entreprises et il représente un élément de motivation qui pousse à bâtir des empires. C'est l'objectif que se proposent d'atteindre les hommes d'affaires. Cependant, il est plus qu'un simple motif.

Comparons la vie d'un salarié à celle du chef d'entreprise. Le salarié travaille quarante (40) heures par semaine, retire son salaire et va se reposer à la maison. Il jouit d'une certaine sécurité tant et aussi longtemps qu'il accomplit son travail raisonnablement bien. Il ne lui appartient pas de déployer les efforts d'un surhomme et nul ne s'attend à ce qu'il fasse preuve d'idées innovatrices. Si son employeur a des problèmes financiers, ses risques à lui sont minimes.

Par contre, le chef d'entreprise fournit habituellement un plus grand nombre d'heures, il peut rarement laisser son entreprise et il assume toutes sortes de risques qu'il ne peut éviter. Si son entreprise fait faillite, il perdra probablement tout ce qu'il possède. À part son travail écrasant, il doit faire preuve d'imagination.

On est alors porté à se poser la question suivante: «pourquoi mener la vie d'un homme d'affaires de préférence à celle d'un employé?» Pour le plaisir? Admettons que le plaisir soit un motif valable, il ne peut être que temporaire si le profit ne l'accompagne pas. Seul le profit est la vraie réponse: lui seul incite à édifier des entreprises et à travailler avec ardeur. Donnez, en effet, moins d'importance au profit et le comportement des hommes ainsi que leur productivité en seront considérablement diminués: l'histoire des autres systèmes nous le prouve amplement.

On peut se demander comment une grande compagnie rémunère l'administrateur qui possède la plupart des talents du chef d'entreprise. De façon générale, les cadres se partagent les profits de l'entreprise, des salaires élevés leur seront accordés si la compagnie réalise des profits. L'entreprise ne distribuera pas tous ses profits, mais en réinvestira une partie afin d'assurer sa croissance. La fonction économique majeure du profit consiste donc à stimuler la productivité et l'efficacité.

Fournir des ressources

Toute société possède diverses ressources: matériaux, hommes, argent, machines, technologie, connaissances, immeubles. Un des problèmes socio-économiques fondamentaux que rencontrent ces sociétés réside dans la distribution de leurs ressources entre les diverses sphères d'activité: «Qui utilisera les ressources? comment?» Dans des gouvernements totalitaires, le dictateur répartit les ressources selon ses priorités. Dans un système de libre entreprise, c'est le profit qui est le pourvoyeur des ressources. Les hommes talentueux sont attirés par les entreprises à bons potentiels de profit. Les investisseurs recherchent des placements capables de leur procurer des gains intéressants. L'argent ainsi investi permet aux hommes compétents d'acheter d'autres ressources nécessaires: immeubles, main-d'oeuvre, matériaux, équipement... Les entreprises qui ne réussissent pas à réaliser un bon profit sont incapables d'acquérir suffisamment de ressources pour soutenir leurs opérations. Le profit est donc un pourvoyeur fondamental de ressources.

Mesurer la productivité

La principale justification de notre système de libre entreprise est l'efficacité. C'est le système le plus productif inventé par l'homme pour satisfaire ses besoins. Il arrive que le prix des produits de plusieurs industries soit déterminé par un marché ouvert, toutes les firmes de cette industrie recevant essentiellement le même prix pour leur produit. Dans de tels cas, le profit de la firme dépend presque entièrement de son efficacité. Plus elle produit efficacement, plus ses coûts sont bas et plus elle réalise de profits. Les profits d'une entreprise reflètent donc son efficacité. Une firme inefficace perd de l'argent et se trouve éliminée du marché. Et c'est bien ainsi!

Favoriser l'expansion

La croissance de l'industrie nord-américaine est financée presque entièrement par les profits réinvestis. La plupart des grandes corporations ne distribuent qu'un petit pourcentage (20%-40%) de leurs profits en dividendes pour en réinvestir la plus grande part dans le financement de leur croissance. Si l'industrie nord-américaine veut continuer de servir adéquatement la population, elle doit croître un peu plus vite que sa clientèle. Les profits sont la base de la croissance industrielle. En l'absence de profits disponibles pour alimenter une telle croissance, l'industrie devrait alors continuellement recourir au marché monétaire pour obtenir les nouveaux fonds lui permettant de s'étendre. Sans profit, malheureusement, l'argent serait rare parce que les fonds disponibles du marché monétaire proviennent en grande partie des profits réalisés ailleurs dans le système.

Permettre à la société de s'exprimer

De façon presque directe, la société encourage ou décourage certaines activités par les profits qu'elle accorde aux entreprises engagées dans ces domaines. Si la société veut lancer de plus en plus de remèdes miracles, elle paie un prix suffisamment élevé pour obtenir le rendement correspondant. Celui-ci, en retour, attire des ressources supplémentaires dans l'industrie pharmaceutique qui de cette manière peut répondre à la demande accrue. Inversement, quand une entreprise ne peut plus satisfaire les besoins de la société, elle se trouve dans une situation où il lui devient de plus en plus difficile d'opérer avec profit. Elle est alors poussée vers la faillite.

LES SOURCES DE PROFIT

Les profits d'une entreprise peuvent avoir plusieurs origines. Un administrateur compétent connaît bien la source des profits de son entreprise et il ne s'illusionne pas sur les raisons de sa prospérité.

L'innovation

Une des théories classiques du profit en fait le fruit d'une innovation. L'administrateur crée quelque chose, un produit, un procédé, une technique d'administration, ou toute autre amélioration réduisant les coûts, et en retire un profit jusqu'à ce qu'elle devienne désuète ou que la concurrence neutralise cet avantage.

Profit et concurrence

Selon une théorie, les profits d'une firme sont constamment minés par la concurrence et l'administrateur a pour tâche de remplacer continuellement les sources de profits qui se tarissent: l'innovation est un des moyens pour y parvenir.

Il est certain que la contribution des innovations au profit total de l'entreprise est importante mais il ne faut toutefois pas la surestimer. Dans plusieurs industries, les profits provenant de cette source sont de courte durée: la concurrence, en effet, réagit rapidement aux innovations, même si des brevets les protègent.

La capacité administrative

Dans certaines firmes, les profits peuvent s'obtenir grâce à une administration particulièrement avisée. En général, une bonne administration est aussi innovatrice. Des administrateurs compétents ont démontré leur aptitude à réaliser des profits au-dessus de la moyenne grâce uniquement à leurs qualités propres, et non à cause d'innovations. Tout profit résulte, en partie, d'une administration saine; certaines équipes d'administrateurs sont tellement compétentes que les actionnaires n'investissent dans leurs entreprises que pour cette raison.

Monopole

Les profits peuvent être le résultat d'une situation de monopole. Même si un système de libre entreprise proclame que le but poursuivi est la concurrence, plusieurs entreprises recherchent, en fait, une situation de monopole. Les compagnies de service public nous en fournissent des exemples. Des monopoles peuvent cependant exister dans d'autres domaines.

LE MONOPOLE DE SITE Les monopoles de site ont une importance particulière pour un grand nombre d'entreprises dont les profits dérivent du choix judicieux d'un emplacement. Dans l'industrie du pétrole par exemple, la clé pour l'écoulement d'un grand débit d'essence réside dans la construction de stations-service à des endroits choisis.

LE MONOPOLE DE MATIÈRES PREMIÈRES Certaines fortunes ont été édifiées sur la possession de monopoles de matières premières. De Beers Consolidated contrôle environ 80% de la fourniture de diamants dans le monde; ses profits proviennent en grande partie de ce contrôle. Les profits rapides de Alcan résultaient de son contrôle de riches dépôts de bauxite.

PROFITS ILLUSOIRES

Les profits ne sont pas toujours ce qu'ils semblent être. Souvent, un administrateur a dirigé par son entreprise durant plusieurs années en pensant qu'elle était très rentable, mais la comptabilité finale de l'aventure lui révèle l'amère vérité: les soi-disant profits n'étaient que de pures illusions. Ces profits illusoires se présentent sous quatre formes différentes - profits inflationnistes, profits sur papier, profits comptables et profits non-opérationnels.

Les profits inflationnistes

L'inflation dissimule un grand nombre d'erreurs administratives car elle permet fréquemment à une entreprise de montrer un profit qu'elle n'aurait pas fait si les prix n'avaient pas été augmentés. Un profit inflationniste est réalisé par le recouvrement de l'augmentation du prix d'un actif causée par la dépréciation de la monnaie.

Le cycle de conversion des opérations commerciales

Le cycle de conversion des actifs se réfère au principe fondamental selon lequel nous investissons de l'argent pour le transformer en actifs (usines, stocks et matériaux) que nous convertissons ensuite en argent dans l'espoir de retirer plus que ce que nous y avons mis. La durée de conversion est le temps nécessaire pour faire le circuit complet. Certains cycles de conversion sont extrêmement courts; d'autres prennent plus d'une décennie. Plus le cycle est long, plus il comporte de risques.

Supposons qu'une administration transforme son argent en actifs à un coût donné et les vend ensuite à un prix plus élevé. Les profits résultant de l'augmentation de prix ne sont pas des profits opérationnels mais plutôt des profits inflationnistes. On peut dire: «Et puis après, n'est-ce pas de l'argent que la compagnie peut dépenser?» Oui et non! Oui, parce que la compagnie a maintenant de l'argent à dépenser. Non, parce que dans l'avenir le comportement des prix peut s'inverser et causer des pertes par déflation. Non, parce que les actifs réels du propriétaire n'ont pas augmenté.

Notre économie a connu de longues périodes d'inflation et, dans l'ensemble, l'industrie nord-américaine a beaucoup profité de cette situation. Malgré cela, la concurrence continue de faire baisser les prix dans de nombreux secteurs. Des administrateurs opérant dans des milieux où les prix sont instables trouvent fréquemment que le comportement des prix a été plus déterminant pour leur profit que l'efficacité de leurs opérations. Ils sont obligés, par conséquent, de prendre des mesures pour se protéger contre les aléas d'un tel comportement. Voilà pourquoi ils recherchent la minimisation des stocks et la location au lieu de l'achat d'immobilisations. Ils s'efforcent également de réduire la durée de leur cycle de conversion des actifs.

On peut se demander si les profits sont ou ne sont pas illusoires. La réponse est claire, si on se rappelle que l'argent obtenu par la conversion est réinvesti dans d'autres actifs, et que cette seconde conversion se fait à un niveau de prix plus élevé. Les profits inflationnistes sont alors simplement retournés à l'entreprise, pour qu'elle puisse continuer ses opérations. Ces profits ne sont pas disponibles pour la distribution à moins que l'entreprise ne soit dissoute ou qu'elle ne ralentisse ses opérations. Malheureusement, le gouvernement taxe ces profits même s'ils ne sont pas réels.

Les profits sur papier

Les profits sur papier proviennent de la réévaluation des actifs qui n'ont pas encore été convertis en argent. L'inflation ou tout autre facteur augmente la valeur des biens (terrain, stocks ou actions) d'un individu. Cette valeur accrue apparaît dans les états financiers même si l'actif n'a pas été monnayé. C'est une situation extrêmement dangereuse! L'expérience montre que les profits sur papier peuvent disparaître rapidement quand on tente de les réaliser. La rue Saint-Jacques regorge de spéculateurs capables d'attester ce phénomène: des hommes pensaient être millionnaires (et ils l'étaient sur papier) jusqu'à ce qu'ils tentent de réaliser leurs millions en vendant leurs titres. Ils se sont alors aperçus que la valeur de leur portefeuille avait considérablement diminué. Une des réalités brutales du monde des affaires est que l'on essaie habituellement de liquider ses actifs au pire moment, c'est-à-dire quand la situation est mauvaise. Il est rare qu'une compagnie vende ses actifs quand tout va bien. Il faut traiter avec prudence les profits sur papier car ils ne représentent pas la valeur réelle de nos biens.

Les profits comptables

Les profits comptables s'apparentent beaucoup aux profits sur papier. La différence entre les deux provient du fait que les profits sur papier n'ont pas été réalisés parce que les actifs n'ont pas été monnayés, tandis que les profits comptables illustrent des transactions réelles où un profit économique a été réalisé. Cependant, le propriétaire n'a pas d'argent en main parce qu'il l'a immédiatement investi dans d'autres actifs. C'est la situation typique d'une entreprise en croissance qui a un taux de rentabilité élevé mais qui manque toujours de liquidité, l'argent ayant été continuellement réinvesti en actifs. Les profits peuvent être illusoires si le chef d'entreprise fait une mauvaise transaction au dernier cycle de conversion. Il est possible de neutraliser complètement un grand nombre de ces cycles, bien réussis, si le dernier provoque la débâcle de son entreprise.

Les profits non opérationnels

Les profits non-opérationnels résultent d'un événement économique inhabituel, événement qui ne fait pas partie de la routine opérationnelle de l'organisation. Ce genre de profit ne peut se prédire, ni se reproduire exactement de la même façon. Les profits non-opérationnels prennent plusieurs formes. Une compagnie va peut-être gagner un procès important ou être capable de vendre avec profit une usine désuète. De telles transactions peuvent rapporter des profits intéressants mais on ne peut s'y fier pour financer des opérations à long terme. Les analystes financiers sont très prudents à ce sujet et séparent ces profits occasionnels des profits d'opérations lorsqu'ils tentent de prévoir la rentabilité d'une entreprise. Les profits non-opérationnels ne sont pas illusoires car ils correspondent à une somme d'argent réellement perçue, mais ce ne sont pas des profits d'opérations.

LES OBJECTIFS NON MONÉTAIRES

Il est vrai que, dans le passé, les économistes ont porté trop d'attention au rôle du profit dans la théorie économique et pas assez aux autres motivations de l'homme d'affaires. Il était beaucoup plus facile de soutenir des théories économiques logiques et rationnelles utilisant le profit comme objectif. Cependant, dans notre système, il y a plusieurs éléments non quantifiables dont nous devons tenir compte.

La survie

Nous affirmons que l'objectif principal de plusieurs institutions est la survie, et non le profit. L'entreprise doit, en effet, assurer la continuité de ses opérations. Voilà pourquoi la notion de survie et de permanence préoccupe davantage l'homme d'affaires que la maximisation des profits. Des hommes d'affaires ont clairement démontré qu'ils n'essaient pas de maximiser leurs profits car, ce faisant, ils prendraient des risques compromettant la survie de l'entreprise. Seul, un administrateur incompétent prendra une décision menaçant l'existence de la compagnie, alors qu'une autre décision, quoique moins profitable, procurera un profit respectable sans aucun risque pour la survie. La survie est donc une des préoccupations fondamentales des entreprises.

Le pouvoir

Certains hommes sont certainement motivés par le pouvoir. Ils recherchent le contrôle des hommes et des biens. S'ils travaillent comme ils le font, ce n'est pas parce qu'ils espèrent faire de gros profits, mais plutôt parce qu'ils sont heureux du pouvoir qu'ils détiennent sur d'autres personnes et sur le cours des événements. Le pouvoir peut être bon ou mauvais selon l'utilisation qu'on en fait. Certains hommes sont tellement obsédés par la soif de pouvoir que le résultat est mauvais tant pour eux-mêmes que pour tous ceux qui les entourent. D'un autre côté, le pouvoir utilisé à bon escient peut être un objectif légitime et sain. Nul doute que certaines entreprises recherchent le pouvoir pour faire plus de profits.

L'emploi

Dans le monde des affaires, plusieurs décisions tiennent compte du facteur emploi: quelle solution procurera le plus d'emplois? La plupart des administrateurs modernes sont conscients de l'importance de l'aspect humain de leurs décisions; ils sont véritablement préoccupés par leur personnel et se sentent responsables de leur sécurité. Par conséquent, il arrive de plus en plus souvent qu'une compagnie qui pourrait acheter avantageusement à l'extérieur choisisse de fabriquer elle-même les biens nécessaires afin de procurer de l'emploi à son personnel. Les compagnies opérant dans de petites villes ressentent d'une façon plus aiguë cette pression, car si elles sont forcées de congédier des travailleurs, les résultats seront ressentis par chaque membre de la communauté.

La satisfaction

Un homme peut éprouver beaucoup de plaisir à gérer une entreprise et plusieurs personnes s'y engagent parce qu'elles aiment cette activité. Peut-être est-ce le motif le plus sain. En effet, est-il sage de s'engager dans l'exercice d'une profession que l'on n'aime pas? La vie n'est pas assez longue pour la gaspiller à faire ce qui ne nous satisfait pas. Les activités de nombreux hommes d'affaires peuvent s'expliquer en grande partie par le plaisir qu'ils ont à négocier des fusions et à jouer un rôle important et actif dans le déroulement des événements.

TABLEAU 5.2
Circulation du profit

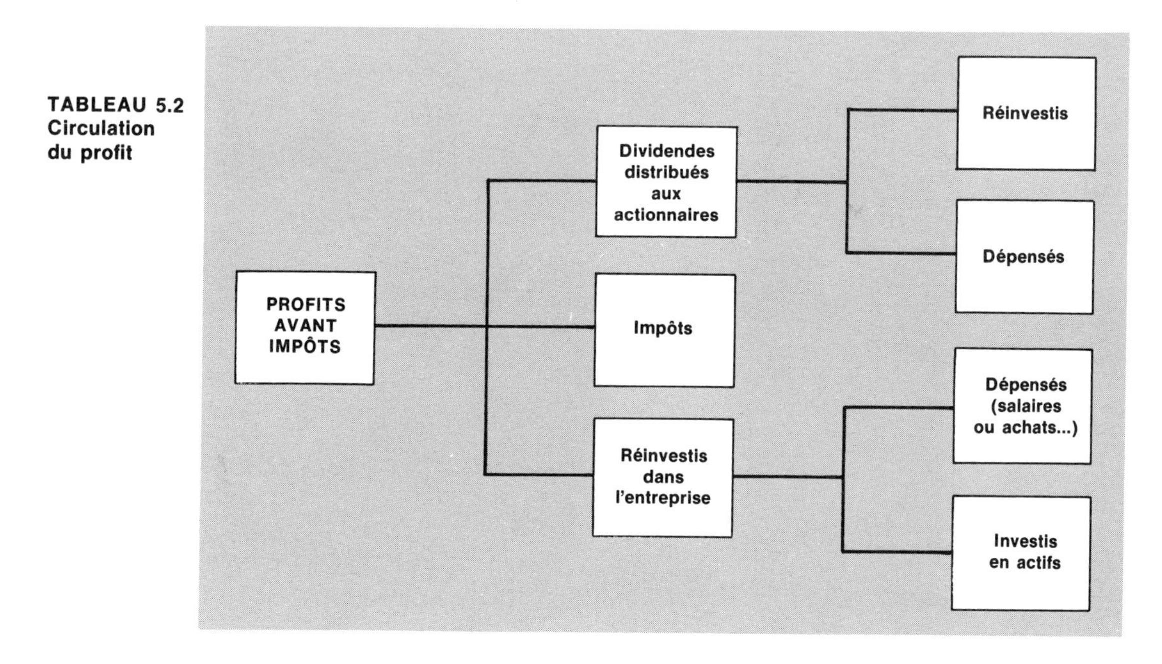

La contribution à la société

Il existe tellement d'exemples démontrant que pour plusieurs entreprises le rôle social constitue un objectif important que nous n'insisterons pas davantage sur ce sujet.

Rôle social de l'entreprise

Une conception du monde des affaires fait du rôle social d'une entreprise l'objectif premier. Le profit vient par surcroît si les activités répondent à un besoin social et économique des membres de la société dont l'entreprise fait partie.

CONCLUSION

Ne dénigrons pas le profit. Nous devons plutôt le considérer comme une motivation vitale. Il a été à la base de notre système économique et il nous a permis de bâtir une société prospère et productive. Ne pensons pas non plus que les profits sont soutirés de nos revenus par des éléments parasites de notre société. Les profits vont aux gens productifs qui, en retour, les réinvestissent dans notre système sous une forme quelconque, soit en biens de consommation, soit en biens de production. Les profits ne s'évaporent pas, ils circulent, comme l'illustre le tableau 5.2.

les institutions à but lucratif

Dans ce chapitre, nous examinerons les trois principaux types d'entreprises. Le choix du type d'entreprise est d'une extrême importance à cause des implications légales, financières et administratives qu'il comporte. Un mauvais choix au départ risque d'entraîner plus tard des corrections coûteuses.

L'ENTREPRISE À PROPRIÉTAIRE UNIQUE

L'entreprise à propriétaire unique est la plus ancienne forme d'entreprise. Elle existe depuis le début des temps puisqu'à ces époques reculées les activités personnelles d'un homme et celles de son entreprise étaient étroitement liées. Il n'y avait pas toujours de distinction nette entre les activités d'un fermier et son rôle économique: la production d'aliments.

Numériquement, l'entreprise à propriétaire unique domine encore largement notre système. En 1971, au Canada, elle représentait approximativement 70% des établissements, mais elle n'embauchait que 5% de la main-d'oeuvre et ne produisait que 3,6% des biens. Elle est, de toute évidence, très petite et seul un nombre restreint de ces propriétaires réalisent un chiffre d'affaires intéressant. En fait, le propriétaire unique doit faire face à des difficultés pratiques qui l'empêchent d'étendre ses activités sur une plus vaste échelle.

Caractéristiques

Voici les caractéristiques de l'entreprise à propriétaire unique: (1) facile à créer; (2) les opérations n'exigent aucune formalité légale; (3) le financement des opérations peut devenir un fardeau; (4) difficile à revendre; (5) aucun statut fiscal; (6) la gestion ne repose que sur les épaules du propriétaire; (7) son existence est de durée variable; (8) la responsabilité du propriétaire est illimitée; (9) la prise de décision est rapide.

FACILE à CRÉER Alors qu'une société commerciale exige l'établissement d'un contrat de société dont les clauses ont été préalablement acceptées par tous les associés, et alors que la compagnie limitée doit traverser toutes les formalités de l'incorporation, la création d'une entreprise à propriétaire unique ne requiert pratiquement aucune formalité. Au Québec, le Code civil exige l'enregistrement du nom de l'entreprise à propriétaire unique; et ce, seulement si le commerce porte un nom autre que celui du propriétaire ou si ce dernier est marié. Elle doit aussi obtenir un permis municipal, mais c'est le cas de toutes les formes d'entreprises dont l'activité s'exerce dans les limites d'une municipalité. En fait, il est possible de créer une entreprise à propriétaire unique en un instant et de se retirer d'affaires le moment d'après. Des honoraires légaux sont généralement encourus par la création d'une société commerciale ou d'une compagnie limitée, mais personne n'a besoin d'un avocat pour créer une entreprise à propriétaire unique.

ASPECTS LÉGAUX Aucune législation particulière n'est prévue pour les entreprises à propriétaire unique, alors que de nombreuses lois régissent les sociétés et les corporations. Le propriétaire unique doit surtout se conformer aux lois du Code civil sur les ventes et les contrats. Si une entreprise à propriétaire unique est impliquée dans une poursuite judiciaire c'est le propriétaire qui est poursuivi ou qui intente l'action. La loi reconnaît que l'entreprise et le propriétaire ne forment qu'une seule et même personne.

FINANCEMENT Les ressources financières d'une entreprise à propriétaire unique résident dans la richesse du propriétaire, dans sa capacité d'emprunt et dans la bonne volonté de ses proches. En conséquence, ses sources de fonds sont habituellement limitées. Il est vrai que certains créanciers préfèrent traiter avec des entreprises à propriétaire unique puisque ce statut leur permet d'avoir accès à tous les biens du propriétaire pour garantir leurs créances. Mais même cet aspect ne constitue pas un avantage pour l'entreprise. Dans le domaine des professions libérales, la loi exige que la formule de propriétaire unique ou de société soit employée. Il est d'usage que le professionnel remette une partie de ses biens personnels entre les mains de membres de sa famille qui les investiront en leur propre nom dans des compagnies à fonds social. En agissant de la sorte, il tente d'éviter que des réclamations financières contre son entreprise ou contre la société commerciale à laquelle il participe touchent ses biens personnels. Ce genre d'initiative est compliqué toutefois et exige la consultation d'une société de fiducie disposant d'un personnel spécialisé dans ces questions légales, fiscales et successorales.

Par quels moyens un propriétaire unique peut-il protéger ses biens personnels?

POUVOIR DE REVENTE Un marchand a travaillé pendant vingt ans à bâtir une entreprise de vêtements pour hommes portant son nom, Armand Laframboise. Afin de prendre une retraite méritée, il a décidé de vendre son entreprise pour un montant de $100 000. Un acheteur éventuel a demandé à travailler au magasin pendant six semaines avant de prendre une décision finale. Armand Laframboise a accepté. Après quatre semaines, l'acheteur éventuel a déclaré que l'affaire ne l'intéressait pas, précisant que cette entreprise n'était florissante que parce que Armand Laframboise en était propriétaire. En d'autres termes, il refusait de payer $100 000 pour une entreprise dont la plus grande valeur était une clientèle attachée au nom d'un propriétaire et qui risquait donc d'être perdue dès que ce dernier aurait vendu. Une entreprise bâtie autour du nom d'un individu finit donc par avoir un pouvoir de revente limité. Afin d'éviter cette embûche, il suffit de donner à l'entreprise une raison sociale autre que le nom du propriétaire.

TAXATION Le propriétaire unique est taxé à titre de particulier et est ainsi désavantagé par l'application de la loi de l'impôt sur le revenu. La compagnie limitée profite de déductions et d'avantages fiscaux inaccessibles au propriétaire unique. La compagnie limitée peut, par exemple, déduire de ses revenus les salaires versés aux administrateurs, alors que pour le propriétaire unique le salaire qu'il pourrait se verser s'ajoute au revenu de l'entreprise aux fins du calcul de son revenu imposable comme particulier.

Pourquoi la loi de l'impôt sur le revenu est-elle plus avantageuse pour la compagnie limitée que pour l'entreprise à propriétaire unique?

GESTION Les entreprises à propriétaire unique ont beaucoup de peine à attirer et à intéresser un personnel de grande classe, nécessaire à la création d'une équipe de gestion efficace. Le propriétaire est forcé de gérer lui-même l'entreprise et les difficultés qu'il éprouve à s'entourer d'employés compétents l'obligent à prendre toutes les responsabilités. Les raisons de cette situation sont faciles à comprendre. Quel peut être l'avenir d'un jeune professionnel travaillant pour un propriétaire unique? Ses chances de posséder un jour l'entreprise sont minces, surtout si le propriétaire unique a des enfants pour lui succéder. Il travaillera plutôt pour une entreprise plus vaste de façon à acquérir les aptitudes, l'expérience et le capital qui lui permettront d'établir sa propre entreprise. Une autre raison est le peu de longévité de ce type d'entreprise. Un jeune professionnel n'est certes pas intéressé à faire carrière dans une entreprise que le propriétaire peut décider à tout moment de vendre ou de fermer. De plus, peu d'entreprises à propriétaire unique peuvent se permettre d'offrir des salaires et des avantages sociaux comparables à ceux des grandes compagnies. Bref, l'entreprise à propriétaire unique peut difficilement rivaliser sur le marché de la main-d'oeuvre avec les grandes compagnies.

DURÉE L'entreprise à propriétaire unique peut n'exister que pour une seule transaction, une journée ou une courte période de temps. Au mieux, elle peut durer la vie de son propriétaire, mais la plupart du temps celui-ci décide de vendre lorsque le poids des années se fait sentir ou lorsqu'il en a assez.

RESPONSABILITÉ ILLIMITÉE La responsabilité illimitée est la caractéristique la plus importante de l'entreprise à propriétaire unique: le propriétaire garantit toutes les dettes de l'entreprise par l'ensemble de ses actifs dans l'entreprise et par la totalité de ses biens personnels. Si l'entreprise fait faillite, il peut être forcé à la banqueroute personnelle et n'être laissé qu'avec le minimum vital prévu par la loi. Voilà pourquoi il est rare que des hommes fortunés se laissent tenter par ce type d'entreprise.

DÉCISON RAPIDE L'entreprise à propriétaire unique permet une grande flexibilité administrative puisqu'un problème et la solution qu'il demande ne passent qu'entre les mains d'une personne. La prise de décision est d'autant plus rapide.

Donnez quelques exemples de flexibilité administrative.

Utilisation

L'entreprise à propriétaire unique n'est utilisée de nos jours que pour les petites opérations de vente au détail ou pour des affaires de courte durée n'impliquant que quelques transactions. L'homme d'affaires est de moins en moins intéressé par ce type d'entreprise parce que les profits y sont peu élevés, la responsabilité y est illimitée, le financement et les possibilités de revente sont difficiles, les mesures fiscales désavantageuses.

LA SOCIÉTÉ

Très tôt dans l'histoire, les hommes ont compris qu'ils pourraient accomplir davantage en combinant leurs talents et leurs ressources. Pourrait-on en conclure que la société est l'affiliation d'entreprises à propriétaire unique, avec considérations légales réglementant les rapports entre les associés et la façon de mener l'entreprise? Ce serait trop simple. Une société est beaucoup plus que la somme des personnes qui en font partie.

Il existe plusieurs types de sociétés, mais nous nous préoccuperons de la plus connue, celle dans laquelle deux ou plusieurs individus s'unissent pour créer une entreprise: la société en nom collectif.

Caractéristiques

La société possède des caractéristiques qui la distinguent de l'entreprise à propriétaire unique.

APTITUDES COMPLÉMENTAIRES Logiquement, la raison qui peut pousser des individus à former une société est la complémentarité de leurs aptitudes. Les aptitudes de l'un complètent celles de l'autre. Il y a l'exemple classique du partenaire possédant des aptitudes dans les ventes et de ses deux associés possédant respectivement des aptitudes dans les domaines de la finance et de la production. Chacun peut ainsi faire son travail avec la même motivation que le propriétaire unique. La formation d'une société peut être la solution pour le propriétaire unique éprouvant des difficultés à s'entourer d'hommes de talent. La complémentarité des talents et des aptitudes est la meilleure garantie de permanence pour une société.

CONJOINTEMENT ET SOLIDAIREMENT RESPONSABLES L'originalité de la société en nom collectif tient au fait que tous les associés sont conjointement et solidairement responsables des obligations de la société. Les associés peuvent faire entre eux l'entente qu'ils jugent à propos quant à leurs pouvoirs respectifs dans l'administration de la société mais, à l'égard des tiers qui contractent avec eux de bonne foi, chacun des associés a le pouvoir de lier la société, et ce faisant, les autres associés, pour toutes obligations contractées au nom de celle-ci dans le cours ordinaire des affaires. Cette caractéristique de la société est la cause du peu d'attrait qu'elle exerce auprès des hommes d'affaires. Au cours des dernières décennies, l'utilisation de la société comme forme d'entreprise s'est limitée aux professions libérales. C'est une contrainte légale liée à l'assermentation obligeant le professionnel à être personnellement responsable des actes posés pour et au nom de sa clientèle. La loi devant évoluer avec les situations, il faut anticiper le jour où la société en nom collectif sera remplacée par des corporations professionnelles.

ASSOCIATION PRÉCAIRE La nature humaine étant ce qu'elle est, il est très rare que des associés, vivant et travaillant les uns près des autres, jour après jour, n'en viennent pas à des désaccords profonds. Si ceux-ci ne peuvent être résolus, et le cas est fréquent, la société doit être dissoute.

LES ASSOCIÉS ET L'IMPÔT Le revenu de l'associé est traité de la même façon que celui d'un particulier. La part de revenu de l'associé est ajoutée aux revenus personnels de ce dernier lorsqu'il complète sa déclaration d'impôt.

Utilisation

De nos jours, les sociétés sont limitées aux secteurs professionnels tels que: médecine, droit, comptabilité publique, assurance et courtage.

LA COMPAGNIE LIMITÉE

Une compagnie est une personne morale et légale pouvant agir en son nom propre comme tout individu. Elle n'est pas un groupe de personnes, elle est une entité légale en elle-même. La compagnie peut acquérir des biens et contracter des dettes comme tout individu, son champ d'action étant toutefois limité à celui décrit par ses lettres patentes. Elle peut poursuivre et être poursuivie, même par ses propres actionnaires et employés. Elle possède donc une identité, une existence distincte de ses membres. Les actionnaires peuvent effectuer des transactions avec la compagnie de la même façon que tout autre individu. Un actionnaire n'est pas un agent ni un représentant de la compagnie, et la Cour fait une distinction nette entre les actionnaires et la compagnie, même si un seul actionnaire détient la majorité des actions votantes.

Formation

Avant de procéder à l'incorporation d'une compagnie, il faut d'abord décider du territoire géographique que l'on entend adopter comme champ d'action. Cette précision établie, il y aura le choix entre l'obtention d'une charte provinciale pour des opérations restreintes à une province ou d'une charte fédérale pour des affaires couvrant tout le pays. Une charte provinciale ou fédérale peut être obtenue sans l'intermédiaire d'un avocat. Toutefois, ces derniers, à cause de leur expérience, sont souvent très utiles et évitent aux requérants bien des erreurs.

Éléments de l'incorporation

REQUÉRANTS Pour obtenir les lettres patentes créant une compagnie, trois documents sont nécessaires: (1) une requête pour laquelle au moins trois requérants demandent l'émission de lettres patentes; (2) un mémoire des conventions par lequel les requérants conviennent d'être constitués en compagnie, par lettres patentes, avec un certain capital social autorisé; (3) une déclaration sous serment (ou affidavit) faite par l'un des requérants, attestant la véracité et la suffisance des faits énoncés dans la requête et dans le mémoire de convention. (Voir les documents 6-1, 6-2, 6-3 ci-après).

NOM ET SCEAU Puisqu'un nom déjà utilisé par une autre entreprise sera refusé, il est préférable de suggérer plusieurs noms afin de ne pas retarder l'émission des lettres patentes. La loi fédérale exige de faire suivre le nom de la compagnie des expressions «à responsabilité limitée» ou en abrégé «limitée» ou «Ltée». La loi provinciale ne contient pas les mêmes exigences, mais nous recommandons de le faire afin de prévenir les créanciers que les administrateurs ne sont pas personnellement liés aux dettes de l'entreprise.

FINS POUR LESQUELLES UNE COMPAGNIE EST FORMÉE Les buts de la compagnie sont généralement décrits en termes très larges afin de donner le maximum de latitude à ses opérations. Si les buts sont trop étroitement définis, l'entreprise peut éventuellement être poursuivie pour activités commerciales autres que celles spécifiées par sa charte. Ce sont des activités «ultra vires».

STRUCTURE FINANCIÈRE Les clauses de la charte précisent les sortes d'actions à émettre, leur valeur, les droits qu'elles confèrent aux détenteurs (droit de vote ou autres), et leur mode de participation aux profits.

Règlements

Le livre des règlements établit les règles d'opération de l'entreprise. Cette réglementation n'est pas incluse dans la charte, ce qui facilite les amendements. Elle définit globalement la structure administrative de l'entreprise, le nombre d'administrateurs qui la gouvernera, la durée de leur mandat et leurs pouvoirs, les renseignements concernant les actionnaires, la façon dont les règlements doivent être amendés, les réunions, le quorum, le vote et l'ajournement, les vacances, etc.

Conseil d'administration

Les membres de ce conseil, au moins trois, sont élus par les actionnaires à l'assemblée générale annuelle. Les séances du conseil d'administration peuvent être hebdomadaires, mensuelles, ou même n'avoir lieu que quelques fois l'an. Le rôle du conseil d'administration est évidemment d'administrer les affaires de la compagnie. Toutefois, dans les grandes entreprises, cette situation se vérifie beaucoup moins et le conseil s'en tient surtout à l'énoncé des politiques générales, des objectifs à atteindre et des genres de transactions que la compagnie entend effectuer; le conseil d'administration approuve les budgets et évalue les performances administratives. Les cadres de l'entreprise sont nommés par le conseil d'administration. Celui-ci approuve également les changements dans la structure financière de l'entreprise.

DOCUMENT 6.1

LOI DES COMPAGNIES
REQUÊTE POUR CONSTITUTION EN CORPORATION

Au ministre des institutions financières, compagnies et coopératives (Provincial)
À l'honorable ministre de la consommation et des corporations (Fédéral)

La requête de Monsieur X
Madame Y
Mademoiselle Z

lesquels exposent respectueusement ce qui suit:

Les requérants soussignés désirent obtenir des lettres patentes en vertu des dispositions de la première partie de la Loi des compagnies du Québec (ou du Canada) constituant en corporation vos requérants et les autres personnes qui pourront devenir actionnaires de la compagnie à être créée sous le nom de:
....
....
....
ou sous tout autre nom qui pourra vous paraître convenable;

Les soussignés ont constaté et se sont assurés que le nom corporatif proposé sous lequel on demande de constituer la compagnie en corporation n'est le nom corporatif d'aucune compagnie connue, constituée ou non constituée en corporation, (sauf ....
....
....
....
dont le consentement est produit avec la présente requête), ni un nom tel qu'on le puisse confondre avec quelqu'autre dénomination sociale, ni être autrement inadmissible pour des raisons d'intérêt public;

Vos requérants ont chacun dix-huit ans révolus;

Les objets pour lesquels la constitution en corporation est demandée par les requérants sont les suivants:
....
....
....
....

Le siège social de la compagnie projetée sera à ....
dans le district judiciaire de ....
Le montant du capital-actions de la compagnie sera de ....
divisé en .... actions ordinaires de $ .... chacune
et en .... actions privilégiées de $ .... chacune. (*)

(Si le capital-actions doit être divisé en actions sans valeur nominale avec ou sans actions privilégiées)
Le capital-actions de la compagnie sera divisée en .... actions sans valeur nominale (ou selon le cas)
Le capital-actions de la compagnie sera divisé en......... actions sans valeur nominale et en .... actions privilégiées de $........... chacune (*)

Suivent les nom, prénom, adresse, profession ou occupation des requérants, avec le nombre d'actions souscrites par chaque requérant respectivement:

Requérants	Profession ou occupation	Adresse	Nombre d'actions souscrites ordinaires	privilégiées
....	....	....	....	....
....	....	....	....	....
....	....	....	....	....
....	....	....	....	....
....	....	....	....	....

Les dits
....
....
....
seront les administrateurs provisoires de la compagnie.

Un livre d'actions a été ouvert et un mémoire des conventions par les requérants, conformément à la loi, a été fait en duplicata. L'un des duplicata étant transmis avec la présente requête.

Les soussignés demandent en conséquence qu'il soit accordé une charte les constituant, ainsi que les autres personnes qui pourront devenir subséquemment actionnaires de la compagnie, en corporation et corps politique pour les objets ci-dessus mentionnés.

Signatures des requérants	Signatures des témoins
....	....
....	....
....	....
....	....
....	....

Daté à .... ce ..... jour de............... 19.......

*Dans ce cas, la requête doit contenir toutes les dispositions que devrait renfermer un règlement passé en vertu de l'article 45 autorisant l'émission d'une partie du capital-actions comme actions privilégiées (Québec).

DOCUMENT 6.2

CANADA
PROVINCE DE QUÉBEC
DISTRICT DE MONTRÉAL

MÉMOIRE DES CONVENTIONS ET CONTRAT EN FIDEICOMMIS
EN VUE DE LA CONSTITUTION D'UNE COMPAGNIE

Monsieur .... , outilleur ou monteur de machines,
.... rue ...., Montréal ...., Québec...................,
madame ...., ménagère,
.... rue ...., Montréal .... Québec ....,
et mademoiselle ...., secrétaire,
.... rue ...., Montréal ...., Québec ....,
conviennent ce qui suit:

1. Ils s'engagent à former une compagnie sous le nom .... Limitée ou sous un autre nom, si celui-ci n'est pas disponible, avec bureau principal à .... rue...................., Montréal......, Québec ....: avec capital-actions de $50 000. divisé en 2 500 actions ordinaires de $10. chacune et de 2 500 actions privilégiées de $10. chacune et ayant pour objet l'exploitation d'un commerce de fabrication, d'installation et de service de convoyeurs et d'élévateurs.

2. Ils s'engagent à souscrire et à payer le nombre d'actions apparaissant ci-dessous en regard de leur nom respectif lorsque sera tenue la première assemblée des contractants en leur qualité d'administrateurs de la compagnie;

MonsieurX	1 action ordinaire	$10.
Madame Y	1 action ordinaire	$10.
Mademoiselle Z	1 action ordinaire	$10.

3. Ils nomment par les présentes monsieur X, monteur de machines, leur agent et mandataire pour commencer, dès la signature de cette convention, les travaux de préparation et l'établissement du commerce de la compagnie. Ils l'autorisent à passer et à signer des contrats, après consultation au préalable, si nécessaire, avec les autres parties à la convention, et à retirer et dépenser dans l'intérêt de la future compagnie, les sommes d'argent qu'ils pourront déposer à la banque dans ce but dans un compte spécial, lesquels dépôts pourront être considérés comme des souscriptions à des actions de la compagnie.

4. Ils déclarent de plus, que la présente convention constitue un fidéicommis au sens de la loi des compagnies et ils comprennent que la compagnie, dès sa date de formation, sera immédiatement saisie de toute propriété, de droits mobiliers et immobiliers possédés par elle en vertu des présents fidéicommis.

EN FOI DE QUOI, LES SOUSCRIPTEURS ONT SIGNÉ DEVANT TÉMOIN À MONTRÉAL,
CE ..... JOUR DE .... 19 ....

....	....
TÉMOIN	SOUSCRIPTEUR
....	....
TÉMOIN	SOUSCRIPTEUR
....	....
TÉMOIN	SOUSCRIPTEUR

DOCUMENT 6.3

DÉCLARATION SOUS SERMENT (AFFIDAVIT)

Concernant la demande de
Monsieur X
Madame Y
Mademoiselle Z

pour incorporation en vertu de la première partie de la loi relative aux corporations canadiennes, sous le nom de.. Limitée.

Je, soussigné,...................., outilleur, domicilié et résidant à ...., ayant été dûment assermenté sur les Saints-Évangiles, déclare et dis que:

1. Je suis l'un des requérants;
2. J'ai pris connaissance de la requête ci-annexée et les faits énoncés sont vrais et suffisants au meilleur de ma connaissance;
3. Je suis informé et j'ai raison de croire que chacun de vos requérants qui ont signé la présente demande, sont majeurs et ont la capacité légale de contracter, et aussi que leur désignation dans ladite requête est véridique;
4. Le nom proposé n'est celui d'aucune autre compagnie connue, constituée ou non en corporation, et il n'est pas susceptible d'être confondu avec le nom d'une autre compagnie;
5. Je me suis assuré moi-même, et je suis convaincu, qu'aucun intérêt public ou privé ne sera préjudicié par l'incorporation de ladite compagnie;
6. Je fais cette déclaration solennelle croyant que c'est la vérité et cette même déclaration doit être considérée comme ayant la même force et le même effet que si elle avait été faite selon les prévisions de la loi de la preuve du Canada;

en foi de quoi, j'ai signé

....

Assermenté devant moi à Montréal, ce ..... jour du mois de .... 19.....

....
Commissaire à l'assermentation dans et pour le district de Terrebonne.

Comité de direction

La direction de l'entreprise est assumée par les membres de l'exécutif, lesquels sont choisis et nommés par le conseil d'administration. Alors que la loi exige de la compagnie qu'elle ait un président et un secrétaire, la création des autres postes administratifs, comme ceux de vice-présidents, est laissée à la discrétion du conseil d'administration. Normalement, les postes de cadres sont prévus par les règlements de la compagnie.

Assemblée des actionnaires

La loi exige qu'il y ait au moins une réunion annuelle des actionnaires dans le but:

- de recevoir le rapport du conseil d'administration sur sa gestion de l'entreprise;
- de recevoir les états financiers;
- d'élire les membres du conseil d'administration;
- de nommer le vérificateur.

De plus, l'assemblée des actionnaires doit approuver des décisions comme la fusion ou la liquidation. Des assemblées spéciales des actionnaires peuvent avoir lieu pour l'approbation de changements importants concernant la charte ou les règlements.

Lors de l'élection des membres du conseil d'administration, les actionnaires peuvent avoir des droits de vote cumulatifs ou non cumulatifs. Afin de protéger les droits des actionnaires minoritaires, les requérants à une charte ont pu prévoir un article accordant le droit de vote cumulatif. Cela signifie que chaque actionnaire a autant de votes pour chacune de ses actions qu'il y a de membres du conseil à élire. Si un actionnaire possède 10 000 actions ordinaires, votantes, et qu'il y a trois membres à élire, il aura 30 000 votes. Il peut attribuer tous ses votes à un seul ou les partager à son gré entre les trois. Ce mode d'élection permet aux actionnaires minoritaires de faire nommer un nombre proportionnel de membres sur le conseil d'administration.

Selon la méthode du droit de vote non cumulatif, les actionnaires majoritaires peuvent élire tous les membres du conseil d'administration. L'actionnaire minoritaire dont nous avons parlé plus haut n'a que 10 000 votes pour chaque poste à combler, ce qui est insuffisant. Le vote non cumulatif empêche la participation des actionnaires minoritaires à la gestion de l'entreprise.

Il y a beaucoup d'avantages et d'inconvénients à utiliser chacune des deux méthodes, mais la direction d'une entreprise préfère généralement ne pas avoir d'actionnaires minoritaires dissidents dans son conseil d'administration, de sorte que le mode de vote cumulatif est rare.

La grande entreprise moderne

Notre discussion nous a fourni jusqu'à maintenant un modèle théorique de l'entreprise, telle qu'elle existe aux yeux de la loi. La réalité est tout autre. On peut distinguer trois différents types de corporations ou compagnies. En premier lieu, il y a la grande compagnie à fonds publics avec laquelle il est facile de garder le contact puisqu'elle se classe parmi les plus grandes entreprises du pays. En second lieu, il y a la compagnie privée, propriété de quelques personnes et dont les actions ne sont pas offertes au public. En troisième lieu, il y a la compagnie dite personnelle où un propriétaire détient toutes les actions sauf deux détenues par des membres de sa famille. Ce type de compagnie familiale où il n'y a en pratique qu'un seul propriétaire procure à celui-ci des avantages légaux et fiscaux. Quelques fois, tous les biens d'une famille sont détenus par une compagnie dont la fonction n'est que de gérer ces biens.

PROPRIÉTÉ En théorie, les actionnaires d'une compagnie limitée sont propriétaires de l'entreprise. Dans la réalité, toutefois, l'actionnaire de la grande entreprise moderne ne remplit aucun rôle dans la gestion de l'entreprise. La tendance des dernières années indique que l'investisseur semble s'intéresser davantage à revendre ses actions avec profit qu'à recevoir des dividendes. Compte tenu de la situation, il ne faut pas être surpris d'une telle attitude.

Pourquoi les investisseurs s'intéressent-ils plus à revendre leurs actions avec profit qu'à recevoir des dividendes?

CONTRÔLE La plupart du temps, le contrôle d'une grande compagnie est entre les mains d'une équipe de gestion qui engendre ses propres successeurs. De jeunes cadres sont engagés, suivent des programmes d'entraînement spécifiques, accèdent aux différents paliers par la promotion interne, et, finalement, remplacent les administrateurs qui prennent leur retraite. Dans ces grandes entreprises, l'exécutif en place veille à ce que la politique de promotion interne qu'il a établie soit strictement observée. Les difficultés financières sont les seules raisons pouvant éliminer l'équipe d'administrateurs en place. Dès que les premiers signes de mauvaise gestion apparaissent, de nouveaux groupes d'investisseurs tentent de s'emparer du contrôle aux moyens d'offres d'achat ou par des batailles de votes par procurations. Ces luttes pour le pouvoir et le contrôle ne se jouent qu'entre investisseurs très fortunés. Le petit investisseur n'y joue qu'un rôle de second ordre.

Quels sont les événements qui peuvent rendre instable la situation d'une équipe d'administrateurs?

CONSEIL D'ADMINISTRATION Dans les grandes entreprises, le conseil d'administration n'est en fait qu'un organisme apposant un sceau à toutes les décisions prises par l'équipe de direction. La seule fonction que se réserve habituellement le conseil d'administration est le choix du président de la compagnie, et seule une très mauvaise gestion le forcera à remplacer la direction de l'entreprise. Plusieurs raisons expliquent ce contrôle dilué du conseil d'administration. Premièrement, le membre du conseil ne connaît des activités de l'entreprise que ce que l'exécutif veut bien lui laisser savoir; il est en quelque sorte prisonnier d'un système de communications contrôlé par l'exécutif. Deuxièmement, le membre du conseil n'est pas suffisamment rémunéré, aussi ne donne-t-il pas le temps nécessaire à une participation efficace à la gestion. Troisièmement, le membre du conseil ne tient pas toujours à participer activement à la gestion de l'entreprise. Bien souvent, les motifs qui l'ont poussé à devenir membre du conseil sont le prestige qu'il peut en tirer et les contacts qu'il peut y établir.

En conséquence, le conseil d'administration participe peu à la gestion de l'entreprise et semble n'exister que parce que la loi l'exige. Par des politiques plus appropriées, une équipe de gestion pourrait bénéficier d'une participation plus réelle des membres du conseil à la direction de l'entreprise. Rares, cependant, sont les exécutifs suffisamment sûrs d'eux-mêmes pour accorder un plus grand pouvoir aux membres du conseil. La plupart des présidents de compagnies préfèrent mener la barque à leur guise et restreindre le pouvoir du conseil.

Nommez quelques entreprises canadiennes pouvant exercer une forte influence sur le bien-être de notre société.

Quels sont les dangers inhérents à la concentration des activités économiques autour de quelques grandes entreprises?

Si vous désirez prévenir la concentration du pouvoir économique autour de quelques entreprises géantes, quelles politiques gouvernementales préconiserez-vous?

Quelles forces, dans notre société, favorisent la formation de super-entreprises?

Avantages de la grande entreprise

Le plus grand avantage réside dans la facilité qu'ont ces entreprises à attirer des fonds. Elles peuvent se procurer d'immenses sources de fonds plus facilement et à un coût moindre que leurs concurrents plus petits.

D'importantes sources financières sont requises de nos jours pour investir dans la construction d'usines, l'achat d'équipement et la recherche permettant des opérations rentables. Pour mettre sur pied une industrie de pointe, il faut des centaines de millions de dollars. Qu'il nous suffise de penser aux exemples de Québec Cartier et de l'Iron Ore et des centaines de millions de dollars investis avant même l'extraction d'une tonne de minerai de fer.

Les grandes compagnies attirent plus facilement les hommes compétents; elles leur offrent la sécurité et un défi à la mesure de leurs nombreux talents. De plus, avec les ressources mises à leur disposition, les employés doués peuvent accomplir des choses qu'ils ne pourraient pas faire dans une plus petite entreprise.

Les grandes entreprises jouissent de contacts politiques puissants à tous les paliers de gouvernement. Ceux-ci accordent plus facilement certaines concessions aux grandes entreprises qu'aux petites. Les gouvernements accordent des concessions fiscales aux grandes entreprises qui consentent à s'installer dans une région désignée, alors qu'ils ennuient souvent les chefs de petites entreprises avec toutes sortes de réglementations et de tracasseries fiscales qui gênent leur développement. Quand une compagnie devient très importante, ses intérêts, ainsi que ceux du gouvernement et de la société, coïncident presque parfaitement. Le gouvernement ne permettra pas, par exemple, à une grande entreprise de connaître des difficultés financières qui pourraient nuire à un secteur important de l'économie. À titres d'exemples connus, citons le renflouement, par le gouvernement britannique, de Rolls Royce et, par le gouvernement américain, de Lockheed et de la Penn Central. Par contre, lorsqu'une entreprise moins développée risque la faillite, le gouvernement est peu enclin à l'appuyer financièrement parce que son impact sur l'économie est négligeable. Qu'il suffise de rappeler les réticences du gouvernement du Québec à investir dans le projet de cartonnerie qui devrait contribuer à sauver la région de Cabano.

Pourquoi le gouvernement ne laisserait-il pas une grande compagnie subir les effets de la faillite?

Seules des compagnies bénéficiant de nombreuses ressources financières peuvent se permettre de rivaliser sur plusieurs marchés, principalement à cause de la dimension de ceux-ci, des énormes coûts de distribution nécessaires pour les approvisionner et des dépenses importantes exigées par la publicité. Si une petite entreprise ne réussit pas, à l'instar de l'entreprise géante, à faire suffisamment de bruit sur le marché pour qu'on l'entende et que l'on achète son nouveau produit, elle sera noyée par la concurrence.

La technologie est devenue si complexe et si coûteuse que seules les grandes entreprises peuvent se permettre de faire les importants investissements nécessités par la recherche pure. La petite entreprise doit survivre en tentant de bénéficier des résultats de recherche des grands complexes industriels. En achetant le fruit des découvertes faites par les départements de recherche des grandes entreprises, elle devient un agent de financement de cette recherche.

Désavantages de la grande entreprise

La grande entreprise maintient des frais généraux de fabrication beaucoup plus élevés que ses petits concurrents. La nature des opérations d'une grande entreprise exige l'emploi d'un personnel spécialisé à des salaires élevés. Afin de prospérer, la grande entreprise se doit donc de diminuer ses coûts de production et ses coûts de marketing de façon à compenser le coût élevé des frais généraux. Si elle ne peut y arriver, ses coûts opérationnels seront trop élevés et les compétiteurs en profiteront.

Quels facteurs expliquent l'accroissement ou le non accroissement des coûts pour un volume de production plus élevé?

L'envergure d'une grande entreprise crée une organisation hiérarchique aux multiples ramifications. L'ensemble devient peu flexible et ne réagit que très lentement aux changements parfois radicaux qui s'opèrent sur les marchés. Pour leur part, les petites entreprises ont développé des aptitudes à réagir rapidement aux exigences du marché et à répondre aux besoins du consommateur.

Les instincts créateurs et innovateurs sont maintes fois étouffés dans la grande entreprise. Afin de gravir les échelons, le jeune administrateur doit plutôt adopter une attitude d'approbation. Il en résulte tôt ou tard que l'un de ces hommes arrive au sommet de la pyramide: c'est l'homme du système, souvent qualifié de conformiste intellectuellement stérile. Les hommes créateurs chercheront un cadre de travail plus progressiste, soit celui de la petite entreprise. Sans créativité, une entreprise, aussi importante soit-elle, est destinée à périr.

Comment la grande entreprise pourrait-elle retenir les créateurs?

Le fait de contrôler des activités aussi diverses que nombreuses engendre beaucoup de problèmes de gestion. Des difficultés financières surgissent souvent dans la grande entreprise à cause de son incapacité à contrôler efficacement les activités de ses nombreuses succursales. Celles-ci ont engouffré inutilement des sommes importantes ou subi de fortes pertes avant que la direction ne prenne conscience de la situation. Bref, l'art de gérer une grande entreprise repose en grande partie sur l'art de contrôler ses opérations en maintenant les coûts dans une proportion raisonnable par rapport aux revenus.

LA COMPAGNIE PRIVÉE

La loi limite le nombre d'actionnaires d'une compagnie privée à cinquante (50). Toutefois, ce genre d'entreprise comprend généralement dix (10) actionnaires ou moins et ses actions ne sont pas offertes au public. Ces entreprises sont plutôt petites et ne requièrent pas d'importantes sources de fonds. Les investissements en actions dans une compagnie privée peuvent rarement se transformer en liquide. Il n'existe, en effet, aucun marché, pas plus que de valeur marchande de base, pour ce type d'actions. Seuls les autres actionnaires de l'entreprise ont généralement intérêt à acheter les actions, et encore rarement à leur pleine valeur.

Le financement d'une compagnie privée peut être difficile. Les prêteurs exigent que chaque actionnaire signe personnellement pour toutes les dettes de l'entreprise.

Si une compagnie privée progresse et prospère, elle sera tentée, tôt ou tard, de se transformer en une compagnie à fonds publics. C'est là une façon pour les actionnaires de pouvoir vendre leurs actions et de faire reconnaître la valeur de leur entreprise. Une compagnie privée florissante peut finalement réaliser d'importants profits en offrant, sur le marché des valeurs mobilières, des actions que des investisseurs paieront à prix d'or afin de profiter financièrement des succès de l'entreprise.

CONCLUSION

Se lancer en affaires est une aventure sérieuse et il faut bien réfléchir à la forme légale de l'entreprise que l'on veut créer. Au delà des théories qui sous-tendent les divers statuts entre lesquels on peut choisir, il y a des situations concrètes, quotidiennes que l'on doit évaluer.

Bref, il faut exprimer clairement ses objectifs et analyser les diverses formes d'entreprises disponibles pour déterminer celle qui permettra le mieux d'atteindre les buts énoncés.

la gestion

Pour atteindre son objectif, une institution doit avoir quelqu'un qui dirige, guide et contrôle les activités: voilà ce que nous appelons gérer.

L'administrateur et sa science sont si essentiels au succès de l'entreprise que plusieurs individus leur attribuent toute la responsabilité du succès ou de l'échec.

En effet, l'administration est une science. Cependant, ne vous méprenez pas, c'est aussi un art qui exige beaucoup de sensibilité et de tact.

l'administrateur

Comme nous l'avons vu antérieurement, une société développe les moyens nécessaires à la satisfaction de ses besoins. Notre système a créé des institutions complexes qui exigent de ceux qui les dirigent une adresse particulière. C'est ainsi que sont apparus les administrateurs professionnels orientés vers un secteur précis: administration d'hôpitaux, administration scolaire, administration publique, administration d'hôtels et même administration de cuisines. D'où la formation de toute une kyrielle de maisons d'enseignement spécialisées. Toutefois, quelle que soit la sphère envisagée, plusieurs traits communs sous-tendent les activités des administrateurs.

ADMINISTRER: UNE FONCTION UNIQUE

L'administration est tout à la fois une science et un art. Elle est une science par son aspect quantitatif, par les méthodes utilisées pour obtenir des informations, par les supports mathématiques qu'elle s'est donnée; elle est une science aussi parce qu'elle recherche et découvre les lois objectives des phénomènes du monde des affaires et les explique ou, du moins, tente de le faire. Elle est un art en tant qu'elle exige une perspicacité et un sens pratique sans lesquels les modèles théoriques fournis par la science restent inopérants.
L'administrateur doit savoir allier sa philosophie et ses principes avec ceux de l'entreprise dans laquelle il évolue et avec ceux des employés qu'il dirige afin qu'ensemble ils accomplissent le travail nécessaire à la satisfaction des objectifs de l'entreprise. Nous devons toutefois préciser qu'en administration, il n'y a pas de certitude de réussite, pas plus que dans toute activité qui procède d'un jugement.

Insuffisance de la compétence technique

Il est vrai que plusieurs administrateurs attribuent leurs succès à leur compétence technique, mais nous ne pouvons pas en conclure que l'homme techniquement compétent fera nécessairement un bon administrateur. Les exemples ne manquent pas: combien de bons joueurs de football, de baseball ou de hockey feraient de bons instructeurs? Combien de super-vendeurs sont capables de devenir de bons gérants? La fonction de gestion implique la possession de talents qui ne sont pas requis pour être un bon exécutant. Cela n'a rien de péjoratif! Au contraire! Plusieurs situations démontrent que, souvent, les qualités et les aptitudes qui aident au succès d'un homme à un poste sont justement celles qui feraient son insuccès s'il occupait un autre poste. Par exemple, l'entregent d'un vendeur, le goût et le plaisir qu'il a à être en contact avec le public ne le prédisposent pas à effectuer tout le travail de bureau qui incombe à son gérant. En conséquence, lors de l'évaluation de la capacité d'un employé à occuper un poste de gestion, il faudra juger de l'équilibre de son habileté technique et de sa compétence administrative. Il ne faut pas exagérer ni négliger la compétence technique. Il faut un juste milieu.

L'universalité des principes d'administration

Un individu qui a acquis la capacité de gérer peut être utile et efficace dans tout genre d'institution: publique, para-publique ou privée. L'échange de personnel de direction entre les agences gouvernementales et les entreprises privées le prouve. Ce phénomène s'explique de la façon suivante: toutes les activités humaines, qu'elles soient guerres, affaires, sports..., sont orientées vers un but; leurs auteurs cherchent à réaliser quelque chose. Cette recherche peut être individuelle ou collective. Dans ce cas, plusieurs individus s'unissent parce qu'ils croient qu'ensemble, ils ont plus de chances de réussir. Dans tous les cas, cette recherche doit être organisée. Les activités qu'elle implique doivent être gérées - planifiées, mises en route, contrôlées. Les principes fondamentaux de cette gérance sont communs à toutes les situations: ils sont universels.

Étudiez l'histoire et vous reconnaîtrez que les principes fondamentaux et les qualités qui ont assuré le succès des grands stratèges, des grands monarques sont ceux que l'on retrouve chez les administrateurs qui réussissent: le même souci du bien-être des subalternes, le même choix judicieux de délégation, le même sens de l'organisation, la même sûreté de jugement et ainsi de suite. Voilà ce qui explique la mobilité d'un administrateur d'un secteur d'activité à un autre.

L'administration, cela s'apprend!

La compétence administrative passait bien souvent pour être héréditaire ou innée. Cette affirmation est maintenant infirmée par les réussites d'administrateurs formés dans des écoles d'administration. Oui, la profession d'administrateur peut s'apprendre si vous consentez à y mettre l'effort voulu et à tirer des leçons de vos expériences.

Les entreprises ne dépenseraient pas des millions de dollars annuellement en frais de perfectionnement pour leurs cadres si elles n'étaient pas convaincues de la valeur de ces études. C'est, toutefois, une tâche difficile; il faut être patient, persévérant. Cela ne s'apprend pas du jour au lendemain.

FONCTIONS D'UN ADMINISTRATEUR

Il y a plusieurs façons de définir le travail d'un administrateur. Rappelez-vous, toutefois, que le véritable travail d'un administrateur lui est dicté par la situation dans laquelle il se trouve; n'oubliez pas qu'il n'y a pas deux administrateurs qui font exactement les mêmes choses. Rappelez-vous aussi que, souvent, un administrateur ne fait pas que du travail de gestion, il peut être forcé par les circonstances à superviser la production, activité essentielle au succès de l'entreprise.

L'établissement de politiques

Une première définition veut que le principal travail d'un administrateur soit d'établir des politiques. Ces dernières jouent un rôle important dans une entreprise et dictent la conduite de plusieurs personnes.

On peut dire que les politiques sont des décisions «préfabriquées»: elles précisent que tels cas comportant tels éléments impliquent telles décisions. Les politiques sont très importantes dans la conduite des affaires d'une entreprise. Elles permettent à des employés de prendre rapidement des décisions conformes aux vues de l'entreprise; elles précisent le comportement souhaité par les dirigeants et attendu des subordonnés; elles indiquent aux tiers ce qu'ils peuvent attendre de l'entreprise; elles assurent une uniformité d'action dans toute l'entreprise lorsque des cas similaires se présentent; elles préviennent les solutions hâtives et empêchent les pressions indues sur le personnel.

Puisque les politiques ont tant d'importance, sagesse, prudence et jugement doivent présider à leur établissement et à leur révision. C'est le travail que l'on confie à un administrateur.

Expliquez comment des politiques protègent l'entreprise des pressions indues.

Le leadership

Un deuxième point de vue attribue pour principale tâche à l'administrateur d'assumer le leadership des employés et le maintien de leur moral afin d'atteindre les objectifs que l'entreprise s'est fixée. L'administrateur passera donc une grande partie de son temps à maintenir de bonnes relations avec ses employés en tentant de les comprendre, de satisfaire leurs besoins et de les motiver à travailler à la réalisation des buts de l'entreprise.

Quelles sont les qualités d'un vrai chef?

La négociation

En troisième lieu, l'administrateur est aussi un négociateur. Il négocie pour obtenir des fonds, pour conquérir un segment de marché, pour embaucher des employés, pour acheter des matières premières. Son succès dépend de son habileté. Bref, il doit être capable de vendre ses idées et celles de l'entreprise.

Nous considérons que ces définitions de fonctions sont partielles. Il y a du vrai dans ces attributions, mais elles ne sont pas complètes.

Le cycle de gestion

Nous préférons définir les tâches d'un administrateur en disant que, par son travail, il assume toutes les fonctions comprises dans le cycle de gestion: planifier, organiser, commander, coordonner, contrôler.

TABLEAU 7.1 Le cycle de gestion

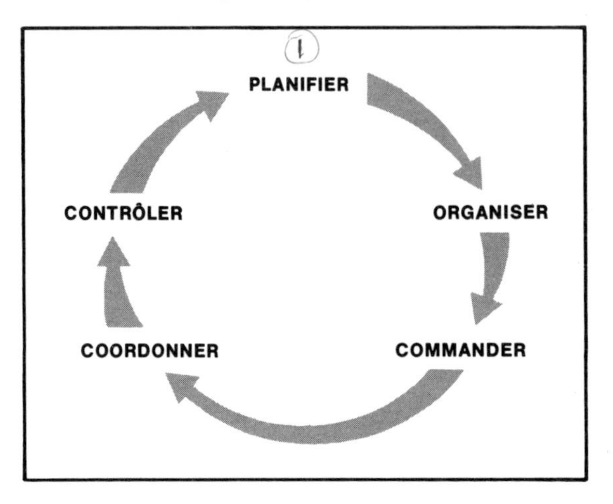

Il est certain que toutes les fonctions du cycle sont étroitement reliées, interdépendantes et parfois simultanées. Essayons de les détailler.

PLANIFIER OU PRÉVOIR Cette fonction exige de l'administrateur qu'il précise les objectifs de l'entreprise, qu'il dresse les programmes d'action requis pour atteindre les objectifs, qu'il établisse les politiques de l'entreprise, qu'il définisse les tâches, qu'il exprime, enfin, son travail sous forme monétaire par un budget.

ORGANISER Cette fonction comporte deux sphères d'activité différentes.

La première fera que l'administrateur se procurera les ressources nécessaires à la réalisation des programmes d'action et, par conséquent, à l'atteinte des objectifs de l'entreprise. Ces ressources matérielles, financières et humaines doivent, une fois acquises, être protégées contre les pertes.

La deuxième sphère d'activité amènera l'administration à agencer les ressources en unités de travail efficace. Cela l'oblige à préciser les responsabilités et l'autorité de chaque employé ou de chaque groupe d'employés; cela nécessite aussi la création de lignes de communication formelles; cela exige l'identification du cheminement des matières premières et enfin, cela impose l'agencement des espaces et de l'équipement.

COMMANDER Par l'exercice de cette fonction, l'administrateur s'assurera que les employés exécuteront les travaux nécessaires à la production des biens ou des services qui font l'objet de l'entreprise. C'est une fonction basée sur les relations humaines: motivation, leadership...
COORDONNER Les employés, utilisant les ressources qui leur sont fournies, agissent. Il est absolument nécessaire de s'assurer que toutes ces actions tendent vers la réalisation des objectifs. La fonction de coordination consiste donc à harmoniser ces efforts et à en faire un tout cohérent.
CONTRÔLER L'administrateur, dans l'exercice de cette fonction, évaluera les résultats obtenus et comparera la réalité à la planification. Si cela correspond, tout va bien; s'il y a divergence, il doit trouver pourquoi, et apporter les correctifs requis.

QUALITÉS D'UN BON ADMINISTRATEUR

Il n'y a pas de protrait-robot de la personnalité d'un bon administrateur. Plusieurs études furent menées mais aucune n'a pu dégager une personnalité-type. Souvent, même, il est difficile de discerner les caractéristiques d'un bon administrateur de celles d'un mauvais. Le tableau 7.2 illustre le résultat d'une expérience dans laquelle on a demandé à un groupe d'employés de coter les défauts que l'on peut reprocher à un patron. Par ailleurs, nous énumérons et commentons une série de qualités qui contribuent au succès d'un administrateur.
Souvent c'est le meilleur mélange qui produit le meilleur résultat.
RESPECT Respecter les autres et être respecté; c'est une condition nécessaire au succès. C'est aussi le résultat du comportement total d'un homme.
ÉQUITABLE, JUSTE Une façon rapide de s'aliéner ses subordonnés est de les traiter d'une façon injuste. Il arrive, toutefois, qu'un patron agisse équitablement, de bonne foi, et qu'il ne soit pas perçu ainsi. Dans ce cas, son succès est compromis.

Quelles actions peuvent être considérées injustes par les employés?

JUGEMENT Si nous devions indiquer *la qualité* nécessaire à un bon administrateur, nous n'hésiterions pas à choisir le bon jugement. Ici encore, le bon jugement est là résultante de toute la personnalité d'un homme, de sa sagesse, de sa maturité, de ses valeurs et de sa capacité de discernement des composantes d'un problème.
HABILETÉ À PRENDRE DES DÉCISIONS Il y a plusieurs techniques quantitatives (probabilité, théorie boyésienne, arbre de décision, simulation...) qui supportent les connaissances d'un administrateur mais rien ne peut remplacer son esprit de décision. L'individu qui ne peut pas prendre une décision nette, qui hésite, qui a peur de se compromettre ne sera pas un bon administrateur.

Commentez l'affirmation suivante: «Il est préférable de prendre une mauvaise décision que de ne pas prendre de décision du tout».

SOUPLESSE Cette qualité est exigée par l'instabilité du monde des affaires. Les changements rapides qui s'y font imposent une adaptation que seule la souplesse permet.
PRAGMATISME L'administrateur est un homme pratique, réaliste, qui apprécie l'efficacité et les résultats concrets.
LE SENS DU COMPROMIS «Il faut savoir mettre de l'eau dans son vin». Cet adage exprime ce qui est exigé d'un administrateur. Il doit composer avec tous les éléments de l'entreprise.

TABLEAU 7.2 Caractéristiques d'un mauvais administrateur selon les subordonnés

	Cote	Pourcentage
Sens de l'organisation		
Incapacité à déléguer; incapacité d'accepter les idées des subordonnés	27	
Intimidation, menace, argument d'autorité pour faire accepter ses ordres	13	
Excessivement méticuleux, méticulosité	11	
Absence de soutien des subordonnés	11	
Excès de contrôle, défiance	6	
Absence de leadership	6	
Non-utilisation des voies de communication formelles	3	
Non-disponibilité	3	
Trop exigeant	2	
	82	32
Habileté à prendre des décisions		
Indécision, revirements fréquents	15	
Manque de jugement	13	
Manque de confiance en soi, insécurité	12	
Incapacité d'agir	8	
Manque d'information	3	
	51	20
Habileté à communiquer		
Manque de communication	18	
Incapacité d'expression écrite et/ou orale	11	
Incapacité d'écouter les gens	3	
	32	12
Relations interpersonnelles		
Manque de respect, de confiance	23	
Favoritisme	7	
Doléances envers les subordonnés en présence de tiers	4	
Servilité	3	
Divise pour régner	2	
Infidélité	1	
Intervention dans la vie privée des subordonnés	1	
	41	16
Caractère		
Immaturité, égoïsme égocentrique	19	
Alcoolisme, névrose	10	
Malhonnêteté, fraude	9	
Incompétence technique	6	
Conflit d'intérêts	6	
Imprévoyance, manque d'imagination	5	
	55	20
Totaux	261	100

SOURCE: David S. Brown, «Subordinates' Views of Ineffective Executive Behavior», Academy of Management Journal, décembre 1964, p. 288-299.

TÉNACITÉ La capacité d'accepter l'adversité, sans se laisser détourner de son objectif; savoir tirer profit de ses échecs est une qualité fort utile à l'administrateur.
MATURITÉ L'importance de cette qualité est évidente.

Expliquez pourquoi la maturité est une qualité importante pour un administrateur.

RESPONSABILITÉ Assumer des responsabilités, accepter d'avance le blâme s'il y a échec ou la gloire s'il y a réussite, c'est là une condition essentielle au succès d'un bon administrateur.
ENTREGENT Être capable d'évoluer à l'aise parmi différents milieux sociaux; être capable de tenir des conversations intelligentes avec plusieurs catégories de gens.
INTELLIGENCE Il est vrai que les administrateurs semblent avoir un quotient intellectuel plus élevé que la moyenne. Une réserve s'impose, toutefois; il ne faut pas établir une corrélation trop étroite entre l'intelligence et la compétence administra-

tive. L'expérience démontre que plusieurs personnes nées intelligentes ne réussissent pas à être bons administrateurs. Leur intelligence supérieure les rend impatients et intolérants en face de la médiocrité qui souvent les entoure. Leurs facultés très développées les empêchent de comprendre leurs subordonnés. Plusieurs administrateurs hors pair sont des gens d'intelligence moyenne qui ont su acquérir les autres qualités propres à leur fonction.

L'HABILETÉ TECHNIQUE Il est difficile pour un homme d'être un bon administrateur s'il n'est pas compétent dans le domaine qu'il administre. Sa compétence technique lui donne deux atouts. Premièrement, il méritera et obtiendra le respect de ses subordonnés qui reconnaîtront sa compétence. Deuxièmement, il sera en mesure de juger de la compétence technique de ses subordonnés.

TOLÉRANCE L'administrateur doit être capable d'accepter une vaste gamme de comportements de la part de ses subordonnés. Il ne doit pas espérer que ses subordonnés feront le travail exactement comme il le ferait. Ce n'est pas ce qui est important. Le travail doit être fait en fonction de l'atteinte des objectifs de l'entreprise.

De plus, l'administrateur ne doit pas juger les autres en fonction de ses critères et de ses valeurs à lui. Les gens n'aiment pas être comparés à des standards qui ne sont pas les leurs.

PERSPICACITÉ C'est la capacité de détecter et d'interpréter toutes les composantes de son milieu. L'administrateur doit avoir une image réelle de son environnement. Cette clairvoyance réduira les risques d'erreurs de jugement.

Expliquez pourquoi peu de gens sont clairvoyants.

CRÉATIVITÉ L'administrateur fait constamment face à des problèmes. Il doit faire preuve d'imagination et d'innovation dans sa recherche de solutions.

L'APPRENTISSAGE DE L'ADMINISTRATION

Il est facile de conseiller à quelqu'un d'apprendre à être un administrateur. C'est cet apprentissage qui est difficile car il exige ténacité, initiative, ambition, et volonté de fournir l'effort suffisant. Loin de vouloir donner des recettes, car il n'y a pas de recette pour devenir un administrateur compétent, nous livrons ici quelques réflexions tirées de l'histoire et de l'expérience.

La motivation

Avant tout, il faut vouloir devenir un bon administrateur. Cette volonté doit être assez forte pour inciter constamment à fournir l'effort nécessaire. Il se peut que vous n'ayez pas cette volonté maintenant; mais ce désir pourra se préciser au fur et à mesure que vous prendrez conscience que vous possédez le potentiel nécessaire.

L'observation

Savoir observer les gens! Notez le comportement des administrateurs avec qui vous avez des contacts; étudiez leurs stratégies, leurs façons d'aborder les problèmes, vous pourrez en tirer des leçons profitables. Essayez de trouver les raisons qui vous font juger qu'un tel est un bon administrateur et qu'un autre ne l'est pas. Essayez de dégager et de comprendre le pourquoi de la résussite ou de l'échec.

Un programme d'action

Prenez le temps de vous asseoir et de vous tracer un programme de développement. Ce programme doit contenir, entre autres, les activités suivantes:

Lire! Lire! Lire! Abonnez-vous à des revues spécialisées comme *Les Affaires*, la revue *Commerce*, *The Business Week*... Lire beaucoup est une bonne façon d'apprendre et l'argent investi ainsi vous rapportera beaucoup. Achetez les manuels d'administration, montez-vous une bibliothèque spécialisée en administration et référez-vous fréquemment à cette documentation.

Suivez des cours, des séminaires, des conférences sur tous les aspects de l'administration. Essayez de faire participer votre employeur à ce programme et de lui faire assumer une partie des coûts. Ne laissez pas passer une chance d'utiliser le matériel que votre employeur peut vous offrir.

Essayez de rencontrer régulièrement des administrateurs et discutez avec eux de leur compétence, de leur expérience. Tirez-en profit.

Offrez vos services à titre de professeur d'administration à une commission scolaire ou à un collège. Vous constaterez que ce travail vous forcera à approfondir vos connaissances.

L'expérience

Surtout, acceptez toutes les activités qui vous permettent de prendre une expérience de gestion. Que ce soit l'organisation d'une équipe de hockey *pee-wee* ou d'une soirée de danse, peu importe, vous en tirerez quelque chose. Acceptez de travailler avec d'autres, proposez-vous pour ces travaux. N'ayez pas peur du travail et faites savoir à vos supérieurs que vous voulez avoir des responsabilités et que vous voulez devenir administrateur.

CONCLUSION

Notre société a de plus en plus besoin d'administrateurs compétents.

Nous savons en quoi consiste le travail d'un administrateur et nous avons noté que les bons administrateurs agissent d'une certaine façon et évitent certaines autres choses. Nous pouvons donc tenter de les imiter. Mais attention! Il n'y a pas de recette miracle. Il faut du temps, du courage et de la persévérance.

principes d'organisation et de gestion

Plusieurs principes présentés ici sont complexes et en perpétuelle évolution. Il est toutefois bon de vous familiariser dès maintenant avec ces notions fondamentales et leur terminologie.

LA STRUCTURE

Plusieurs théories administratives traitent des structures. La définition que nous proposons est la suivante:

la structure est le réseau formé par les divers groupes de travail organisés pour accroître la productivité.

Le principe fondamental de la structure est de nos jours la division du travail.

La notion de division du travail

La division du travail implique la répartition du travail total en unités, telles qu'elles permettent à un employé de se spécialiser dans une tâche précise et d'augmenter ainsi son efficacité et son rendement. Cette augmentation est possible parce qu'une telle organisation permet d'éliminer les pertes de temps occasionnées par les changements de tâches et, par répétition, de réduire le temps nécessaire à l'exécution d'une opération.

La division du travail peut s'effectuer à partir de différentes bases. Voici les plus utilisées:

L'ORGANISATION FONCTIONNELLE En Amérique du Nord, cette forme de regroupement est très populaire. Elle consiste à déterminer les activités de chaque fonction: production - ventes - ingénierie - comptabilité - gestion du personnel - finance. La nature du travail de chaque fonction est telle qu'il est peu probable qu'un même individu puisse en remplir plusieurs. Un comptable ne peut habituellement pas être un ingénieur.

L'ORGANISATION PAR PRODUIT Certaines entreprises structurent leur organisation en fonction des divers produits qu'elles ont. Un même individu a la responsabilité complète de tout ce dont dépend un produit donné. Il est responsable de la recherche, de la conception, de la production, de la mise en marché et de la vente d'un produit. L'avantage de cette organisation est qu'elle définit clairement à qui attribuer le succès ou l'échec d'un produit. Cette structuration est utilisée dans l'industrie de l'automobile, par exemple.

L'ORGANISATION PAR PROJET Ce mode de regroupement fut utilisé par la marine de guerre américaine durant la dernière guerre mondiale. En effet, l'administration navale avait créé ce qu'elle appelait des *Task Force*. C'était des unités quasi-indépendantes ayant généralement en leur centre un porte-avion flanqué de destroyers, de ravitailleurs, etc... Certaines entreprises ont repris ce principe, et ont organisé le travail en fonction d'un projet particulier et doté l'équipe responsable de tous les services dont elle avait besoin.

L'ORGANISATION GÉOGRAPHIQUE Les contraintes qu'impose la ramification de l'entreprise sur plusieurs territoires aux caractéristiques distinctes sont à l'origine de cette méthode. Les entreprises internationales doivent tenir compte des exigences locales. Souvent, la complexité de ces exigences, les coûts inhérents et le temps d'action et de réaction nécessaires justifient facilement l'établissement d'une structuration géographique.

LE REGROUPEMENT PAR CLIENT La segmentation des marchés et la spécificité des segments obligent parfois une entreprise à diviser ses activités non pas en fonction du produit, ni en fonction des territoires mais plutôt en fonction des clients. Xérox le fait et sépare ses opérations en fonction des gens qu'elle sert. Ce ne sont pas les mêmes représentants qui couvrent les marchés manufacturiers et les marchés de services. Ici, l'incidence géographique ne joue pas.

L'ORGANISATION «LIGNE DE MONTAGE» Certains employeurs ont l'avantage de pouvoir fractionner leurs opérations en étapes distinctes et de structurer

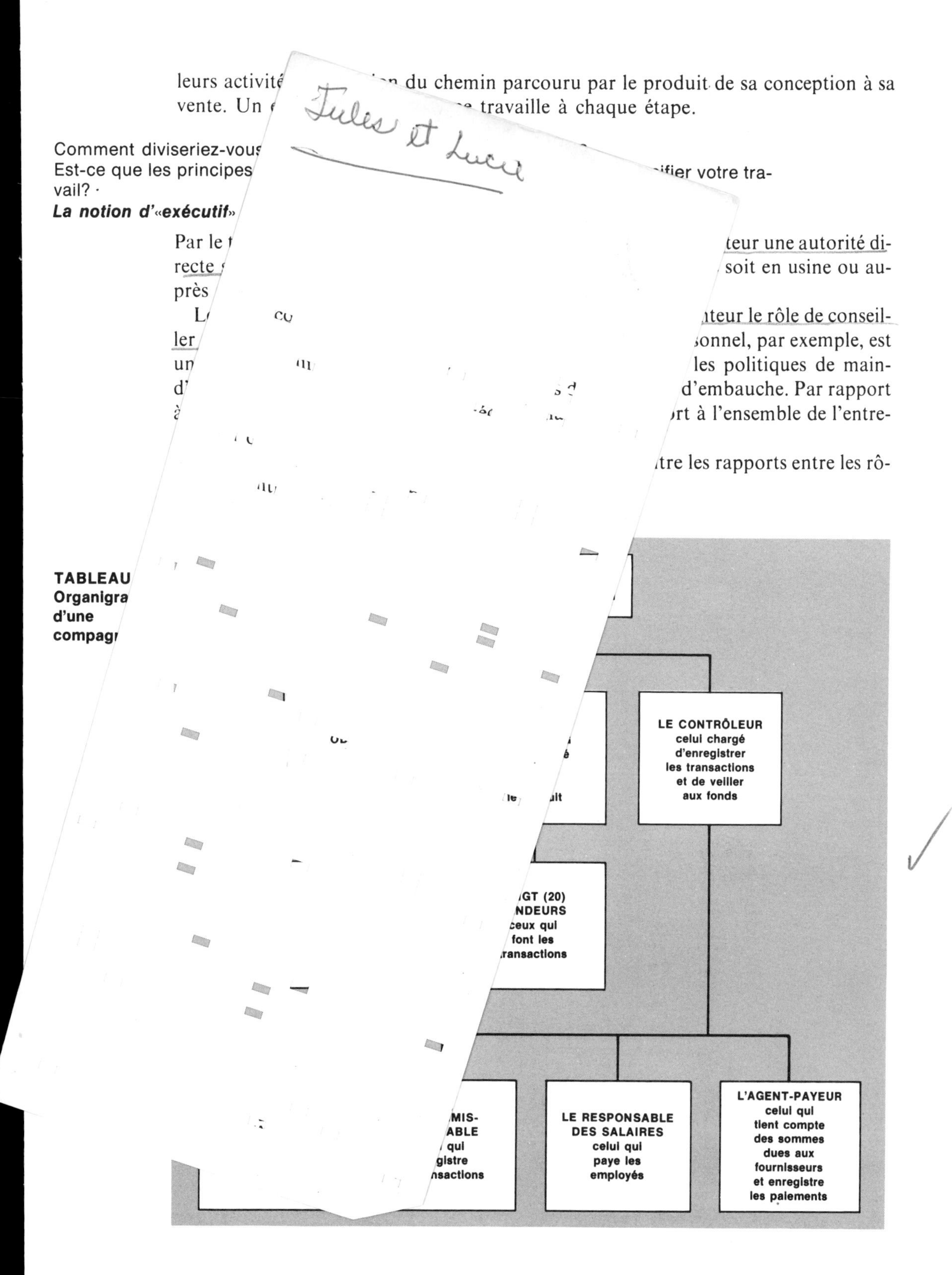

leurs activité ... du chemin parcouru par le produit de sa conception à sa vente. Un ... travaille à chaque étape.

Comment diviseriez-vous ... Est-ce que les principes ... ifier votre travail?

La notion d'«exécutif»

Par le ... teur une autorité directe ... soit en usine ou auprès ...

L... teur le rôle de conseiller ... sonnel, par exemple, est un ... les politiques de main-d' ... d'embauche. Par rapport à ... rt à l'ensemble de l'entre-

... tre les rapports entre les rô-

TABLEAU
Organigra...
d'une
compag...

TABLEAU 8.2 «Exécutif» et «Consultant»

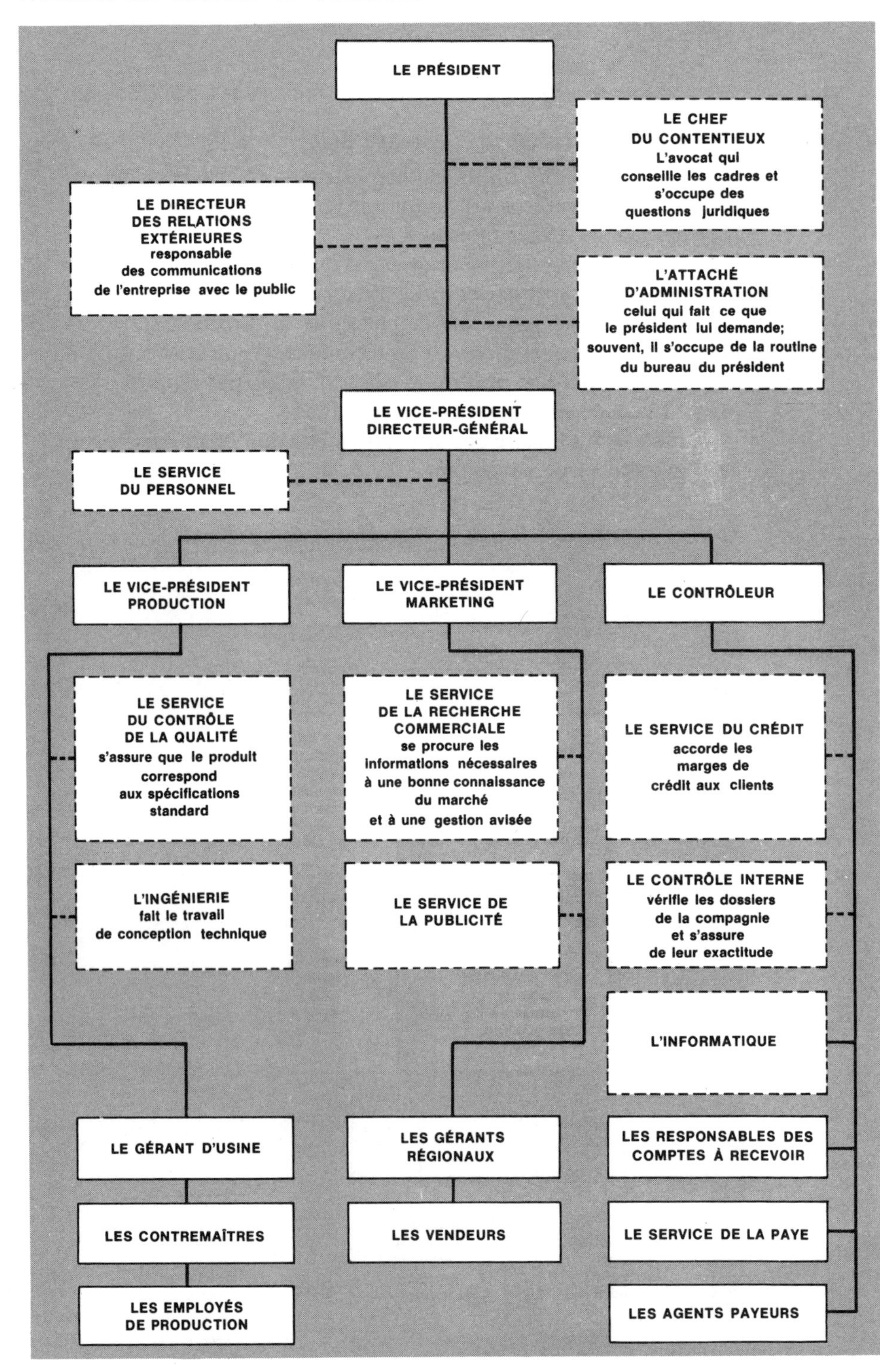

Quelle différence y a-t-il entre un cadre exécutif et un cadre consultant?

L'autorité fonctionnelle

Une fonction désigne un regroupement d'activités semblables: la recherche, le contentieux, les ventes, la production, etc. sont des fonctions que l'on retrouve à l'intérieur de plusieurs entreprises.

L'autorité fonctionnelle est donc celle qui appartient au cadre responsable des opérations que regroupe la fonction, quel que soit l'endroit où l'activité en question puisse être exécutée. Le gérant du crédit du siège social d'une compagnie peut être nanti d'autorité fonctionnelle et, de ce fait, diriger toutes les opérations de crédit faites par les succursales, même si toutes les autres transactions sont acheminées par la voie hiérarchique habituelle. Ce genre d'autorité est parfois donné à des cadres «consultants».

Un exemple fréquent est celui du directeur du personnel qui embauche pour tous les établissements d'une compagnie, maison mère ou filiale.

L'étendue du contrôle

Par étendue du contrôle, on entend le nombre de personnes relevant directement d'un cadre. Par exemple, le tableau 8.1 nous révèle que trois personnes relèvent du président. En revanche, le tableau 8.2 indique que l'autorité du contrôleur s'étend à six individus. L'étendue du contrôle de chaque cadre détermine le nombre de niveaux hiérarchiques nécessaires à l'entreprise. Plus elle est grande, moins l'entreprise a besoin de niveaux hiérarchiques. La question de savoir quel est le nombre optimum de subordonnés est très controversée et il n'y a pas de vérité absolue à ce propos. Si un directeur augmente l'étendue de son contrôle, il réduit les lignes de communication et se rapproche des niveaux d'exécution; cela lui est profitable. Mais, puisqu'il contrôle un plus grand nombre d'employés, il ne peut leur accorder tout le temps nécessaire, néglige son travail et devient surchargé. Si, au contraire, un cadre diminue l'étendue de son contrôle, il peut accorder à chaque subordonné tout le temps requis et dispose ainsi de plus de temps pour son propre travail. Mais il provoque une hausse du nombre de niveaux hiérarchiques qui cause une augmentation de frais fixes, une réduction des facilités de communication et une plus grande bureaucratie avec les inconvénients qu'elle entraîne. Les facteurs principaux qui influencent l'étendue de contrôle sont la compétence du cadre et des subordonnés, la nature du travail contrôlé, la philosophie administrative de l'entreprise.

Commentez les effets d'une étendue de contrôle trop grande; trop restreinte.

La coordination

Les activités de l'entreprise doivent en tout temps se dérouler d'une façon harmonieuse.

Même si la production et la vente sont deux fonctions distinctes, les résultats des activités de ces deux fonctions doivent converger vers le même objectif: la rentabilité de l'entreprise. D'où le besoin de la direction de s'assurer de l'équilibre de ces deux fonctions. Cet équilibre exige que les activités propres soient coordonnées: le service de production doit rendre disponible les produits en quantités suffisantes pour répondre aux commandes apportées par les ventes; les vendeurs ne doivent pas oublier les limites et la capacité de production de l'entreprise. Toutes les activités de l'entreprise doivent être ainsi harmonisées et c'est ce que tente de faire la coordination. Généralement, un bon système de contrôle interne facilite cette coordination.

La délégation d'autorité

Une fois définie la nature des divers postes, précisée l'étendue du contrôle, organisées les lignes de communication, instauré un système de contrôle, l'entreprise doit décider du degré d'autorité accordé à chaque poste et à chaque niveau. Ce n'est pas une décision facile. Quelles seront les décisions réservées au conseil d'administration, au président, aux cadres intermédiaires, aux ouvriers? Évidemment, il ne revient pas au président de décider de la meilleure façon de nettoyer les planchers, pas plus qu'il n'est dans les tâches d'un concierge de décider si les obligations constituent une meilleure méthode de financement que les actions privilégiées. Ces extrêmes étant écartées, la question est de savoir qui peut prendre la meilleure décision au niveau le plus bas possible?

Centralisation ou décentralisation

La question posée sur la délégation d'autorité nous mène droit au coeur du problème de la centralisation et de la décentralisation.

Plusieurs théories et hypothèses sont présentées par les défenseurs de chacune des thèses. Ici encore, il n'y a pas de réponse unique et le jugement de l'administrateur tranchera la question dans son cas particulier. Sa décision dépendra de la nature de son travail, de sa situation dans l'entreprise, de sa compétence et de ses goûts. Nous devons toutefois préciser que la tendance actuelle favorise la centralisation. L'avènement de l'ordinateur a joué un grand rôle dans ce phénomène. En effet, il permet de regrouper les opérations comptables en un seul lieu, il permet un meilleur contrôle des stocks fournissant ainsi de meilleures informations permettant de prendre de meilleures décisions. D'autres arguments sous-tendent la thèse de la centralisation. Elle permet:
1) une meilleure coordination de toutes les activités de l'entreprise; 2) plus d'unité dans le comportement de l'entreprise; 3) une réduction du nombre de personnes hautement qualifiées et une plus grande rentabilité de ceux qui sont embauchés; 4) une augmentation de la capacité et du pouvoir de négociation de l'entreprise.

Trouvez des causes (autres que l'avènement des ordinateurs) qui ont favorisé la centralisation du pouvoir de décision.

À l'opposé, les tenants de la décentralisation prétendent que le cadre, au niveau régional, est plus près de l'action, mieux au courant des besoins locaux, et mieux placé pour prendre une bonne décision que le cadre d'un lointain siège social. Il peut aussi agir plus rapidement que ce dernier.

En définitive, la question est de déterminer qui peut prendre les meilleures décisions.

Est-ce que la compagnie General Motors a centralisé ou décentralisé sa politique d'établissement des prix?

C'est un véritable dilemme. Certaines compagnies ont amèrement regretté d'avoir choisi l'une ou l'autre position. Dans les années '60, la décentralisation fut en vogue et plusieurs entreprises s'enorgueillissaient du fait qu'elles avaient accordé à leurs succursales une autonomie quasi-complète comme si ces succursales étaient des entreprises indépendantes.

Elles l'ont regretté lorsqu'elles ont découvert que ces mêmes succursales avaient de sérieuses difficultés financières et que les sièges sociaux n'avaient pas pu déceler ces situations néfastes avant que le mal ne soit fait.

Un des problèmes que pose la décentralisation est de connaître et de contrôler ce qui se passe à l'intérieur des diverses unités. Décentralisation ne signifie pas divorce et la maison mère doit contrôler soigneusement toutes les activités de ses succursales. De plus, toute décentralisation exige qu'un personnel très qualifié soit à la tête de l'unité dotée de beaucoup d'indépendance. D'autre part, certaines compagnies ont tellement centralisé leurs opérations qu'elles ont perdu le contact avec leur marché, sont devenues inflexibles et ont sombré dans une bureaucratie étouffante. Il est extrêmement difficile d'être assis dans un édifice de la rue Saint-Jacques à Montréal et de mener des affaires, de prendre des décisions sur les problèmes des succursales de Chicoutimi, Gaspé ou Mont-Laurier.

Certaines fonctions de l'entreprise se prêtent mieux à la centralisation que d'autres: la comptabilité, la recherche, le financement, la publicité. Il est vrai que la centralisation permet d'économiser des ressources humaines et financières. Mais, ce n'est pas toujours le cas.

Pourquoi est-il préférable de centraliser la recherche?

Habituellement, il est beaucoup plus difficile de centraliser les opérations de ventes ou toutes opérations fortement influencées par les contraintes locales.

Les achats, par exemple, seront avantageusement centralisés si l'entreprise n'a que peu de fournisseurs et qu'ils sont d'envergure nationale. La centralisation est, au contraire, impossible si les approvisionnements viennent de plusieurs sources locales.

Pour les activités de production, le même phénomène se reproduit. Même si les grandes politiques sont établies au siège social, le responsable d'une usine doit avoir la latitude nécessaire à la gestion efficace de son usine.

LES COMMUNICATIONS

L'intérêt pour les communications dans la gestion des entreprises s'est considérablement accru au cours des dernières années. Il est maintenant acquis que plusieurs problèmes sont causés par le manque de communications entre les gens. Les subordonnés ne comprennent pas ce que leur patron leur dit et les administrateurs ne perçoivent pas les demandes et les remarques des employés.

C'est un vaste domaine qui englobe aussi bien les conversations privées et les relations interpersonnelles, que le système formel de transmission d'informations d'une entreprise.

En principe, nous admettons que tout individu de l'entreprise doit recevoir toute l'information requise pour qu'il puisse exécuter son travail efficacement. S'il n'a pas ce minimum essentiel, sa productivité diminuera. C'est pourquoi un bon administrateur se préoccupera de l'existence et du fonctionnement des systèmes d'information.

Est-ce que les conversations privées entre un patron et ses employés garantissent une bonne communication entre eux?

Les obstacles

Plusieurs obstacles empêchent de bonnes communications. Les plus fréquents sont: les valeurs personnelles, les schèmes de références, les conflits d'intérêts, la distorsion lors de la transmission et de la réception des messages, l'inertie, la duplicité et le manque de désir de communiquer. Les solutions les plus efficaces aux problèmes de communications abattront ces barrières, enseigneront aux administrateurs à mieux communiquer et leur démontreront les avantages qu'ils retirent à le faire.

Expliquez comment ces obstacles empêchent les communications.
Pourquoi un administrateur refuserait-il de communiquer avec ses subordonnés?

Le sens des communications

Dans une entreprise, les communications peuvent circuler verticalement ou horizontalement. On dit qu'elles sont verticales lorsqu'elles se font de bas en haut et de haut en bas selon les lignes de responsabilités et d'autorité. Elles sont horizontales lorsqu'elles se font au même niveau.

Pourquoi les communications qui vont des ouvriers au président sont-elles difficiles?

Communications formelles et informelles

Nous définissons les communications formelles comme étant celles qui circulent par les voies officielles d'une entreprise. Qu'elles soient horizontales ou verticales importe peu.

Beaucoup d'autres communications se font cependant à l'intérieur de l'entreprise. Chaque fois que deux personnes se rencontrent et se parlent, il y a communication informelle. Ce phénomène doit être connu et utilisé par les administrateurs avisés. Il est parfois plus rapide de transmettre des messages par le réseau informel que par les voies officielles. Certains individus d'une compagnie sont des points stratégiques du réseau informel. Non seulement ils détiennent beaucoup d'informations mais aussi, ils sont des agents diffuseurs actifs. Leur couper l'information ne fera pas disparaître le réseau informel mais créera plutôt un certain malaise à l'intérieur de l'entreprise.

RESPONSABILITÉ ET AUTORITÉ

Une gestion saine exige un équilibre entre les responsabilités d'un cadre et l'autorité qu'il détient.

Les responsabilités d'une fonction doivent être clairement définies. S'il y a mésentente, la productivité baisse simplement parce qu'un employé ignore qu'il devait faire tel travail. Une fois les responsabilités définies et assignées, il faut obligatoirement conférer l'autorité correspondante. Sinon, vous affaiblissez votre organisation.

Si vous demandez à quelqu'un de faire un travail, donnez-lui les outils pour le faire. C'est bien! mais c'est plus vite dit que fait. Par exemple, vous exigez d'un gérant de succursale de contribuer au profit de l'entreprise. En conséquence, il devrait disposer de l'autorité nécessaire à l'établissement des prix, à la création de ses canaux de distribution, au choix de ses représentants, au recrutement et à l'entraînement de ses vendeurs, etc. Il apparaît irréaliste et dispendieux de décentraliser à ce point l'exécution de ces tâches. L'équilibre entre responsabilité et autorité influence donc le degré de décentralisation des opérations d'une entreprise.

Un employé ne doit avoir qu'un seul patron si nous voulons éviter confusion et baisse de productivité. C'est là une erreur facile à commettre dans une entreprise de moyenne ou de grande envergure car les structures se compliquent.

N'avons-nous pas tous plusieurs patrons?

Les lignes d'autorité doivent être strictement suivies. Personne ne peut donner des ordres à un employé sans passer par son supérieur immédiat. Faute de quoi, le contrôle et l'autorité du supérieur immédiat sont sapés.

CONCLUSION

L'expérience nous prouve que la productivité augmente si le travail est géré selon plusieurs principes d'organisation éprouvés:

Le travail doit être organisé et une structure est essentielle au bon fonctionnement des travailleurs;

l'efficacité repose sur une bonne division du travail permettant à un ouvrier de se spécialiser dans ce qu'il fait;

il faut choisir le nombre optimum d'individus qui seront sous la responsabilité d'un cadre. Ce choix détermine le nombre de niveaux hiérarchiques de l'entreprise;

l'équilibre entre autorité et responsabilité est une condition essentielle à l'efficacité des cadres;

la centralisation est conditionnée par la réponse à la question: Qui peut prendre la meilleure décision au plus bas niveau possible?

L'expérience nous démontre aussi que la qualité des communications influence proportionnellement la productivité. Qu'elle soit horizontale ou verticale, qu'elle soit formelle ou informelle, la communication est importantc dans toutes les entreprises.

le marketing

Le marketing:

- Source de revenus;
- Occasion de dépenses;
- Processus qui permet d'acheminer un produit fini du producteur au consommateur;
- Expression des standards de vie;
- Promotion;
- Manipulation des consommateurs et des marchés;
- Activité qui rend la vie de l'entreprise possible.

Le marketing est tout cela et bien plus encore! Voilà pourquoi nous devons étudier cette fonction de l'entreprise. Nul doute que ces connaissances nous seront d'un grand secours tout au long de notre carrière.

les marchés

Le marketing s'intéresse aux consommateurs et aux marchés qu'ils créent, parce qu'en dernière analyse, ce sont eux qui constituent la demande. Ford achète de la machinerie parce que le consommateur demande son produit: l'automobile. La demande d'autos implique celle de tous les biens industriels nécessaires à sa production. La demande du «marché des motels» s'est accrue en fonction de l'augmentation des voyages en automobile du consommateur. Voilà pourquoi la compréhension du consommateur, de son comportement, est essentielle à toute entreprise.

LES MARCHÉS DE CONSOMMATION

Les marchés se composent de consommateurs qui possèdent de l'argent: sans eux, il n'y aurait pas de demande pour la masse des biens et des services offerts par les entreprises. Nous devons donc connaître les consommateurs.

Concept du consommateur

L'entreprise moderne accepte parfois avec réticence que le consommateur soit un roi dictant, par ses besoins et ses désirs, toutes les activités des entreprises du système. L'entreprise privée, comme toutes les autres institutions, n'existe que parce qu'elle a trouvé une manière de servir une catégorie de consommateurs.

Le consommateur est roi

Dans son comportement d'achat, le consommateur se trouve face à un nombre infini de choix: une vaste gamme de produits s'offre à lui. Dans le domaine spécifique de l'alimentation, industrie dont les produits sont considérés indispensables, le consommateur peut choisir parmi 10 000 articles. Aucun article ne continue à être vendu s'il cesse de répondre à un besoin de l'acheteur. C'est donc une erreur fatale, pour un directeur de marketing, de croire que le consommateur doit acheter son produit.

Quelle est l'influence de cette liberté de choix sur les prix?

La faveur du consommateur va à ceux qui donnent satisfaction à ses demandes: produits, prix, service. Plusieurs firmes qui ont refusé d'obéir au consommateur en ont subi les conséquences. À une certaine époque, les montres de la compagnie Waltham Watch étaient les favorites des acheteurs américains. Avec le temps, ceux-ci ont préféré la montre-bracelet à la montre de gousset et ils ont modifié leurs habitudes en conséquence. Organisation entêtée, Waltham a refusé de fabriquer des bracelets-montres jusqu'à ce qu'elle soit forcée de le faire: les clients n'achetant plus de montres de gousset. Le consommateur avait entretemps décidé qu'il désirait un bracelet-montre, non seulement pour regarder l'heure, mais aussi pour posséder un objet élégant. C'est ainsi que son refus de se conformer à la demande a causé la faillite de Waltham.

En fait, le consommateur commande rarement à un manufacturier de produire un certain article. Il serait plus juste de considérer qu'il a droit de vie ou de mort sur le produit, une fois que celui-ci est arrivé sur le marché. C'est vers lui, en toutes circonstances, que doit se tourner le manufacturier pour se guider dans le choix de sa production et de sa distribution.

La position toute-puissante du consommateur est normale: toutes les activités de marketing doivent tendre à la satisfaction de ses besoins. Tout autre but serait illogique et la société ne le tolèrerait pas longtemps, car elle n'accorde aux entreprises leur liberté actuelle d'opération que parce qu'elle croit que c'est le meilleur moyen de satisfaire les désirs des consommateurs. Si un jour la société estimait un autre système meilleur, elle éliminerait rapidement le système existant.

Puisque les désirs du consommateur influencent si fortement le comportement des entreprises, ces dernières se doivent de les connaître, et pour ce faire elles entreprennent des recherches. Une fois que la direction a découvert certains désirs du consommateur, elle doit les réévaluer constamment parce qu'ils changent continuellement. Que de faillites causées par des administrateurs qui ont cru un marché statique alors qu'il était dynamique!

Toute planification en marketing commence par une analyse du comportement du consommateur. Des décisions pertinentes peuvent être prises ensuite. Wilkinson

Sword Ltd qui, le premier, a mis sur le marché des lames de rasoir en acier inoxydable dans des quincailleries, ignorait que l'acheteur de lames de rasoir ne pense pas à s'approvisionner dans ce type de magasin. Une étude du marché lui aurait permis de le savoir. L'étude du marché permet de déterminer: qui utilise un produit ou un service, qui décide de son choix, qui l'achète. Elle permet de préciser ensuite les habitudes et les motifs d'achat; les «quoi, où, quand, comment, pourquoi».

Parties à un achat

Hommes, femmes, enfants, bébés, tous consomment des biens et des services. Tous ne sont cependant pas des acheteurs. Les responsables du marketing distinguent nettement l'utilisateur, l'acheteur et celui qui décide du choix. Chacun d'eux joue un rôle différent dans le processus de marketing.

L'UTILISATEUR doit:

- recevoir un produit qui répond à ses besoins et à ses exigences.

L'ACHETEUR doit:

- choisir un produit qui puisse être acheminé par des canaux qui lui sont accessibles. La promotion doit être dirigée vers les acheteurs qui ont un certain contrôle sur les décisions d'achat;
- obtenir un produit qui soit emballé selon ses exigences;
- accepter les modalités de la transaction.

LE RESPONSABLE DES DÉCISIONS doit être:

- atteint par les efforts de promotion;
- convaincu que le produit répond aux besoins de l'utilisateur;
- motivé par les politiques de prix;
- satisfait des canaux de distribution proposés.

La demande d'un produit dépend du nombre de consommateurs qui le désirent, qui peuvent et qui veulent payer pour l'obtenir. Une analyse plus quantitative du marché tentera d'étudier la nature et le nombre des utilisateurs d'un produit. En outre, la plupart des stratégies de mise en marché s'adressent directement à l'acheteur et à celui qui décide du choix.

La décision d'acheter une marque particulière est souvent prise par l'acheteur et non par la personne à qui le produit est destiné. À d'autres moments, l'utilisateur désignera le produit à acheter; l'acheteur n'est alors que son agent d'achat. Dans chaque cas, la direction doit savoir qui est le consommateur et qui est l'acheteur de son produit. Elle doit en outre saisir la relation existant entre les deux. En sélectionnant les canaux de distribution, un directeur essaie de placer ses articles là où l'acheteur les veut. En formulant les plans de promotion, il essaie d'atteindre celui qui décide. Il doit toutefois concevoir le produit pour l'utilisateur, tout en le rendant attrayant à l'acheteur. Les décisions concernant le prix se basent habituellement sur les motivations de celui qui décide.

Ces distinctions entre l'utilisateur, l'acheteur et celui qui décide, s'appliquent tant aux biens industriels qu'aux produits de consommation. Examinons la vente de machines à écrire à une compagnie relativement grande. Les utilisateurs sont des dactylos; ce serait une grave erreur que de les ignorer en formulant les plans du marketing. Les dactylos connaissent bien les caractéristiques des machines à écrire qu'elles désirent. Si les machines à écrire ne répondent pas aux exigences des dactylos, celles-ci dissuaderont l'employeur de les acheter. L'utilisateur joue aussi dans ce cas, un rôle dans la prise de décision. Il arrive, bien souvent, que les deux rôles se chevauchent.

Dans la plupart des ventes, les trois rôles sont répartis entre différentes personnes selon des modalités complexes.

Plusieurs des personnes suivantes pourraient prendre les décisions d'achat: le directeur du bureau, la dactylo, l'acheteur, un vice-président ou même le président. Cela souligne un des aspects difficiles du marketing industriel; le processus de prise de décision de chaque maison est unique. Il est bien rare de savoir en toute certitude vers qui diriger les efforts. Les compagnies de machines à écrire utilisent par conséquent des moyens de publicité susceptibles de couvrir tout le marché. Cette diffusion de la décision suggère l'utilisation de vendeurs capables de déterminer qui doit être persuadé et de concentrer alors leurs efforts sur cette personne.

Prenons la pâte dentifrice comme exemple d'achat de bien de consommation. Elle s'achète de plusieurs manières: distributrices, commandes postales, magasins de détail, porte à porte. Certains achats sont planifiés, d'autres résultent d'une décision spontanée. Tous les membres d'une famille peuvent jouer un rôle. Chacun peut être l'acheteur mais peut recevoir des ordres de quelqu'un d'autre. Les trois rôles sont fréquemment joués par la même personne. La maîtresse de maison, connaissant les préférences de sa famille, agit maintes fois comme acheteur; elle choisira les marques préférées des siens si elle les trouve en vente. Si la ménagère voit une marque en vente à un prix intéressant, elle changera peut-être la décision prise par quelqu'un d'autre à la maison. Les influences du point d'achat lui auront fait assumer le rôle de décision.

Les fabricants de pâte dentifrice considèrent tous ces facteurs en élaborant leurs programmes. Ils fabriquent des produits aux attributs variés (différenciation du produit) pour attirer différents utilisateurs (différents segments du marché). Stripe a mis une raie rouge dans sa pâte blanche pour attirer les enfants et a appuyé ses campagnes par des programmes de publicité directement adressés à ce marché. (Cela a raté!) Polident a développé un produit pour des utilisateurs de dentiers et le supporte par de la publicité télévisée, dirigée vers ce secteur particulier. Maclean's adresse sa promotion aux personnes qui se préoccupent de la blancheur de leurs dents. Crest veut servir les consommateurs soucieux de prévenir les caries dentaires. Colgate semble se concentrer sur les utilisateurs qui s'intéressent à leur haleine, mais se sent aussi obligée de servir ceux qui pensent à la santé de leurs dents.

Chacun de ces produits s'adresse à un segment du marché ayant des motivations d'achat, chacun est conçu pour satisfaire des besoins particuliers. Il est difficile de trouver un produit qui satisfasse tous les éléments d'une clientèle aussi diversifiée.

En raison de l'étendue du marché et des centres d'intérêt divers, la pâte dentifrice doit être annoncée au grand public. Étant donné la forte influence de l'impulsion sur l'achat, la promotion au point d'achat et l'empaquetage deviennent primordiaux.

SEGMENTATION DU MARCHÉ

Il n'y a pas de marché national homogène. Au contraire, notre société est composée de marchés hétérogènes. Nous relevons des différences de comportement importantes entre les diverses couches de notre société. Nous étudierons ici certains segments de marchés: régions géographiques, groupes d'âge, sexes, nationalités, niveaux d'éducation et de revenu, associations professionnelles, classes sociales et groupes d'intérêt spécifique.

Régions géographiques

Un directeur de marketing doit considérer la répartition géographique de la demande de son produit. Il serait erroné de penser qu'elle est uniforme à travers le pays. Il n'existe pas de véritable marché national; les ventes totales du Canada résultent de la somme du volume des ventes de plusieurs marchés séparés. Les grandes différences de pénétration du marché, par une marque donnée, attestent bien de l'unicité de chaque région géographique.

Quelle influence peut avoir la région géographique sur la consommation?

Groupes d'âge

Il existe une consommation propre à chaque groupe d'âge. Les enfants de moins de deux ans, par exemple, utilisent une grande quantité de couches, mais cette consommation diminue rapidement avec l'accroissement de l'âge.

Le marché des adolescents suscite un intérêt considérable par ses besoins de produits spécifiques. Caractérisé par son faible pouvoir d'achat, ce segment de la population n'en constitue pas moins le plus important acheteur de certains produits tels que disques, vêtements, etc. Les moins de trente ans forment un groupe où les besoins sont grands: début d'une carrière, d'une famille... Le groupe des trente à cinquante ans représente le segment de la population qui a le plus grand pouvoir d'achat et qui consomme le plus. Le groupe des plus de cinquante ans se caractérise par une diminution des besoins de biens de consommation et une augmentation des besoins de services médicaux, hospitaliers, de loisirs, etc.

Sexes

C'est par la quantité de consommateurs d'un sexe donné que se détermine la demande de certains articles. La vente de souliers pour hommes dépend du nombre d'hommes dans le segment du marché considéré, alors que l'achat de cosmétiques pour femmes dépend premièrement du nombre total de femmes, deuxièmement de leur âge.

En raison de leurs habitudes et de leurs motifs d'achat, hommes et femmes ne réagissent pas de la même façon aux influences. Le sexe de l'acheteur ou de l'utilisateur influe sur toute planification. Vous ne voyez pas souvent des hommes acheter des cigarettes «Contessa Slims» conçues pour la clientèle féminine. Par contre, il y a les boutiques «unisexe» qui servent une clientèle spéciale. Les hommes, règle générale, n'ont pas tendance à acheter dans les mêmes magasins que les femmes. Promouvoir une marchandise auprès d'une maîtresse de maison requiert l'utilisation de média, d'attraits et une stratégie qui diffèrent des approches utilisées pour atteindre le mari.

Commentez le phénomène des boutiques «unisexe».

Nationalités

Les gens de nationalités différentes vivent de diverses façons et ceci crée la demande d'une grande variété de produits. La consommation de boissons et d'aliments change énormément d'un groupe à l'autre, d'un pays à l'autre. Malheureusement, nous ne disposons guère de statistiques à ce sujet, car il y a peu de recherches qui ont été entreprises dans ce domaine.

Le domaine de l'anthropologie culturelle s'attache à étudier les différences de comportement entre les diverses cultures dans le monde. Le marché canadien est loin de représenter un exemple de culture homogène; nous y trouvons plusieurs sous-cultures basées sur l'héritage national qu'apportent Canadiens français, anglais, italiens, grecs, polonais, juifs. Ces groupements conservent plusieurs de leurs habitudes culturelles en matière d'aliments, de vêtements, de meubles, de loisirs, etc.

Groupes selon le revenu

Le revenu constitue probablement le facteur de variation le plus important dans la demande de biens et de services. Le niveau de revenu de la famille ne détermine pas seulement la somme dépensée à l'achat de divers articles mais aussi la nature des marchandises achetées. Évidemment, les personnes disposant de bons revenus tendront à acheter des marchandises à des prix plus élevés que les familles pauvres. L'impact du revenu sur la consommation, est toutefois, encore bien plus complexe. Les gens aisés dépensent leur argent en réponse à des besoins qui ne font l'objet d'absolument aucune demande de la part des gens peu fortunés: bateaux de plaisance, avions, voyages, certaines formes de loisirs, meubles luxueux, bijoux...

L'importance du vêtement pour la famille à revenu élevé a été démontrée par une étude qui a permis de conclure que les vêtements représentent le produit par lequel la femme à revenu élevé exprime son statut. La femme à bas revenu a plutôt tendance à penser en termes d'appareils électriques, d'autos et de meubles...

Éducation

Diverses études ont montré que le niveau d'éducation et le revenu présentent une corrélation si étroite que plusieurs considérations valables pour le revenu s'appliquent aussi aux segments définis selon le niveau d'éducation.

L'éducation elle-même crée cependant certaines différences. Les habitudes de lecture des diplômés universitaires diffèrent considérablement de celles des personnes qui n'ont complété que leur cours secondaire. Les biens qu'un consommateur achète dépendent largement des groupes sociaux auxquels il appartient ou auxquels il désire se joindre. Il en est de même des diplômés d'écoles supérieures qui voyagent et recherchent des centres d'intérêt différents de ceux des personens qui n'ont complété que leur secondaire. Les attributs de l'éducation deviennent alors un des éléments par lesquels on mesure les caractéristiques des groupes sociaux.

Comment les transformations sociales peuvent-elles influer sur la demande?

Profession

Les variations causées par la profession dans les modèles de consommation dépendent en grande partie de la variation des revenus provenant de l'emploi. Un col-blanc achètera plus de chemises et d'habits qu'un mécanicien, même si ce dernier a des revenus plus élevés. Certains directeurs d'entreprises peuvent être forcés d'acheter des maisons et des meubles de valeur pour des réceptions coûteuses tandis que d'autres administrateurs qui ne sont pas obligés à un rôle mondain se contenteront de maisons et de meubles plus modestes.

D'autres critères de segmentation

Les marchés peuvent être segmentés en diverses catégories. Aujourd'hui, un directeur de marketing ne se préoccupe pas seulement des segments démographiques traditionnels de race, de religion, de volume de famille et de statut civil. Le tableau 9.1

montre comment un directeur peut organiser son analyse des segments pour un produit donné, selon:

- la quantité de biens consommés
- la fidélité à une marque
- l'achat initial ou le remplacement
- le caractère conventionnel

TABLEAU 9.1 Analyse de segment de marché pour un produit X

Segments possibles	Le client idéal
Âge	35 - 45
Sexe	Homme
Statut civil	Marié
Épouse qui travaille	Non
Volume de la famille	Sans importance
Étape dans le cycle de sa vie	Enfants à la maison
Éducation	Diplômé universitaire
Situation géographique	Citadin
Revenu	Supérieur à $10 000
Occupation	Administrateur
Race	Sans importance
Religion	Sans importance
Propriété d'une maison	Sans importance
Biens possédés	Doit posséder une automobile
Degré d'utilisation	Sans importance
Conscience de la marque	Fidèle à la marque
Mobilité géographique	Sans importance
Mobilité sociale	Arriviste
Attitude face à l'innovation	Ouvert aux innovations
Personnalité	Agressif

MARCHÉS INDUSTRIELS

Les biens et services industriels sont achetés par des entreprises, la fonction publique et d'autres institutions économiques ou sociales, qui les emploient dans leur propre production ou les convertissent en d'autres produits.

Comme la plupart des consommateurs voient rarement le fabricant de produits industriels en pleine action et qu'ils sont pourtant constamment tenus au courant des produits de consommation offerts sur le marché, ils sont portés à en conclure que la distribution des produits et des services industriels représente une portion relativement faible de l'économie. En fait, 53% de tout le volume du commerce de gros portent sur les produits industriels.

Outre l'équipement, les biens et les services utilisés pour faciliter la fabrication de produits de consommation, toutes les matières premières dans le produit fini peuvent changer de mains deux ou trois fois sous différentes formes. Les balles de coton brut sont achetées par un manufacturier qui peut vendre le coton traité à un autre manufacturier. Celui-ci vendra ses produits finis en mesures de tissu à un manufacturier de robes. Le même coton peut se vendre trois fois comme bien industriel avant de devenir un produit de consommation. L'acier est un autre exemple d'un produit industriel vendu plusieurs fois sous différentes formes avant d'être finalement transformé en produit fini.

Caractéristiques du marché industriel

Le marché industriel possède plusieurs caractéristiques qu'un directeur de marketing se doit de connaître. Sous plusieurs aspects, le marketing industriel diffère de la distribution de biens de consommation: les motifs et les habitudes d'achat, les lieux d'affaires, la capacité d'achat des clients éventuels, les techniques de marketing. Toutefois, en dépit de toutes ces différences, certains problèmes de marketing sont communs aux deux domaines. Une partie de la discussion concernant les biens de consommation s'applique donc au marketing industriel.

CONCENTRATION DES CLIENTS Le marché des biens et services industriels est constitué d'un petit nombre d'entreprises. Nous comptons environ 5 millions d'entreprises en Amérique du Nord (Canada et États-Unis). Environ 150 000 compagnies ayant un actif de $250 000 ou plus représentent 85% du marché des biens industriels. Un fabricant de carburateurs, par exemple, n'a qu'une poignée d'acheteurs possibles, mais chacun d'eux représente un gros potentiel d'achat.

Ce fort degré de concentration permet l'utilisation de canaux de distribution directs. Il est économiquement impossible de contacter des centaines de milliers d'acheteurs alors qu'il est relativement facile de contacter directement quelques centaines de firmes. Le degré élevé de concentration signifie aussi que de grosses sommes d'argent peuvent être investies dans les transactions. Une vente s'élèvera fréquemment à plusieurs milliers de dollars. Encore une fois, cette situation encourage la vente directe, car une commande peut facilement compenser les frais de déplacement d'un vendeur visitant un acheteur. Un autre avantage résulte de cette concentration du marché: le vendeur peut connaître plus facilement ses clients éventuels. Le manufacturier de transistors et de micro-circuits peut facilement repérer les segments les plus importants de son marché. Le fournisseur de pétrole brut connaît précisément les entreprises prêtes à acheter son produit.

«INÉLASTICITÉ» DE LA DEMANDE La demande totale de biens et de services industriels est «inélastique» puisqu'elle dépend entièrement de celle du consommateur. En cas de faible demande d'un produit, le manufacturier n'achètera pas d'équipement nouveau ni de pièces supplémentaires même si les fournisseurs baissent leurs prix. D'un autre côté, si une forte demande existe pour son produit, le manufacturier ne restreindra pas ses achats, même s'il y a augmentation des prix des matières premières.

Quoique la demande industrielle soit «inélastique» dans l'ensemble, il n'empêche qu'elle est fréquemment très «élastique» pour une firme isolée vendant certains types de produits industriels.

Le principal problème qu'affronte un manufacturier de biens industriels désirant utiliser le prix en sa faveur est le fait que ses concurrents ajustent rapidement leurs propres prix aux siens en cas de réduction, annulant alors tous les avantages gagnés. Par cette pratique, le manufacturier n'obtiendra qu'un avantage de prix temporaire, à moins que sa structure de coût ne lui permette de vendre toujours à un prix inférieur à celui du marché.

D'un autre côté, la demande pour les produits d'un manufacturier peut être très peu souple du point de vue du prix, s'il a développé un produit unique qui résout au mieux les problèmes d'une industrie. IBM a pu vendre ses machines à écrire à un prix plus élevé, même si la concurrence distribuait des appareils à prix plus bas, parce qu'un segment important du marché (évidemment un segment suffisant pour satisfaire IBM) semblait estimer que le produit IBM valait le prix demandé. Les acheteurs industriels paieront le prix d'un produit s'il satisfait un certain besoin, mais ils pourront changer de fournisseurs s'ils découvrent d'autres produits comblant le même besoin et offerts à meilleur prix.

RÉCIPROCITÉ Lorsqu'il s'agit de la vente de fournitures ou de petits achats, certaines maisons pratiquent fréquemment une politique de réciprocité: elles n'achèteront pas de compagnies qui n'utilisent pas leurs produits; voilà théoriquement une mauvaise politique parce qu'une maison devrait toujours s'efforcer d'acheter de fournisseurs qui répondent le mieux à ses besoins. Néanmoins, ce principe est souvent appliqué par les petites entreprises, surtout dans des industries où tant le produit que les prix sont standardisés et où la qualité est règlementée.

COMPLEXITÉ DE LA PRISE DE DÉCISION Le vendeur industriel se trouve fréquemment dans une situation telle qu'il lui est difficile de déterminer à qui s'adresser. Quel directeur prendra la décision finale d'acheter le produit dont la compagnie a besoin? Qui sera l'agent d'achat: le président, le directeur de la production, l'ingénieur, un employé subalterne? Si le vendeur perd son temps avec une personne non compétente tandis que son concurrent va au point de décision, sa vente peut être perdue. Un contact industriel peut coûter de $20 à $35; il devient donc nécessaire que le vendeur détermine rapidement qui prend les décisions.

Quoique l'industrie emploie fréquemment des comités d'achat composés de cadres intéressés, l'expérience démontre que, bien souvent, une seule personne influence grandement le comité de décision. Le vendeur doit alors l'identifier et l'atteindre. Une étude conduite par un éditeur a déterminé que 64% des visites de ses vendeurs étaient faites à des personnes non compétentes. En général, ils s'adressaient au personnel des échelons inférieurs. Dans la plupart des cas, il semble plus facile de voir l'assistant que le patron lui-même. Bien que cela pose des problèmes, il est préférable de s'adresser au directeur le plus haut placé pour conclure une vente. Le problème diffère en ce qui concerne plusieurs grandes organisations telles que Alcan, General Motors ou le gouvernement fédéral. Comment leur vendre? À qui s'adresser chez General Motors, si on veut proposer un nouveau type d'essuie-glace?

Il n'est pas facile de répondre à ces questions.
Chaque cas est différent et les organisations elles-mêmes constituent la seule source d'information. Le vendeur doit apprendre à connaître chacune des grandes organisations auxquelles il désire vendre son produit.

Vendre au gouvernement est quelque chose de bien différent. Tout d'abord, on ne vend pas au gouvernement d'un seul coup. Chacune des nombreuses agences gouvernementales peut avoir ses propres conditions. Seules l'expérience et l'aide d'une personne qui connaît bien ce genre de démarches peuvent faciliter cette vente.

ACHATS CENTRALISÉS Souvent, les grandes organisations centralisent leurs achats, habituellement au siège social. Le vendeur qui contacte une succursale peut perdre son temps si le produit est acheté au siège social de la compagnie et livré directement à la succursale. Parfois, le directeur de succursale peut avoir une influence sur le déroulement de la transaction. Il y a alors lieu de se mettre en rapport avec lui. Cela signifie que les vendeurs d'une compagnie doivent souvent coopérer entre eux afin d'obtenir les commandes d'un gros acheteur. Tous les efforts doivent être ordonnés pour visiter chaque succursale d'une grande compagnie afin d'appuyer les efforts de celui qui se présente au siège social.

CONTRÔLE DE LA QUALITÉ ET HONNÊTETÉ DU VENDEUR Les acheteurs industriels se préoccupent beaucoup de la qualité des produits achetés et de l'honnêteté du vendeur. Ils veulent transiger avec des vendeurs responsables. La nouvelle ou la petite entreprise éprouvent fréquemment de la difficulté à convaincre un acheteur industriel qu'elles peuvent tenir leurs promesses. Les livraisons doivent s'effectuer au bon moment en quantités et en qualités désirées.

LONGUE PÉRIODE DE NÉGOCIATION La négociation d'une vente de produits industriels exige beaucoup de temps. Le vendeur veut s'assurer que le produit satisfait les exigences du client à tous les points de vue. Une compagnie a mis au point un système d'alarme électronique pour les vols à main armée; elle désirait vendre son produit à des services de protection d'usines. Après avoir mis le système à l'essai, elle y a introduit certains changements afin de répondre aux besoins spécifiques de l'acheteur, puis le contrat fut signé. Cela avait pris environ un an.

ANALYSE DES COÛTS Les agents d'achat sont responsables de la minimisation du coût des biens qu'ils achètent. À cette fin, ils ont recours à des techniques d'analyse développées par des compagnies désireuses de réduire les coûts de fabrication et de leur permettre de satisfaire aux exigences spécifiques d'un client éventuel. L'expérience a démontré qu'une étude intelligente de plusieurs produits révèle de nombreux moyens d'en réduire le coût.

Des agents d'achat dynamiques, rendront le produit offert par un fournisseur, le soumettront à l'analyse de leurs ingénieurs et suggèreront au fournisseur comment baisser ses coûts de fabrication et réduire ainsi son prix de vente.

SERVICE Le service est un élément essentiel au succès d'un programme de marketing industriel. La plupart des produits et services sont techniquement complexes: en plus du produit, l'acheteur a besoin d'un conseiller. Comment installer un ordinateur sans une aide considérable du vendeur?

Une compagnie veut remplacer immédiatement une pièce défectueuse ou réparer une machine déréglée qui risque de paralyser toute une chaîne de production. Elle n'aura certainement pas recours à un fournisseur incapable de lui rendre un tel service.

General Automation, un petit manufacturier de mini-ordinateurs a un avenir extrêmement brillant parce qu'il insiste sur le service plutôt que sur la vente seule de son produit. General Automation entre dans l'usine du client pour vendre le service complet: la production automatisée.

LOCATION PLUTÔT QU'ACHAT Plusieurs acheteurs industriels croient que la location d'équipement est plus avantageuse que l'achat. Premièrement, elle minimise la somme requise pour un investissement, et, en conséquence, augmente le fond de roulement. Deuxièmement, il en découle certains avantages fiscaux, surtout si le client bénéficie d'une option d'achat sur l'équipement. Troisièmement, l'équipement loué est souvent entretenu par le locateur, éliminant ainsi ce problème. Finalement, la location est particulièrement intéressante pour les entreprises soumises à de grandes variations saisonnières ou cycliques.

POSSIBILITÉS DU MARCHÉ

Une tentative économique a toujours comme point de départ l'évaluation des possibilités d'un marché: un besoin non satisfait de certains biens ou services. Même si cette théorie des possibilités du marché a été appliquée presque uniquement par des institutions à but lucratif, elle reste néanmoins valable pour toute institution quelle qu'elle soit. Les institutions gouvernementales doivent s'orienter vers le marché au même titre que les institutions et organismes privés. Cette reconnaissance des possibilités du marché est le début de la planification.

Reconnaissance des possibilités du marché

Quand une entreprise ne réussit pas à satisfaire son marché, des milliers de concurrents potentiels peuvent percevoir les possibilités qu'offre ce marché, et réagir positivement; créant ainsi un secteur de concurrence «élastique». Il n'est pas nécessaire d'être prophète pour déceler les possibilités extraordinaires des domaines de la pollution ou de la rénovation urbaine, qui provoqueront une vive concurrence.

On ne peut pas fonder une entreprise en se basant simplement sur les possibilités de marché offertes dans le domaine de la pollution. On doit rechercher les solutions qui répondront à ce besoin. Le marché de la pollution est divisé en celui de l'air, de l'eau et des déchets solides. Dans chacune de ces catégories, il existe un grand besoin de produits. Pour l'instant, par exemple, dans le domaine de la pollution de l'eau, il y a un besoin d'instruments pour mesurer, à titre préventif, le degré de pollution des lacs et des rivières. Les biens et les services de ce domaine peuvent prendre des centaines de formes différentes. Lesquelles représenteront la meilleure possibilité pour un organisme donné?

Il est nécessaire d'effectuer des recherches sérieuses pour découvrir et segmenter le marché. Ce livre ne se propose pas de développer la méthodologie de la recherche nécessaire à la poursuite de telles investigations, mais il est important de se rendre compte que c'est ici que commencent les efforts de recherche de l'organisation et non avec la recherche du produit. Celle-ci devrait débuter une fois les besoins du marché reconnus et définis.

Tendances du marché

Tout change dans notre société. La demande pour certains produits est à la hausse tandis qu'elle baisse pour d'autres. La population accrue des plus de 65 ans a augmenté la demande pour des biens comme les maisons de repos, les médicaments, les loisirs. Plusieurs spécialistes examinent de quelles manières ils peuvent participer et servir un marché en croissance rapide. Une analyse sérieuse de toutes les tendances de notre société doit servir de base à toute analyse de tendance des possibilités du marché.

Quelles sont les tendances qu'on peut déceler?

Le tableau 9.2 énumère certains phénomènes sociaux qui présentent des possibilités de marché.

Ces tendances, et plusieurs autres, peuvent se grouper dans une ou plusieurs des catégories suivantes:

- urbanisme
- loisirs
- technologie
- environnement
- service
- âge
- éducation
- psychologie
- information
- sécurité

Daniel Yankelovich, chercheur en marketing, a envisagé sept tendances principales pour les années soixante-dix:

TABLEAU 9.2 Certaines tendances relevées dans la société canadienne durant les années '70

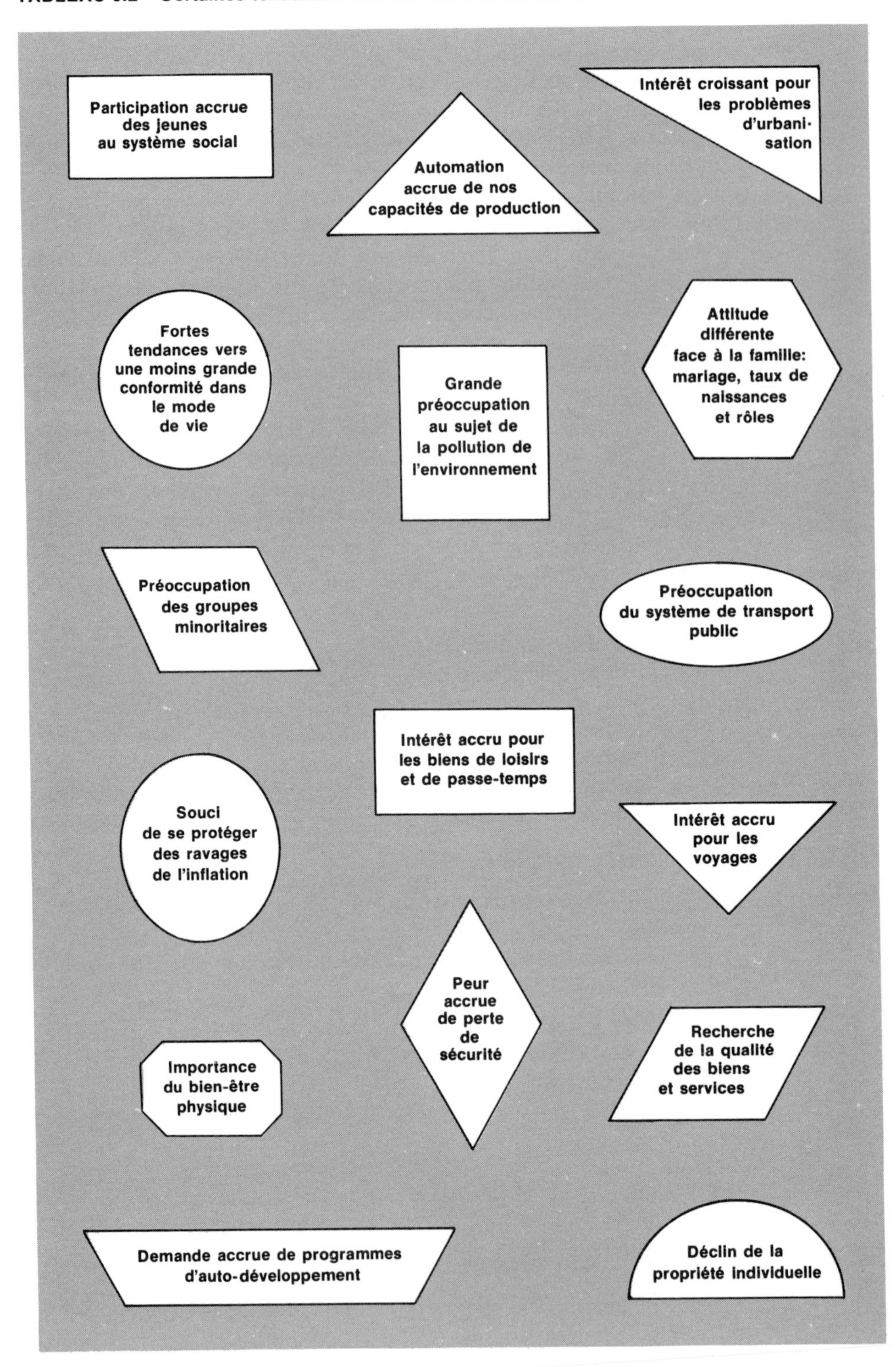

- Amélioration physique
- Personnalisation
- Santé physique et bien-être
- Nouvelles formes de matérialisme
- Expression sociale et culturelle
- Créativité personnelle
- Travail intéressant

Les entreprises évaluent constamment les marchés afin de déterminer quand elles devraient cesser la production de certains biens et commencer à en produire d'autres.

Vides dans le marché

On peut, à l'occasion, repérer un segment du marché dans lequel aucun bien ni service n'existe pour satisfaire la demande. Le chef d'entreprise intuitif et dynamique peut immédiatement profiter de ces occasions économiques. Certains financiers ont perçu le besoin de créer un troisième marché de titres dans lequel de grandes institutions pourraient vendre ou acheter de gros lots d'actions sans passer par la bourse, donc sans faire varier sérieusement le prix des titres. Ces hommes ont ainsi créé des institutions qui ne traitent qu'avec de gros clients. De même, les créateurs de la Volkswagen ont vu clairement le besoin d'une petite auto économique et la compagnie a profité de cette prévision durant plusieurs années.

Est-ce que vous voyez des vides dans le marché actuel?

Rentabilité

Une fois que l'analyse de marché a déterminé les domaines économiques les plus rentables, l'entreprise y concentre ses activités. Des profits élevés attirent plusieurs entreprises. Lorsque les profits des médicaments et des produits électroniques se sont élevés, des milliers de fabricants ont envahi ces domaines.

De même, le manque de profits éloigne les gens. Plusieurs manufacturiers de produits pharmaceutiques se sont orientés vers les cosmétiques dont les bénéfices étaient plus intéressants. On cherche donc essentiellement à déterminer où se réalise la plus grosse marge de profit.

Innovation

L'innovation crée certainement des possibilités de marché car elle permet des réalisations jusque-là considérées impossibles. À titre d'exemple, évaluez l'impact de la télévision et les possibilités de marché qu'elle a créées.

L'administrateur moderne suit de près les développements technologiques afin d'être en mesure d'exploiter les possibilités extraordinaires qui peuvent se présenter. Imaginons qu'un scientifique solitaire ait mis au point une pile rechargeable, de longue durée, capable de donner une quantité relativement grande d'énergie durant une longue période. Quelles seraient les conséquences d'une telle innovation? De même, quelles possibilités se présenteraient si quelqu'un perfectionnait un petit réacteur atomique dont l'emploi ne présente aucun danger.

Il nous est bien facile de relever les possibilités de marché créées par Dupont lorsqu'il a lancé le nylon, le dacron et l'orlon. Il est évident que l'administrateur doit garder l'oeil ouvert sur toutes les innovations: on ne sait jamais ce que les possibilités peuvent apporter ni quels dommages elles peuvent causer aux marchés existants. Les innovations créent de nouvelles valeurs et détruisent les anciennes.

Concurrence

La concurrence au sein d'un marché est fonction de sa rentabilité, de son volume, de sa facilité d'accès et de l'intérêt du public. Un administrateur averti pourra pourtant, même aujourd'hui, repérer de petits segments offrant de grandes possibilités et une concurrence réduite.

ÉVALUATION DES MARCHÉS

Nous avons exprimé en termes qualificatifs les possibilités de marché. Nous pouvons certainement être assis dans un fauteuil confortable et trouver rapidement un grand éventail de possibilités de marché en termes qualitatifs. Cependant, ces évaluations du marché ne constitueront pas une base valable et suffisante pour la planification. Elles doivent être quantifiées. Les marchés doivent être mesurés.

Cette mesure est la principale difficulté que rencontre l'administrateur lorsqu'il veut évaluer les possibilités présentées par la pollution. Non seulement la nature précise de l'équipement requis reste encore à déterminer, mais il est difficile de fixer des valeurs autrement qu'en termes de sommes totales de budget régional. C'est une mesure plutôt insatisfaisante! Quand un nouveau manufacturier de lotion après rasage évalue le marché à environ $200 millions par année, il base sa planification sur quelque chose de tangible.

Une grande partie de la recherche commerciale est consacrée à la quantification des demandes du marché (potentiel et prévisions de ventes). Toutes ces techniques forment la base de la planification des activités de l'organisation entière.

CONCLUSION

Le marketing exige une analyse assez précise de l'acheteur du produit. En effet, le succès de vente de certains articles dépend d'une bonne connaissance qualitative de son marché. Il y a une planification stratégique considérable à effectuer en choisissant les marchés que l'on désire servir; c'est généralement une erreur que d'essayer de vendre à tout le monde sans discernement.

Il ne faut jamais oublier que le consommateur est l'objet des décisions de marketing. Que désire le consommateur? La réponse ne vient pas facilement car la psychologie du consommateur est des plus complexes.

mise au point de produits et stratégies de mise en marché

Une fois qu'un marché a été identifié, quantifié, et que la direction l'a jugé attrayant, il faut créer un produit capable de satisfaire le besoin exprimé.

Il fut un temps où on créait d'abord un produit, puis on le soumettait au marché. Il en résultait bien souvent des pertes de temps, d'énergie, donc d'argent. L'exemple de cette petite entreprise spécialisée dans la fabrication de produits électroniques est frappant. Vers la fin des années cinquante, elle avait investi près de $1 200 000 dans la mise au point d'un purificateur d'eau à l'ultraviolet. Elle devait découvrir, par la suite, que la demande était presque nulle pour ce nouveau produit. Cette même entreprise investit à nouveau $70 000 en 1960 pour créer un récepteur FM pouvant se raccorder à la radio AM d'une automobile. Elle demanda à un spécialiste en commercialisation d'étudier les possibilités de ce nouveau produit. L'entreprise découvrit alors que d'autres maisons, comme Motorola, étaient sur le point d'envahir le marché avec un produit semblable, possédant des caractéristiques supérieures.

L'entreprise de production qui désire s'assurer une expansion normale doit donc reconnaître et quantifier au préalable son marché. Elle doit tenir compte de la concurrence et mettre au point un produit dont les caractéristiques répondent aux exigences du marché. En bref, elle doit tout savoir de son marché éventuel avant de se lancer dans la création d'un nouveau produit.

Qu'est-ce qu'un produit?

La conception traditionnelle soutient que le produit n'est qu'un assemblage de divers éléments. L'automobile, par exemple, est faite de métal, de plastique, de caoutchouc, de verre et de matériaux divers; la combinaison de ces éléments crée un produit, l'automobile, dotée d'une dimension, de capacité, et capable de fonctionnement... C'est le «concept des caractéristiques physiques» du produit.

La conception moderne identifie le produit à son utilisateur. En d'autres termes, le produit est l'image qu'en a son utilisateur. Ainsi, une automobile Cadillac peut fort bien représenter deux produits pour deux utilisateurs différents. Ce concept est particulièrement renforcé par la publicité et les programmes de mise en marché dans des domaines où l'on peut faire du produit l'expression des valeurs individuelles. Ainsi, bien que les composantes du «Saint-Léger» soient identiques aux autres marques de «Scotch-whisky», sa publicité, sa présentation, et son prix font qu'il est associé à des valeurs particulières par ceux qui l'ont adopté.

BESOIN DE NOUVEAUX PRODUITS

Par nouveaux produits, nous n'entendons pas uniquement la création de nouveaux produits mais aussi la modification et l'amélioration des produits existants. L'évolution constante des besoins de la société exige cette recherche. Le moteur à explosion, tel que nous l'avons connu aux cours des soixante-dix dernières années, ne survivra pas à la prochaine décennie parce qu'il ne peut plus répondre aux nouvelles exigences du marché: trop de pollution.

Choisissez un produit et indiquez les améliorations que l'on devrait y apporter.

Cycle de vie d'un produit

Le tableau 10.1 illustre le «concept du cycle de vie d'un produit». Ce concept attribue à chaque produit une durée de vie composée d'étapes plus ou moins longues selon la qualité du produit.

Le cycle de vie d'un produit débute par l'implantation. Cette étape se caractérise par une concurrence faible ou inexistante, des prix élevés, une distribution et un marché limités. C'est la période pendant laquelle de nombreuses améliorations sont apportées à la technique du produit. Au fur et à mesure que la popularité du produit augmente, celui-ci entre dans une seconde étape dite de croissance. Elle se caractérise par l'augmentation de la demande, la chute des prix, la venue des concurrents, et l'extension de la distribution. C'est une période où les profits sont élevés. Au moment où la concurrence s'intensifie et que le marché devient saturé, le produit atteint successivement les étapes de maturité et de saturation, c'est le sommet du cycle. Les prix sont au plus bas. C'est l'époque où le produit est fort bien connu du marché et où sa distribution est maximisée. La période de saturation peut durer plus ou moins longtemps selon les caractéristiques de la demande pour ce produit. Tôt ou tard, de nouveaux produits apparaîtront et le remplaceront progressivement. C'est l'étape du déclin: baisse de la demande, diminution des ventes, concurrence de plus en plus acharnée, élimination des compétiteurs marginaux. C'est une époque où les profits sont presque nuls. L'étape suivante est la disparition pure et simple du produit, soit la fin du cycle de vie.

TABLEAU 10.1 Illustration du cycle de vie d'un produit

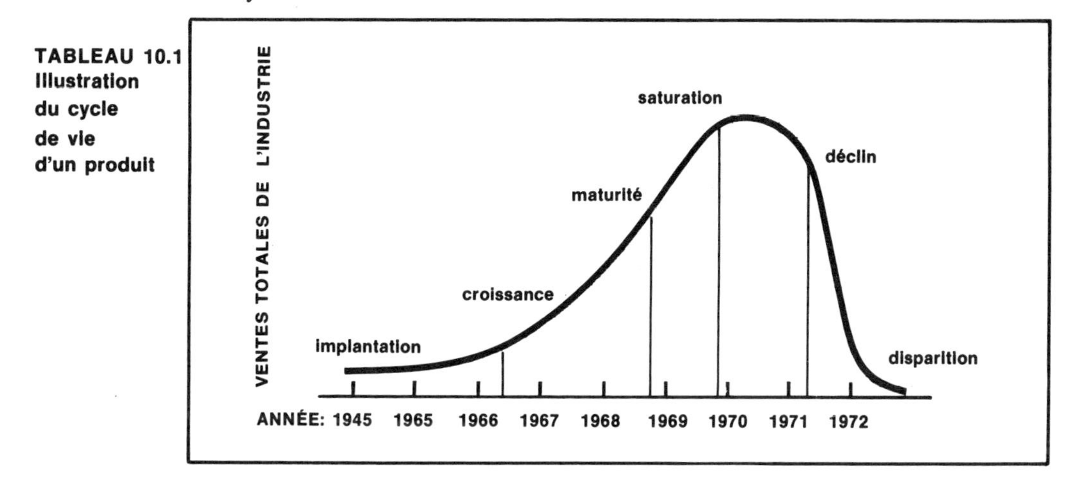

Le concept nous permet de tirer deux conclusions très importantes pour l'entreprise:

- tout produit est appelé à disparaître, donc il faut prévoir la création de nouveaux produits pour assurer l'avenir de l'entreprise;
- il est impossible de prévoir le comportement du marché à l'égard d'un produit donné. La difficulté est au niveau de la prévision de la durée de chacune des étapes.

L'innovation

L'innovation apporte constamment de nouveaux produits destinés à remplacer ceux qui existent déjà. Les dirigeants d'entreprises sont de plus en plus conscients du fait que malgré les avantages et la supériorité apparente de leur produit, un concurrent produira très bientôt un article qui lui sera supérieur. La machine à photocopier qu'IBM a lancé sur le marché afin de concurrencer celle de Xérox en est un exemple typique. La direction de Xérox a vite compris que, tôt ou tard, une grande entreprise s'intéresserait au marché fort lucratif de la photocopie. Aussitôt qu'IBM eut lancé sa toute nouvelle machine à photocopier, Xérox annonça la distribution d'une machine supérieure à toutes celles existant sur le marché. Xérox avait prévu les intentions d'IBM et, par l'amélioration de sa machine à photocopier, voulait protéger son marché.

La recherche de nouveaux produits est maintenant considérée comme une fonction importante de l'entreprise. C'est une grave erreur de ne pas prévoir de produit de remplacement. La petite entreprise d'articles électroniques dont nous parlions au début de ce chapitre a vécu cette expérience. Elle conserva une position avantageuse sur le marché pendant plusieurs années en implantant le premier contrôle à distance pour l'ouverture et la fermeture des portes de garage. Durant les périodes d'implantation et de croissance de son produit, elle n'effectua aucune recherche pour l'améliorer. Inévitablement, d'autres entreprises notèrent les occasions créées par ce marché en expansion. La concurrence améliora le produit et s'empara du marché. Le créateur original réagit trop tard à l'invasion de la concurrence et il ne reprit jamais sa position avantageuse.

La possession d'un marché est un actif important pour l'entreprise. Une équipe de gestion préférera innover constamment et agir comme compétiteur de son propre produit plutôt que de voir son entreprise délogée par un concurrent axé sur la recherche.

Croissance

La croissance est l'un des objectifs de l'entreprise. Beaucoup de directions ne se contentent toutefois pas d'atteindre leur but par l'expansion normale du marché, elles ont planifié la recherche et la mise en marché. Voilà la seule façon de croître plus rapidement.

PLANIFICATION DE LA CRÉATION DE NOUVEAUX PRODUITS

L'équipe de direction d'une grande compagnie veut savoir où en sera l'entreprise dans un certain nombre d'années. À cette fin, elle planifiera l'innovation pour les cinq ou dix prochaines années. De plus, la recherche et l'implantation de nouveaux produits ne se font pas au hasard. Les directions ont, en général, une idée précise des nouveaux produits nécessaires. Bref, pour un temps déterminé, les efforts de l'équipe de recherche seront dirigés à partir d'un plan qui permettra d'en évaluer le progrès.

ORGANISATION DE LA CRÉATION DE NOUVEAUX PRODUITS

Il n'y a pas si longtemps, les administrateurs d'entreprises ne voyaient dans la recherche et l'implantation de nouveaux produits qu'une activité secondaire aux autres fonctions normales de l'entreprise. La découverte de nouveaux produits provenait, le plus souvent, du département de génie et résultait du hasard.

De nos jours, l'organigramme d'une grande entreprise comprend une section spéciale pour la recherche et le développement. Ce service est souvent dirigé par l'un des vice-présidents et dispose de son propre personnel. Ses objectifs sont de rechercher et de trouver des idées, de les analyser, d'en retenir les valables, de mettre au point des modèles ou prototypes, de faire les essais de marché et d'améliorer le produit jusqu'à ce qu'il soit prêt pour une utilisation commerciale intensive. L'une des tâches primordiales du responsable de ce service est de s'assurer que le nouveau produit répond à toutes les exigences du marché avant d'en commencer la production.

Le fait d'organiser une structure propre à la fonction de recherche s'est révélé utile puisque les problèmes de création d'un nouveau produit sont uniques et difficiles à maîtriser, que les chefs des sections de production et de vente n'ont, en général, ni le temps, ni la compétence pour y travailler, et qu'il s'écoule beaucoup de temps entre la conception et l'étape finale de production d'un nouveau produit.

PROBLÈMES

Les risques inhérents à la création de nouveaux produits sont élevés: on estime que le taux d'échec varie de 50 à 95 pour cent. Les échecs sont liés aux nombreux problèmes rencontrés lors de la création et de l'implantation d'un nouveau produit.

Le temps

Il s'écoule souvent plusieurs années entre la découverte scientifique et l'introduction du nouveau produit sur le marché. Cette longue période crée de nombreux problèmes. Tout d'abord, le temps c'est de l'argent, et l'expérience démontre que les dépenses sont souvent fonction du temps. Les salaires et les frais généraux par exemple sont presque uniquement fonction du temps, de sorte que, plus un projet met de temps à se concrétiser plus son coût sera élevé. Ensuite, le temps est en lui-même un élément de risque. Au moment où la compagnie Ford a conçu l'Edsel, au début des années cinquante, le besoin d'un tel type de voiture existait sur le marché. Mais, lorsque cinq ans plus tard, l'Edsel fut finalement exposée chez le dépositaire, le marché avait changé et le besoin n'existait plus. En fait, le segment du marché de l'automobile à prix moyen avait décliné au cours de la période de création et de mise au point de l'Edsel.

En dernier lieu, la longue période de temps requise pour la création d'un nouveau produit cause des problèmes d'ordre psychologique pour l'entreprise. Il est difficile de maintenir pendant plusieurs années l'enthousiasme soulevé lors de l'énoncé d'une idée. Lorsque le produit est finalement lancé sur le marché, la confiance n'y est plus ou les promoteurs ont déjà quitté l'entreprise.

L'argent

Les risques financiers inhérents à la concrétisation d'une idée freinent souvent l'enthousiasme des administrateurs de l'entreprise. Les dirigeants sont généralement réfractaires à ce type d'investissement à cause des coûts élevés exigés par les premières étapes de vie d'un produit. Ces raisons font que le service de recherche et de développement de l'entreprise doit souvent se contenter d'un budget limité. La direction de ce service se doit donc de ne sélectionner que les idées les plus prometteuses et de n'étudier parmi ces dernières que celles qui cadrent avec ses resssources financières.

L'acceptation

Le marché est bien souvent une source de désillusions pour l'entreprise. Toutes les recherches préliminaires peuvent, en effet, indiquer l'existence d'un besoin et d'une demande pour un certain produit, mais au moment où il devient disponible, le consommateur n'en veut plus.

L'entreprise peut en réalité disposer d'un excellent produit et investir des sommes énormes à sa publicité, sans pour autant réussir à le faire accepter par le consommateur. Il suffit de se rappeler qu'il a fallu une vingtaine d'années au réfrigérateur électrique pour détrôner la glacière. Pensez à tous les efforts de promotion déployés et aux difficultés rencontrées par les autorités gouvernementales pour convaincre les gens de recevoir, même gratuitement, l'injection du docteur Salk contre la poliomyélite. S'il a fallu autant de temps pour faire accepter un vaccin nécessaire à la santé et au bien-être public, on peut facilement imaginer les problèmes qu'affrontera l'entreprise désireuse d'introduire sur le marché un produit de qualité médiocre.

Pourquoi la télévision couleur a-t-elle été et demeure-t-elle si longue à gagner la confiance du marché?

Expliquez pourquoi le marché des laveuses de vaisselle automatiques s'est développé si lentement.

La technologie

Un responsable de la production peut fort bien découvrir un marché et avoir l'idée d'un produit qui permette de le conquérir. Après les différentes étapes d'analyses et de tests, l'idée est retenue et on construit un modèle. C'est à ce moment que l'on rencontre les problèmes techniques. Dans de nombreux cas, on découvre que l'idée originale est techniquement irréalisable et on arrête le travail. Dans d'autres cas, les difficultés techniques n'apparaissent qu'après l'implantation du produit sur le marché. C'est la situation la plus dangereuse pour l'entreprise, car le produit est alors entre les mains du consommateur. Rien ne met plus en péril la réputation d'une entreprise et sa croissance future que l'implantation d'un mauvais produit. La bonne réputation d'une entreprise est pour elle un actif sans prix et le marché ne pardonne pas les erreurs.

STRATÉGIE DE MISE EN MARCHÉ D'UN PRODUIT

Pour connaître à fond une entreprise, il faut avant tout se rappeler que l'action administrative gravite autour de prises de décisions touchant un produit. Voyons les principaux facteurs à considérer dans les stratégies de mise en marché d'un produit.

Différenciation des produits

La plus fondamentale des stratégies de mise en marché des entreprises nord-américaines est la différenciation des produits: l'avantage unique de vente. Seul notre produit possède cette caractéristique; seul notre produit répond de cette façon aux besoins. Les entreprises cherchent donc à fabriquer un produit qui soit différent, si peu soit-il, de ceux des compétiteurs. Lancer sur le marché un produit en tous points identique à ceux des concurrents, c'est l'ajouter à la liste des produits et des prix standards. Dès qu'une entreprise vend un produit standard, elle perd son contrôle sur le prix de ce produit.

Pourquoi l'entreprise cherche-t-elle à éviter de vendre ses produits au prix du marché?

À défaut donc de lancer un produit totalement inédit, répondant à de nouveaux besoins, l'entreprise cherchera à apporter des améliorations appréciables aux produits concurrents déjà existants. Bref, elle améliorera certaines caractéristiques pour attirer les faveurs du marché.

De nombreuses entreprises pousseront le raffinement jusqu'à présenter des produits à caractères distinctifs pour chacun des segments du marché qui y est intéressé. Le marché désire et sait apprécier les différences occasionnées par une stratégie orientée vers chacun de ses segments. La Toyota et la Cadillac, par exemple, ont des caractéristiques fort différentes, mais chacune répond aux besoins d'un segment du marché de l'automobile.

Quelles nouvelles caractéristiques les fabricants de cigarettes ont-ils développées afin de conquérir le «marché féminin»?

Gamme de produits

Les entreprises progressives n'orientent pas leurs activités en fonction d'un seul produit, mais plutôt en fonction d'une gamme de produits connexes répondant à différents besoins d'un marché.

Concept de la gamme de produits

Nous imaginons un marché comme un groupe homogène d'individus exprimant des besoins précis, mais la réalité est tout autre. Chaque marché se compose d'une multitude d'acheteurs désirant tous un produit quelque peu différent. Les contraintes de production obligent ces acheteurs à un compromis: le choix d'un produit qui ne répond qu'à leurs principales exigences.

C'est afin de répondre aux différentes demandes du marché que le concept de la gamme de produits a été élaboré. Ainsi, les entreprises tentent d'offrir à chaque segment du marché une collection de produits de base. Nous pouvons donner à cette notion une interprétation différente. Une gamme de produits peut être le regroupement de produits indépendants permettant à l'entreprise de servir plusieurs marchés.

La compagnie General Motors fabrique une gamme d'automobiles: un véhicule pour chaque segment de ce marché. Parfois, les différences sont principalement dues aux dimensions et aux capacités des produits. En d'autres occasions, les différences tiennent davantage aux fonctions accomplies par les produits. Le camion, par exemple, a des fonctions qui ne sont pas celles de l'automobile de tourisme.

Toutefois, l'entreprise doit tenir compte du coût dans l'établissement de sa gamme de produits.

Comment chaque nouveau produit augmente-t-il les coûts?

Éventail de prix

Afin de réaliser un volume d'affaires appréciable et d'être compétitive sur chaque segment du marché, l'entreprise se doit d'offrir un produit dont les particularités et le coût varient selon les goûts et les moyens du consommateur. Une ménagère, par exemple, peut se procurer une laveuse automatique Maytag pour un prix s'échelonnant de $150 à $300. Il en va de même pour l'achat d'un réfrigérateur General Electric dont le prix peut varier de $250 à $500.

Le choix d'un éventail de prix à l'intérieur duquel l'entreprise entend rivaliser avec ses concurrents implique d'importantes décisions stratégiques. Dans bien des cas, il ne saurait être question d'établir une position de commande dans chacune des classes de prix. La classe de prix élevé constitue un attrait pour l'entreprise, non seulement à cause de la forte marge de profit brut qu'elle offre, mais aussi parce qu'il n'en coûte pas tellement plus cher pour fabriquer un produit de luxe qu'un produit ordinaire dans une même catégorie. L'exemple de l'industrie de l'automobile est frappant. Seules quelques légères modifications sont nécessaires, et ce sans ralentir le rendement de la chaîne de montage, pour fabriquer un modèle de luxe dont le prix est beaucoup plus élevé que celui du modèle courant.

Pourquoi l'entreprise qui concurrence les autres dans les classes de produits à bas prix peut-elle éventuellement éprouver des difficultés à faire des profits et même à survivre?

Pourquoi la marge de profit est-elle supérieure pour le modèle de luxe d'un même produit?

Désuétude des produits

Au cours des trente dernières années, une caractéristique de l'industrie de biens de consommation durables a été de provoquer systématiquement la désuétude des produits par le lancement annuel d'un modèle légèrement différent. Ainsi, l'industrie incite un segment du marché à acheter le dernier modèle même si celui de l'année précédente est encore en bon état. L'objectif évident de cette pratique a été de vendre davantage.

L'industrie nord-américaine fabrique depuis quelques décennies des produits dont les qualités et les caractéristiques physiques prolongent la durée utile bien au-delà de la durée fonctionnelle prévue. Pour remédier à cette situation, on a créé chez le consommateur un état psychologique qui lui fait considérer le produit comme désuet. Il est vrai qu'occasionnellement le produit offre de nettes améliorations par rapport à celui de l'année précédente, mais sûrement pas chaque année.

Aujourd'hui, cette stratégie offre de moins en moins d'intérêt pour trois raisons. Premièrement, le coût de remplacement annuel des moules et de l'outillage étant très élevé, il peut difficilement être absorbé par le marché. Deuxièmement, la désuétude dite planifiée provoque une perte économique et beaucoup de pollution. Troisièmement, le marché du consommateur est moins enclin à accepter de nouveaux modèles qui sont, à toutes fins pratiques, presque identiques aux anciens.

Qualité des produits

À la suite de plaintes de plus en plus nombreuses de la part des consommateurs à propos de la qualité des produits vendus, la législation fédérale en cette matière est devenue plus sévère au cours des dernières années. La stratégie de l'entreprise concernant la qualité des produits est principalement axée sur la vie utile du produit. En d'autres mots, plus la vie utile du produit est courte, plus grand est son marché de remplacement.

Les règlements fédéraux en matière de consommation protégeront davantage les intérêts du consommateur dans les années à venir, mais cela ne signifie pas nécessairement que toutes les industries réajusteront en conséquence leurs politiques concernant la qualité des produits fabriqués. L'industrie du pneu d'automobile, par exemple, ne s'intéresse pas beaucoup à la fabrication d'un pneu d'une durée utile de 100 000 milles, à cause des effets dévastateurs que cela provoquerait sur le marché des ventes de remplacement.

En Angleterre, on a fabriqué un pneu qui peut durer aussi longtemps que la vie utile de l'automobile. Comment ce bien influerait-il sur l'industrie du pneu d'automobile, s'il devenait rentable?

Précisons que la sévérité de la législation est bien souvent le résultat d'exagérations flagrantes, comme le fait de fournir des renseignements erronés sur les qualités d'un produit. Mais comment un individu peut-il savoir que le pneu de rechange qu'il vient d'acheter ne fera plus de 6 000 milles? Il faut souvent une levée en masse des boucliers et une longue période de temps avant d'obtenir une réglementation appropriée. En définitive, face à un mauvais produit, le consommateur a toujours le choix de ne pas l'acheter, mais encore faudrait-il qu'il puisse résister aux leurres que représentent le bas prix et l'attrait du produit.

L'entreprise planifie donc la durée utile du produit et il appartient au marché de l'accepter ou de le refuser. De plus, l'entreprise doit planifier jusqu'à quel point le marché peut accepter de payer pour la hausse des coûts qu'entraîne une meilleure qualité de produit. L'entreprise doit finalement prendre une décision stratégique difficile sur le degré de qualité qu'elle doit donner à son produit.

Produits complémentaires

Lorsqu'une entreprise a réussi à établir ses réseaux de distribution et à entrer en contact avec son marché, il est naturel qu'elle cherche à approvisionner son marché avec des produits connexes lui permettant d'utiliser la même filière. Tôt ou tard, sans aucun doute, la direction de Bombardier produira des vêtements et accessoires pour répondre aux besoins connexes de son marché de la motoneige. Bref, plus la complémentarité de ces nouveaux produits sera évidente, plus leur mise en marché sera facile.

Produits conjoints

Les produits conjoints sont issus d'une même source. Le raffinage du pétrole brut, par exemple, nous permet d'obtenir l'essence pour nos automobiles, mais il aurait été ridicule de ne s'en tenir qu'à cela et de faire subir au seul consommateur d'essence les coûts d'extraction et de traitement du pétrole brut. Il est devenu nécessaire de développer de nouveaux marchés pour les résidus secondaires du pétrole naturel. C'est pourquoi il existe des marchés distincts pour le kérosène, les huiles légères et lourdes, la paraffine, le bitume, la vaseline, etc.

Qu'est-ce qui a permis aux compagnies de pétrole de maintenir le prix de l'essence relativement bas en Amérique au cours des dernières décennies?

Quels sont les facteurs, économiques et/ou les autres, qui pourraient faire grimper le prix de l'essence au cours des dix prochaines années?

CONCLUSION

L'avenir de l'entreprise dépend de son habileté à créer de nouveaux produits. Son importance dans l'industrie ne se maintiendra que si elle peut innover et répondre à l'évolution et aux changements brusques du marché.

La création de nouveaux produits n'est, toutefois, pas chose facile et elle coûte beaucoup de temps et d'argent. Il est donc nécessaire de la considérer comme une fonction à part, non reliée aux opérations courantes de l'entreprise, et possédant sa propre structure administrative et opérationnelle.

chapitre 11

la distribution -le commerce du gros

L'obligation d'acheminer les produits du fabricant au consommateur présente un problème et impose la mobilisation d'une grande partie des ressources de notre société. Un vaste réseau d'institutions forme les canaux de distribution par lesquels les produits s'acheminent vers leurs marchés respectifs. Plusieurs entreprises doivent leur succès aux capacités de leurs administrateurs à établir et à maintenir des canaux de distribution efficaces. La compagnie Avon nous en fournit un bon exemple: elle a trouvé le meilleur réseau de distribution de cosmétiques grâce à des représentantes qui font du porte à porte.

LE RÔLE DES SYSTÈMES DE DISTRIBUTION

Un système de distribution est constitué de l'ensemble des canaux de distribution couvrant un marché. Ces canaux forment des ponts permettant les échanges entre producteurs et consommateurs. Le besoin de ces mécanismes d'échange s'est développé par suite du passage de la production de la phase artisanale à la phase industrielle.

Imaginons l'ampleur de nos problèmes d'approvisionnement s'il fallait rejoindre le manufacturier chaque fois que nous voulons un bien. Cela exigerait beaucoup de temps et d'argent, alors que les canaux de distribution acheminent les biens si facilement vers les consommateurs. Ce qui permet à la distribution de rendre trois services essentiels aux consommateurs et aux manufacturiers:

1- Elle valorise les produits en les rendant accessibles aux consommateurs.
2- Elle facilite le transport de la propriété du fabricant à l'acheteur.
3- Elle rend les produits disponibles au moment où le consommateur en a besoin.

Dans bien des cas, ce sont des entreprises différentes qui rendent ces services. Le transfert de la propriété, en effet, ne passe pas toujours par les mêmes voies que celui de la marchandise. La propriété d'une automobile est transférée du manufacturier au détaillant d'abord, et à l'acheteur ensuite, alors que le produit passe par des voies différentes: camionnage, chemin de fer, entreposage, détaillant, acheteur. Souvent de nombreux agents ne voient même pas les biens qu'ils aident à acheminer à l'utilisateur. Un agent d'une entreprise de fabrication de bois de construction ne voit ni ne possède jamais les marchandises que ses clients achètent; les biens matériels et les titres de propriété sont directement échangés entre manufacturier et consommateur. Nous pouvons ainsi qualifier les canaux de distribution de canaux physiques ou psychologiques selon qu'ils servent ou pas au cheminement des biens eux-mêmes. Parfois, répétons-le, les deux qualificatifs s'appliquent à la même voie. Les fabricants de produits pharmaceutiques utilisent les pharmacies comme canaux physiques, en même temps qu'ils se servent des médecins et des hôpitaux comme intermédiaires psychologiques.

LES FONCTIONS DES CANAUX DE DISTRIBUTION

Notre société attribue plusieurs fonctions aux canaux de distribution.

Établissement de routines d'achat

Les filières de distribution permettent la répétition des décisions et l'établissement de routes d'achat. L'acheteur d'un grand magasin décide de distribuer une gamme de produits et convient de se procurer la marchandise chez tel fabricant. Son réapprovisionnement devient alors plus facile: il n'a qu'à indiquer la quantité voulue; cela suffit. Le fabricant l'informe des changements de style lorsqu'ils surviennent. Cette répétition diminue le coût des transactions. Bref, une fois une filière établie, les biens circulent par elle au minimum de coût et d'énergie.

Si l'on exclue la réduction des coûts, les routines d'achat offrent-elles des avantages?

Facilité de financement

Une des réalités du monde des affaires est que du début à la fin de la vie d'un produit, quelqu'un doit en assumer le coût. Une bonne part des stratégies des hommes d'affaires vise à transférer ce financement d'une entreprise à une autre. Rares sont les entreprises qui n'ont pas besoin d'un surplus de fonds de roulement.

Lorsqu'un manufacturier a terminé la production d'un bien, il désire recouvrer son argent le plus rapidement possible afin de pouvoir le réinvestir dans la fabrication d'autres biens et réduire ainsi ses risques de perte. Plusieurs institutions sont prêtes à assumer le financement des biens fabriqués. Un grossiste peut acheter la production d'un manufacturier et la payer dans un délai relativement court. Il revend ensuite les biens aux détaillants, finançant souvent ces derniers pour une période plus longue. Dans notre système, le grossiste a une fonction bien établie de financement. Parfois, un manufacturier autorise un agent à distribuer ses produits. Ce dernier finance alors les clients puisqu'il paie le producteur lors de l'expédition des marchandises aux consommateurs. Dans d'autres cas, diverses institutions financières assument le fardeau financier durant le transit des produits des fabricants aux marchés. À l'autre pôle des canaux, les détaillants et les banques doivent bien souvent financer les consommateurs. Des conditions de paiement telles que «net 30 jours», «net 60 jours» se présentent fréquemment. C'est alors au détaillant d'assumer les charges financières.

Cette fonction financière de la distribution permet à plusieurs manufacturiers de survivre. Il est vrai que l'obligation de recourir à ce moyen leur enlève une arme de négociation, mais ils survivent quand même.

Établissement des prix

Avant d'établir le prix d'un produit, le manufacturier consulte l'intermédiaire qui est plus près du marché. Comme le producteur connaît son coût opérationnel et sa marge de profit, cela lui permet de fixer son prix à l'usine. Il se fie aux recommandations du grosssite pour l'établissement du prix de détail. Les exigences particulières du détaillant peuvent aussi modifier les prix. Un produit alimentaire vendu dans un grand magasin coûtera généralement plus cher que le même produit vendu dans un supermarché. Comme le grand magasin rend plus de services aux consommateurs, ses frais d'opération sont par conséquent plus élevés.

Moyens de communications

Les intermédiaires jouent le rôle d'agents d'information auprès des producteurs trop éloignés des marchés. Dès qu'un grossiste remarque un changement important de la demande, il en informe le manufacturier afin que ce dernier puisse réagir et conserver sa part du marché.

Pourquoi les intermédiaires sont-ils de bonnes sources d'information?

Le propriétaire d'une boutique de vêtements pour hommes faisait aussi fonction d'acheteur. Sa clientèle comprenait, pour une grande part, des étudiants de niveau collégial. Lors de son voyage semestriel à Montréal, il visita son fournisseur habituel. Il commanda une quantité de vestons sport sans acheter les pantalons généralement assortis. Cette situation étonna l'agent manufacturier qui lui posa la question: «Pourquoi?» Il apprit ainsi que la mode sur les campus était aux pantalons mieux ajustés et plus étroits. La marchandise exposée ne correspondait pas à ces critères. Ce client étant reconnu pour son excellente réputation et sa connaissance de son milieu de travail, son information fut aussitôt transmise au directeur de la production qui rencontra le client de Québec et précisa avec lui les tendances de la demande québecoise.

L'entreprise modifia sa production pour satisfaire ce besoin. Il est fréquent pour une entreprise de Montréal ou de New york de perdre le contact avec des marchés un peu éloignés où mode et demande évoluent rapidement. L'entreprise n'a pas d'autre recours que d'être attentive aux informations transmises par les intermédiaires.

Moyens de promotion

L'intermédiaire assume une grande partie des activités de promotion qui sollicitent le consommateur. Le détaillant, de son côté, supporte presque entièrement le reste des efforts publicitaires. Plusieurs manufacturiers reconnaissent que leur action à ce niveau n'est pas efficace. Ils préfèrent fournir une assistance financière aux intermédiaires et aux détaillants. Sachant qu'une campagne de publicité bien conduite peut faciliter la vente de leurs produits, les manufacturiers entreprennent diverses actions pour seconder les efforts de leurs intermédiaires: apport d'argent, de matériel, de main-d'oeuvre. Le manufacturier va même parfois jusqu'à entraîner les représentants de ses grossistes surtout à propos des aspects techniques des produits.

Moyen de réduction des coûts

Imaginons la situation suivante: dix producteurs vendent chacun cent unités de marchandise directement à 100 clients. 1 000 ventes en résultent, 1 000 expéditions et 1 000 factures de transport à acquitter. Si nous ajoutons maintenant à notre exemple un grossiste, le nombre de transactions se trouve réduit à 110. l'intermédiaire, en effet, achètera de chacun des fabricants un lot de 100 unités, ce qui représente 10 transactions, 10 expéditions et 10 factures. Ensuite, l'intermédiaire vend à chacun des 100 clients, ce qui donne 100 transactions, 100 expéditions et 100 factures. Il en résulte ainsi une réduction appréciable de frais. Il n'en coûte pas plus aux producteurs de recevoir une commande de 100 unités que de recevoir une commande de une (1) unité. Toutefois, le coût d'expédition d'un lot de 100 unités est moindre à l'unité que celui d'une seule unité. Le grossiste étant plus près des clients, le déplacement de l'unité moins grand, le coût est moindre. Ce qui nous amène à constater que l'intermédiaire réduit et les coûts de transport et le nombre de transactions nécessaires à la distribution des produits.

Il ne faut pas en conclure que les voies de distribution sont des outils qui obéissent aux désirs des manufacturiers. Bien au contraire, les intermédiaires sont des hommes d'affaires qui ont appris que leurs intérêts ne concordent pas toujours avec ceux des producteurs.

LES CANAUX DE DISTRIBUTION ET LE MANUFACTURIER

Un actif

Plusieurs entreprises ont la chance d'avoir accès à un canal de distribution qui leur permet de distribuer divers produits avec un minimum d'efforts et de dépenses. Lorsque Sunbeam désire introduire un nouvel appareil électrique, il possède son réseau de distribution tout prêt à accepter ce nouveau produit. En revanche, un manufacturier inconnu qui voudrait faire adopter le même produit devrait dépenser beaucoup d'argent et de temps à établir les filières de distribution nécessaires.

Puisque les canaux de distribution permettent de réaliser un plus gros profit lors de la mise en marché d'un nouveau produit, ils peuvent, à juste titre, être considérés comme un actif pour le manufacturier.

Avant de pouvoir prendre une décision judicieuse sur le choix des canaux et l'établissement d'un réseau de distribution, un homme d'affaires doit acquérir une bonne connaissance des intermédiaires disponibles pour ce travail. C'est pour cette raison que les petites entreprises éprouvent souvent de la difficulté à introduire leurs produits sur le marché.

TABLEAU 11.1 Canaux de distribution de la matière première aux consommateurs

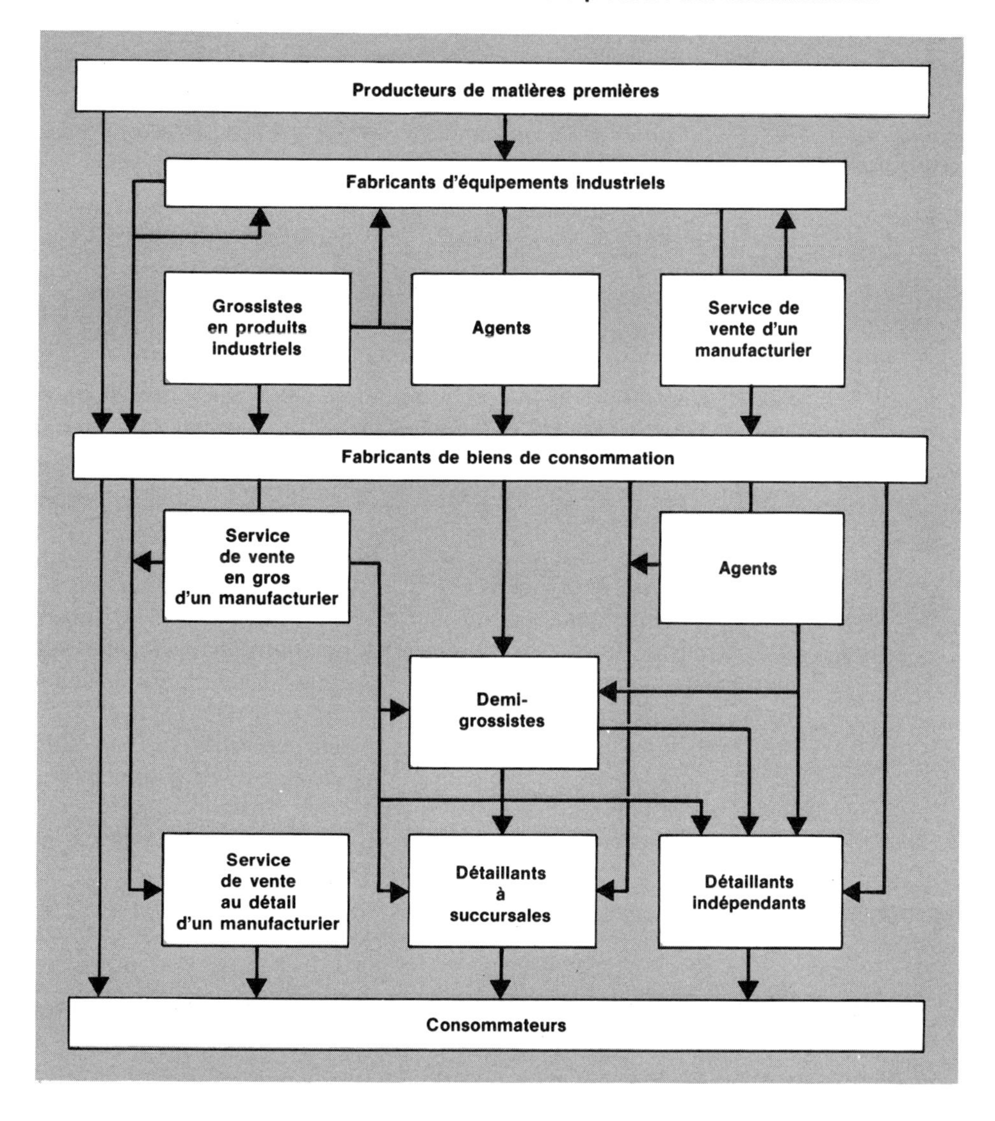

Le tableau 11.1 présente une situation et un réseau simplifiés. En fait, il faut tenir compte de tous les éléments qui constituent le monde du marketing. Prenons, à titre d'exemple, une industrie prospère chez nous, celle du meuble. Les meubles sont généralement vendus directement du manufacturier au détaillant. Toutefois, les canaux psychologiques sont les expositions du meuble qui se tiennent régulièrement dans les grands centres. L'industrie du jouet présente un autre exemple de l'importance des filières psychologiques. Au début du printemps, tous les ans, se tient à Montréal et à New York un salon des jouets où agents manufacturiers et acheteurs de grands réseaux de distribution se rencontrent et procèdent à des échanges. Pour bien comprendre le phénomène de mise en marché d'un produit, il faut donc étudier les composantes et les pratiques de l'industrie qui le fabrique.

À l'opposé, il ne faut pas croire qu'il existe des intermédiaires dans tous les marchés et pour tous les produits. Cela n'est pas vrai! Dans certains cas, il n'y a pas d'agent manufacturier, alors que dans d'autres, il n'y a pas de grossiste. Un manufacturier se voit souvent contraint de demeurer dans les limites des institutions desservant son marché.

Une énigme

Les intermédiaires ne sont pas des liens passifs dans le phénomène de la distribution. Ils n'attendent pas les directives des manufacturiers, pas plus qu'ils ne sont des unités compressibles et orientables répondant aux désirs des fabricants. Plusieurs grossistes ou détaillants sont beaucoup plus puissants que les producteurs des biens qu'ils distribuent. Eaton's, La Baie d'Hudson, Métro, Steinberg, Simpson's, Zeller's, A & P, Dupuis, sont quelques-uns des géants de la distribution. Leurs fournisseurs se trouvent certainement dans une situation faible s'ils veulent les influencer. En fait, c'est l'inverse qui se produit. Ces monstres, dans leurs négociations, ont parfois tendance à faire usage de leur puissance. Or, les fabricants sont disposés à faire des concessions pour conserver la clientèle de ces distributeurs. Il ne faut pas croire que toutes les situations sont claires, simples et que chaque intermédiaire est classé et défini une fois pour toutes. Ce n'est pas le cas! Plusieurs entreprises jouent sur différents tableaux. Certaines sont à la fois grossistes et détaillants. D'aucunes achètent des produits et agissent comme agents pour d'autres. Elles peuvent être distributeur régulier ou occasionnel. La seule règle que nous puissions énoncer se formule ainsi: chaque intermédiaire agit de la façon qu'il juge la plus rentable pour lui et pour ses clients. Il tentera de minimiser ses investissements, de réduire ses coûts et d'assurer le meilleur service possible à ses clients. Cela signifie que l'intermédiaire ne voudra pas se constituer des stocks plus gros que le strict minimum, qu'il ne voudra pas financer les transactions, pas plus qu'il ne voudra acheter les produits.

En conséquence, plus un manufacturier est prêt à accepter ces fardeaux, plus il aura de facilité à obtenir des services des intermédiaires.

LE COMMERCE DE GROS

L'objet du commerce de gros est la vente de biens à des entreprises ou à des individus qui ont l'intention de revendre les biens ainsi acquis. À l'opposé, l'objet du commerce de détail est la vente de biens pour fin de consommation.

L'utilité du commerce de gros

- le maintien d'un personnel de vente
- l'entreposage
- la livraison
- le crédit à la consommation
- l'assistance financière aux manufacturiers
- l'entretien des produits, le service de garantie

- la promotion des ventes
- l'information.

Comme les services sont coûteux, les manufacturiers, autant que les détaillants, recherchent les grossistes qui offrent exactement ce qu'il faut pour satisfaire leurs besoins: ils ne tiennent pas à gaspiller de l'argent.

Est-il possible d'éliminer les grossistes?

Il est évident que quelqu'un doit assurer le passage des biens du fabricant aux consommateurs. La question est de savoir qui doit assumer ce rôle.

Il y a diverses méthodes de classification des grossistes. Dans notre étude, nous partirons de deux sources:
- Qui contrôle les institutions de commerce de gros?
- À qui appartiennent les produits échangés?

En réponse à la première question, nous distinguerons trois possibilités:
- le manufacturier
- un indépendant
- le détaillant

En réponse à la deuxième question, nous considérerons deux situations:
- la propriété passe à l'intermédiaire
- la propriété reste au manufacturier

Nous définirons aussi plusieurs sortes de grossistes selon les services rendus. Cela complétera l'étude de cette première partie de la distribution.

Avant de commencer notre analyse, nous tenons à répéter la mise en garde suivante: très rares sont les intermédiaires que nous pouvons cataloguer facilement. Il y a un mélange de situations et de critères tel que nous ne pouvons pas définir exactement ce qu'est et où se situe un grossiste donné. Il faut donc être prudent dans le jugement que l'on porte sur cette fonction.

Le contrôle des institutions de commerce de gros

Qui contrôle ces institutions?

LE MANUFACTURIER Cette catégorie ne regroupe que 9% des institutions s'occupant du commerce de gros. Néanmoins, elles assument le tiers du volume des transactions.

Trois moyens s'offrent aux manufacturiers pour faire le commerce de gros: la succursale, le comptoir de vente, le dépôt de marchandises. Ils peuvent ainsi vendre à d'autres grossistes, à des détaillants ou à des consommateurs.

La première raison qui incite un manufacturier à développer ses propres canaux de distribution, c'est son désir de promouvoir d'une façon plus agressive les produits qu'il fabrique.

Une deuxième raison réside dans l'idée que ce moyen assure un meilleur service aux clients. S'il en résulte une baisse des coûts de distribution, elle est causée par l'augmentation du volume des ventes, ainsi que par celle de l'efficacité et non par l'absence du profit d'un intermédiaire indépendant. Dans certains cas, au contraire, il en résulte une augmentation des coûts de distribution, compensée aux yeux des administrateurs par un plus grand contrôle de la distribution.

L'INDÉPENDANT Les institutions indépendantes représentent 68% des entreprises s'occupant de commerce en gros et elles assument 44% du volume des transactions. Ces entreprises se sont structurées de façon à pouvoir répondre aux besoins des manufacturiers et des détaillants.

LE DÉTAILLANT Plusieurs experts se refusent à considérer les grossistes détaillants comme faisant partie intégrante du réseau du commerce de gros. Pour notre part, nous croyons que, d'une manière incontestable, des détaillants agissent à certains égards comme des grossistes. De plus, la tendance actuelle à l'intégration verticale confirme notre point de vue. Lorsque Steinberg achète la production d'une conserverie, quand il assume la distribution à ses supermarchés, il joue un rôle de grossiste. Cette intégration verticale a pour effet de réduire les coûts de distribution parce qu'elle élimine certaines activités. En outre, le grossiste détaillant est en meilleure position pour connaître la demande de ses postes de vente au détail.

Souvent les coûts de distribution sont réduits aux dépenses d'entreposage, de manutention et de livraison que le détaillant assume de toute façon.

La propriété des produits échangés

Dans cette section, nous utiliserons le terme «négociant-grossiste» pour indiquer que l'intermédiaire est propriétaire de la marchandise qu'il revend et le terme «agent» pour préciser que l'intermédiaire n'est pas propriétaire des marchandises échangées.

LE PROPRIÉTÉ PASSE à L'INTERMÉDIAIRE a) le négociant-grossiste doit investir son argent pour acquérir les biens qu'il revend. En conséquence, il peut agir à sa guise et disposer des biens comme il l'entend. Il a plus d'autonomie et de liberté d'action qu'un agent.

Les marges de profit étant réduites dans le commerce de gros, le négociant-grosssite choisira avec soin les catégories de produits qu'il distribuera. Il s'assurera que ces produits répondent à la demande de ses clients. Généralement, le négociant-grossiste distribuera de nombreux produits et ses vendeurs ne pourront pas favoriser un manufacturier plutôt qu'un autre, car leur tâche consiste à prendre les commandes des clients. Puisque le manufacturier ne peut pas forcer l'achat de son produit par le négociant-grossiste, il tentera d'amener les acheteurs et les détaillants à consommer son produit par un effort publicitaire intense et bien dirigé. Si la demande est forte, le négociant-grossiste devra être en mesure de répondre aux besoins de ses clients, sinon il risque de les perdre.

Cette catégorie des grossistes sert les industries où les détaillants sont relativement petits et vendent une grande variété de produits bon marché: les bureaux de tabac, les kiosques à journaux, les épiceries, les magasins de variétés, etc.

b) le négociant-grossiste à service intégré se retrouve dans certaines industries telles que les quincailleries, les pharmacies, les fournitures industrielles, etc. Il rend plusieurs services tant aux manufacturiers qu'aux acheteurs. Il a mis sur pied une «force» de vente qui étudie les besoins des clients, il possède des entrepôts où il conserve des stocks importants et d'où se font les livraisons. Il consent souvent du crédit à la consommation; il assure le service et les réparations sur les produits qu'il distribue. Il peut faire de la promotion pour certains manufacturiers. Il aide le fabricant en payant rapidement les commandes qu'il fait, supportant ainsi le crédit consenti. Puisqu'il rend de nombreux services, ses frais d'exploitation sont plus élevés que ceux d'un simple négociant-grossiste.

c) le revendeur-étalagiste est une sorte de négociant-grossiste à services intégrés qui répond aux besoins des supermarchés distribuant des articles non-comestibles, en plus des produits d'épicerie et de boucherie. En plus des activités d'un négociant-grossiste, il rend de nombreux services. Il maintient à chaque point de vente des stocks de marchandises suffisants pour répondre à la demande locale; ses clients lui réservent une étagère ou une section de magasin où il dispose son étalage, d'où son nom. Cette marchandise est en consignation et le détaillant ne paie que pour la partie vendue. Le revendeur-étalagiste finance toutes les opérations. En fait, nous pouvons affirmer qu'il ne fait que louer un emplacement dans un supermarché et payer un loyer calculé en pourcentage sur les ventes. La propriété passe directement au consommateur.

Ces commerçants se spécialisent généralement dans une catégorie de produits: disques, quincaillerie, livres et revues, produits pharmaceutiques, etc. Conscients du fait que leur activité principale est le commerce alimentaire, les gérants de supermarchés préfèrent confier à des négociants plus compétents qu'eux la gestion de cette partie de leurs opérations.

d) afin d'être compétitifs et de résister aux pressions des magasins à succursales, certains négociants-grossistes, dans les années 1930, ont ouvert des comptoirs et des entrepôts pour vendre directement aux clients. Ces derniers devaient payer comptant et prendre livraison des marchandises acquises. Le grossiste évitait ainsi les frais de crédit et de transport. Cette pratique permit de réduire sensiblement les frais d'exploitation qui se situent encore aujourd'hui à environ 11% du prix de vente. Ce genre de commerce est désigné par nos voisins américains «CASH AND CARRY».

e) plusieurs expressions anglaises qualifient le dernier type de négociant-grossiste que nous étudierons: «dropshipper», «direct-mill shipper», «desk jobber», «truck shipper» ou «railroad shipper». Nous utiliserons le terme «revendeur en vrac» pour les désigner.

Ces grossistes accomplissent toutes les fonctions que nous avons décrites, sauf celles d'entreposage et de manutention des marchandises, puisqu'ils font le commerce de produits qui se vendent en vrac. Les clients commandent en termes de cargaisons, de wagons, de camions...; les marchandises sont expédiées directement du manufacturier au consommateur. Les revendeurs en vrac reçoivent les commandes des clients et les transmettent aux fournisseurs de leur choix; ils paient le fabricant et consentent souvent du crédit à l'acheteur.

LA PROPRIÉTÉ RESTE AU MANUFACTURIER a) le courtier est un intermédiaire indépendant. Tantôt il représente une partie, tantôt l'autre. Son rôle est de faciliter les négociations entre un détaillant et un manufacturier.

Pourquoi y a-t-il beaucoup de courtiers dans le domaine immobilier?

b) l'agent-vendeur est un distributeur exclusif de la production d'un manufacturier sur un très vaste territoire: le Canada, les États-Unis... Il décide des prix, des conditions de vente et, d'une façon plus générale, de toutes les questions de marketing. Dans certains cas, il finance le manufacturier.

Cette approche de distribution est intéressante pour un petit fabricant car elle permet un accès direct et rapide aux marchés de consommation. Elle libère le producteur de tous les problèmes de mise en marché et il peut ainsi se concentrer sur la fabrication. En revanche, elle le place à la merci de l'agent-vendeur qui constitue le seul point de contact avec le marché.

c) l'agent manufacturier est essentiellement un vendeur à commission. Il travaille sur un petit territoire exclusif. La vente est la seule fonction qu'il remplit. Il distribue souvent plusieurs produits non compétitifs, appartenant à divers fabricants.

Ce moyen de distribution est avantageux pour les industries composées surtout de petits manufacturiers produisant pour plusieurs petits acheteurs, l'industrie du vêtement, par exemple.

Cette méthode de distribution est plus flexible et ne présente pas le danger d'un seul point de contact avec les marchés.

CONCLUSION

Les activités de grossiste sont nécessaires pour acheminer les produits du producteur au détaillant. La question à se poser est la suivante: «Qui doit faire ce travail?» Le manufacturier? un indépendant? l'acheteur? Quelle que soit la réponse, il n'en demeure pas moins que quelqu'un, de toute façon doit en assumer les coûts.

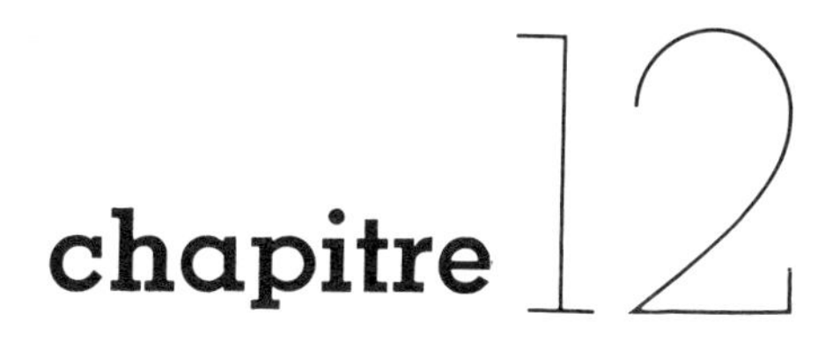

la distribution -le commerce de détail

Les organisations de vente au détail sont le principal moyen pour le consommateur d'obtenir les biens et les services qu'il désire. Tous les fabricants doivent recourir à une certaine forme de vente au détail pour écouler leurs produits.

Il faut se rappeler que celui qui fait la vente finale au consommateur est un détaillant, peu importe le nom qu'il se donne. Plusieurs maisons d'escompte prétendent être des grossistes mais cela est faux: un détaillant, par définition, est celui qui vend un produit aux gens pour leur usage personnel, alors qu'un grossiste vend à ceux qui achètent dans le but de revendre.

Quelle différence y a-t-il entre les catégories de personnes auxquelles un grossiste vend sa marchandise?

LES ACTIVITÉS D'UN DÉTAILLANT

C'est le détaillant qui représente le maillon le plus onéreux de la chaîne de distribution des produits: ses frais, à eux seuls, constituent de 20% à 50% du prix que doit payer le client. Cette proportion paraît tellement élevée qu'elle a suscité beaucoup d'inquiétude chez les théoriciens de l'administration des affaires. Beaucoup de consommateurs essaient d'améliorer leur niveau de vie en achetant directement du grossiste. Même si cela est parfois possible, ils oublient que le détaillant fait quelque chose pour l'argent qu'il reçoit et, qu'à la fin, ils n'épargnent pas grand chose par l'achat direct du distributeur.

Pourquoi le commerce de détail revient-il si cher?

Pour justifier l'argent qu'il reçoit, le détaillant remplit six fonctions distinctes, tantôt au profit de l'acheteur, tantôt à celui du grossiste ou du fabricant, et souvent au profit des deux à la fois.

Le détaillant rend service: il met à la disposition des consommateurs les biens dont ils ont besoin au moment où ils en ont besoin. Les clients qui veulent éviter d'acheter chez un détaillant doivent parcourir de grandes distances et ainsi perdre du temps. Un détaillant est situé à un endroit commode et livre souvent les achats gratuitement. Pour les milliers de petits achats courants d'une famille moyenne, la distribution pratique du détaillant s'impose car, sans ce dernier, les marchandises ne se vendraient pas en quantités suffisantes.

Le détaillant garantit la plupart des marchandises qu'il vend, de même qu'il assure le service nécessaire. Tout achat comporte un risque. Quel que soit le sérieux du fabricant, des erreurs se produisent et la marchandise peut être défectueuse. Lorsqu'il achète un article, le consommateur ne se préoccupe guère du produit, il ne s'intéresse qu'aux avantages qu'il en retirera. C'est pourquoi il veut être certain de pouvoir en profiter. Un détaillant offre généralement cette garantie à sa clientèle. Si une marchandise présente quelque défaut, il la remplacera ou veillera à la faire réparer. Ce procédé est bien plus pratique pour le consommateur qui n'aura pas à se compliquer l'existence pour traiter avec le grossiste ou le fabricant au sujet des articles défectueux.

Le détaillant finance fréquemment l'acheteur. La plupart des grands magasins offrent à leurs clients certaines formes de crédit, soit au moyen de cartes de crédit, soit au moyen d'un système de compte.

Le détaillant fait de la promotion. Ses étalages de marchandises stimulent la vente par leur attrait. Il emploie des vendeurs, fait de la publicité et assume d'autres activités promotionnelles. Plus encore, il confère son prestige personnel à la marchandise qu'il vend.

Qu'est-ce qu'on entend par «conférer son prestige»?

Le détaillant assume l'entreposage des biens qu'il vend. Il doit garder la marchandise sous la main de façon à pouvoir la fournir au besoin et sans imposer à ses clients de longs délais de livraison.

Parce qu'il est en contact permanent avec les clients, le détaillant est parfaitement au courant des tendances, des exigences et du comportement du marché. Il peut évaluer l'accueil que le marché fera à un nouvel article. Les vendeurs d'automobiles avaient décelé la tendance du marché vers les petites voitures bien avant que Détroit ait semblé s'en rendre compte.

Les problèmes commencent lorsque les vendeurs essaient de faire acheter, par le consommateur, des services dont ce dernier ne veut pas. Certains clients refusent de payer au moyen du financement et des commodités qu'offre le détaillant. L'acheteur qui a tout son temps et qui achète un produit ne nécessitant que peu d'entretien ou de réparations à un marchand n'offrant pas ces services, prend peut-être une décision économiquement sage. Souvent, les détaillants des petites villes surestiment la valeur des avantages pratiques qu'ils offrent à leur clientèle, demandent trop cher et finissent par perdre leurs clients au profit des commerces des villes voisines.

Quelles autres raisons incitent les consommateurs des petites villes à aller faire leurs achats dans les grands centres?

LES GENRES DE MAGASINS DE DÉTAIL

Chaque organisation de vente au détail est en quelque sorte unique. Mais on peut toutefois regrouper ces entreprises en quelques catégories significatives qui expliquent leur fonctionnement.

Les grands magasins

Un grand magasin est formé par le regroupement de plusieurs unités indépendantes. Chaque unité est dirigée par un acheteur qui supervise son personnel et agit à l'intérieur du cadre fixé par la haute direction. Sa principale fonction est évidemment d'acheter les biens que son unité revend. Il faut savoir que des achats judicieux, répondant à la demande de sa clientèle, réduiront ses problèmes de vente.

Une marchandise bien achetée est à moitié vendue. La plupart des grands magasins fonctionnent avec une marge brute d'environ 40%, c'est-à-dire qu'un article se vendant $1,00 aura coûté $0,60 au marchand. Cependant, cette marge sera forte pour certains produits, comme les fourrures, et plus faible pour certains autres tels que les appareils électro-ménagers.

Pourquoi ces marges brutes sont-elles différentes?

Ces grands magasins offrent une gamme variée de services à la clientèle: crédit, livraison, avantage de retour de marchandises sans limite de temps et d'autres services connexes qui augmentent leurs frais.

Certaines unités d'un magasin s'adressent à une clientèle à faible revenu alors que d'autres rayons d'un même magasin attirent des groupes sociaux à revenu plus élevé.

Ces entreprises de distribution font face à de nombreux problèmes:

— Elles sont harcelées par la concurrence des maisons d'escompte dont les frais d'exploitation sont plus bas;
— Leur siège social demeure dans leur établissement du centre-ville et ils ont de la difficulté à régler les problèmes de décentralisation causés par le phénomène des centres d'achats de banlieue;
— Elles ont des difficultés à recruter, à former et à conserver leur personnel. Elles ont polarisé autrefois le marché du travail mais, de nos jours, les personnes douées se dirigent vers d'autres carrières.

Les boutiques spécialisées

Si les grands magasins ont besoin d'un volume annuel de ventes se chiffrant à des millions de dollars pour survivre, plusieurs magasins spécialisés font des profits satisfaisants avec un chiffre d'affaires d'à peine $100 000. Les magasins spécialisés ont des marges de profit extrêmement variées, qui vont du 25% que réalise le vendeur d'automobiles indépendant, au 50% du bijoutier ou du marchand de meubles. Dans ces magasins, plus le taux de roulement est élevé, plus la marge brute peut être diminuée.

EXPLIQUONS CE PHÉNOMÈNE Les magasins spécialisés offrent généralement moins de services à la clientèle que les grands magasins. Combien y a-t-il de magasins de bijoux qui offrent des facilités de crédit, des livraisons gratuites et acceptent volontiers de reprendre la marchandise si l'acheteur change d'avis? Le succès de la plupart des magasins spécialisés repose sur l'intérêt très puissant qu'ils exercent sur une clientèle bien déterminée. Dans son domaine relativement restreint, un magasin spécialisé bien organisé peut offrir un meilleur choix de marchandises que celui qu'on peut trouver dans plusieurs grands magasins.

Comment un magasin spécialisé peut-il offrir un meilleur choix de marchandises?

Dans presque toutes les cités universitaires on peut trouver un magasin de prêt-à-porter pour dames qui s'adresse uniquement à la clientèle estudiantine et qui n'essaiera jamais d'offrir des marchandises qui intéresseraient les autres dames plus âgées de la ville. Parallèlement, des boutiques spécialisées s'adressent uniquement aux gens de la ville et ne font aucun effort pour s'attirer une clientèle d'étudiants. La plupart des propriétaires de magasins spécialisés comprennent qu'ils ne peuvent pas satisfaire toutes les demandes. Limités par l'espace et l'inventaire, ils doivent choisir une clientèle et acheter en fonction de ses besoins.

On a tort de croire qu'à cause de l'exiguïté de leurs locaux les magasins spécialisés ne peuvent pas avoir un grand roulement de marchandises. Un magasin de vêtements pour hommes peut vendre plus de complets et d'autres articles que le rayon correspondant d'un grand magasin. Le fabricant ne doit pas s'imaginer qu'un magasin relativement petit a nécessairement un volume de vente insignifiant. Le propriétaire d'une petite boutique de ski dans les Laurentides vend à lui seul dans son magasin de 500 pi² plus de skis et d'accessoires de sport que la plupart des grands magasins et maisons de sport; le petit magasin du «pro» sur un terrain de golf de quelque importance vendra plus d'équipement de golf qu'un magasin de sport moyen. En général, les magasins spécialisés n'aiment pas avoir à faire de la promotion pour les fabricants; ils préfèreront vendre un produit solidement établi sur le marché et ayant déjà gagné la faveur de la clientèle. En fait, la concurrence entre les détaillants pour obtenir l'exclusivité de certaines marques reconnues de produits est acharnée. Dans l'industrie de l'habillement pour hommes, des fabricants connus comme Lévis, Tee Kay, ont un tel succès auprès des clients que les détaillants se livrent une lutte incessante pour détenir le droit de vendre ces produits. Vu les engagements qui lient souvent fabricants et détaillants, il est parfois difficile à un nouveau venu de pénétrer sur le marché.

C'est ainsi que les nouveaux fabricants qui veulent s'établir sur un certain marché se voient obligés d'accorder la distribution de leurs articles à des détaillants marginaux parce que la plupart des bons vendeurs dynamiques collaborent déjà avec d'autres fabricants. Les volumes de vente qui résultent de ces accords sont en général décevants. Les fabricants auront beaucoup de mal à améliorer leur distribution et les meilleurs détaillants refuseront de prendre leurs produits à cause de la mauvaise réputation qu'ils se seront acquise.

Pourquoi les détaillants hésitent-ils à accepter de vendre de nouveaux produits?

Les problèmes qui se présentent aux magasins spécialisés sont assez nombreux:

— Ils n'ont pas les moyens d'engager le personnel nécessaire à l'organisation d'une entreprise indépendante. C'est ainsi que le propriétaire n'arrive pas à se sortir des activités quotidiennes du magasin.

— Nombre de ces magasins se rendent compte que leur emplacement n'est plus valable et que la nécessité de moderniser s'impose en raison du changement des habitudes commerciales. Ils hésitent, toutefois, à quitter leur local qui perd peu à peu sa clientèle. Ces magasins ont peur de se jeter dans les dépenses qu'impliquent les édifices modernes et les emplacements non encore éprouvés. Ils savent pourtant bien qu'il s'agit d'une question de temps et qu'ils devront déménager tôt ou tard.

— Finalement, ils sont en butte à une compétition de prix très forte de la part de certaines organisations situées dans les grandes villes et qui sont beaucoup plus intéressantes pour leur secteur du marché. En effet, grâce à leurs prix mis en vedette par une publicité bien orchestrée, ces magasins ont un meilleur chiffre d'affaires. Le problème des petites quincailleries, qui depuis dix ans voient leurs profits diminuer régulièrement, a alarmé l'industrie. À la suite d'une enquête, nous pouvons affirmer que les difficultés qu'elles éprouvent sont dues à quatre principales raisons:

1— Les quincailliers ne sont pas pressés d'étendre leur commerce à la banlieue. Ils ont tendance à demeurer dans leurs anciens locaux du centre-ville;

2— Une commercialisation non organisée a répandu la vente des accessoires de quincaillerie. Les pharmacies, supermarchés, magasins d'accessoires de jardin vendent avec succès des articles jusqu'alors réservés aux quincailleries;

3— Les grandes organisations qui vendent par la poste et les magasins à succursales qui se spécialisent dans la vente d'accessoires d'automobile ont beaucoup augmenté leurs activités dans le secteur de la quincaillerie;

4— Les quincailliers ne se sont pas hâtés de changer leurs politiques opérationnelles en ce qui concerne, par exemple, les heures d'ouverture du magasin, le crédit, l'usage des timbres-primes et autres aspects de promotion. Entre temps, les clients ont pris de nouvelles habitudes en ce qui concerne ces achats. Il devient alors bien difficile aux quincailliers de modifier leur attitude en conséquence.

Ces observations au sujet des difficultés des quincailliers s'appliquent à tous les autres genres de magasins spécialisés aux prises avec la concurrence sur les marchés d'aujourd'hui.

Les magasins à succursales multiples

Les magasins à succursales multiples (chaînes) échappent à toute classification puisqu'ils se retrouvent dans presque tous les genres de ventes au détail, qu'il s'agisse de grands magasins, de boutiques spécialisées ou de surpermarchés. On les rencontre surtout dans des secteurs tels que: l'épicerie, les produits pharmaceutiques, les marchandises variées, la chaussure, le vêtement.

Les chaînes de magasins présentent des caractéristiques propres. L'un des gros avantages économiques de ces entreprises réside dans leur immense pouvoir d'achat centralisé. Les gérants de ces magasins sont rarement autorisés à acheter eux-mêmes: les achats se font au siège social et les marchandises sont distribuées à travers toute l'organisation.

Il ne faut pas croire que les chaînes de magasins se permettent une marge brute de profit inférieure à celle des magasins spécialisés. Plusieurs exigent la même marge, mais ils s'efforcent de baisser leurs prix grâce à des achats en grande quantité. Le fabricant qui s'apprête à vendre aux chaînes de magasins doit être prêt à subir les pressions de ces acheteurs qui demanderont des réductions spéciales de prix, une provision pour la publicité et autres avantages qui ont pour objet de contribuer à une réduction des prix. Souvent ces demandes de rabais sur les prix permettent de maintenir les frais de vente à un minimum.

Les articles à roulement rapide intéressent la plupart des chaînes de magasins, car elles peuvent vendre la marchandise sans avoir à l'entreposer.

L'un des facteurs importants pour l'acheteur d'une chaîne de magasins est la capacité du fabricant de fournir les quantités de marchandises requises. Les acheteurs ont connu des expériences amères avec les nouveaux fabricants incapables de fournir les quantités adéquates de marchandises dans les délais prévus. Avec leur pouvoir d'achat, les chaînes de magasins ont beaucoup d'autres avantages sur les petits magasins indépendants.

— Grâce à l'importance de leur organisation, ils peuvent se permettre d'employer en permanence des spécialistes en publicité, en aménagement de magasins et d'étalages, en choix d'emplacements, en entreposage et en contrôle de leurs opérations. Le propriétaire d'un magasin indépendant doit tout faire lui-même, alors que ses compétiteurs des chaînes de magasins font appel à des spécialistes dans tous ces domaines; il échappe cependant aux problèmes de frais généraux que supportent les chaînes de magasins; il peut s'adapter plus rapidement qu'eux et avec plus de flexibilité, ce qui est un facteur important dans bien des situations locales.

— Les chaînes ont accès à des sources de financement difficilement disponibles pour un magasin privé. Si une possibilité d'économie se présente, les chaînes de magasins ont le capital nécessaire pour profiter de l'occasion, ce qui n'est pas le cas pour le marchand indépendant. Les propriétaires de terrains et de centres d'achats préfèrent avoir comme locataires les magasins des grandes chaînes. Pour eux, ces locataires représentent moins de risques que les autres. Un indépendant peut du jour au lendemain fermer boutique d'une façon telle que le locateur n'a plus de recours légal. En échange d'une signature de contrat de location avant la construction d'un centre d'achats, certaines chaînes de magasins obtiennent des locaux de premier choix à des conditions très avantageuses. Le promoteur de ce centre d'achats se sert ensuite de ces contrats pour obtenir des emprunts auprès des organisations financières afin de procéder à la construction. La signature d'un petit marchand ne lui serait d'aucune utilité dans les efforts qu'il entreprendrait pour obtenir un prêt. Une fois le centre d'achats terminé, le marchand indépendant devra payer un loyer plusieurs fois plus élevé et pour un espace bien moins intéressant que celui qu'ont obtenu les magasins à chaîne.

Quelles sont les autres raisons qui peuvent inciter le promoteur d'un centre d'achats à accorder des concessions aux grandes chaînes de magasins pour l'ouverture de son centre?

— Les chaînes de magasins sont avantagées par leur renommée nationale. Les gens connaissent et reconnaissent Dominion, Steinberg, Eaton, La Baie, Métro, etc. Les magasins de ces chaînes bénéficient de la clientèle des nouveaux venus et des clients de passage dans une région; ceux-ci, en effet, ne connaissent pas les marchands locaux. La réputation de toute la chaîne et la publicité aident chacun de ces magasins.

Pourquoi dit-on que la renommée nationale aide chacun des magasins de la chaîne?

Les comptoirs de libre-service

Les comptoirs de libre-service ont fini par jouer un rôle important dans la distribution de l'épicerie, des produits pharmaceutiques et dans de nombreuses autres catégories de marchandises. Par définition, dans un libre-service, le client entre et choisit, sans l'aide d'un personnel de vente, les produits qu'il désire. Ce mode de distribution oblige le fabricant à pré-vendre sa marchandise puisqu'il ne peut pas compter sur les efforts de promotion que fait habituellement un détaillant: le magasin de libre-service ne fera guère que disposer les produits pour la vente. Les fabricants dont les produits doivent se vendre dans les libre-services estiment nécessaire d'accorder beaucoup de soin à l'emballage, non seulement parce que c'est le meilleur outil de promotion à sa disposition, mais aussi parce qu'il protège la marchandise. Les libre-services s'orientent vers des articles qui se vendent vite et exigent peu d'efforts. Connus, la plupart des magasins de libre-service sont en même temps des magasins à chaîne et leurs méthodes d'achat présentent les mêmes caractéristiques.

Leur coût opérationnel, vraiment minime, explique pourquoi les organisations de vente au détail libre-service ne cessent de croître. Certains supermarchés hautement efficaces ont pu opérer sur des marges très réduites n'excédant pas 10% en éliminant tous les services non essentiels. Mais ce sont là des cas assez rares. À mesure que les supermarchés augmentent leurs services, les coûts d'opération s'élèvent en conséquence.

Le tableau 12.1 nous montre l'analyse du coût opérationnel des petites chaînes de magasins par rapport à celui d'organisations plus importantes. On peut y constater que les petites chaînes opèrent à meilleur compte, et c'est la raison pour laquelle elles continuent de faire des affaires et de s'étendre.

Expliquez pourquoi les frais d'exploitation des petites chaînes sont plus bas que ceux des grandes chaînes.

C'est une illustration classique du principe de l'augmentation des coûts: les frais ne baissent pas continuellement avec la croissance des entreprises. En fonction du type d'entreprise, les frais augmentent moins vite que les profits, jusqu'à ce que soit atteint un seuil de croissance au delà duquel leur importance menace à nouveau la rentabilité.

Le chef d'entreprise qui sait quand s'arrêter, ou qui, mieux encore, s'arrange pour continuer à grandir sans augmenter ses frais est un homme très avisé. Les supermarchés, de nos jours, finissent par rappeler les anciens magasins généraux, mais sur une plus grande échelle. On y trouve de tout: vêtements, médicaments, appareils ménagers, disques, articles de sport, quincaillerie, accessoires de jardinage et tout ce qu'il faut aux nourissons. Jusqu'où les choses iront-elles?

TABLEAU 12.1 Analyse des frais d'exploitation des magasins d'alimentation

	CHAÎNES DE MAGASINS					
	grande		petite		par contribution volontaire	
	L-serv	Trad	L-serv	Trad	L-serv	Trad
Marge brute — épicerie	17,3%	21,6%	12,2%	16,2%	14,5%	20,0%
— boucherie	21,1%	25,6%	17,6%	22,6%	15,8%	23,3%
— fruits et légumes	31,7%	33,8%	27,5%	32,8%	24,9%	29,5%
Marge brute totale	19,4%	23,8%	14,7%	18,9%	15,5%	21,5%
Frais de transport et entreposage	2,5%	2,5%	inclus dans le coût des ventes		2,0%	1,9%
Fournitures	0,3%	0,3%	inclus dans le coût des ventes		1,1%	1,0%
Marge brute ajustée	16,6%	21,0%	14,7%	18,9%	12,4%	18,6%

Les dépanneurs

L'expansion rapide des magasins appelés dépanneurs a pris deux formes. Il y eut tout d'abord l'établissement de chaînes de petits magasins de quelques centaines de pieds carrés, offrant une gamme limitée de produits alimentaires et d'articles à roulement rapide, situés à des carrefours, ouverts 24 heures sur 24, sept jours par semaine. Les magasins Perrette sont un exemple qui, jusqu'à présent, a remporté beaucoup de succès. Il est évident que ces magasins demandent des prix plutôt élevés mais ils peuvent le faire en raison des facilités qu'ils offrent aux clients.

À quoi attribuez-vous l'expansion rapide de ces magasins?

Il y eut dernièrement l'établissement de stations d'essence-magasins d'articles d'utilité courante. Ces magasins sont apparus aux États-Unis, à Atlanta en Georgie, où ils offrent aux automobilistes un assortiment de cinquante articles qui sont livrés pendant qu'ils se ravitaillent en essence. Ils n'ont même pas besoin de quitter leur voiture. L'inventaire complet ne dépasse guère la valeur de $1500 et roule dix fois par mois. Ce développement est une preuve de la valeur du principe qui stipule que, partout où passent quantités de gens, on peut vendre des biens d'utilité courante dont la motivation d'achat est spontanée.

Les maisons d'escompte

Il faut mentionner spécialement les maisons dites d'escompte à cause de leurs origines récentes et de l'intérêt qu'elles suscitent aussi bien de la part des fabricants que des consommateurs.

En fait, différentes organisations de vente au détail se font appeler maisons d'escompte. Certaines d'entre elles ne sont que des commerces de vente par correspondance: le client pénètre dans une petite boutique, indique les articles qu'il désire et le vendeur passe une commande au grossiste. Le coût opérationnel du vendeur étant très minime il est à même de faire réaliser des économies substantielles au client.

Il y a des maisons d'escompte qui ont en stock une gamme variée de produits: appareils ménagers, articles de textile, produits pharmaceutiques, bijouterie, articles de sport, ameublement, etc. Ils se présentent sous plusieurs aspects. Certains de ces magasins sont en réalité des groupes de magasins spécialisés réunis sous un même toit par un promoteur-propriétaire.

Certaines de ces maisons d'escompte connues à l'échelon national ressemblent à de grands magasins d'un étage; tel est le cas de Woolco et K-Mart. Ils se situent généralement hors des limites traditionnelles du centre-ville et leurs heures de travail conviennent généralement à la clientèle.

Les concessionnaires

Un concessionnaire est un intermédiaire qui a reçu un droit exclusif de vente dans une région. Ce droit est défini par un contrat où conditions et dispositions sont clairement stipulées. Un réseau de distribution par concessions s'organise comme suit: un fabricant ou un grossiste a une méthode particulière pour mener ses affaires. Il accorde des concessions à des hommes d'affaires indépendants. Le droit d'utiliser la raison sociale, les brevets et les méthodes opérationnelles font partie en général de la concession. Le concessionnaire doit investir une certaine somme d'argent et en contre-partie, il reçoit, en plus des droits d'exploitation, l'équipement nécessaire aux opérations, un entraînement, un support publicitaire, une assistance technique et une supervision l'aidant à démarrer. De plus, le concessionnaire s'engage à payer des redevances annuelles. Les exemples sont nombreux: A et W, Dairy Queen, Dunkin Donuts, Ponderosa Steak House, Ziebart, etc.

L'investissement initial varie considérablement. Certaines chaînes dans le domaine de la restauration, McDonald par exemple, exigent jusqu'à $75 000 pour l'octroi d'une concession d'un restaurant. D'autres, dans le domaine des accessoires d'automobile, tels que les Silencieux Midas, déclarent pouvoir accorder une concession entre $18 000 et $25 000.

Ces concessions sont populaires et réussissent dans plusieurs domaines. Elles offrent des avantages certains aux deux parties et surmontent plusieurs faiblesses et problèmes du magasin indépendant qui essaie de se lancer tout seul. L'homme d'affaires moyen n'a pas toujours la compétence nécessaire pour diriger adéquatement, manque de moyens financiers, ne peut pas acheter avantageusement et n'a pas une réputation nationale sur laquelle s'appuyer. Il peut tenter sa chance en se joignant à un réseau de concessionnaires. Il élimine ainsi tous les problèmes relatifs à l'architecture et à l'équipement puisque ces derniers sont standardisés et fournis. Grâce à la compagnie-mère il profite des avantages qu'offre un grand pouvoir d'achat. Il lui est plus facile de trouver des fonds pour financer son affaire car les investisseurs prêtent plus volontiers à des concessionnaires qu'aux indépendants dans le même genre d'affaires.

Les entreprises qui accordent des concessions y gagnent aussi un certain nombre d'avantages. Le premier, et certainement le plus important des avantages, c'est que cette forme d'organisation résoud l'un des plus gros problèmes de ce genre de chaînes de magasins: celui du personnel de direction. En effet, ces chaînes de magasins arrivent difficilement à inculquer à leurs directeurs de magasins le sens du dévouement qu'il faudrait à leurs affaires pour qu'elles réussissent parfaitement bien. Aucun autre intérêt ne peut rivaliser avec le sens de la propriété privée pour motiver le travail.

Quand un homme possède une entreprise, il travaille sans regarder l'heure. La grande différence entre le système de distribution des chaînes de magasins et le réseau de concessions c'est que ce dernier ne comprend pas des directeurs payés mais des hommes d'affaires indépendants vraiment motivés.

La compagnie-mère ajoute à son capital celui de ses concessionnaires. L'engagement financier total du réseau dépasse probablement les moyens de la maison-mère seule; en conséquence, le réseau s'accroît rapidement avec l'aide de ces investissements et avec les facilités d'accès aux marchés locaux.

Certaines régions offrent plus d'avantages aux marchands propriétaires locaux qu'aux chaînes de magasins: certains groupes ont toujours du ressentiment à l'égard des chaînes de magasins.

Finalement, la compagnie-mère n'a pas à se préoccuper de diverses complications coûteuses relatives à la vente au détail, par exemple: les taxes locales, les bordereaux de paye, les primes d'assurances, les permis, etc.

Une mise en garde: Les réseaux de concession sont tellement populaires de nos jours que dans plusieurs cas on en vient presque à des abus de confiance. Certains groupes essaient de construire des réseaux sur des idées qui ne sont pas rentables économiquement. D'autres exigent des sommes importantes de leurs concessionnaires et ne sont pas capables de tenir en contrepartie leurs promesses d'assistance à la gestion. Si une idée ou une organisation n'est pas saine, ce n'est pas le système qui y changera quelque chose.

Y a-t-il une organisation qui vous ait proposé de devenir l'un de ses concessionnaires? Comment faire pour évaluer sa proposition?

Les machines distributrices

Les machines distributrices ont remporté une importante bataille de la révolution de la vente au détail: ces vendeuses silencieuses aux cerveaux de caisses-enregistreuses ont vendu, en une seule année en Amérique du Nord, pour plus de $3 milliards de marchandises. Quoique l'utilité des machines distributrices, dans le cadre du marketing, n'ait pas été reconnue avant les années 1940, ces machines existent pourtant depuis longtemps. Un document daté de 215 avant Jésus-Christ, intitulé «Pneumaticka», décrit une machine égytienne actionnée par une pièce de monnaie et destinée à la vente d'eau de sacrifice. Au 19e siècle et tôt au début du 20e, nombre de machines distributrices fonctionnaient déjà; elles débitaient du papier, des enveloppes, des timbres, des billets, des boissons, des provisions de bouche, des cigares, de la gomme à mâcher, des parfums et des cigarettes. La machine distributrice n'est pas un moyen de distribution bon marché, son coût d'opération se situe à près de 44%. Son succès repose plutôt sur ses possibilités d'offrir sa marchandise à des endroits et à des heures où tout autre moyen de distribution ne serait pas rentable. Les ventes par machines distributrices continueront sans aucun doute à augmenter non seulement avec la croissance de la population mais aussi avec la création de nouvelles machines destinées à vendre des articles supplémentaires.

Sur quel principe fondamental de marketing les machines distributrices sont-elles basées?

LES AVANTAGES DISTINCTIFS DU DÉTAILLANT

Bien qu'il n'entre pas dans nos intentions d'expliquer par le menu les opérations de la vente au détail, nous pensons cependant qu'il faut souligner cinq avantages importants que recherche un détaillant. Son succès peut dépendre de l'un d'entre eux ou de leur combinaison.

Emplacement

Plusieurs détaillants doivent leur succès à leur emplacement. Le site du magasin constitue un des avantages distinctifs pour la vente de marchandises d'utilité courante. Les ventes des supermarchés, pharmacies, quincailleries, stations-service et des restaurants sont sérieusement affectées par leur emplacement qui doit être approprié s'ils veulent réussir. L'emplacement peut être un avantage pour presque tous les magasins. Même le vendeur d'automobiles très coûteuses, peut apprécier les bienfaits d'un bon emplacement. Lorsqu'on évalue le succès de certains marchands, on peut attribuer leur continuelle prospérité à leur excellente situation géographique.

Désignez un genre de magasin et préparez une liste de principes de base pour lui choisir un excellent emplacement.

En fait, le succès final de la plupart des entreprises de vente au détail dépend tellement de l'emplacement qu'on devrait hésiter sérieusement avant de s'installer dans un endroit marginal. L'expérience prouve qu'il vaut mieux, dans la majorité des cas, attendre qu'un emplacement favorable soit libéré, ou bien, envisager d'autres zones commerciales pour s'établir.

On trouvera souvent onéreux les loyers d'un emplacement de choix, mais les avantages retirés du site combleront facilement la différence. Il est bien évident, toutefois, qu'un commerçant, s'il veut conserver sa marge de bénéfices, ne peut consacrer qu'un certain pourcentage de ses ventes à son loyer.

Prix

Certains détaillants essaient d'avoir l'avantage sur leurs compétiteurs en affichant des prix plus bas et, de fait, certains marchands vendent vraiment à meilleur marché. Mais, l'usage de cette stratégie entraîne maintes difficultés: les profits peuvent être maigres et la marge d'erreur si réduite que le moindre mauvais calcul ou le moindre événement imprévu se traduisent par une perte.

À court terme, on peut facilement s'aligner sur une politique de bas prix, mais la concurrence devient alors acharnée.

Notre époque de prospérité relative fait que les prix ont perdu de leur intérêt pour la clientèle. Évidemment, si les temps devenaient vraiment durs, les bas prix pourraient redevenir un avantage important.

Finalement, dans certaines zones commerciales relativement riches, les prix n'influencent pas beaucoup la clientèle.

Promotion

Certains détaillants ont connu le succès parce qu'ils ont réussi à faire une promotion qui surpassait celle de leurs compétiteurs. L'avantage que donne la promotion est difficile à imiter. Si un marchand s'est fait une réputation de service rapide et courtois, ses compétiteurs auront de la difficulté à le suivre sur ce terrain. Cette technique est employée efficacement par plusieurs petites boutiques.

Une campagne publicitaire peut également permettre à un vendeur de se signaler parmi ses compétiteurs.

Achats

Plusieurs détaillants comptent sur leur perspicacité d'acheteurs: ils n'achètent que la marchandise très en vogue. Parfois, leur succès entier repose sur une ou deux sortes d'articles très demandés. Un vendeur de Chevrolet peut expliquer son succès par le fait même qu'il est vendeur de Chevrolet. Tous les marchands doivent déployer une certaine stratégie dans leurs achats. Bien que plusieurs magasins, les pharmacies par exemple, vendent les mêmes articles courants que leurs concurrents, quelques-uns d'entre eux essaient d'obtenir l'exclusivité pour certains produits. Lorsqu'un acheteur est habile, ses compétiteurs peuvent difficilement l'imiter. Tous les marchands devraient essayer de développer au maximum cet avantage.

Que doit faire un détaillant pour devenir un excellent acheteur?

Service

Les clients accorderont leur faveur au détaillant qui leur offrira un service rapide et efficace, une garantie sur la marchandise et qui les traitera comme des rois.

COMMERCIALISATION (MERCHANDISING)

Dans le domaine de la vente au détail, le terme commercialisation s'applique à toutes les activités qui sont en rapport avec les marchandises à vendre: achat, étalage, promotion, prix et vente.

Achat pour un marché spécifique

Peu de détaillants essaient d'intéresser une clientèle générale. Ils concentrent leurs efforts sur un segment du marché. Certains magasins d'habillement pour dames tâchent d'attirer la classe aisée, d'autres, la clientèle à la recherche d'aubaines; certains s'adressent aux jeunes femmes, d'autres aux mères de famille. Le détaillant qui veut plaire à tout le monde finit par ne plaire à personne. C'est pourquoi il faut s'efforcer de ne garder que les marchandises qui plairont à la clientèle de son choix. Le magasin lui-même doit plaire à la clientèle que le détaillant s'efforce de rejoindre. Le décor sera différent selon qu'il s'adresse aux fermiers ou aux riches hommes d'affaires. Même l'emplacement du magasin est important: il serait ridicule d'installer un magasin d'articles de luxe dans un quartier pauvre. Le personnel aussi sera différent. Il y a une nette différence entre les vendeuses de robes du salon français d'un grand magasin et celles d'une section de prêt-à-porter du sous-sol. Toute action et toute particularité d'une organisation de vente au détail doit s'accorder avec les caractéristiqes du segment de marché qu'elle sollicite.

Planification

Les détaillants compétents ne travaillent pas au petit bonheur: chaque article acheté et mis en stock a été soigneusement étudié; le contrôle des inventaires prend en fait la plus grande partie du temps du détaillant qui doit être sûr de toujours avoir en stock les tailles, les couleurs et les modèles appropriés des articles qu'il vent. S'il n'a pas ce contrôle constant de son inventaire, il se verra bientôt surchargé d'articles invendables et à court d'articles de base très demandés.

Un bon acheteur sait exactement quelle quantité de marchandise il peut acheter à la fois grâce à ses prévisions de vente, à l'inventaire qu'il doit maintenir et au budget détaillé de ses achats.

Rotation des stocks

Un acheteur avisé ne laisse jamais ses marchandises dormir sur les tablettes. Tous les acheteurs font des erreurs: ils achètent des marchandises qui sont ou trop chères ou sans intérèt pour la clientèle. Lorsqu'un acheteur a fait une erreur de ce genre, il vaudra mieux pour lui se débarasser de la marchandise le plus tôt possible. On dit couramment dans les milieux de vente au détail qu'il faut se dépêcher de faire des rabais sur la marchandise qui ne se vend pas rapidement. Il est évident qu'il est plus facile de vendre à rabais des maillots de bain en juin qu'en août. Plus un commerçant attend pour baisser le prix d'un article, plus cette baisse devra être importante. D'autre part, une marchandise qui reste longtemps en magasin, risque davantage d'être salie et endommagée. Nous savons, par ailleurs, que les rabais attirent des clients qui, une fois entrés, se laissent généralement séduire par d'autres articles plus rentables pour le marchand.

Il y a des exceptions à cette politique de rabais: certaines petites boutiques qui vendent relativement cher ont peu d'intérêt à faire beaucoup de rabais. Si la clientèle s'habitue à cette sorte de réduction, il devient alors difficile de lui vendre à plein prix le stock régulier. Le vendeur se voit contraint de tout vendre à rabais. D'ailleurs, des ventes fréquentes peuvent ternir l'image de qualité de certains magasins. Les clients réguliers éviteront de payer à plein prix des articles qui seront mis en vente au rabais dans quelques semaines. C'est pourquoi certaines organisations de vente au détail, plutôt que de faire eux-même des ventes, essaient de les liquider en les revendant à d'autres détaillants.

Étalage

Un autre principe fondamental de commercialisation stipule que, pour être vendue, la marchandise doit être bien disposée. Tous les commerçants peuvent vous parler d'un endroit spécial dans leur magasin où, peu importe la marchandise exposée, les ventes pour le produit qui s'y trouve augmentent indiscutablement. Une des façons modernes de concevoir un magasin de détail, c'est d'en faire une seule grande salle d'exposition. Certains marchands prétendent que tout leur magasin n'est qu'une grande vitrine: la mode n'est pas de cacher les marchandises derrière les comptoirs. L'idée maîtresse est de mettre la marchandise là où le client peut la voir et la palper avant de l'acheter. La construction de nouveaux magasins de vente au détail doit être étudiée attentivement, les plans et devis des agencements doivent tenir compte de l'espace d'exposition.

Ambiance

Dans tout commerce de vente au détail, il faut que le magasin ait une ambiance qui plaise à la clientèle recherchée. Certains magasins sont trop froids et trop sévères pour prospérer. La plupart des clients préfèrent une ambiance chaude et amicale. Certains magasins sont trop richement ornés ou trop fantaisistes pour leur clientèle. Un marchand de produits alimentaires dans une région rurale raconte comment ses clients s'offusquent s'il essaie d'orner son magasin de façon trop riche ou trop fantaisiste. Créer une ambiance appropriée est tout un art que le détaillant doit cultiver avec soin. Parfois, il suffit de décors ou d'éléments de caractère adéquat. La majorité des clients aime voir beaucoup de marchandises car ces produits les attirent. Un endroit désert n'est pas attrayant alors qu'une foule attire toujours d'autres personnes. Il suffit de réfléchir un tant soit peu sur ces phénomènes pour en saisir l'importance.

Le but d'une personne qui court les magasins est de voir et d'acheter quelque chose. La foule rassure le client qui doute de son jugement. Comment vous sentiriez-vous s'il vous arrivait d'entrer dans un restaurant vide à l'heure du dîner? N'en conclueriez-vous pas qu'il y a quelque chose de louche là-dedans?

Comment créeriez-vous une ambiance?

L'évolution constante du commerce de détail

Le domaine de la vente au détail est le secteur le plus évolutif de notre économie. Si l'on parcourt une liste des changements majeurs survenus dans les affaires depuis 50 ans, la vente au détail se distingue par le nombre de ses changements. La vente au détail de 1970 ressemble peu à celle de 1930. Presque toutes les institutions ont subi des changements radicaux. Tout est nouveau! Il est risqué d'investir dans le domaine de la vente au détail. Voilà pourquoi les détaillants avisés veulent gagner immédiatement, rentrer dans leurs fonds le plus tôt possible. On peut difficilement garantir pour plus de dix ans l'existence d'un établissement de vente au détail.

Quelles sont les organisations de vente au détail qui n'existaient pas dans les années 1950?

Quelles sont les facteurs qui ont déterminé la croissance rapide du développement des agences de voyages?

Il est facile d'approfondir les raisons du dynamisme qui s'impose dans la vente au détail. Le détaillant est en contact direct et constant avec le consommateur; avant tout le monde, il perçoit un changement, même très nuancé, du goût de la clientèle. Les fabricants peuvent prendre du temps pour réaliser l'impact d'un changement du marché, mais le détaillant, lui, le sait le jour même. S'il est avisé, il prendra ses dispositions au fur et à mesure des fluctuations de la demande de son marché.

En outre, il est facile d'entrer dans le commerce de la vente au détail. Il ne faut pas beaucoup de capital ni un entraînement particulier. Quiconque a une idée peut essayer d'en éprouver la valeur en ouvrant un magasin. Cette facilité d'accès garde continuellement les institutions de vente au détail sur le qui-vive. Le nouveau détaillant profitera du moindre besoin non satifait ou de la moindre faiblesse dans les structures actuelles du marché pour s'imposer. Enfin, les changements sont relativement faciles à faire dans ce domaine: le détaillant peut changer rapidement ses procédés.

Problèmes courants

Chacun des secteurs de notre économie a ses problèmes. La vente au détail n'y échappe pas: problèmes de toujours, problèmes nouveaux, solubles et insolubles.

LA CONCURRENCE: CHAÎNE DE MAGASINS OU INDÉPENDANTS Depuis plus de 40 ans, l'un des problèmes cruciaux de la vente au détail est la situation des marchands indépendants qui ont presque été éliminés de certains champs d'activités par les chaînes de magasins. Le problème augmente au fur et à mesure que les grandes chaînes de magasins envahissent les domaines qui, jusqu'à présent, semblaient être réservés aux indépendants. Avant le développement des grandes chaînes de restaurants McDonald, La Villa du Poulet et autres types de concessions, la restauration semblait être réservée aux indépendants qui trouvent maintenant la situation difficile. Plus encore, certaines organisations de vente au détail sont si grandes et si puissantes qu'elles dominent presque tout le réseau de distribution. Les fabricants qui doivent leur vendre s'aperçoivent en cours de transaction qu'ils sont les plus faibles pour négocier avec elles.

Quelle importance y a-t-il à être le plus fort dans un réseau de distribution?

Bien que certaines personnes n'y voient pas d'inconvénients, l'expérience a prouvé que plus les grandes organisations se développent et deviennent puissantes au point de contrôler tout un secteur de l'économie, plus on doit s'attendre à des conséquences désastreuses.

Pouvez-vous imaginer quelques-unes de ces conséquences désastreuses?

Il n'y a pas de solution à ce problème! Ces entreprises ont pris cette importance parce qu'elles ont su répondre aux désirs du marché.

COÛT DES LOYERS L'augmentation rapide de la valeur des terrains et des coûts de construction, le déplacement géographique du commerce de vente au détail qui émigre vers les banlieues riches et les centres d'achats contrôlés par des propriétaires indépendants, toutes ces raisons combinées expliquent l'augmentation des loyers demandée au marchand de détail. Ajoutons à cela que le marchand indépendant, bien que cela soit vital pour ses affaires, n'a pas le choix de l'emplacement qui est le monopole des chaînes nationales. Il lui devient donc bien difficile de vivre de façon rentable dans un centre d'achat moderne qui est, en quelque sorte, le fief des chaînes nationales.

Pourquoi les chaînes nationales dominent-elles dans les centres d'achat?

MAIN-D'OEUVRE Depuis 20 ans, le commerce de la vente au détail a perdu tout intérêt pour les employés. On estime, de nos jours, que les heures de travail sont longues, tardives et qu'elles se compliquent encore avec la commercialisation des fins de semaine. On en veut donc de moins en moins. En comparaison, la vie d'un vendeur chez IBM ou chez XEROX paraît agréable. C'est pourquoi les organisations de vente au détail ont beaucoup de difficultés à engager le personnel qualifié dont elles ont si grand besoin.

AUGMENTATION DES COÛTS Quoiqu'il ne s'agisse pas là d'un problème propre au seul détaillant, il demeure que l'augmentation des coûts crée des problèmes particuliers à cette catégorie. La main-d'oeuvre, la publicité, les loyers, les fournitures, le transport et évidemment les marchandises elles-mêmes, augmentent. Les vendeurs qui circonvenaient le problème d'augmentation des coûts en élevant à leur tour le prix de leurs marchandises peuvent difficilement le faire maintenant car les clients n'acceptent pas toujours ces augmentations. Dans certaines régions, les coûts d'opération augmentent plus vite que le coût des marchandises, ce qui force le marchand à prendre une marge de profit plus forte. Le directeur du rayon d'habillement pour hommes d'une grande chaîne de magasins déclare travailler sur une marge d'au moins 50% alors que depuis des dizaines d'années la marge traditionnelle est de 40%. Le détaillant, pour répondre à cette augmentation croissante des coûts opérationnels, doit trouver des moyens de travailler à meilleur compte.

L'expérience nous enseigne que lorsque les institutions de détail commencent à prélever plus de 50% du dollar d'achat du consommateur, il est grand temps de trouver des moyens opérationnels plus économiques pour distribuer les marchandises.

Tendances

Plusieurs éléments généraux font fluctuer sans cesse le système de vente au détail. Quelques-unes des tendances les plus fortes sont énumérées ci-dessous:

LIBRE-SERVICE La première de ces tendances qui se manifeste depuis 30 ans déjà est le libre-service. C'est une méthode de vente très simple qui consiste à laisser le client trouver lui-même les marchandises qui lui conviennent puis de les payer à une caisse centrale. Ce procédé permet d'éliminer beaucoup de main-d'oeuvre et de réduire les coûts opérationnels. C'est une bénédiction pour les commerçants car ce procédé compense pour la pénurie d'employés. Le libre-service permet encore au vendeur de garder un inventaire, en même temps que de vendre beaucoup plus de marchandises qu'il ne pouvait le faire selon les anciennes méthodes de vente. Il faut ajouter que cette méthode s'est démontrée très efficace pour promouvoir les ventes. L'expérience a prouvé qu'un client qui circule librement parmi un grand choix de marchandises exposées achète beaucoup plus que celui qui est servi par un vendeur.

Pourquoi le métier de vendeur est-il en voie de disparition?

La vente libre-service n'est naturellement pas sans défaut et pose un grand nombre de problèmes. L'un des plus importants est celui du vol à l'étalage. D'autre part, la marchandise se salit et s'abîme plus facilement. Et enfin, l'étalage et l'empaquetage doivent supporter le poids de la promotion de vente.

Il semble que la vente libre-service se soit installée définitivement dans certains domaines, dont l'épicerie, et tende à s'affirmer dans d'autres, comme par exemple les stations d'essence.

Pourquoi la vente libre-service a-t-elle été retardée dans l'industrie de l'essence?

LA COMMERCIALISATION DE MASSE Le pouvoir d'achat discrétionnaire d'un grand nombre de personnes a permis l'avènement des marchés de masse qui à leur tour ont créé le besoin de la commercialisation de masse. Il était tout simplement impossible aux petits détaillants de traiter la totalité des marchandises dont notre société avait besoin. La société devait créer d'immenses centres capables de disposer rapidement et à bon marché de gros volumes de marchandises; cela explique le développement de supermarchés, super-maisons d'escompte, hypermarchés et autres agencements de même ordre. L'éventail de marchandises proposées aux clients s'élargit donc sans cesse dans les magasins. Visitez Dupuis Frères, La Baie, Eaton et vous en conviendrez.

PRÉ-VENTE La publicité vend déjà à l'avance aux consommateurs les qualités et les vertus d'un article bien avant qu'il n'entre dans le circuit commercial. Ceci ne signifie pas que l'impulsion d'acheter sur les lieux mêmes n'entre plus en jeu: c'est un facteur qui conserve toujours son importance. La pré-vente revêt une signification particulière sur les marchés où la concurrence se situe au niveau des marques de commerce.

DÉMÉNAGEMENTS La vente au détail abandonne le centre-ville au profit des milieux d'habitation et des centres d'achat de banlieue. Bien que ce mouvement soit amorcé depuis vingt ans, il ne semble pas devoir s'arrêter. Les emplacements du bas de la ville qui réussissent seulement à tenir bon sont considérés comme ayant du succès.

MARQUE DE FABRIQUE PERSONNELLE À mesure que les organisations de vente au détail grandissent, il est moins nécessaire d'avoir des marques connues. Un très gros vendeur n'est nullement motivé à dépenser pour pousser les marques des autres. Ces organisations, au contraire, vendent presque exclusivement leurs marques personnelles, c'est-à-dire les produits des marques dont ils ont le contrôle et dont ils sont propriétaires. Certaines de ces marques sont fabriquées dans leurs propres usines alors que d'autres sont produites spécialement pour eux par des fabricants indépendants. La tendance à posséder des marques de commerce personnelles s'affermit et grandit rapidement. La plupart des vieux principes relatifs aux marques personnelles sont abandonnés car les gros vendeurs ne cessent de préférer aux autres produits ceux qui portent leurs propres marques de commerce. Il fut un temps où ces marques personnelles étaient considérées comme inférieures et ne se vendaient sur le marché qu'à bas prix. Aujourd'hui, plusieurs se vendent mieux que les marques dites nationales.

CONCLUSION

Le commerce de vente au détail, un champ d'action dynamique, autrefois la forteresse des petits commerçants indépendants, est de plus en plus dominé par de grosses entreprises de chaînes de magasins aux techniques de commercialisation de masse, aux marques de commerce personnelles, situées dans les centres d'achat de banlieue. Ce commerce demeure cependant le dernier vestige de la libre entreprise, le système dans lequel un homme possédant un petit capital peut cependant se mettre en affaires et réussir.

Le commerce de vente au détail exige beaucoup de travail, les heures peuvent être longues et souvent il faut y consacrer sept jours par semaine. Il offre pourtant des compensations. Il y a l'argent bien sûr, mais ce n'est pas tout. La plupart des commerçants qui ont réussi aiment leur travail et les produits qu'ils vendent. C'est un domaine qu' il faut étudier soigneusement au moment d'envisager une future carrière.

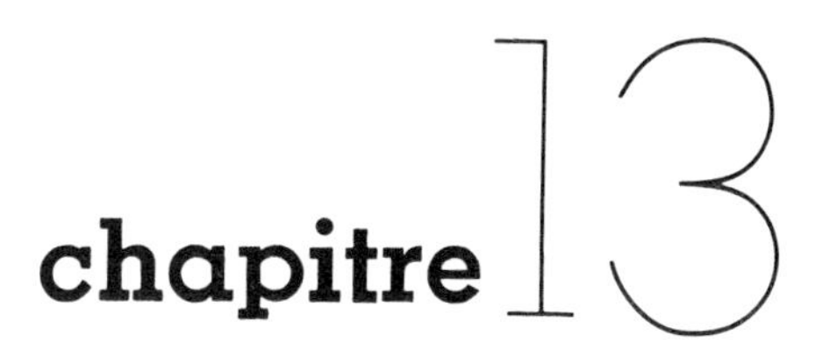

le prix

Le prix permet l'évaluation d'un programme de marketing. Si le directeur du marketing a bien fait son travail, il obtiendra le prix qu'il aura fixé. Le prix est une préoccupation du public qui veut éviter de payer trop cher et qui essaie d'augmenter le plus possible son pouvoir d'achat.

Il n'y a probablement aucune décision d'affaires qui ne soit aussi cruciale du point de vue économique et social que l'établissement du prix. Malgré cela, les méthodes d'établissement du prix par les entreprises sont un aspect des affaires parmi les moins bien connus.

Le prix est un facteur important dans la détermination du volume des ventes et du profit d'une entreprise. Le profit provient de la différence entre le revenu et les coûts. Le revenu correspond au prix multiplié par le volume. Le volume est toutefois aussi affecté par le prix (baisse du prix, augmentation du volume). Le prix, dans la détermination du revenu, n'est plus seulement la moitié de l'équation, mais il est aussi un facteur dans l'autre moitié. De plus, il influence les coûts de production par son impact sur le volume des ventes.

Si l'on veut éliminer les considérations de volume dans le profit, on peut se représenter le profit comme étant la différence entre le prix reçu d'un article et son coût unitaire. Le moyen le plus rapide pour augmenter les profits est une augmentation de prix (si la demande du produit ne diminue pas à cause de cela). Par conséquent, quand les profits d'une firme sont insatisfaisants, ses dirigeants étudieront sérieusement la possibilité d'augmenter les prix. Dans certains cas où la demande d'un produit est suffisamment élastique, une baisse de prix peut rapporter plus de profits. Malgré cela, la plupart des administrateurs hésitent à baisser les prix s'ils sont incertains du résultat final.

LA FONCTION RÉGULATRICE DU PRIX

Le prix régularise la demande, la nature de la clientèle, les activités de promotion, les caractéristiques du produit et la concurrence.

Si un prix est trop bas, il y aura une demande plus forte que ce qui peut être offert et on devra renoncer à des profits. S'il est trop élevé, la demande sera insuffisante et les profits en souffriront.

Pourquoi est-il mauvais que l'entreprise ne puisse pas suffire à la demande?

Le prix détermine la nature de la clientèle. La taverne d'une cité universitaire avait baissé le prix de sa bière afin d'attirer la clientèle étudiante. À la grande consternation du propriétaire, la taverne s'était plutôt remplie de clochards et d'ivrognes du voisinage! Une taverne concurrente avait, au contraire, légèrement majoré ses prix.

Le résultat fut une nette amélioration de la qualité de sa clientèle sans qu'il y ait pour autant diminution tangible du volume de ses ventes.

Le prix affecte également la politique de promotion des ventes. Plus il sera élevé, plus il y aura d'argent disponible pour la promotion. Lorsque la demande est davantage influencée par la promotion que par le prix, il faut majorer les prix pour permettre cette promotion. Voilà pourquoi on ne doit pas fixer les prix sans prendre en considération le coût des stratégies de promotion des ventes.

Le prix ne doit pas nécessairement être fixé à partir du coût de fabrication pour qu'il y ait profit, mais pour qu'il y ait gain, le prix de vente doit être supérieur au coût de production. Un prix plus élevé permet donc d'ajouter des caractéristiques à un produit et d'en améliorer la qualité. Toutefois, si la stratégie générale de l'entreprise est de pénétrer un marché hautement concurrentiel où les prix sont bas, les qualités et les caractéristiques d'un produit doivent être soigneusement contrôlées.

Les politiques de prix donnent le ton à la concurrence dans une industrie. Si une entreprise fait de la promotion l'outil principal de l'accroissement de son volume des ventes, la concurrence ne sera pas aussi acharnée que si le prix seul en était l'arme principale.

Qu'est-ce qui détermine si, oui ou non, le prix devient l'arme concurrentielle de base dans une industrie?

Du point de vue de la collectivité, le prix répartit les ressources: l'argent, la main-d'oeuvre et les matériaux. Si la demande pour un médicament augmente en raison de ses effets bénéfiques, il est certain que le public le paiera relativement cher; ainsi, des ressources additionnelles se trouveront canalisées vers l'industrie des produits pharmaceutiques et provoqueront une augmentation de l'approvisionnement total du marché pour ce produit. Les ressources sont donc, en général, accaparées par les entreprises capables de réaliser les plus grands profits. Les entreprises qui ne peuvent maintenir un prix intéressant, générateur de profits, n'auront que peu d'accès aux ressources. Si le prix est fixé trop bas, il n'attirera pas de ressources suffisantes pour répondre à la demande. Il est clair que le prix exerce une influence directe sur le marché de l'argent, et c'est l'argent qui permet d'acheter la main-d'oeuvre et les matériaux.

MESURES DE L'EFFICACITÉ EN MARKETING

La capacité d'obtenir et de soutenir un bon prix pour un produit indique que les plans de mise en marché sont sains et bien conçus. Le prix est souvent un indicateur de l'efficacité globale d'une politique de marketing. IBM demande un prix relativement supérieur à celui de ses concurrents, ce qui ne l'empêche pas de vendre beaucoup plus de machines que la plupart d'entre eux. Voilà qui prouve sans doute que son organisation en matière de marketing est bien supérieure à celle de ses concurrents. La possibilité de maintenir les prix et le volume de vente face à une concurrence sérieuse indique, en définitive, une excellente organisation de marketing.

Des prix appropriés pour une marchandise facilitent toutes les opérations de marketing. Le gérant de marketing devrait se rendre compte, que si sa marchandise est offerte à un prix élevé, il handicapera tout le reste de son travail. Ses efforts de promotion des ventes ne seront pas aussi efficaces et il rencontrera plus de difficultés pour obtenir les canaux de distribution qu'il désire. D'un autre côté, les prix concurrentiels d'une marchandise ajouteront à l'efficacité d'un programme de promotion car les distributeurs sont généralement plus enclins à s'occuper d'articles d'une bonne valeur.

LIBERTÉ DANS L'ÉTABLISSEMENT DES PRIX

Nul n'est libre de fixer ses prix comme il l'entend. De nombreuses restrictions entravent cette liberté, fort heureusement du reste! Certaines restrictions facilitent ce travail, d'autres en fixent les limites et enfin quelques-unes imposent, à toutes fins pratiques, le prix.

Prix du marché

Un directeur se trouve parfois face à un marché où le prix de son produit est bien établi. Un éleveur de bétail n'a guère de contrôle sur le prix de vente de ses boeufs. Il les vendra au prix coté le jour où il conduira ses bêtes au marché. Bien qu'il existe un prix établi pour la presque totalité des matières premières et des produits de la ferme, il est aussi vrai qu'il y a des prix de marché pour de nombreux produits industriels et de consommation.

Nommez des produits dont le prix est généralement établi sur le marché.

Prix-Leader

Il existe un prix-leader lorsque toutes les entreprises d'une industrie donnée suivent les prix imposés par une entreprise dominante. Quand l'entreprise-leader baisse ou augmente ses prix, les autres l'imitent. Si le prix-leader ressemble à celui du marché par ses effets sur l'évaluation des prix des autres entreprises similaires, il en diffère toutefois sur trois points: par son mécanisme même de fixation, par son niveau ultime, et par l'attitude de l'entreprise.

Il y a prix-leader lorsque les produits sont standardisés et qu'ils sont achetés en fonction d'un prix de base. L'acheteur s'intéresse au prix, non au fabricant, et il achètera son produit à celui qui le vend au plus bas prix. Dans ce cas, aucune entreprise n'acceptera que l'autre vende à meilleur prix.

Le prix-leader se trouve plus fréquemment dans une industrie dominée par certaines compagnies. Le pouvoir économique des très grosses entreprises permet aux petits compétiteurs de s'aligner et la petite entreprise s'aperçoit, dans de pareilles situations qu'elle n'est pas libre d'établir des prix comme elle l'entend. La compagnie dominante userait rapidement de représailles si quelqu'un établissait des prix inférieurs aux siens.

RÔLE DES PRODUITS DE REMPLACEMENT

Le prix du contreplaqué de sapin Douglas peut monter jusqu'à un prix où les entrepreneurs se voient obligés de les remplacer par du bois de charpente ou par un autre matériau de construction. Au cours des dernières années, le prix du cuivre a tellement augmenté qu'il a été remplacé dans de nombreux cas par de l'aluminium. En conséquence, de grandes pressions se sont exercées pour ramener le prix du cuivre à un niveau acceptable. Lorsque les fabricants d'automobiles de Détroit ont augmenté sensiblement le prix des automobiles, les voitures étrangères à prix réduits ont fait leur entrée sur le marché américain. Lorsqu'on augmente le prix du boeuf, le volume de vente du mouton et du porc augmente. Et lorsque le prix de la main-d'oeuvre s'élève, c'est le capital qui la remplace. Le directeur du marketing qui ne tient pas compte des limitations que lui impose les produits de remplacement prépare son déclin, car il risque que son produit soit remplacé par un produit analogue. De nombreuses entreprises ont perdu leur position prédominante sur le marché pour avoir ignoré que le consommateur peut utiliser un produit de remplacement, si un prix ne lui convient plus.

Dans plusieurs domaines de notre économie, le gouvernement impose les prix de certains produits et services. Dans les domaines des transports, des services publics, les prix sont fixés par diktats bureaucratiques plutôt que par décisions de firmes indépendantes. Mais le chef d'entreprise conserve quand même une certaine liberté d'action dans les mesures qu'il prend dans le cadre de ces ordres gouvernementaux. Il arrive même souvent qu'on laisse entière liberté à une compagnie de fixer un tarif préférentiel, si elle l'estime nécessaire. Une compagnie d'électricité peut instaurer un tarif spécial afin d'encourager l'achat d'un réservoir à eau chaude électrique. Cependant, tout changement dans la structure des prix fait ordinairement l'objet de démarches officielles de l'entreprise auprès du gouvernement. Un directeur travaillant sous le contrôle du gouvernement a quand même de grandes responsabilités dans la politique du choix de ses prix même si les tarifs officiels sont régulièrement révisés par les autorités gouvernementales. La compagnie Bell doit faire approuver toutes les hausses de prix qu'elle envisage.

Monopole

Le chef d'entreprise possède toute la latitude requise pour hausser ses prix quand il a monopolisé un marché. Il ne doit pas perdre de vue toutefois qu'il est toujours sujet à une compétition des substituts. En général, il aura plus de liberté dans l'établissement de son prix s'il présente un produit supérieur. Il prendra cette liberté au fur et à mesure que son produit se distinguera davantage de celui de la concurrence.

LA THÉORIE ÉCONOMIQUE DU PRIX

Pour mieux comprendre la situation d'un marché, il faut bien saisir la théorie économique des prix, dont nous allons essayer d'analyser les concepts fondamentaux.

Compétition pure

À toutes fins pratiques, rappelons que ce sont les économistes classiques du 18e siècle qui ont posé les bases de la théorie économique du prix. Ce sont eux les premiers qui ont imaginé la situation de compétition et la nature d'une entreprise sur le marché.

Ils ont supposé l'existence de plusieurs petits acheteurs et vendeurs n'ayant absolument aucune espèce d'influence sur le prix courant d'un produit. Ils ont encore supposé l'existence d'un produit standardisé; tous les producteurs dans une industrie donnée vendent un produit identique, que ce soit du maïs, du blé, du bois, ou tout autre produit pareillement standardisé. Ils ont supposé que tous et chacun avaient en main toutes les informations appropriées quant aux conditions de marché et que chacun était raisonnable et agissait dans son propre intérêt à long terme. Ils ont enfin supposé que l'homme d'affaires s'efforçait de réaliser un maximum de profit.

Les économistes classiques ont envisagé la loi de la demande conformément à la figure 13.1, dans lequel le volume de la demande pour un produit quelconque diminue en fonction de l'augmentation de son prix — réduire le prix afin d'augmenter le volume.

L'étude de ces courbes par les économistes donne ce qu'on appelle l'analyse marginale.

Concept de la marge

On emploie le qualificatif «marginal» dans l'étude de la théorie économique pour modifier plusieurs éléments tels que: revenu, coût, utilité, compagnie, travailleur, rendement du capital, opérations, ou tout autre terme qu'on aimerait décrire. La marge est généralement utilisée pour décrire le bord, la lisière, mais en économie ce terme a un sens plus large, il désigne ce qui arrive dans la période ultime d'une activité quelconque. Par exemple:

Le *revenu marginal* est l'augmentation nette du revenu total d'une compagnie obtenu par la vente d'une unité supplémentaire.

Le *coût marginal* est l'augmentation nette du coût de production causée par la production supplémentaire d'une unité de produit.

L'*utilité marginale* est la satisfaction d'un client qui utilise une unité de produit de plus. L'utilité marginale du dollar, c'est l'utilité obtenue par le dernier dollar gagné.

Le *rendement marginal du capital* est le profit réalisé sur le dernier dollar investi.

Les *opérations marginales* sont les opérations des compagnies qui subsistent difficilement, qui font peu ou pas de profits, ou encore qui perdent lentement de l'argent et qui pourront tout juste rester en affaires quelques temps.

Une *compagnie marginale* est celle qui fait le moins de profit dans une industrie donnée.

Un *travailleur marginal* est celui qui produit à peine suffisamment pour couvrir son salaire.

Une *terre marginale* est la terre la moins productive de la région. Habituellement, elle rapporte trop peu d'argent pour couvrir ses frais.

Un des principes de base en matière de théorie économique est celui qui consiste à réduire l'utilité marginale. En observant un consommateur qui utilise des unités de produits ou des services supplémentaires, on s'aperçoit qu'à l'usage, la satisfaction du consommateur diminue avec chaque nouvelle unité supplémentaire. Comment applique-t-on ce principe dans notre système actuel?
Quel est le rôle marginal d'un kilowatt-heure pour une compagnie d'électricité?

Dans la figure 13.1, la courbe 0 représente l'offre; dans la mesure où le prix augmente, plus de marchandises sont offertes par l'industrie. Le principe est simple. Lorsque le prix d'un produit est bas, seules les compagnies dont le coût de production est faible peuvent le fabriquer et le vendre avec profit. Si le prix augmente, les

FIGURE 13.1 Courbe d'offre et de demande

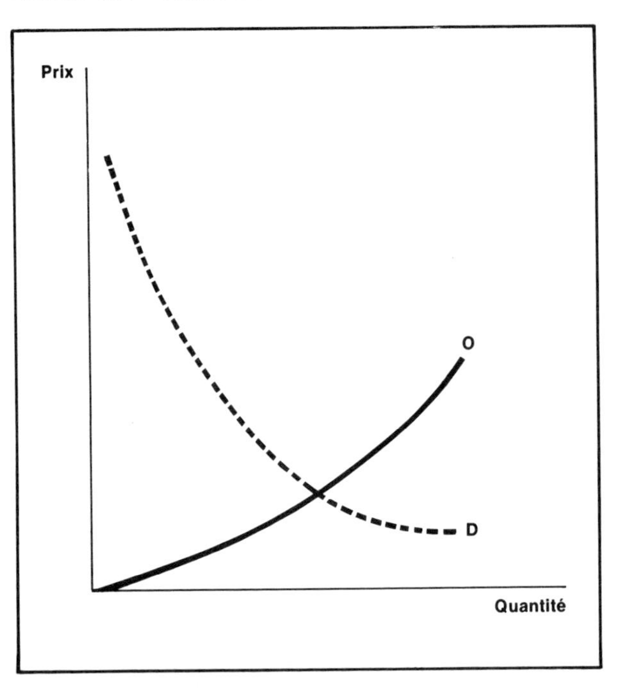

compagnies dont les coûts de production sont plus élevés peuvent à leur tour fabriquer le produit. En conséquence, en augmentant le prix, on augmente le volume de production. C'est pourquoi, dans une industrie donnée, le prix doit être fixé de manière à pouvoir équilibrer, sur tout le marché, le volume de l'offre et de la demande. Le prix d'un service public augmentera et ne se stabilisera qu'au moment où on sera arrivé à répondre aux demandes. Naturellement, lorsque le prix augmente et qu'il entraîne l'augmentation de la production, le marché de la demande tend à se réduire amenant les deux courbes à se rencontrer dans un compromis illustré dans la figure 13.1. C'est le point de vue d'ensemble pour toute l'industrie. Chaque compagnie, prise isolément, peut voir la chose différemment.

En compétition pure, le chef d'entreprise voit une courbe de la demande illimitée, il peut vendre toute sa production au prix du marché. Son souci majeur est le coût de production. Les caractéristiques de son coût de production sont particulières à sa compagnie et dépendent de sa propre technologie. Si ses frais fixes sont inexistants et que ses frais variables demeurent les mêmes peu importe le volume, alors la courbe du coût unitaire s'inscrira conformément à la figure 13.2 sur la ligne A. Au contraire, s'il y a des frais fixes, son coût unitaire baissera avec l'augmentation du volume de production (ligne B).

FIGURE 13.2 Coût unitaire

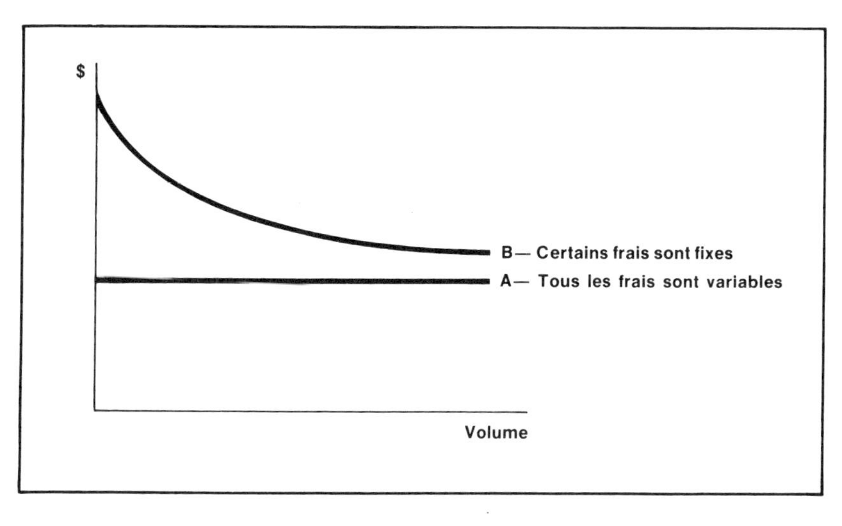

Concurrence imparfaite

Les économistes reconnaissent volontiers que dans de nombreux cas les conditions de concurrence sont loin d'être parfaites. Certaines compagnies s'agrandissent tellement qu'elles modifient le marché de l'offre ou de la demande par leur seule puissance. C'est à ce moment qu'apparaissent les différences d'un produit à l'autre. Lorsque ces différences sont vraiment prononcées, le produit émerge en quelque sorte de la compétition et peut être vendu à un prix vraiment spécial. La figure 13.3 montre comment fixer les prix lorsque les conditions de compétition sont imparfaites. Dans la figure 13.3, le chef d'entreprise fixe ses prix au point donné où les lignes du coût marginal et du revenu marginal s'égalisent. Les différentes imperfections ne font qu'influer sur la forme et l'emplacement des courbes de coûts et de revenus.

Aussi longtemps que le revenu marginal excède le coût marginal, l'entreprise qui accroît sa production augmente ses revenus. Quand on atteint le point où la première courbe égale la seconde, le fait d'augmenter la production signifie que le coût marginal dépasse le revenu marginal. En conséquence, la différence entre les deux courbes représente une perte. Le mécanisme de cette théorie d'établissement des prix est montré dans la figure 13.3. Lorsqu'il s'agit de concurrence pure, le chef d'entreprise doit considérer le prix du marché comme étant son revenu marginal puisque rien de son côté ne peut influencer ce prix; même en vendant toute sa production, il n'en modifiera pas le prix.

FIGURE 13.3 Courbes de prix pour une compagnie

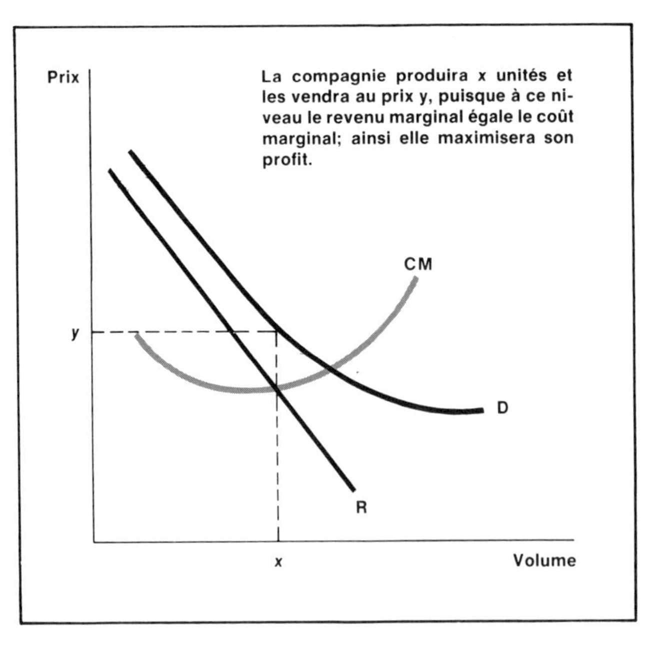

Monopole

Un monopole est une situation dans laquelle une firme contrôle l'offre totale d'un bien ou d'un service. Un monopsone est une situation dans laquelle une firme est le seul acheteur pour un bien ou un service; c'est un monopole du côté de l'acheteur. Un oligopole est un marché dans lequel il y a relativement peu de vendeurs, tous identifiables et se connaissant entre eux, contrôlant l'offre d'un produit tandis qu'un oligopsone est une situation dans laquelle quelques firmes contrôlent l'achat du produit.

Quand la concurrence est restreinte soit du côté de l'achat ou de celui de la vente, le comportement est modifié. Le détenteur d'un monopole voit rarement que son intérêt est de fixer ses prix plus bas pour augmenter la demande de son produit.

Concept de l'élasticité

Le concept de l'élasticité se réfère à l'impact d'un changement de prix sur la demande d'un produit. On dit qu'un produit a une demande inélastique si une augmentation de prix ne réprime pas suffisamment la demande pour empêcher un accroissement du revenu total. Si le revenu total diminue avec une augmentation de prix, la demande est alors élastique. Si le revenu total augmente avec une diminution du prix, la demande est élastique. Si le revenu total diminue avec une baisse de prix, la demande est alors inélastique.

Quelles sont les caractéristiques d'un produit dont la courbe de demande est sans élasticité?

Critique de la théorie économique des prix

Les critiques sur la théorie économique doivent s'appuyer sur le réalisme des hypothèses sur lesquelles la logique est basée. Si on accepte les hypothèses des économistes, la théorie du prix est alors valable parce qu'il est difficile d'attaquer leur logique. Le problème est que pratiquement toutes leurs hypothèses ne correspondent pas à l'économie actuelle. Si on avait à formuler un ensemble de prémisses qui seraient opposées à la vérité, on pourrait difficilement faire mieux. La réalité du marché actuel se base sur les faits suivants: 1) l'existence de puissantes firmes toutes capables d'influencer le marché en faveur de leurs produits; 2) des produits tellement différenciés les uns des autres que les grandes entreprises en arrivent à bénéficier d'une position monopolistique sur le marché; 3) de nombreuses situations monopolistiques sont dûes à la publicité ou à des avantages d'emplacement qui permettent à des entreprises d'exercer le contrôle de certains marchés; 4) peu d'entreprises possèdent un système d'information qui leur sert de guide intelligent pour fixer les prix; 5) l'émotion et non la rationalité guide souvent l'acheteur; le consommateur manque d'information sur le meilleur prix; souvent, il n'a même pas la motivation d'acheter; 6) certaines entreprises ne fixent pas toujours le prix de façon à maximiser le profit à court terme, à cause de nombreux autres objectifs qu'elles se sont fixés.

Quelle est donc alors la logique de la théorie économique des prix?

Quelques concepts ont encore conservé leur valeur dans notre théorie moderne pour établir les prix. Il est important de connaître à fond les concepts du revenu marginal, du coût marginal et de l'élasticité des prix.

LE MÉCANISME DE FIXATION DES PRIX

Le premier pas à faire consiste à établir des limites à l'intérieur desquelles on prendra les décisions relatives au prix: un minimum et un maximum. En cherchant des limites de ce genre pour une variété de boucles d'oreilles, un gérant a étudié le marché et s'est aperçu que quelques boucles d'oreilles avaient été vendues à plus de $10,00 la paire, mais qu'on trouvait surtout un marché valable pour les boucles d'oreilles dont le prix ne dépassait pas $5,00. Il s'aperçut que certains magasins d'escompte vendaient des boucles d'oreilles à un prix très bas, soit $0,49 la paire, mais que nulle part on ne vendait des boucles d'oreilles de qualité égale à son produit pour moins de $1,00. Il en conclut qu'il devait mettre ses boucles d'oreilles en vente à un prix de détail se situant entre $1,00 et $5,00.

En l'occurence, ce gérant a pris en considération les prix de la concurrence et l'existence de produits de remplacement, deux facteurs importants lorsqu'on établit des limites.

Quelquefois, le prix d'un produit complémentaire exercera une influence sur les limites. On appelle en général un produit complémentaire celui qui se vend d'habitude en même temps que le produit en question.

Pourquoi un appareil radio inclus dans le prix d'une auto neuve est-il tellement plus cher que le même acheté chez un vendeur de radio d'automobile?
Peut-on établir les limites du minimum et du maximum sur le prix d'un article en se basant sur le produit de remplacement?
Sur quoi se base-t-on pour établir la limite maximale du prix du charbon?

La limite minimale du prix s'établit d'habitude en fonction du coût de production. Une compagnie ne peut continuer à produire si elle ne recouvre pas au moins son coût de production.

Cela ne veut pas dire que le prix doit s'établir en fonction du coût de production mais tout simplement que le coût détermine si le jeu en vaut la chandelle et quels seront en fin de compte les profits de l'entreprise. En conséquence, le coût de production doit rester la limite de base minimale, même si le prix du marché lui est inférieur.

Que feriez-vous si le prix du marché d'un produit était de loin supérieur à votre coût de production?

Une autre façon de procéder à l'évaluation du prix que l'on peut obtenir pour un produit, c'est le montant des économies qu'il fera réaliser à l'acheteur. Par exemple, si une nouvelle invention peut faire économiser $10 000 par an à un acheteur éventuel, celui-ci sera sûrement intéressé à payer une bonne partie de ces économies. La compagnie Hugues Tool de Houston (Texas) a pu établir un prix intéressant pour sa foreuse rotative à diamant parce que celle-ci permettait aux compagnies pétrolières de réaliser des économies appréciables sur l'ensemble des opérations de forage.

Quel montant du total des économies pouvez-vous prendre à l'acheteur?

Finalement, les réactions du détaillant et celles des clients en puissance peuvent être très utiles dans l'évaluation des limites de prix. Le directeur de marketing doit soigneusement étudier leurs réactions s'il ne veut pas être induit en erreur.

Comment les réactions d'un de nos clients peuvent-elles nous induire en erreur?

L'établissement d'une stratégie de base

Il existe deux stratégies de base diamétralement opposées pour l'établissement du prix: la sélection et la pénétration.

LA SÉLECTION Cette stratégie veut qu'on établisse le prix à un niveau maximum. Cette stratégie bien qu'elle puisse indisposer nombre de clients, n'en garde pas moins ses avantages. D'une part, la sélection nous évite bien des erreurs. Il est plus facile de baisser un prix trop élevé que de remonter un prix qui aurait été fixé trop bas.

Les consommateurs subissent à contrecoeur une augmentation de prix alors qu'ils sont ravis d'une diminution de prix. Un chef d'entreprise intelligent s'arrange pour pouvoir baisser son prix plutôt que d'avoir à imposer une hausse due à de mauvaises prévisions.

D'autre part, il est souvent dans l'intérêt d'un administrateur de fixer un prix élevé de façon à limiter la demande d'un nouveau produit. Si son prix est trop bas, il peut ne pas pouvoir suffire à la demande. De plus, l'entreprise a probablement besoin du profit que procure un prix élevé pour supporter ses coûts de début de production.

Quels sont les coûts les plus élevés au début de la commercialisation d'un produit?

Un prix initial élevé peut encore faire bonne impression et favoriser l'implantation du produit sur le marché en créant dans l'esprit du consommateur une idée de valeur qui facilitera la vente au moment où l'on abaissera le prix pour faire face à la concurrence.

Disons également qu'il serait bon d'utiliser la stratégie dite «sélective» lorsque la courbe de la demande est inversée. On achète alors plus et à plus haut prix.

Dans quelles circonstances peut-on s'attendre à trouver une courbe de demande inversée?

Le désavantage principal d'une stratégie dite «sélective» est de provoquer la concurrence et de créer, de ce fait, une situation chaotique.

Quand une entreprise a réussi une percée sur la marché, son expulsion n'en est que plus douloureuse et résulte généralement d'une haute compétition au niveau des prix. Avant qu'une entreprise soit obligée de quitter le marché en raison d'un volume de vente insuffisant, elle écoulera sa marchandise à un prix inférieur au prix coûtant dans l'espoir que le peu qu'elle en obtiendra au-dessus de son coût marginal l'aidera à minimiser ses pertes. Cela lui fera gagner du temps, avec l'espoir que les autres concurrents seront obligés d'abandonner avant elle.

S'il est relativement facile d'entrer dans une industrie, une stratégie dite «sélective» peut devenir désastreuse à long terme. Bien sûr, il existe des chefs d'entreprises qui n'ont aucune intention de rester très longtemps en affaires et qui ne cherchent que des profits à court terme.

LA PÉNÉTRATION Ce genre de stratégie veut qu'on établisse son prix minimum pour envahir le marché le plus vite possible. L'administration espère que tous les clients susceptibles de l'utiliser vont au moins l'essayer. Si elle peut les amener à cela, ses chances de succès sont bonnes. S'il est vrai que la stratégie «sélective» tend à décourager ceux qui voudraient essayer le produit, il est également vrai que la meilleure façon de pénétrer un marché est l'échantillon gratuit, le cadeau d'essai.

L'un des désavantages de cette méthode est que l'entreprise peut être très rapidement submergée sous un déluge de commandes. Quand l'une des grandes compagnies de savon veut introduire une nouvelle marque, elle s'attend à de grosses commandes immédiatement, ce qui suppose qu'elle s'est organisée en conséquence en investissant d'importantes sommes d'argent pour créer des réserves susceptibles d'assurer l'approvisionnement du marché. Les petites entreprises ne possèdent pas les ressources financières pour pénétrer rapidement le marché de la même façon.

Quelles sont les voies d'accès au marché?

L'établissement du prix selon une stratégie de pénétration n'encourage pas nécessairement les compétiteurs à entrer en lice. Le prix n'est pas assez élevé pour rapporter un profit suffisamment intéressant. Lorsqu'on manoeuvre adéquatement, et qu'on obtient une demande soutenue pour son produit, c'est une bonne politique que de maintenir un prix assez bas pour décourager la concurrence.

Il n'est que trop simple de prétendre fixer son prix sur la production d'une unité ($20 l'unité) car la réalité est toute autre. Il y a souvent une façon originale d'évaluer le prix qui s'impose. Hertz Rent A Car facture le nombre de jours pendant lesquels le client a conservé la voiture et le nombre de milles qu'il a parcourus. C'est l'usage! Cet usage a beaucoup de bon sens puisqu'il offre au client une proposition intéressante: celle de payer pour ce qu'il utilise seulement. Les compagnies qui louent des ordinateurs ont des listes de prix établis en fonction de l'utilisation.

Les entreprises Goodyear Tire et Rubber Co. ont signé un contrat avec la compagnie Western Airlines pour leur approvisionnement en pneus. Le prix normal est d'environ $300 pièce, basé sur le nombre d'atterrissages qu'effectuent les avions de la Western Airlines. Pour un prix spécial basé sur le nombre d'atterrissages, la compagnie Goodyear assure l'approvisionnement de tous les pneus dont la Western Airlines a besoin. C'est là un exemple de la façon créative de procéder pour établir ses prix.

Une pharmacie a proposé une politique de prix par laquelle les clients paient un abonnement de $4,00 par mois par famille. En échange, ils peuvent se procurer tous les médicaments au prix coûtant plus 10%. Une autre pharmacie marque ses prix sur la base du prix coûtant plus un tarif fixe pour chaque ordonnance plutôt que d'augmenter ses prix au pourcentage.

L'innovation dans la détermination des prix équivaut à celle de la publicité ou de la vente et peut être tout aussi efficace sinon plus. Il faut donc se servir de son imagination pour s'évader des schèmes traditionnels et développer une nouvelle façon de fixer les prix.

Cela pourrait être la création d'une nouvelle formule d'escompte ou le développement d'un système intéressant de règlement des marchandises. Ce peut être encore la découverte d'une nouvelle base pour fixer les prix.

POLITIQUE DE PRIX

Les politiques de prix sont différentes et indépendantes du niveau de prix du produit: les mêmes politiques s'appliquent à plusieurs prix et différentes politiques peuvent s'établir pour un même prix.

Les politiques de prix poursuivent trois objectifs primordiaux: 1) Garantir l'uniformité de la procédure pour fixer les prix; 2) Influencer le comportement des acheteurs; 3) Satisfaire les exigences légales.

Uniformité des décisions

Sans une politique bien définie et nettement établie, il serait difficile pour la direction de maintenir l'uniformité du processus de fixation des prix. Dans une grande entreprise, une politique de prix est nécessaire afin que tous les vendeurs proposent les mêmes conditions, allocations, et escomptes aux clients. Même dans les petites entreprises, une politique établie a beaucoup d'importance, car il est difficile pour une personne de se rappeler exactement les décisions qu'elle a prises dans certaines circonstances.

Si la politique a été clairement définie et que l'on s'y conforme scrupuleusement, tous les clients seront traités également, facteur important pour le maintien d'une bonne réputation.

Influence et contrôle

Les politiques poussent l'acheteur à agir d'une certaine façon. En proposant de bons escomptes, on encourage le paiement rapide des factures. Des escomptes sur la quantité stimulent les commandes. Un escompte saisonnier peut modifier la date des achats. Un budget de publicité active les efforts des grossistes et des détaillants. Chaque politique motive l'acheteur. On obtient de gros avantages concurrentiels par l'établissement d'une politique intelligente de prix.

Restrictions légales

L'établissement du prix est règlementé au Canada par des législations provinciale et fédérale. On doit donc formuler des politiques qui respectent les législations.

POLITIQUE DES ESCOMPTES

Chaque type d'escompte répond à un but précis. Chaque industrie pratique une politique d'escompte traditionnelle mais il peut y avoir des avantages à les changer.

Escompte de caisse

La forme d'escompte la plus répandue est celle qui est accordée à l'acheteur qui règle ses factures avant l'échéance d'une certaine période. Le vendeur peut accorder des conditions de 2 / 10, net 30 jours (2% d'escompte sur le prix de la facture si elle est payée dans les 10 jours qui suivent la date de la facturation). Le montant au complet est dû à l'échéance des 30 jours. Bref, le producteur accorde 2% à l'acheteur si ce dernier lui permet d'utiliser les fonds au moins 20 jours plus tôt. C'est l'équivalent d'un intérêt annuel de 36,73%[1].

Un acheteur qui a les moyens ne peut se permettre de négliger cet escompte. Si dans certains cas il n'en profite pas, cela peut être la preuve que cet escompte n'a pas été établi convenablement par le vendeur ou encore que l'acheteur éprouve des difficultés avec ses liquidités.

Souvent un escompte de caisse réduit les dépenses de recouvrement et les comptes en souffrance. Un technicien en réparation de télévision a pu améliorer la situation de ses comptes à recevoir en accordant un escompte de 5% au client qui le payait comptant au moment de la réparation.

Escomptes commerciaux

Les escomptes commerciaux servent à proposer différents prix à différents genres de clients.

Un fabriquant doit vendre aux grossistes à meilleur prix qu'aux détaillants. Il peut offrir un escompte commercial de 40% aux détaillants et un escompte de 40-15% aux grossistes. Il peut encore proposer aux compagnies industrielles un escompte commercial de 40-5%. Il peut en outre vendre à un exportateur qui se verra offrir des escomptes de 40-15-5%[2].

Escomptes de quantité

Si on achète un certain volume de marchandises, on peut obtenir un escompte de quantité. Il y a deux sortes d'escomptes de quantité, cumulatif et non-cumulatif, ayant chacun son propre rôle.

ESCOMPTE NON-CUMULATIF Un escompte non-cumulatif est une réduction de prix basée sur l'importance de la commande. Si un client achète une unité, le prix de liste peut être de $1,00. S'il achète toutefois 100 unités à la fois, la compagnie pourrait lui accorder un escompte de 10%.

Du point de vue économique, un escompte de quantité est juste et recommandable. La dépense encourue en acceptant et en remplissant la commande est connue à l'avance. Il en coûterait autant à un vendeur de convenir d'un rendez-vous avec un acheteur et de lui prendre commande pour une unité que pour 100. Les frais de poste, de bureau, de salle d'expédition ne changent pas ou peu, quelle que soit l'importance de la commande. On fait généralement plus de profit sur une commande importante que sur une petite. Dans de nombreuses petites entreprises, un grand nombre de petites commandes ne laissent pas de profit car le coût de manutention qu'elles exigent finit par excéder le profit brut.

Quelques-unes des économies réalisées sur les ventes en grande quantité doivent être cédées à l'acheteur pour l'amener à commander des quantités importantes.

ESCOMPTE CUMULATIF Ce genre d'escompte est une réduction sur le total du prix payé sur la marchandise achetée pendant une certaine période de temps. Une compagnie peut offrir à tous ses clients un rabais de 5% s'ils achètent plus de $10 000

---

1. $\frac{2\%}{98\%} \div \frac{20 \text{ jours}}{360 \text{ jours}} = 36{,}73\%$; taux annuel d'intérêt.

2. Un article vendu au détail à $1,00 avec 40-15-5% d'escompte coûterait: $1 x 0,60 x 0,85 x 0,95 = $0,48

de marchandises pendant l'année et un rabais de 15% à ceux qui achèteront pour plus de $50 000.

Un escompte cumulatif ne change pas l'importance des commandes parce qu'il n'a rien à voir avec le volume de chaque commande. Seul le volume total des achats fait à la compagnie pendant une période donnée déterminera l'escompte. L'objectif principal de ce genre d'escompte est d'encourager le client à s'approvisionner chez un seul fournisseur et de ne pas partager son volume d'achat entre plusieurs vendeurs.

Escompte saisonnier

C'est l'escompte accordé lorsqu'un achat est effectué à une certaine période de l'année, en général pendant la saison morte. Un fabricant de clôture donnera, par exemple, un escompte de 5% à celui qui achètera son produit au cours de l'hiver. Un escompte saisonnier s'accorde parfois pour inciter l'acheteur à emmagasiner en prévision de la prochaine saison.

Dans d'autres cas, l'escompte est accordé pour faire passer le problème de l'entreposage du fabricant à l'acheteur. C'est ainsi que H.J. Heinz Co. fixe le prix du Ketchup à un niveau extrêmement intéressant aussitôt après la période de mise en bouteille. Cet escompte persuadera le consommateur d'acheter de grandes quantités et, de ce fait, allègera les problèmes d'entreprosage du fabricant.

Quels avantages y a-t-il à persuader les détaillants d'emmagasiner tôt avant la saison?

POLITIQUE DES NIVEAUX DE PRIX

Pair ou impair

Devrait-on utiliser un prix pair comme $3, $50 ou $10,00 ou bien impair comme $2,99; $4,89; $9,95? On indiquera un prix pair pour donner de la qualité à l'image d'un produit. On utilisera des impairs quand on voudra donner l'illusion d'une occasion. C'est la raison pour laquelle on voit souvent dans les supermarchés l'usage abusif des prix impairs. Dans les magasins qui étalent des produits d'excellente qualité, les prix sont en général pairs.

Ces politiques des prix sont-elles efficaces?

Prix unique

Les politiques de prix en Amérique du Nord, comparées à celles des autres pays du monde, offrent une caractéristique unique. Traditionnellement, nous nous attachons à une politique d'un seul prix. Ce qui veut dire que le vendeur établit le prix de son produit et le vendra à tous les intéressés à ce seul prix. Dans plusieurs pays étrangers, le vendeur n'a pas en tête un prix fixé. Il s'efforce plutôt d'obtenir autant que possible un prix plus élevé que son coût de production. Bien que la politique du prix unique soit généralisée, il existe encore des endroits où les prix demeurent variables.

Prix discriminatoires

Plusieurs firmes pratiquent une politique de prix discriminatoire qui consiste à demander des prix différents pour la même qualité et quantité de produit selon les acheteurs. Les compagnies d'électricité pratiquent la discrimination dans leurs taux à leurs clients, selon l'objectif d'utilisation de la puissance fournie.

Alignement des prix

L'alignement des prix consiste à grouper plusieurs produits de coût différent et de les vendre tous au même prix. Bien que cette façon de faire soit plus fréquente chez les détaillants, elle se pratique parfois chez les fabricants. Un fabricant de chaussures a marqué toute sa production au même prix sans égard au coût de production ou à l'attrait du marché. La plupart des détaillants groupent leurs produits en vente sous trois ou quatre catégories de prix: complets pour homme à $39,95; $49,95; $60; $80.

Il existe plusieurs raisons d'aligner les prix. C'est d'abord une méthode administrative relativement facile pour indiquer le prix de plusieurs articles dans une même gamme de produits. Les administrateurs n'ont pas à perdre de temps à établir des prix différents. La compagnie marque ses prix de façon à vendre toute sa marchandise à long terme.

Deuxièmement, l'alignement des prix réduit la confusion et la frustration. Imaginons dans quel état se trouverait une femme qui aurait à choisir entre une robe de $29,95 et une autre de $28,74... Elle se demanderait si le vêtement le plus cher justifie la différence de prix. Il est possible qu'elle renonce à acheter en raison de son doute. Pour éviter de telles situations, les détaillants marquent les robes à $28,95 et laissent ainsi à la cliente le soin de choisir ce qu'elle préfère réellement. L'alignement des prix pour le détaillant est en réalité un moyen d'augmenter la satisfaction du client tout en réduisant sûrement les efforts pour y parvenir.

POLITIQUE DE LOCATION

De nos jours, la location sous toutes ses formes connaît un accroissement rapide. La location est une base du mécanisme d'établissement du prix dans laquelle on fait entrer la notion de temps. Dans une vente ordinaire le client paie un prix qui équivaut à un instant précis, mais quand il loue, il répartit le prix sur une période de temps.

Objectif de la location

Du point de vue de l'acheteur, il peut y avoir de nombreux avantages à louer. En premier lieu, la location transforme un prix fixe en prix variable. Une compagnie qui loue des automobiles au fur et à mesure de ses besoins plutôt que d'entretenir sa propre flotte d'automobiles, introduit la notion de flexibilité dans son coût d'opération. Un fabricant de vêtements peut louer des machines à coudre pour la période de temps qui correspond à ses périodes d'activités, et de ce fait, échapper aux frais généraux qu'occasionne la possession d'équipement permanent. En second lieu, la location réduit les montants de capitaux à investir. Troisièmement, le fabricant peut, au lieu d'avoir à acheter le tout dernier modèle sur le marché, louer un modèle récent à meilleur marché. Enfin, la location offre certains avantages fiscaux.

Il est possible que le vendeur manifeste quelques réticences vis-à-vis des politiques de location et trouve le système ennuyeux et exigeant. La location lui procure, toutefois, des avantages certains. Un plan de location peut faciliter une vente. C'est grâce à la location et à l'application du système de déduction des versements de location du prix d'achat que bien des vendeurs d'équipements ont pu surmonter la résistance des acheteurs. En effet, une fois que le client s'est servi d'un produit, qu'il s'y est habitué, qu'il s'est vendu à l'idée, il s'achète souvent cet article par la suite.

Pourquoi les clients achètent-ils souvent des produits loués?

Parmi les grandes politiques de location connues, citons celles de IBM. En louant un équipement au lieu de le vendre, ce fabricant contrôle le service. De plus, cette compagnie maximisait ses revenus par la location. Sur une certaine période de temps, elle obtenait plus d'argent pour son produit par la location que par la vente. Finalement, en louant ses machines, elle maintenait le contrôle sur le matériel requis pour les faire fonctionner.

Pourquoi les compagnies aiment-elles garder le contrôle sur le service?
Puisque IBM et XEROX vendent maintenant leurs pièces d'équipement, pourquoi la majorité de leurs clients continuent-ils de recourir à la location?

Problèmes

Du point de vue du vendeur, le problème majeur soulevé par les politiques de location est celui du financement. Ce lourd fardeau pourrait briser les reins de la plupart des entreprises. Les prix de location doivent être déterminés de façon à ce que le locateur en retire des montants relativement élevés dans la première, ou peu après la première année de location: des innovations technologiques risquent de réduire la rentabilité de cet équipement les années suivantes. Les risques du marché de location ne sont pas négligeables non plus: une marchandise peut vous être retournée à tout instant; le coût d'entretien peut être onéreux car le locataire montre peu d'enthousiasme à prendre soin de la machine.

POLITIQUE DES CONDITIONS DE VENTE

En négociant un contrat de vente, de nombreuses clauses, autres que le prix, doivent faire l'objet de décisions. Nombre d'acheteurs avisés savent que l'on obtient plus du vendeur au moyen des conditions de vente qu'en se disputant pour une question de prix. Les conditions de vente sont aussi importantes pour déterminer le profit réel d'une commande que les escomptes accordés ou que le prix fixé.

Transport

Des dispositions explicites doivent déterminer qui paiera les frais de transport. En général, une entreprise adopte une des deux politiques suivantes: F.A.B. usine ou F.A.B. destination[3].

La clientèle préfère recevoir la marchandise à ses entrepôts au prix d'usine incluant les frais de transport. La plupart des acheteurs n'aiment pas régler les frais de transport à cause de l'incertitude de prix que cet élément entraîne dans la transaction. Le F.A.B. destination impose au vendeur la responsabilité d'acheminer à ses frais la marchandise, selon le moyen le plus économique. Il faut cependant admettre que si le coût du transport s'élève à une fraction importante du coût de livraison d'un article, il est juste que tous les acheteurs aient à payer leurs propres frais de transport. Lorsque le système adopté en permanence par le vendeur est celui du F.A.B. destination, le coût total des frais de livraison est réparti entre tous les clients, de sorte que certains acheteurs paient pour les autres.

Quelles sont les acheteurs qui profitent d'une politique de prix F.A.B. destination?

Certains vendeurs acceptent de payer les frais de transport jusqu'à concurrence d'une somme déterminée, car la plupart des agents de transport imposent un prix mi-

---

3. F.A.B. signifie «Franco À Bord». Le terme anglais F.O.B. signifie «Free On Board». F.A.B. usine signifie que l'acheteur paie les frais de transport. F.A.B. destination signifie que le vendeur paie les frais de transport.

nimum quel que soit le poids de la marchandise. Il est légalement bien plus avantageux de vendre toute la marchandise F.A.B. usine parce qu'à partir de ce moment la marchandise devient propriété de l'acheteur sauf stipulation contraire dans le contrat. Cela a son importance et il en résulte en peu de temps une économie d'argent et d'efforts appréciables. Dans toute grande entreprise, un certain pourcentage des produits expédiés est endommagé. Si l'acheteur en est le propriétaire, il devra lui-même livrer bataille avec le transporteur pour se faire rembourser les dommages. En outre, les responsabilités découlant du transport affectent toujours le propriétaire de la marchandise. Le principe de base en cette matière est de laisser encourir à l'autre partie le maximum de risques aussi longtemps que possible. C'est la puissance de marchandage qui permettra d'avoir le dessus.

Dates de paiement

Le choix de dates de paiement favorables donne lieu à de grosses négociations. Dans certaines industries, l'habitude exige de donner à l'acheteur plusieurs mois pour payer. C'est la coutume lorsque le fabricant veut que le détaillant garde en stock un inventaire important. Certains fabricants de jouets ne facturent leurs clients qu'après la saison des fêtes de Noël.

Pour intéresser un client important, des vendeurs emploieront le système du paiement différé. Désireux qu'un nouveau magasin de vêtements pour homme offre à sa clientèle une de ses marques de chemises, un fabricant lui proposa 120 jours supplémentaires pour payer. Cependant, un de ses compétiteurs fit mieux. Il offrit au détaillant de ne lui faire payer les chemises qu'après la vente, au moment du renouvellement de sa commande. Il assuma en outre la responsabilité de son inventaire. Ces offres vinrent au moment où l'acheteur, ayant engagé beaucoup de dépenses dans l'élargissement de son champ opérationnel, avait un besoin pressant de liquidité.

Pour financer l'important inventaire d'un client, un fournisseur de condensateurs divisa un paiement différé en plusieurs versements échelonnés sur une année. Si le client passait une commande pour $24 000. de condensateurs à la fois, il n'avait qu'à payer $2000. par mois pendant les douze mois à venir.

FIXATION DES PRIX

Quoiqu'une politique horizontale de fixation des prix (un arrangement entre les concurrents au même niveau de distribution) puisse être illégale, elle se pratique sur une grande échelle. Il n'est pas rare, en effet, de voir des stations d'essence, des nettoyeurs, des boutiques de coiffeurs et des services de réparation d'appareils ménagers fixer leurs listes de prix. Au niveau des fabricants, une entente sur les prix est presque universellement illégale parce que la plupart des grandes entreprises font des affaires dans plusieurs provinces ou états. Néanmoins, des arrangements sur les prix ont existés. Les nombreux cas cités en justice en sont la preuve. La politique de fixation des prix est presque toujours néfaste à court terme. Le fabricant qui se fait prendre au piège de cette politique avec l'impression qu'elle solutionne les problèmes de la concurrence s'illusionne beaucoup. Diverses conséquences peuvent découler en effet de ces arrangements: la possibilité d'être découvert, poursuivi, et condamné à de sévères amendes. Cela, toutefois, peut n'être que le dernier des soucis de l'homme d'affaires qui s'expose à des conséquences économiques beaucoup plus graves. Quand des concurrents s'entendent sur un prix, ils ne fixent pas un bas prix, mais un prix qui permettra au membre le moins efficace de réaliser la marge de profit qu'il désire. De ce fait, le prix artificiel devient si élevé qu'il attire presque inévitablement de nouveaux venus dans l'industrie et à long terme contribue à compliquer la situation de concurrence.

Plusieurs stations d'essence par des associations locales ont établi des listes de prix suggérés auxquelles certains vendeurs adhèrent. L'objectif de cette liste de prix est bien sûr d'augmenter le profit des stations d'essence. À court terme, cela peut avoir du succès. Mais la perspective de pareils profits inonde presque inévitablement le marché des stations-service. Ceux qui entreprennent des affaires sont attirés non seulement par les profits qui se font dans l'industrie mais encore par des marchés où la compétition des prix n'existe pas.

Une fois le marché saturé dans une région, le volume des ventes des stations atteint un point où les profits sont inexistants. À ce moment, les guerres de prix éclatent car les stations marginales s'efforcent d'obtenir un volume suffisant pour continuer de fonctionner. Dans l'espoir de sauver son affaire, la première mesure que l'homme d'affaires prendra sera de couper ses prix. À long terme, les accords pour fixer les prix tendent à développer une industrie au-delà de ses capacités économiques.

CONCLUSION

Le plus important facteur de détermination du profit est probablement le prix. Il permet d'évaluer la valeur d'un programme de marketing. Les résultats, profitables ou non, déterminent aussi la somme des ressources qui seront allouées aux divers types d'activités.

L'entrepreneur n'a pas toujours complète latitude de fixer le prix de ses articles. Il peut subir de nombreuses contraintes.

Si la théorie économique des prix a ses limites, il n'en demeure pas moins que les concepts de coûts et revenus marginaux sont valables.

Les procédures se rattachant à la façon de déterminer les prix comprennent des enquêtes sur des facteurs comme les prix de la compétition, les prix des produits de remplacement (substituts), les prix des produits complémentaires, les coûts de production, les économies relatives à l'usage du produit et les réactions des détaillants et des consommateurs.

Non seulement doit-on mettre l'imagination au service de la sélection du prix de base d'un article, mais aussi à l'établissement des conditions de vente, des escomptes et du comportement des prix.

Enfin, le rôle du prix comme facteur déterminant des standards de vie de la société ne doit pas être négligé.

la promotion

À partir du moment où un produit est disponible, son prix défini et ses politiques de distribution établies, il ne faut pas s'attendre à ce que les commandes viennent toutes seules. La vente ne se fait pas automatiquement. Il faut s'occuper de la promotion du produit, c'est-à-dire qu'il faut apprendre aux clients en quoi il consiste, à quoi il peut servir et comment se le procurer. La promotion des ventes regroupe plusieurs activités: vente par contact personnel, publicité, réclame, lieux et emplacements d'exposition pour la vente et promotions spéciales, telles que concours, foires, expositions, échantillons et primes. Notre but ne sera pas de donner des détails sur la réalisation d'une campagne publicitaire ou d'un programme de vente, mais plutôt d'étudier la gamme des possibilités stratégiques qu'offrent ces outils à qui veut s'en servir.

BUTS DES ACTIVITÉS DE PROMOTION

Le but des activités promotionnelles est de faire évoluer la demande d'un produit. La figure 14.1 montre que l'élasticité de la demande est affectée par une variation des prix. De fait, la promotion devrait augmenter l'élasticité de la demande lors d'une diminution de prix et rendre la demande inélastique dans le cas d'une augmentation de prix.

FIGURE 14.1 Objectif: augmenter la demande par la promotion

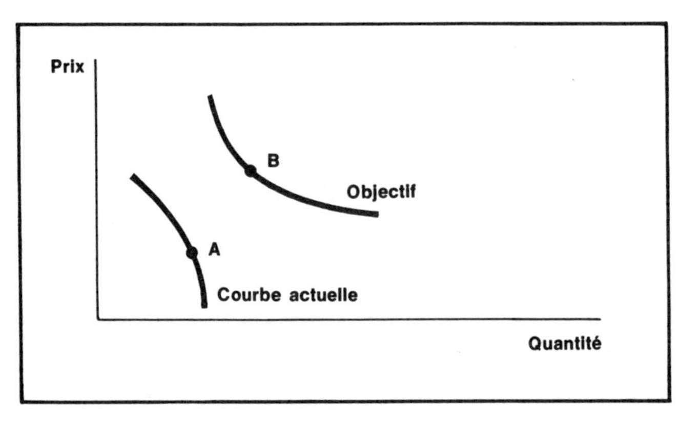

Trois facteurs sont susceptibles de modifier la demande: l'information, la stimulation de la demande et la plus-value.

Fournir l'information

Le matériel de promotion doit fournir des informations quant aux disponibilités des produits, à leurs prix, à leurs caractéristiques et aux endroits où l'on peut se les procurer.

Il ne faut pas sous-estimer la valeur de l'information: elle est probablement la fonction la plus importante de la promotion. Essayons de nous imaginer un monde sans publicité et sans vente personnalisée. Comment pourrait-on alors savoir quels produits sont disponibles et où on peut se les procurer? On perdrait beaucoup de temps à courir d'un magasin à l'autre afin de s'informer. Le coût de cette recherche serait élevé et les résultats décevants. La promotion élimine ces problèmes. En d'autres termes: «Laissez vos doigts économiser vos pas... dans les pages jaunes».

L'un des problèmes majeurs, lors du lancement d'un nouveau produit, est de faire savoir à la clientèle éventuelle les emplacements de vente du produit. Si on y réussit, la demande ne tardera pas à se manifester. Contrairement à l'adage populaire qui veut que si vous inventez une meilleure trappe à souris, tout le monde le saura et viendra frapper à votre porte, sachez que, sans la promotion, les gens ne pourront pas savoir que vous avez amélioré la trappe à souris et encore moins deviner où se trouve votre porte.

Stimuler la demande

Outre les informations à fournir, les activités de promotion peuvent stimuler la demande pour un produit. Les maîtresses de maison, tout en sachant qu'il existe des lave-vaisselle automatiques, peuvent ne pas être convaincues de leur utilité. Une campagne publicitaire bien conçue peut leur apprendre comment un lave-vaisselle automatique leur facilitera la vie. Certains fabricants prennent pour acquis que les acheteurs peuvent facilement comprendre les avantages éventuels d'un produit, mais ils sont loin de la vérité. Comment l'acheteur connaîtrait-il les avantages d'un tourne-disque stéréophonique comparé à un tourne-disque ordinaire, si la promotion de vente ne leur en avait pas indiqué les différences.

Comment et par quels moyens la télévision contribue-t-elle à améliorer notre niveau de vie?

Des campagnes de promotion intelligemment menées ont contribué en grande partie au succès de certains produits. Il y a une vingtaine d'années, la compagnie International Mineral & Chemical lançait sur le marché un produit chimique à grand renfort de promotion. Ce produit, le glutamate monosodique (Accent), s'utilisait dans la préparation des aliments. Le succès de ce produit a frustré de nombreux compétiteurs qui disaient volontiers: «Tout ce qu'il a, c'est un nom». Mais si vous avez un nom, votre produit peut être aussi bon que n'importe quel autre, surtout s'il fait l'objet d'une intelligente promotion. Dans le cas du produit Accent, les résultats ont été nettement avantageux.

La plus-value

La promotion de vente peut ajouter à la valeur d'un produit en fournissant à l'acheteur un service additionnel. En créant par exemple l'image d'une marque qui, à elle seule, peut représenter une valeur considérable pour l'acheteur. Il est peu probable que la Cadillac jouirait de son prestige actuel sans l'appui d'une excellente campagne de publicité. On a imposé l'idée que la Cadillac est le symbole du succès financier et que l'homme qui a réussi se doit d'en posséder une. Sans cette campagne de publicité, le propriétaire d'une Cadillac n'aurait pas autant de satisfaction à conduire sa voiture: comment reconnaitrait-on en sa Cadillac le symbole de sa réussite sociale? La Cadillac, sans aucun doute, a une plus grande valeur aux yeux de l'acheteur à cause de la publicité.

Pourquoi tant de consommateurs préfèrent-ils un produit bien servi par la publicité?

CHOIX DES MÉTHODES DE PROMOTION ET LEUR USAGE

En premier lieu, il faut déterminer quels outils de vente utiliser parmi ceux qu'offre la promotion. Il est bien rare que deux administrateurs choisissent exactement les mêmes méthodes de promotion. Divers facteurs aident à déterminer le choix des méthodes les plus efficaces. Ils apparaissent au schéma 14.2.

État actuel de la demande

Un facteur clé pour déterminer la nature et l'étendue des activités de promotion à entreprendre est l'état de la demande pour un article. Si l'acheteur estime avoir besoin d'un produit dont il connaît les différentes marques existantes, le produit se trouve alors au stade de la concurrence. Lorsque la demande de base est établie, la tâche de la promotion consiste à diriger le choix des acheteurs vers le produit qui fait l'objet de la promotion: c'est la demande sélective. Comme la ménagère reconnaît l'utilité d'une cuisinière, il n'est pas nécessaire de lui vanter les avantages que procure le fait d'en posséder une. La promotion doit alors se concentrer sur les raisons qui lui feront acheter une marque plutôt qu'une autre.

SCHÉMA 14.2 Facteurs qui influencent le choix des méthodes

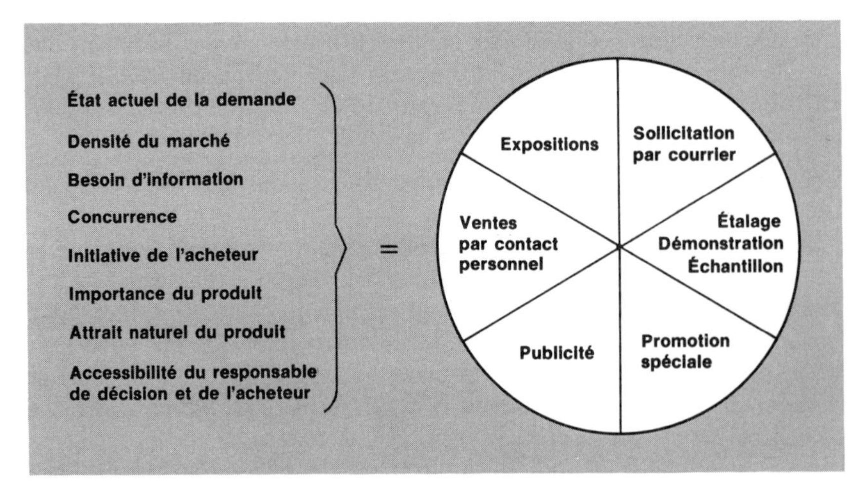

D'autre part, si l'acheteur n'est pas convaincu de la nécessité d'acheter un produit, on doit lui montrer comment ce produit peut apporter une réponse à ses problèmes et ce qu'il pourra en tirer. La promotion en est alors à la première étape, car pour avoir du succès il faut vraiment défricher le marché afin de créer une *demande primaire* plutôt qu'une *demande sélective.* Lorsque la vente des réfrigérateurs débuta, le rôle de la promotion consistait à convaincre les ménagères qu'elles auraient avantage à posséder un réfrigérateur automatique plutôt qu'une glacière. Le fabricant qui avait fait cette promotion de vente se voyait récompensé en retour par le volume des commandes. Il n'y avait pas intérêt à promouvoir une marque plutôt qu'une autre: la demande était alors si faible qu'il n'y avait aucun profit à se lancer dans la concurrence. Bref, il était inutile de chercher à créer une demande sélective sans avoir au préalable établi une demande primaire.

Quels sont les produits actuellement à l'étape de demande primaire?

Pour établir une demande primaire, il faut apprendre aux consommateurs, par le biais de la promotion, l'emploi et les avantages d'un produit. Dans ce but, on compte beaucoup sur la publicité, la vente personnelle, les foires, les expositions et autres moyens spécifiques de promotion. Bien que la publicité joue indiscutablement un rôle primordial de défrichage dans les diverses étapes de la promotion, elle ne peut, par elle-même, faire l'historique d'un produit et accomplir une tâche éducative en profondeur. Il arrive même en période de compétition que la publicité n'ait à jouer qu'un rôle mineur, surtout lorsque l'acheteur n'éprouve pas le besoin de posséder un produit déjà connu. De nombreuses personnes ne croient pas avoir besoin d'une encyclopédie bien qu'il s'en publie d'excellentes depuis de nombreuses années. Les entreprises qui vendent des encyclopédies ont fait la preuve, par expérience, que le meilleur moyen de vendre leur produit est la vente par contact personnel.

Concentration et densité du marché

Il est évident que lorsque le potentiel des acheteurs est groupé sur le plan géographique ou industriel, la promotion s'en trouve facilitée. Pour le fabricant de pièces de foreuses pour puits de pétrole, le marché est bien concentré et se limite à quelques régions géographiques. Il lui est économiquement possible de contacter personnellement la plupart des administrateurs de cette industrie. Sa publicité n'a pas besoin non plus d'être tellement étendue: quelques journaux commerciaux bien choisis suffiront à couvrir tout son marché à peu de frais.

Quels sont les effets de la densité et de la concentration du marché sur les coûts de marketing?

Par ailleurs, le fabricant de gomme à mâcher dont le produit se vend partout dans les restaurants, les pharmacies, les épiceries, les boutiques de variétés, ne peut évidemment pas contacter personnellement ses acheteurs. Son marché est si vaste et si peu concentré que seule la publicité par média de masse peut le rejoindre.

En général, plus un marché est clairement défini et restreint, plus la vente personnelle s'en trouve facilitée et rentable. Il faut ajouter que le rendement de la publicité augmente sensiblement si on peut aisément identifier et délimiter le marché.

Accès à l'acheteur

Les méthodes de promotion varient en fonction des difficultés qui surgissent au moment d'atteindre la personne qui prend la décision d'acheter ou de faire acheter. Un vendeur peut éprouver de la difficulté à rejoindre le président d'une grosse compagnie alors qu'une page de réclame dans les revues Commerce, Financial Post ou Toronto Globe and Mail peut l'atteindre régulièrement. Le courrier direct, les expositions commerciales, les catalogues, la publicité, peuvent rejoindre l'acheteur plus facilement que ne le ferait un vendeur.

Il arrive cependant qu'un vendeur puisse rejoindre un acheteur là où la publicité n'a pas réussi. Prenons l'exemple des compagnies qui vendent des encyclopédies: il leur est difficile d'entrer en contact avec les petits acheteurs par la publicité écrite ou par courrier direct, alors qu'un vendeur trouvera facilement accès auprès d'eux et pourra leur faire une présentation à domicile.

Pourquoi les acheteurs en puissance sont-ils inaccessibles?
Pour quelles raisons se rendent-ils accessibles?

Le vendeur participera avantageusement aux foires et expositions, car c'est dans ces endroits que l'acheteur éventuel est le plus accessible. Les acheteurs de jouets des grands magasins de toute l'Amérique se retrouvent annuellement au mois de mars à New York à la grande foire du jouet. Participer à cette foire permet au fabricant de jouets de contacter plusieurs milliers d'acheteurs importants à peu de frais.

Besoin de preuve

Pour faire bouger les acheteurs, le vendeur doit parfois prouver sans l'ombre d'un doute les avantages d'un produit. La preuve joue un rôle critique dans une vente, mais d'autres facteurs assument des rôles aussi importants: l'exposition, la vente personnelle et la publicité. Un acheteur sceptique se laissera rarement convaincre par la publicité ou par le courrier direct et il exigera une preuve concrète. Le vendeur d'automobiles sait bien que son facteur de vente le plus puissant est le test sur route, car en dépit des millions dépensés pour persuader les clients de la véracité de leurs affirmations à propos de la conduite facile, de l'accélération puissante et de la manoeuvre aisée, un client se laissera convaincre bien plus facilement par un test sur route de dix minutes que par tous les arguments publicitaires.

Il arrive que des consommateurs se laissent convaincre sans recours à la démonstration. Ils tiendront pour vraies, par exemple, les déclarations d'un fabricant de pâte dentifrice dont le produit est censé protéger de la carie dentaire et de la mauvaise haleine. Ce genre d'acheteur se contente des preuves que lui propose la publicité. Toutefois, si l'acheteur demeure sceptique, un échantillon peut servir de preuve. S'il refuse de croire à une caractéristique importante d'un produit, la publicité seule ne parviendra jamais à l'en convaincre. Il lui faudra aussi un essai qui lui permettra de s'en rendre compte. Le contact personnel joue alors un rôle important.

Lorsqu'il faut donner des preuves, comment les annonces télévisées peuvent-elles y suppléer?

De quelles techniques dispose-t-on pour convaincre un acheteur éventuel?

Initiative de l'acheteur

Le genre et le volume de promotion à faire pour un produit dépend en grande partie des initiatives que l'acheteur éventuel prendra pour se le procurer. Certains acheteurs sont prêts à faire un effort pour avoir le produit qu'ils désirent. Un acheteur industriel prendra l'initiative de contacter les fournisseurs disponibles afin d'acquérir au meilleur prix une quantité importante de moteurs électriques.

Si l'acheteur prend l'initiative, alors les catalogues, les expositions commerciales et la publicité peuvent être des instruments efficaces. Dans le cas contraire, le vendeur doit le rencontrer. Combien de gens achètent délibérément de l'assurance-vie? Pratiquement personne! Dans ce genre d'industrie, il faut les convaincre par contact personnel.

L'acheteur prendra rarement l'initiative, sauf lorsqu'il s'agit d'un produit spécifique dont il sait avoir besoin. Et là encore, si une entreprise désire réduire sa promotion, c'est qu'elle monopolise le marché ou alors que son produit est tellement différent que le marché reconnaît sa supériorité. Ce sont des situations que l'on rencontre bien peu souvent. En général, il existe une compétition qui force les distributeurs à solliciter les clients éventuels.

Pourquoi une compagnie qui monopolise un marché, une compagnie d'électricité par exemple, fait-elle de la publicité?

L'attrait naturel de certains produits

Certains produits attirent particulièrement l'attention des acheteurs.Les gens sont attirés par les salles d'expositions des vendeurs d'automobiles. De ce fait, ceux-ci peuvent réduire leur promotion de vente. Le même phénomène se produit pour les constructeurs de maisons qui ont remarqué que les gens acceptent de se déplacer pour visiter une maison modèle unique.

L'importance d'un produit

L'importance que l'achat d'un produit peut avoir pour le consommateur affecte non seulement le volume de promotion à faire pour le vendre mais encore les méthodes de promotion à utiliser. Ce facteur recoupe quelques-uns de ceux que l'on vient d'exposer. Les acheteurs prendront plus d'initiatives pour se procurer des produits qu'ils estiment plus importants que d'autres. L'importance de l'achat rendra également l'acheteur plus accessible au vendeur.

En règle générale, plus un achat est important, plus l'acheteur a besoin d'un contact personnel avec le vendeur. Quand il s'agit d'un achat important, il est rare que l'acheteur se fie seulement aux réclames et aux catalogues: il voudra plutôt une démonstration complète en même temps qu'un service personnel. S'il s'agit d'un achat de moindre valeur, le consommateur peut se fier à la publicité. Pour acheter des patins à roulettes à son fils, un père n'aura pas besoin de démonstration, alors qu'il la jugera essentielle avant l'achat d'une automobile.

LA REPRÉSENTATION OU VENTE PERSONNELLE

Un des chaînons importants de la distribution est le vendeur, personnage dont on parle beaucoup et dont l'importance n'est pas toujours reconnue. Ses facultés d'adaptation font souvent le succès ou la faillite d'une entreprise. Dans presque toutes les situations et à tous les niveaux, l'homme d'affaires a besoin d'un bon vendeur pour atteindre ses objectifs. Le succès personnel de plusieurs individus est basé sur leur habileté à se vendre eux-mêmes en même temps qu'ils vendent leurs produits.

L'art de la vente n'est autre que l'art de la persuasion. Le vendeur doit persuader quelqu'un de faire quelque chose. La vente ou représentation personnelle est à la base de toutes les entreprises. L'homme d'affaires passe sa vie à persuader les autres de faire quelque chose: il persuade le financier d'investir dans son entreprise, ses employés de travailler efficacement, ses fournisseurs de lui fournir ce qu'il désire aux meilleures conditions et enfin, il persuade le marché d'acheter ses produits.

La vente personnelle consiste à contacter personnellement les acheteurs éventuels d'un produit. Ce moyen de promotion est certainement le plus largement utilisé sur le marché canadien. Certaines entreprises font peu ou pas de publicité mais maintiennent un personnel de vente nombreux. D'autres entreprises consacrent des millions à la publicité et dépensent autant, sinon plus, pour la vente personnelle. Procter & Gamble alloue plusieurs millions à ses programmes publicitaires, mais soutient cette publicité par une force de vente de plusieurs milliers de vendeurs répartis dans toute l'Amérique du Nord. Les vendeurs sont en quelque sorte l'infanterie que l'entreprise jette dans la mêlée pour obtenir les commandes et les contrats de service qui souvent les accompagnent.

LES AVANTAGES DE LA VENTE PERSONNELLE

La vente personnelle est une activité d'une ampleur telle qu'elle ne saurait exister sans motifs puissants. Très peu de chefs d'entreprises accepteraient de dépenser de l'argent pour la représentation personnelle s'ils n'étaient déjà convaincus que c'est là le meilleur usage qu'ils peuvent faire de leurs fonds.

Les principaux avantages de la vente personnelle résident dans le fait qu'elle permet de repérer les acheteurs éventuels, d'attirer leur attention et de les intéresser, d'être en mesure de répondre à leurs objections spécifiques, de leur faire une démonstration du produit, de mettre à profit l'aspect des relations sociales, de conclure une vente, de favoriser les communications avec le marché. Le vendeur a aussi la possibilité d'oeuvrer à d'autres tâches que la vente proprement dite.

Repérer les acheteurs éventuels

Le vendeur peut facilement repérer les acheteurs éventuels alors que la publicité et les autres moyens de promotions de vente ne les distinguent pas des autres. On peut comparer la publicité au geste du pêcheur qui jette sa ligne à l'eau avec l'espoir de faire une bonne prise. Au contraire, le vendeur ressemble à un chasseur qui traque sa proie.

La vente personnelle exigera moins d'argent et d'effort pour repérer les acheteurs que la publicité. Elle est plus économique même si le contact fait par le vendeur coûte «per capita» beaucoup plus cher que celui fait par la publicité. La raison en est que le vendeur ne s'adresse qu'à des clients éventuels alors que la publicité s'adresse dans une large mesure à des personnes nullement intéressées.

Obtenir l'attention et intéresser

On doit tout d'abord obtenir l'attention d'une personne et l'intéresser avant de pouvoir communiquer avec elle. Bien que la publicité dispose de nombreux moyens pour capter l'attention et intéresser les acheteurs éventuels, les recherches indiquent que le pourcentage de succès est relativement bas. La meilleure réclame dans une revue ne sera remarquée que par 60% des lecteurs alors que d'autres annonces moins bonnes ne seront lues que par 5% des lecteurs.

Cependant, la présence physique du vendeur et une bonne présentation attirera presque certainement l'attention et retiendra l'intérêt de l'acheteur éventuel: le vendeur saura choisir les arguments susceptibles d'intéresser le client qu'il a devant lui.

Répondre à des objections spécifiques

Le vendeur peut, en choisissant ses arguments de présentation, répondre d'une façon précise aux objections de la personne qu'il veut convaincre. Plus un vendeur pourra adapter son argumentation de vente à la situation particulière du client, plus il lui sera possible d'obtenir une commande.

Démonstration du produit

Lorsqu'un client peut essayer ou même utiliser un produit, il est beaucoup plus facile de le convaincre de ses avantages. Il existe beaucoup d'incrédules à la Saint-Thomas qui doivent voir pour croire.

Créer des relations sociales

Il est difficile de refuser quelque chose à quelqu'un que l'on apprécie. Un bon vendeur entretient des relations sociales avec ses clients, ce qui lui assure un avantage sur la concurrence. Souvent, des entreprises concurrentielles possèdent un produit identique tant par la qualité que par le prix. C'est alors que les relations sociales interviennent et font pencher la balance en faveur d'une entreprise plutôt que d'une autre.

Les consommateurs n'achètent pas toujours le meilleur produit; l'aspect social des relations humaines peut donner lieu à une autre option: le vendeur du meilleur produit peut d'une façon ou d'une autre s'être aliéné l'acheteur éventuel. Le récupérer est alors impossible à moins que le vendeur ou l'acheteur, ou les deux ne soient éventuellement plus les mêmes.

Conclure la vente

Un vendeur peut forcer une commande et conclure une vente immédiatement. Il est difficile de faire bouger les gens avec la publicité bien que certaines réclames, comme les coupons et autres offres spéciales, puissent inciter les acheteurs. Mais ces méthodes sont loin d'être aussi efficaces que la présence physique d'un vendeur qui peut répondre sur le champ aux objections susceptibles de retarder la vente. Finaliser une commande peut être relativement compliqué et il faut parfois prendre la mesure du client ou fournir certaines spécifications supplémentaires.

Assurer la communication

Le vendeur doit assurer le contact entre le fabricant et le marché. Il doit être accessible aux acheteurs, leur fournir des informations et faire des suggestions. Il renseigne le fabricant sur les attitudes observées.

Accomplir des tâches autres que la vente

Le personnel de vente peut effectuer d'autres activités que recueillir les informations sur le crédit des acheteurs; assurer le service de réparation; répondre aux plaintes et faire de la recherche commerciale. Bien qu'il ne faille pas surcharger les vendeurs de tâches susceptibles de les détourner de leur objectif premier, la vente, la compagnie qui maintient un personnel de vente doit compter parmi ses vendeurs des hommes capables d'assurer ces services.

LES DÉSAVANTAGES DE LA VENTE PERSONNELLE

Tous les moyens de promotion des ventes ont leurs limites et la représentation personnelle n'y fait pas exception.

Les coûts

La vente personnelle n'est pas bon marché. Un directeur des ventes, sans risque de trop se tromper, peut évaluer au minimum entre $10 000 et $20 000 par année le salaire et les dépenses d'un bon vendeur, chiffre qui peut monter parfois jusqu'à $50 000. Il faut en conséquence qu'un vendeur puisse vendre un volume suffisant pour justifier son salaire, lequel, autrement, devient exorbitant.

La croissance des coûts qu'implique le maintien d'une force de vente inquiète plusieurs hommes d'affaires. Certaines entreprises industrielles déclarent des dépenses de $30 à $40 par jour par vendeur, alors qu'il y a quelques années seulement ces mêmes entreprises évaluaient ces mêmes dépenses de $15 à $18 par jour. Ces compagnies prennent évidemment des mesures pour réduire les frais de représentation ou de vente. Entre autres, elles déterminent avec beaucoup de soins les dépenses qu'elles peuvent se permettre selon l'importance du client; elles substituent la sollicitation par téléphone à la démarche personnelle; elles incitent l'acheteur à venir au vendeur en exposant tous leurs produits dans une même salle. Toutefois, ces mesures ne renversent pas la vapeur; elles ne font tout au plus que ralentir la hausse des coûts.

Le manque de personnel compétent

Les vendeurs compétents sont rares. Plus encore, le domaine de la vente n'attire pas suffisamment de candidats pour assurer la qualité du personnel de vente dont l'industrie canadienne a besoin.

Pourquoi n'y a-t-il pas davantage d'hommes compétents dans le domaine de la vente?

La pierre angulaire de la stratégie de marketing des grandes entreprises continue cependant d'être le développement d'un personnel de vente exceptionnel. Leur direction des ventes est organisée de façon à pouvoir trouver et engager des hommes dont le potentiel de vente est certain, et que l'on transforme en excellents vendeurs après un entraînement adéquat. Ces compagnies savent pertinemment qu'on ne naît pas vendeur, mais qu'on peut être entraîné à le devenir. Le succès récompense de tels procédés. Les compagnies IBM, NCR, Domtar, Alcan, et Avon en sont la preuve; elles se sont toutes adjoint un personnel de vente supérieur grâce à leurs excellents programmes de formation.

LES FACTEURS QUI DÉTERMINENT LE RÔLE DE LA VENTE PERSONNELLE À L'INTÉRIEUR D'UN PROGRAMME DE PROMOTION

Plusieurs principes guident un directeur des ventes lorsqu'il doit décider de la part de la vente personnelle dans une stratégie de promotion. Bien qu'aucun des facteurs énumérés ci-après ne soit décisif par lui-même, le directeur des ventes peut quand même déterminer l'efficacité probable de la vente personnelle pour tel produit par un examen approfondi. Il pourra décider de s'appuyer uniquement sur la vente personnelle pour des raisons d'ordre stratégique. Alors que la plupart des maisons de cosmétiques comptent sur la publicité, Avon a choisi des vendeuses pour faire le porte à porte, mettant ainsi au point une stratégie de vente qui consiste à prendre les acheteurs là où ils se trouvent. Cette approche lui a permis aussi d'être le chef de file de cette industrie.

Pourquoi Avon emploie-t-il la stratégie de vente du porte à porte?

Moins il y a d'acheteurs éventuels d'un produit, plus il est probable qu'on emploiera la vente personnelle comme principal moyen d'action. C'est une des raisons pour laquelle la vente personnelle est la plus utilisée dans le marketing de produits industriels que dans celui des produits de consommation.

Un facteur important pour déterminer le potentiel économique de la vente personnelle d'un produit est la moyenne générale du volume des commandes.

Lorsque la moyenne générale d'une commande pour un produit n'excède pas $5, il peut être économiquement impossible pour un vendeur de faire de bonnes affaires, alors que cela lui serait possible si cette moyenne générale s'élevait à $500. La moyenne générale d'une commande s'établit en fonction des données suivantes: prix unitaire, quantités achetées et nombre de produits en vente.

Les entreprises de transformation du bois utilisent de nombreux agents pour vendre leur production. Les grosses entreprises qui offrent un large éventail de produits peuvent maintenir un personnel de vente efficace et bénéficient d'avantages substantiels sur leurs compétiteurs moins importants. Ces entreprises ont des vendeurs itinérants et qui, dans le cadre de vastes programmes de ventes, proposent aux clients toutes sortes d'articles de bois et de contre-plaqué, ainsi que des portes et des cloisons. Cette pratique permet non seulement de vendre plus de marchandises, mais encore d'offrir de meilleurs prix.

Lorsqu'il faut faire la démonstration d'un article pour convaincre l'acheteur de sa valeur, la vente personnelle devient alors presque obligatoire. Toutefois, si l'on croit possible de convaincre l'acheteur éventuel sans démonstration, sur la foi des déclarations du producteur, dans ce cas la publicité et les autres moyens de vente peuvent suffire.

Le client est parfois réticent à acheter certains produits. Un acheteur acceptera volontiers de se procurer un aspirateur électrique bon marché mais il faudra recourir à la vente personnelle pour le convaincre d'acheter un même produit de qualité supérieure.

Dans plusieurs cas, il n'est pas facile de démontrer la qualité d'un produit. Un vendeur habile saura prouver à son client pourquoi il a besoin d'un produit de qualité supérieure et pourquoi il doit payer pour cette qualité. L'acheteur a souvent du mal à discerner les qualités d'un produit; seul un vendeur pourra attirer son attention sur ces caractéristiques.

Dans le cas de vente d'équipement technique, le technicien qui fait la vente devra au préalable travailler avec acharnement pour formuler une proposition de vente intéressante. Comme certains produits sont faits sur mesure, il faut, avant de les mettre en vente, établir les spécifications, étudier les prix et résoudre les problèmes techniques. Il arrive qu'un vendeur de machines-outils doive refaire les plans d'aménagement de l'usine. Ce sont là des tâches que la publicité ne peut pas accomplir: c'est le travail d'un vendeur.

Souvent le travail du vendeur ne commence qu'au moment où il reçoit la commande. Son nouveau client réclame de nombreux services. Le vendeur d'ordinateurs IBM, par exemple, doit veiller de très près sur certains de ses clients pour s'assurer qu'ils reçoivent les services dont ils ont besoin.

LA PUBLICITÉ

De tous les domaines se rattachant au marketing, la publicité est celui qui attire le plus l'attention et l'intérêt. On constate malheureusement que beaucoup de gens confondent marketing et publicité. En fait la publicité n'est qu'un outil, efficace en certains cas, du marketing. Il n'en reste pas moins que le prestige de la publicité existe et qu'il continuera d'éblouir beaucoup de consommateurs.

La publicité est une forme payée de présentation ou de promotion d'idées, de marchandises, de services par un commanditaire identifié. Par opposition, la propagande peut être gratuite ou payée, mais son commanditaire demeure toujours inconnu.

La publicité dispose d'un éventail de moyens: revues, journaux, réclames télévisées et radiodiffusées, panneaux-réclames extérieurs, service de promotion directe par courrier, répertoires-catalogues, vitrines sur les lieux de ventes, panneaux-réclames sur et à l'intérieur des véhicules publics, prospectus, écritures dans le ciel, enseignes commerciales...

Objectifs d'une campagne publicitaire

Une campagne publicitaire doit se proposer un ou plusieurs objectifs. Ce n'est qu'en comparant les résultats avec les objectifs de base que l'efficacité d'une campagne de publicité peut être évaluée.

RECONNAISSANCE ET ACCEPTATION DE LA MARQUE Établir et imposer sur le marché une marque de commerce exige un certain effort de publicité. Le commanditaire veut que le public apprenne l'existence de son produit, qu'il le reconnaisse, qu'il l'accepte, et qu'éventuellement, il le préfère aux autres. On peut considérer en fait que ces objectifs font toujours partie de toutes les campagnes de publicité. De nombreuses campagnes de publicité menées pour des produits industriels ne se proposent généralement que d'obtenir droit de cité pour ce produit.

ACHAT D'ESSAI Certaines campagnes publicitaires ont pour but de convaincre les acheteurs d'essayer le produit. Les théoriciens de cette pratique estiment que si l'acheteur essaie le produit, celui-ci se vendra tout seul et on aura ainsi acquis un client fidèle. C'est l'objectif de base de plusieurs campagnes de publicité pour de nouveaux produits alimentaires, grâce à la vente spéciale, et aux coupons-primes qui encouragent la clientèle à essayer le nouveau produit.

INFLUENCER LA CLIENTÈLE SUR LE LIEU D'ACHAT Certaines campagnes publicitaires proposent un message à l'acheteur éventuel à l'endroit même où ce dernier décidera de son achat. Le propriétaire d'un motel essaiera d'installer son panneau-réclame à la vue du voyageur au moment où celui-ci décidera de s'arrêter

pour la nuit. Un réparateur de télévisions s'efforcera de placer sa publicité à l'endroit où celui qui aura besoin de faire réparer son appareil le remarquera le mieux.
VALEURS ADDITIONNELLES Plusieurs commanditaires s'efforcent de donner à leur marque de commerce des valeurs additionnelles. Grâce à une publicité intelligente, ils espèrent communiquer aux consommateurs une image appropriée de leur produit dans le but d'obtenir un meilleur prix tout en le rendant plus intéressant pour leur clientèle. La démonstration, par la publicité, des usages non évidents d'un produit peut aussi ajouter à sa valeur.
AIDE À LA VENTE PERSONNELLE Un des objectifs possibles des campagnes publicitaires consiste à préparer le terrain au vendeur afin de rendre son travail plus facile et plus efficace. Lorsqu'un client éventuel reconnaît le nom de la compagnie que représente le vendeur, il est en général plus disposé à écouter ce dernier.

Les campagnes de publicité des cosmétiques Avon ne sont pas uniquement conçues pour faire connaître et accepter les produits mais encore pour ouvrir les portes aux vendeuses à domicile.

Le vendeur convaincra plus facilement un détaillant de garder ses produits en magasin s'il dispose parallèlement comme outil de vente d'une campagne de publicité auprès du consommateur.
ÉTABLIR UN RÉSEAU DE DISTRIBUTION Les compagnies qui ne disposent pas de moyens de distribution utilisent fréquemment la publicité pour obtenir des vendeurs et des distributeurs.

Un industriel raconte comment son entreprise a pu introduire une nouvelle balayeuse électrique sur le marché grâce à deux pages de publicité dans le magazine Life. Le but apparent de cette annonce était de créer une demande, demande d'autant plus difficile à combler qu'à ce moment-là, l'entreprise n'avait encore établi aucun réseau de distribution. La stratégie de base consistait à inciter les dépositaires et grossistes à venir lui demander la distribution. Il ne voulait pas leur proposer de prendre son produit, bien au contraire, il désirait qu'ils le demandent eux-même. Les conditions de discussion différaient sensiblement dans l'un et l'autre cas. Il a pu ainsi choisir ses grossistes et dépositaires plutôt que de se contenter de ce qu'il aurait pu trouver lui-même. Ce fut un succès.
VENDRE DES MARCHANDISES - PRENDRE DES COMMANDES Une certaine publicité sollicite une commande; elle essaie de provoquer un achat immédiat. Une lettre publicitaire peut demander au destinataire de commander le produit par retour du courrier. Une publicité d'achat postal dans une revue peut proposer au lecteur de commander cet article. Un panneau-réclame peut inviter l'automobiliste à s'arrêter pour acheter; une vitrine peut attirer l'acheteur à l'intérieur d'un magasin et lui faire acheter ce qui y est exposé.

De nombreuses autres réclames invitent l'acheteur à une action directe «Allez chez le dépositaire le plus proche de chez vous dès demain» ou «Achetez maintenant! Prix au plus bas». Des acheteurs se laisseront séduire par des coupons-primes ou encore par une offre spéciale valable pour un temps limité.

Les détaillants recherchent particulièrement par leur publicité une action directe. Ils mettent en vedette des articles spécifiques qu'ils veulent vendre. Parfois un prix spécial servira d'appât; dans d'autres cas, des marchandises spéciales aux caractéristiques uniques ou des produits saisonniers seront mis en vedette.
CRÉER L'IMAGE DE MARQUE ! PUBLICITÉ INSTITUTIONNELLE De très grandes entreprises allouent annuellement des millions de dollars à un budget

publicitaire dont le but consiste à développer chez le public l'idée que ces entreprises agissent en citoyen responsable au sein de la communauté des affaires.

Des entreprises à produits multiples choisissent de faire des campagnes publicitaires en des termes généraux et essaient de créer une certaine image de leur compagnie. La General Electric désire passer pour une entreprise d'avant-garde. L'Hydro-Québec veut que l'on s'identifie (hydroquébécois) à elle. Ford est une compagnie qui a des idées. Avec Air Canada, on y va. Vous êtes entre bonnes mains chez Allstate. Vous n'empruntez pas inutilement chez HFC. Ce genre de campagnes vise à créer dans l'esprit du public une image soigneusement choisie par le commanditaire. Ces programmes peuvent bien réussir s'ils sont poursuivis avec patience, habileté, et si l'on dispose de suffisamment d'argent.

AUGMENTER L'USAGE D'UN PRODUIT Certains programmes de publicité tendent à augmenter l'emploi d'une certaine marque en suggérant un usage ou un remplacement plus fréquent, en proposant une augmentation du volume d'achat, en multipliant ses usages ou en rallongeant la saison des achats pour ce produit. Il s'agit peut-être là d'une meilleure tactique pour augmenter les ventes, qui plafonnent à un certain niveau, que d'essayer de convaincre les consommateurs d'en augmenter l'utilisation. Il doit être plus facile après tout de convaincre quelqu'un qui achète déjà un produit d'en acheter davantage que d'essayer de le vendre à un nouvel acheteur qui jusqu'à présent refuse de faire confiance à cette marque. Coca-Cola a mis en vedette dans une annonce publicitaire la bouteille de 16 onces, Coca-Cola veut donc vendre plus de Coke! Firestone lance quatre pneus pour le prix de trois. Firestone veut vendre plus de pneus.

MARCHÉ-CIBLE Parfois la direction d'une entreprise estime qu'elle ne fait pas suffisamment d'affaires et ne possède pas une part suffisante d'un marché. Elle décide alors que ce marché devient une cible pour ses efforts. Elle canalise alors plus d'argent dans cette région géographique, ce segment démographique ou ce groupe qui l'intéresse particulièrement.

ÉDUCATION Un programme publicitaire peut être destiné à éduquer le public. La Société Canadienne des maladies du coeur essaie d'enseigner au public les dangers de l'embonpoint et du manque d'exercice physique. Ce genre de programme ne peut atteindre son but sans qu'on y consacre beaucoup de temps, d'efforts et d'argent.

Média de publicité

Chacun des média de publicité a des caractéristiques et des limitations propres. Il faut bien les comprendre pour mettre au point une campagne efficace. Les média de publicité sont les canaux par lesquels la publicité répand son message. S'ils ne sont pas adéquatement choisis, le message risque de ne pas rejoindre la personne que l'on désire atteindre ou de la rejoindre de manière non efficace.

LES JOURNAUX Les journaux sont les plus grands média de publicité. Leur distribution est considérable: il n'existe pas de ville ou de village qui ne reçoive des journaux. En utilisant les journaux pour sa publicité, un commanditaire peut facilement choisir les marchés qu'il veut rejoindre. Il peut lancer une campagne dans une ville par exemple. Comme les journaux sont quotidiens ou hebdomadaires, le commanditaire peut rapidement profiter des événements locaux et commander sa publicité à court délai. Le coût de la publicité dans les journaux est minime.

Les journaux ont toutefois leurs désavantages. Premièrement, il n'y a pas de sélectivité dans leur circulation: ils vont aussi bien aux riches qu'aux pauvres. Si l'achat d'un produit ne s'adresse pas à une grande partie de la population, un contact avec les acheteurs éventuels peut revenir très cher. Deuxièmement, la compétition acharnée à laquelle se livrent les commanditaires pour retenir l'attention des lecteurs risque de noyer une réclame. À moins de pouvoir s'offrir une annonce suffisamment grande, par exemple une page entière, le message peut se perdre dans la masse des informations. En troisième lieu, la technique d'impression des journaux limite les possibilités de reproduction et de couleur des images. Enfin, quatrièmement, la vie d'un journal est courte, quelques heures à peine. Le lecteur ne prend son journal en main qu'une seule fois, et le parcourt rapidement. Si l'annonce ne l'a pas frappé à cette lecture, elle est perdue pour toujours.

La publicité dans les journaux se limite habituellement aux nouvelles importantes qu'une compagnie déjà bien établie sur le marché veut faire parvenir à ses usagers au sujet d'un produit. Les journaux ne sont pas indiqués pour créer la demande primaire ou pour mettre en valeur l'image du produit. Les détaillants utilisent considérablement les journaux parce que la majorité de leur promotion convient à la nouvelle annonce des prix spéciaux et parce que les journaux couvrent parfaitement leur marché.

LES REVUES Il existe deux genres de revues: revues pour consommateurs et revues commerciales. Il y a littéralement une revue pour chaque groupe d'intérêt à travers le pays. Il y a des revues pour ceux qui s'intéressent au jardinage, à la radio, aux voitures sport, aux maisons, etc. De même, il existe autant de revues commerciales que de domaines commerciaux ou d'occupations imaginables. Les revues peuvent donc être très efficaces pour vendre à certains groupes d'intérêt spécifique, certains commerces ou certaines professions. Un fabricant d'accessoires de ski dispose d'un choix de revues spécialisées dans ce domaine particulier. Si les journaux permettent d'être sélectif à l'égard des régions géographiques, les revues le sont souvent beaucoup dans le choix des segments de marchés comme les professions, les races, les religions, les intérêts particuliers. Les annonces sont généralement plus chères dans les revues que dans les journaux, mais leur coût, par acheteur éventuel rejoint, est probablement moindre.

Un autre avantage des revues sur les journaux consiste en leur vie beaucoup plus longue par rapport au rythme de leur parution. Il n'est pas rare que les réclames dans les revues reçoivent des réponses après plus d'un an. Ajoutons que les lecteurs lisent leurs revues habituellement plus d'une fois. Des études ont prouvé que le *Sélection*, par exemple, est lu et relu approximativement treize fois par la même personne. Une annonce placée dans une revue attire l'attention plusieurs fois et de façon différente, ce qui réduit son coût par contact avec un acheteur éventuel. Plusieurs revues, en outre, servent de catalogues aux consommateurs.

Certaines ont acquis une telle réputation auprès de leurs lecteurs que tout produit annoncé dans leurs pages jouit d'une grande crédibilité. Le sceau d'approbation de la revue *Consumer Reports* aide certainement les ventes.

LA TÉLÉVISION En 20 ans, la télévision, partie de zéro, a tellement grandi qu'elle défie maintenant les journaux et qu'elle occupe la première place parmi les média de publicité sur le plan national. Les raisons de cette croissance ne sont guère difficiles à comprendre.

Tout d'abord, la télévision peut créer de nouvelles façons de vendre des produits. Ce média se prête à des moyens techniques qui ne sont pas accessibles aux autres. C'est ainsi qu'on peut montrer à la télévision une vente personnelle. De plus, elle se prête à la démonstration du produit. Aux avantages du son, la télévision ajoute ceux de l'image. En tant qu'outil de vente, la télévision prime sur tous les autres média de publicité.

La télévision rejoint une audience qui n'a pas d'égale dans l'histoire de l'humanité. Il n'existe pas de média de publicité capable de toucher continuellement autant de personnes à la fois que la télévision.

Des études montrent que le télespectateur regarde en moyenne la télévision de 4 à 5 heures par jour et que 90% des gens sont propriétaires d'un téléviseur. Dans notre ère de commercialisation de masse, la télévision est le médium par excellence.

La télévision permet une sélection géographique. Bien qu'elle n'offre pas une sélection sociale, le commanditaire peut atteindre son propre marché par le genre de programme qu'il choisit. S'il veut solliciter des clients à revenu élevé, il choisira une émission suivie en majorité par des consommateurs aux revenus supérieurs. Bien que le coût de la réclame télévisée par acheteur éventuel soit relativement bas, il n'en reste pas moins que les sommes totales impliquées sont substantielles. Il faut plusieurs milliers de dollars pour impressionner un tant soit peu le marché. Certaines compagnies ont dépensé jusqu'à un quart de million de dollars pour une seule annonce dans un programme important.

Les messages télévisés sont malheureusement instantanés. Leur vie ne s'étire pas comme celle des messages imprimés. Dans certains cas, le téléspectateur ne reverra pas le message qu'il a raté au cours d'une émission. Le téléspectateur qui regarde le message télévisé ne peut pas y revenir plus tard pour l'examiner et l'étudier à loisir.

LA RADIO Tout comme les journaux et la télévision, la radio offre une grande flexibilité du point de vue géographique. Elle est dépourvue du charme visuel de la télévision et des média imprimés. Les psychologues ont clairement prouvé que l'oeil impressionne davantage le cerveau que ne le fait l'oreille; les gens se rappellent bien mieux ce qu'ils ont vu que ce qu'ils ont entendu. La radio offre cependant des avantages réels de flexibilité en ce qui concerne les horaires. On peut faire des réclames à la radio presque immédiatement, ce qui permet de bénéficier des conditions particulières de température par exemple ou de tirer profit d'événements courants.

Le plus gros désavantage de la radio et de la télévision, c'est qu'une fois le message passé, il l'est pour toujours. Si l'auditeur laisse passer le premier message, il faudra en acheter un autre à son intention. C'est pourquoi la répétition fréquente devient beaucoup plus importante dans les média temporels que dans les média spatiaux.

LE COURRIER La publicité par courrier offre plusieurs avantages. Tout d'abord, et contrairement aux autres média, il y a moins de concurrence pour attirer l'attention du lecteur. Une annonce dans un journal ou dans une revue peut avoir à concurrencer des centaines d'autres annonces analogues pour obtenir l'attention du lecteur, alors qu'une personne ne reçoit pas plus de quelques annonces à la fois par le courrier.

Un historique plus long et plus élaboré peut faire l'objet d'une annonce par courrier, ce qui n'est pas possible dans les autres média imprimés.

Finalement, en choisissant judicieusement les listes de destinataires pour l'envoi d'annonces par la poste, on réduit la circulation inutile et on ne s'adresse qu'aux acheteurs éventuels, ce qui réduit d'autant le coût «per capita» pour ces utilisateurs en puissance.

La publicité par courrier souffre énormément de l'inertie du destinataire. À moins qu'elle ne soit suffisamment bien présentée, l'annonce risque fort d'aller finir ses jours dans la corbeille à papier sans même avoir été examinée. La gestion des opérations de publicité par courrier postal est une spécialité en elle-même. Elle requiert le contrôle constant des changements qui déterminent son efficacité: il peut s'agir du type d'affranchissement, du choix entre une carte postale et une lettre, d'une enveloppe, du papier, des offres, des impressions sur les enveloppes, du nombre de pièces annexées, du genre d'appels, du jour d'expédition, des listes de noms, de la période de l'année et de la longueur de la lettre.

Évaluez les panneaux-réclames, les catalogues et l'écriture dans le ciel en tant que média de publicité.

PRINCIPES D'UNE PUBLICITÉ EFFICACE

Les principes d'une publicité efficace peuvent se résumer en une seule phrase: «Choisir le bon medium, s'adresser à la bonne personne, avec le bon message, au bon moment».

C'est dans la mesure où une campagne de publicité répondra à toutes ces questions que l'on déterminera son efficacité. Il y a toutefois d'autres facteurs qui entrent en jeu.

Importance de l'information

Le facteur le plus important pour déterminer l'efficacité d'une campagne de publicité est celui des affirmations qu'elle véhicule. La plupart des réclames expriment une ou plusieurs caractéristiques du produit. Si ces affirmations ne sont pas importantes pour le lecteur, la campagne ne sera pas efficace. Lorsqu'un acheteur cherche des pneus qui lui assurent sécurité et protection contre les crevaisons, il ne fera guère attention aux annonces qui parlent seulement des bas prix. C'est la même chose quand une annonce parle de la qualité, alors que l'acheteur s'intéresse au prix.

Si le message correspond à un besoin précis, il sera efficace. Pouvez-vous penser un seul instant que la compagnie Mazola lorsqu'elle annonce «Comment perdre du poids en mangeant plus souvent» n'attirera pas l'attention de tous les lecteurs qui souffrent d'embonpoint et qui veulent entreprendre quelque chose à ce sujet? Croyez-vous que l'annonce HFC «Un prêt consolidation des dettes» n'intéressera pas l'individu qui doit plusieurs montants à droite et à gauche et qui ne sait plus où donner de la tête?

La publicité qui s'adresse aux industriels a tendance à employer des formules publicitaires plus marquantes que celles utilisées pour les produits de consommation. La publicité industrielle met souvent en vedette les économies en dollars que réaliseront les utilisateurs des produits. Un des directeurs d'une agence de publicité de premier plan a écrit un livre dans lequel il porte aux nues les vertus de la proposition unique de vente. Son agence soutient que chaque annonce doit proposer au client un seul article, mais de façon tellement suggestive qu'elle l'attirera au magasin pour acheter. L'important, c'est la «proposition unique de vente» et le programme souligne l'opportunité d'insister sur cette affirmation et de la répéter sans cesse.

Crédibilité

Une réclame doit être vraisemblable. Il importe peu de faire d'importantes affirmations si celles-ci ne sont pas faites de façon à ce que le lecteur puisse les croire. Il y a plusieurs façons d'établir la crédibilité d'une annonce. Certaines réclames veulent prouver leurs affirmations au moyen de résultats d'analyses de laboratoire ou d'épreuves sur le terrain alors que d'autres se réfèrent à des témoignages d'utilisateurs de leur produit. Souvent, on offre des garanties pour augmenter la crédibilité des affirmations. Peu importe la technique employée, il faut toujours veiller à ce que rien d'incroyable ne se glisse dans le message. Si l'on doit faire des affirmations inusitées, il devient impératif de les soutenir par les preuves appropriées.

Dans le domaine des réclames industrielles, les annonces rapportant des cas d'installations réussies et de clients satisfaits ont souvent contribué à accroître la crédibilité.

D'autres techniques plus simples emploient des images photographiées ou des diagrammes qui augmentent le degré de crédibilité.

Il peut être intéressant de constater que le médium choisi pour transmettre le message peut contribuer à la crédibilité. Certaines revues comme MacClean et Sélection ont prouvé que les messages transmis dans leurs pages sont plus susceptibles d'être crus des lecteurs que les mêmes messages publiés dans des revues de moindre importance.

Unicité

Une annonce unique a plus de chances de succès. L'unicité attire l'attention, sans laquelle la plupart des réclames ne peuvent pas être efficaces. Une annonce banale, sans imagination, est inefficace parce qu'elle n'intéresse pas assez de lecteurs.

Il ne faut cependant pas dépendre entièrement de l'annonce unique: ce serait une erreur. Une fois que l'on a obtenu l'attention, les affirmations doivent être importantes et vraisemblables.

Les réclames qui se proposent principalement la reconnaissance d'une marque de commerce et son acceptation plutôt que d'arriver à convaincre le client ou à vendre un produit, tendent à se reposer sur la présentation pour attirer l'attention. Une soirée passée devant votre téléviseur à surveiller les annonces commerciales vous apprendra à distinguer les différentes techniques employées pour retenir l'attention et l'intérêt des spectateurs. Des couleurs insolites et des dispositions typographiques particulières s'emploient fréquemment pour obtenir un effet unique dans les média imprimés.

Impression

Si une annonce réussit à impressionner le lecteur, elle sera beaucoup plus efficace qu'une autre. Certaines annonces sont tellement supérieures ou font des affirmations telles que le lecteur demeure très impressionné par le message. Malgré le fait que tant de gens détestent les annonces commerciales télévisées au sujet des médicaments contre les maux de tête, il n'en demeure pas moins que ces annonces font une impression durable sur l'auditoire. Un administrateur d'entreprise disait: «Je m'inquiète peu que le public aime ou n'aime pas nos annonces: l'essentiel, c'est qu'il les remarque et s'en souvienne». Cette philosophie laisse la porte ouverte aux questions, mais elle n'en est pas moins très répandue dans certains milieux.

PROBLÈMES COURANTS

Comme la publicité forme le segment visible du programme de marketing d'une entreprise, elle devient le facteur le mieux perçu du grand public. Il est vrai que le public est quotidiennement bombardé de milliers de messages l'incitant à acheter ceci ou cela. Il n'est pas étonnant de constater qu'une activité aussi prédominante reçoive plus que sa part de critiques. Si la publicité en fait tellement l'objet, c'est à juste titre.

Vérité

Même le plus scrupuleux des directeurs de marketing doit avouer que trop de campagnes publicitaires laissent à désirer au point de vue de la vérité. Un bref coup d'oeil à des procès intentés contre certaines entreprises pour publicité trompeuse nous permet de constater la nature et l'étendue de cette pratique dans le milieu nord-américain des affaires. Pour malheureux que soit ce procédé, il n'en est pas moins un mal qui existe et qui doit être combattu par des consommateurs vigilants et une réglementation gouvernementale sévère.

Alors que certaines entreprises mentent ouvertement à leurs clients au sujet de leurs produits ou de leurs prix, d'autres les trompent à l'aide de messages habilement verbalisés, spécialement étudiés dans ce but. On doit se défendre contre ce genre d'agissements. Les hommes d'affaires responsables, soucieux de protéger la liberté de notre système, devraient faire tout ce qui est en leur pouvoir pour démasquer les auteurs de ces méprisables procédés et permettre de les poursuivre vigoureusement. La publicité trompeuse est inexcusable. Illégale, elle est également un indice de mauvaise politique. De grandes entreprises qui ont réussi depuis longtemps dans les affaires jugent ces procédés aussi bas que peu profitables à long terme.

Puissance

De nombreux critiques du monde des affaires dénoncent la puissance de la publicité. Ces critiques peuvent laisser croire que, si on investit suffisamment d'argent dans la publicité, on peut vendre n'importe quel produit, même de la pacotille, et que la publicité n'est que de la poudre aux yeux!

N'importe quel spécialiste en publicité doté d'un tant soit peu d'expérience peut prouver la faiblesse relative de la publicité dans l'agencement des affaires. On a prouvé des milliers de fois que les campagnes de publicité massive ne peuvent arriver à vendre des produits défectueux, pas plus d'ailleurs que réussir à vendre de bons produits si le réseau de distribution est mauvais ou la politique des prix erronée. Si la publicité avait la puissance que certaines personnes lui prêtent, la voiture Edsel serait encore sur nos routes aujourd'hui. Cette voiture a bénéficié de la plus grande et de la plus massive des campagnes de publicité, sans succès d'ailleurs, parce que la politique de marketing et le produit lui-même étaient défectueux.

Plusieurs agences de publicité n'acceptent pas de prendre en main la publicité des produits avant de s'être assurées que tous les autres aspects du marketing sont judicieusement établis et que le produit est valable. La publicité ne fait pas de miracle. Même dans les meilleurs conditions, il faut beaucoup de temps et d'argent pour obtenir le moindre succès. Il est vrai que des compagnies ont connu des succès extraordinaires après avoir introduit sur le marché, au moyen d'une grande campagne de publicité, un produit unique en son genre qui a connu un succès immédiat. Mais ce ne sont là que des cas particuliers et de bien rares exceptions sur lesquels on ne peut se baser en étudiant un programme de marketing. Prendre une gageure de ce genre dans l'attente d'un miracle équivaut à prendre un raccourci vers la misère.

Coûts

L'un des problèmes actuels les plus importants est la croissance des coûts de la publicité, laquelle est due à l'inflation et à l'importance grandissante de la télévision dans une campagne de publicité. Le nombre de téléspectateurs a beaucoup augmenté et le coût des productions télévisées a fait un bond phénoménal. En conséquence, le coût de la publicité à la télévision est devenu inabordable et il n'y a plus que les très grosses entreprises qui peuvent se le permettre. Les entreprises moyennes qui engageraient leurs liquidités dans de telles campagnes publicitaires risquent la faillite s'il n'en résulte pas une augmentation du chiffre d'affaires capable de supporter ces coûts.

Il existe beaucoup d'idées fausses sur l'impact des dépenses de publicité sur le profit. Plusieurs entrepreneurs considèrent que ces dépenses, tout comme les autres, doivent être réduites au minimum. Pourtant, un programme promotionnel bien conçu peut, s'il est efficace, augmenter la recette brute au-delà de son coût. C'est pourquoi on ne doit pas considérer les dépenses de promotion au même titre que les autres.

PUBLICITÉ INDIRECTE

Le rôle de la publicité indirecte ne doit jamais être sous-estimé. Elle est souvent plus efficace que la vente personnelle et la publicité directe. En fait, le succès de certains produits s'est fait uniquement à partir d'une publicité indirecte. Le succès du «Hula Hoop» a été foudroyant après que la photo de Art Linkletter, un de ses propriétaires, et son Hula Hoop eut fait l'objet d'un article dans Life.

L'idée générale de la publicité indirecte, est de faire percevoir au public l'existence d'un produit dans un contexte favorable. Les fabricants de bâtons de golf sont persuadés que si les meilleurs professionnels utilisent leurs produits au su du public, l'image déteindra sur l'amateur qui voudra les imiter: «Si Jack Nicklaus se sert des bâtons Wilson, je pense que je devrais m'en servir aussi».

La frontière entre la publicité directe et indirecte est pour le moins assez vague parce qu'incontestablement la publicité indirecte coûte de l'argent. Ce genre de publicité n'est pas gratuit. La différence entre la publicité directe et indirecte réside dans le fait que, pour la première, on achète ouvertement du temps ou de l'espace dans un médium alors que pour la seconde on engage des dépenses subsidiaires qui consistent généralement en paiements sous différentes formes faits à des personnes connues.

la production

La production est un monde insoupçonné! C'est un réseau d'entreprises, de fournisseurs, de travailleurs qui fabriquent les biens que vous consommez: ameublements, automobiles, appareils ménagers, vêtements, etc.
Un bon plan de marketing ne tient pas si la fonction production ne suffit pas à fabriquer les biens demandés.
Production et marketing vont de pair, ils sont le coeur d'une entreprise.

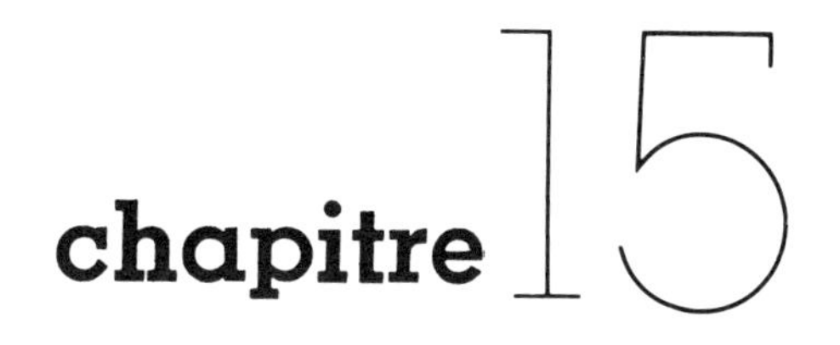

création d'un produit

Pourquoi ces merveilleuses applications de la science, qui économisent le travail et facilitent la vie, nous apportent-elles si peu de bonheur? La réponse est bien simple: c'est parce que nous n'avons pas encore appris à en faire un usage raisonnable.

Albert Einstein

Il est facile de dire que la création d'un produit n'exige que de la recherche dont le résultat, développé, aboutira à la fabrication. La production d'un bien est un processus plus complexe dont nous étudierons les étapes.

RECHERCHE ET DÉVELOPPEMENT

C'est surtout par le souci de la recherche que l'on peut caractériser les récentes décennies de notre système économique et social. En 1928, les États-Unis consacraient $100 millions à ce domaine. En 1953, ce montant s'élevait à $5 milliards pour atteindre le chiffre astronomique de $16 milliards, soit 3% du produit national brut, dix ans plus tard. On effectue ces dépenses volontairement: il a été amplement prouvé que les investissements en recherches sont rentables. À regarder autour de soi, l'on constate que presque tout est né de la recherche. Les fibres synthétiques qui nous habillent, le plastique dont tant de produits sont fabriqués, les véhicules qui transportent les passagers, les cargos n'en sont que quelques infimes exemples. Sans la recherche, nous vivrions encore dans une société agraire, luttant pour la survie, guettés par les maladies et les infirmités.

GENRES DE RECHERCHES

La rubrique générale des *recherches* groupe diverses activités. Dans l'industrie nord-américaine, par exemple, beaucoup de *recherches* ne sont que des travaux de développement.

Quelle est la différence entre *travail de recherche* et *travail de développement*?

Recherche pure

La recherche pure s'ingénie à découvrir des lois ou à trouver des solutions à des problèmes sans aucune implication économique ou commerciale. Un chimiste curieux des réactions d'un élément dans un environnement peut l'étudier en soi sans envisager l'éventualité de l'application pratique de ses découvertes. À vrai dire, son travail pourrait n'avoir aucune application pratique, mais un autre chercheur, ailleurs, pourrait en utiliser les résultats, les combiner avec les siens et en tirer quelque chose d'utile. Telle est la nature de la recherche pure, base de toutes les autres.

Recherches appliquées

À l'opposé, la recherche appliquée vise le concret. Elle entend résoudre des problèmes pratiques ou économiques. Il est évident qu'elle est beaucoup plus terre à terre que la recherche pure, car il est difficile de financer des recherches qui ne se concentrent pas sur la solution d'un problème pratique.

RECHERCHE SUR LE PRODUIT L'industrie consacre la majeure partie des dépenses de *Recherches et Développement* à la création de nouveaux produits et à l'amélioration des anciens. L'administration moderne comprend que la recherche de produits répond à un besoin constant. Le monde des affaires ne compte plus les entreprises qui jadis avaient d'excellents produits, à la page, mais qui, plutôt que de continuer à les améliorer, ont préféré se reposer sur leurs lauriers. Chevrolet a donné une dure leçon à Henry Ford qui fut forcé d'abandonner les plans des modèles T après qu'il eut perdu sa place sur le marché, place qu'il n'a jamais plus retrouvée.

RECHERCHES EN MARKETING Depuis vingt ans, des sommes considérables sont consacrées à la recherche sur les besoins et les tendances du marché — plus de $200 millions par an peut-être, dont une grande partie est souscrite par de gros fabricants de produits de consommation comme Procter & Gamble. Cette maison affecte à cette seule recherche un budget de près de $6 millions annuellement. Ce fait confère à ces entreprises le précieux avantage de posséder des informations plus précises lorsqu'elles doivent prendre des décisions. Avantage que la petite et la moyenne entreprise ne peuvent pas se payer.

La recherche en marketing tend à trouver des réponses à des questions comme celles-ci:

Quelle est l'importance du marché pour le produit?
Qu'est-ce que le marché exige pour adopter un produit?
Quel prix demander?
Comment distribuer le produit?
Comment le lancer?
Quel genre d'emballage choisir?
Quels sont les noms de produits et les marques de commerce les plus appropriées?
Comment le produit peut-il être entreposé?
Qui fera usage du produit, qui prendra la décision d'acheter, qui l'achètera?

RECHERCHES SUR LES MÉTHODES Le travail exécuté pour améliorer les méthodes de fabrication est en quelque sorte un proche parent de la recherche sur le produit. En fait, les plus importantes des améliorations apportées à la productivité résultent du perfectionnement des méthodes de fabrication. Le coût de fabrication de produits métalliques a sensiblement diminué grâce à l'implantation des machines à souder automatiques. Le travail actuellement entrepris sur l'automation des méthodes de fabrication a eu jusqu'ici des résultats aussi excellents que prometteurs.

ADMINISTRATION DE LA RECHERCHE

La reconnaissance de la gestion de la recherche comme fonction distincte et séparée de la production est d'origine récente. Autrefois, les recherches étaient effectuées de façon non officielle et tombaient habituellement sous la juridiction des services techniques. Aujourd'hui, la recherche a un statut reconnu de fonction unique en son genre. Organisée dans le cadre d'un service indépendant, elle est dirigée par un agent administratif. Les grandes compagnies séparent souvent leurs services de recherches de leurs services d'exploitation. C'est le cas, par exemple, de l'American Telephone & Telegraph qui a établi les laboratoires Bell, devenus le pilier de ses recherches. Plusieurs raisons justifient ce traitement de faveur accordé aux recherches. La recherche est tout d'abord affaire de «personnes»: elle dépend du talent créateur d'un certain type d'individus. Les «chercheurs» travaillent jour et nuit, toute la semaine, car il est impossible de mettre en marche un talent créateur tous les matins à 9 h et de l'arrêter à 17 h. Le stéréotype du chercheur, penché jour et nuit sur son travail dans son laboratoire ne relève pas entièrement de la fiction. Un des génies créateurs de la General Electric travaille rarement dans les laboratoires de la compagnie: il préfère aménager un laboratoire dans sa maison même. Il n'accepte pas les règlements que la compagnie impose au travailleur ordinaire.

Il faut tout de suite signaler que le règne du savant solitaire, confiné dans les brumes de son laboratoire, est pratiquement révolu. De nos jours, c'est tout une équipe d'hommes qui collaborent à la recherche dans un environnement contrôlé et de façon très systématique.

Tant la personnalité que les problèmes des chercheurs tendent à être uniques dans leur genre. L'argent et la promotion ne semblent pas les stimuler autant qu'un défi intellectuel. Le problème à résoudre doit exciter leur curiosité intellectuelle ou les fasciner, sinon ils risquent de ne pas réussir convenablement.

PROBLÈMES DE LA RECHERCHE

Les problèmes de la recherche se répartissent en trois catégories: temps, argent et potentiel humain.

Temps

Il faut beaucoup de temps pour faire de la bonne recherche. Un directeur obsédé par l'action, impatient de constater des résultats, peut croire parfois que pour y arriver plus rapidement il suffit d'investir encore plus d'argent. Pour aboutir à une solution finale dans un grand projet, il faut souvent compléter des séquences de recherche de divers petits éléments qui composent l'ensemble. D'ailleurs, qui peut hâter la création? La véritable recherche d'innovation peut rarement être forcée. Le directeur qui ordonne à un subordonné d'avoir à trouver une réponse adéquate à un problème dans un délai d'une semaine ou d'un mois risque d'être déçu des résultats. Le facteur temps crée nombre de frustrations au niveau de la direction.

Argent

Les recherches peuvent être coûteuses, et seules les très grosses entreprises ont les moyens d'investir les sommes nécessaires à cette activité. Une petite entreprise n'aurait pas pu développer l'industrie de la fibre synthétique, mais la compagnie Dupont avait les millions nécessaires: elle a dépensé plus de $27 millions pour aboutir au nylon, plus de $60 millions pour l'orlon et autant pour le dacron. Le coût élevé des recherches oblige les petites entreprises à attendre le résultat des efforts des géants de l'industrie qui vendent souvent ces résultats sous forme de produits. De plus, ces informations nouvelles se propagent rapidement dans l'industrie, d'une façon ou d'une autre.

Potentiel humain

On pourrait s'imaginer que tous les chercheurs se valent, mais ce n'est pas le cas. Comme dans toute profession, il y a de bons chercheurs, et il y en a de mauvais. Un doctorat en chimie ou en physique ne peut aucunement garantir la qualité de la recherche qu'on confiera à une personne. L'homme de science recherché dans le domaine des affaires se fait très rare: on voudrait des hommes dotés d'un grand talent créateur en même temps que capables de mener dans des limites précises de temps et de budget des recherches orientées vers des applications pratiques.

LES RISQUES DE LA RECHERCHE

La recherche comporte de gros risques. L'on peut dépenser des millions à chercher une solution à un problème, puis récolter un échec. Faire de la recherche n'est pas nécessairement payant. Les risques d'échecs sont assez grands. À moins de pouvoir les assumer, une compagnie devrait trouver d'autres moyens de résoudre ses problèmes.

Quels sont les moyens dont dispose une petite entreprise pour remplacer un service de recherche?

FABRICATION: COÛTS ET MÉTHODES

Depuis un siècle, notre capacité de production s'est accrue d'une façon étonnante. Lors de l'achat d'une voiture, nous rencontrons un vendeur, puis un représentant d'une institution financière, mais les centaines de travailleurs qui ont produit cette voiture restent dans l'ombre et nous oublions le génie et les efforts qui ont présidé à la création de ce nouveau véhicule. Il ne faut jamais perdre de vue que la productivité est la clé de la richesse. Produire de grandes quantités de biens à un coût raisonnable, tel est le gage du succès et si un jour notre système perdait cette capacité, nos standards de vie seraient menacés.

Y a-t-il des nations à travers le monde qui ont déjà expérimenté une semblable baisse du niveau de vie?

On pourrait croire que le coût d'un produit n'est fonction que du coût des matières premières et de la main-d'oeuvre. Ce n'est pas le cas! Les frais de fabrication peuvent faire toute la différence.

Certains directeurs de production ont l'intelligence d'implanter des façons de produire qui réduisent leurs coûts bien en deça des coûts de leurs compétiteurs. Cela leur donne un avantage certain sur le marché et, dans une majorité des cas, leur assure, à long terme, le succès.

Emplacement de l'usine

Un premier élément qui influe sur le coût de production est l'emplacement de l'usine. C'est en effet ce facteur qui détermine les frais variables suivants: frais de transport des matières premières, frais de transport des produits finis, coût de la main-d'oeuvre, coût des services publics, taxes, coûts des terrains et des bâtiments.

La direction doit prendre l'importante décision de situer l'usine près des sources de matières premières ou près des points de vente. C'est une décision logistique. Est-il plus économique de transporter les matières premières ou les produits finis? Tout dépend des cas! Une fabrique de feuilles de plâtre *Gyprock* s'établira près des dépôts de gypse puisque ce matériau, à son extraction, est habituellement imbibé d'eau et qu'il faut le déshydrater sur place afin d'éviter le transport de masses inutiles. De la même façon, la compagnie Alcan a jugé qu'il en coûtait moins cher de transporter la bauxite, lorsqu'elle s'est établie à Arvida près des sources hydroélectriques.

Plusieurs autres manufacturiers estiment qu'il est plus avantageux d'être près des points de vente, afin de fournir rapidement les biens et les services exigés.

Pourquoi les acheteurs préfèrent-ils traiter avec les fournisseurs situés près d'eux?

Certaines compagnies de service public ou certaines communautés ont un tel intérêt à élargir leurs bases économiques qu'elles accordent de réels avantages à ceux qui viennent s'installer dans les régions où elles sont situées. Les fabricants ne doivent pas tenir compte que des prix, mais aussi des disponibilités et de la qualité de ces services.

Les taxes qui frappent l'industrie varient beaucoup d'une province à l'autre et d'une ville à l'autre. Cependant, quelques gouvernements ayant grand besoin de développer leur économie attirent les manufacturiers dans leurs régions en leur accordant des exemptions de taxes.

Bien que les coûts d'achat de terrains et de construction soient importants, pour les nouvelles entreprises en particulier, ils resteront relativement faibles, comparativement à d'autres postes de dépenses, surtout si on peut les amortir sur une période de 20 ans.

Il faut considérer tous les facteurs impliqués et ne pas se laisser tromper par les apparences. Un fabricant s'était laissé séduire par l'offre d'une banque locale d'une petite ville de province qui, non seulement donnait le terrain à la compagnie, mais encore y érigeait l'usine, le tout sans frais. Le montant économisé s'était vite révélé insuffisant pour suppléer aux frais énormes de transport, aux factures de téléphone plus élevées, aux dépenses de voyages multipliées et aux autres dépenses excessives parce que l'usine était trop éloignée de tout.

Agencement de l'usine

Le rendement d'une usine est étroitement lié à l'agencement de ses parties constituantes. Agencer une usine efficacement exige beaucoup de technique. Il n'y a pas si longtemps encore, les usines à plusieurs étages étaient très en vogue parce qu'elles permettaient aux ingénieurs d'utiliser la force d'inertie pour faire passer les marchandises d'un étage à l'autre. Les processus de transformation commençaient en haut et se terminaient en bas. Mais ces jours sont révolus! Une usine moderne se compose maintenant d'un seul étage. Elle est organisée de telle sorte que tout s'achemine sur de longues chaînes droites. Un plan efficace d'usine doit prévoir l'entrée des matières premières à un bout de l'usine, leur acheminement à l'intérieur dans un ordre tel qu'elles subissent, en temps voulu, diverses transformations et enfin leur expédition à l'autre bout de l'usine; aussi peu d'aller et retour que possible. Quelques fois, différentes chaînes secondaires doivent être montées pour l'assemblage de parties de produits. Elles rejoignent ensuite la chaîne principale à divers endroits dans l'usine, mais cela complique un peu les choses. S'il devient difficile d'établir une chaîne droite, on peut envisager d'autres dispositions. Il est évident que les plans de l'usine seront dessinés en fonction des méthodes de fabrication en usage. Le schéma 15.1 montre un type de plan d'usine.

SCHÉMA 15.1 Plan d'imprimerie

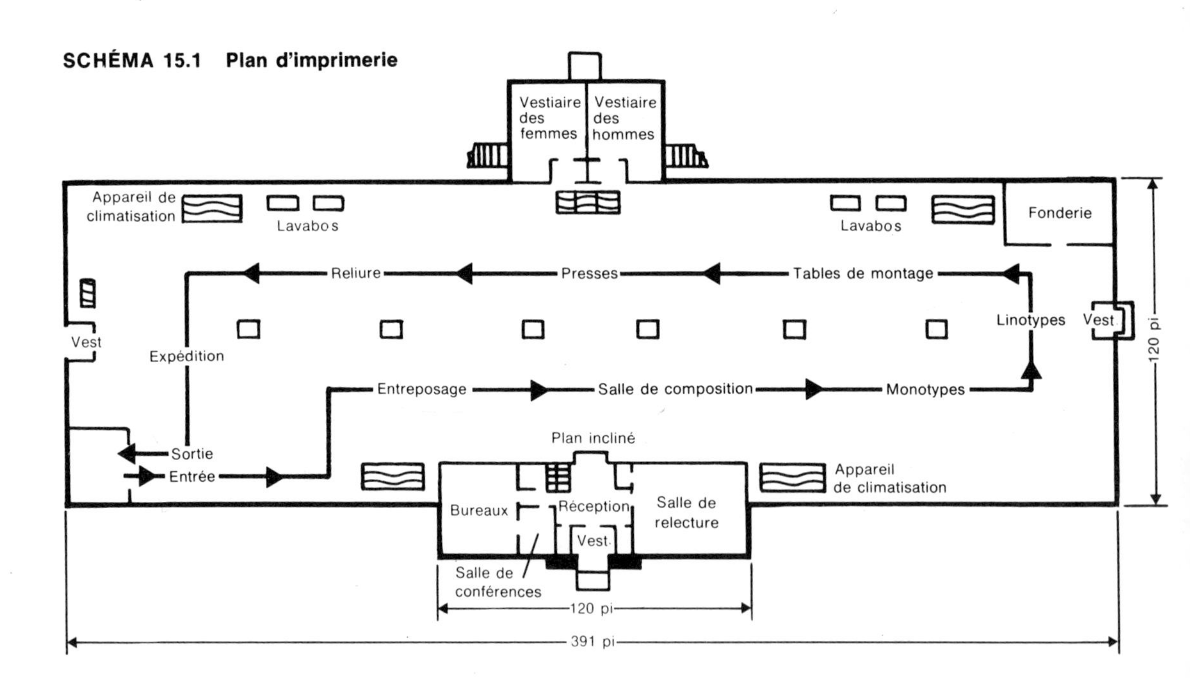

Genres de procédés

Les différents procédés de fabrication se regroupent en cinq catégories: sur commande, à la tâche, intermittent, continu et en série.

FABRICATION SUR COMMANDE Travailler sur commande, c'est travailler sur un produit dont l'acheteur a déterminé lui-même les spécifications. Il est étonnant de constater l'importance du volume de marchandises industrielles faites sur commande. Un travail sur commande peut porter sur un ou plusieurs articles, mais lorsqu'une commande dépasse un certain volume, il peut être plus économique d'utiliser d'autres procédés. En général, les travaux à la commande sont extrêmement coûteux parce qu'il est très difficile d'appliquer les principes de la production massive. Il en coûte autant de mettre la machine en marche pour fabriquer une unité ou mille. La production de quelques unités seulement entraîne une dépense disproportionnée de temps administratif et de frais généraux.

FABRICATION À LA TÂCHE Nombre de petits manufacturiers travaillent à la tâche, c'est-à-dire qu'ils produisent un certain nombre d'articles à la fois pour une commande donnée. Les implications économiques du travail à la tâche dépendent de l'importance de la commande. S'il y a suffisamment d'unités par tâche, ce genre de procédé peut devenir aussi économique que les procédés de fabrication à rendement intermittent ou en série. En revanche, si le nombre d'unités par tâche est réduit, ce procédé rejoint celui du travail sur commande. Dans un atelier à la tâche, la direction adopte des critères qui lui permettent d'établir le coût et le temps nécessaire à chaque tâche. Naturellement, toute usine qui entreprend plusieurs commandes à la tâche doit s'assurer qu'elles seront terminées à temps et que les frais d'administration seront soigneusement contrôlés. Ce sont là les deux facteurs les plus critiques pour le succès d'une usine qui procède selon un système de fabrication à la tâche.

FABRICATION INTERMITTENTE Certains fabricants organisent une chaîne de production intermittente pour fabriquer un nombre d'unités de l'un des articles qu'ils gardent en inventaire. Ils arrêtent ensuite cette production pour fabriquer autre chose sur cette même chaîne. On utilise ce procédé lorsque le taux de production excède de beaucoup celui des ventes, dans le cas, par exemple, d'une usine qui peut fabriquer une quantité suffisante d'un article en un mois pour satisfaire la demande du marché pendant un an.

Le grand problème pour la direction des usines à fabrication intermittente consiste à minimiser le temps perdu, c'est-à-dire le temps qui court entre deux périodes de fabrication. Si une usine doit mettre beaucoup de temps à démonter une chaîne de production pour en remonter une autre, ce procédé deviendra inefficace.

Pourquoi les prévisions des ventes sont-elles si importantes pour un produit fabriqué d'une façon intermittente?

FABRICATION CONTINUE Par ce procédé, le gérant de production voit ses lignes de production fonctionner 24 heures par jour, 365 jours par année. Le procédé à rendement continu est celui qui s'utilise dans les raffineries et les usines de produits chimiques. On introduit la matière première dans une machine et elle en ressort en produit fini après avoir subi toute une série de transformations et ce, sans que le processus ne s'arrête jamais. Ce procédé, hautement efficace, n'exige qu'un nombre restreint de travailleurs.

FABRICATION EN SÉRIE Ce procédé de fabrication rappelle celui de la production continue. Dans une usine de fabrication d'automobiles par exemple, jour et nuit on procède à différentes opérations sur le produit. La différence majeure entre les deux procédés provient du fait que dans le procédé en série les opérations sont séparées et distinctes les unes des autres alors que dans le processus continu, il est impossible d'identifier des opérations distinctes.

Planification et programmation de la production

Il y a longtemps déjà que l'on a reconnu que l'efficacité des opérations de production était fonction de planification et de programmation du travail. Machine par machine, service par service, tous les jours à travers toute l'usine il faut réduire à son minimum la perte de temps. Les temps morts d'une machine et, plus encore, un travailleur oisif coûtent énormément cher. Il appartient au planificateur de la production de veiller à ce qu'il y ait assez de travail en tout temps pour la totalité des machines et de la main-d'oeuvre. On a développé de nombreuses techniques pour planifier et programmer le travail de production, mais ce n'est pas l'objet de ce livre. Il suffit ici de dire que la planification et la programmation du travail sont la base d'une production efficace.

Étude des temps et mouvements

Mise de l'avant à la fin du XIXe siècle par Frederick Taylor et continuée au XXe par les frères Gilbreth, l'étude des temps et mouvements a attiré beaucoup d'attention. Ces savants, et d'autres, furent les pionniers de la plupart des concepts acceptés aujourd'hui. À l'époque, leurs idées étaient bien nouvelles, ne l'oublions pas! Leurs prémisses étaient plutôt simples: ils soutenaient que le temps, c'est de l'argent, et que le mouvement, c'est du temps. Ils ont attentivement analysé tous les mouvements des travailleurs et les ont classifiés. Nous reproduisons les résultats de leur travail dans le tableau 15.2

TABLEAU 15.2 Classification des mouvements selon les Gilbreth

1— Chercher	7— Assembler	13— Revenir (à vide)
2— Trouver	8— Utiliser	14— Se reposer
3— Choisir	9— Défaire	15— Retard inévitable
4— Prendre	10— Vérifier	16— Retard évitable
5— Transporter (une charge)	11— Disposer	17— Tracer
6— Placer	12— Déposer	18— Retenir

De plus, ils ont mesuré le temps qu'un travailleur moyen mettait à faire chacun de ses mouvements. Puis, ils ont méticuleusement décrit chaque tâche dans un processus de production et ils ont enseigné à chacun des travailleurs le geste précis à exécuter pour accroître son rendement. Les résultats furent remarquables. Le gaspillage de mouvement était réduit et la productivité s'en trouvait augmentée. L'étude des temps et mouvements porte principalement sur l'effort humain dans un processus de production. C'est ainsi qu'en réduisant le temps de travail des hommes dans chacun des segments d'un processus de production, on réduit le temps général de travail de fabrication du produit. Les instruments fondamentaux de toutes les études de temps et de mouvement sont les concepts d'analyse des tâches et de standardisation du travail.

Concepts d'analyse et de standardisation des tâches

Par l'analyse des tâches, on entend la définition des facteurs essentiels à un travail spécifique ainsi que les qualifications nécessaires au travailleur pour son exécution. La standardisation consiste à établir la meilleure façon de faire un travail dans les conditions existantes.

Principes d'efficacité de production

Nous étudierons sommairement certains principes qui influent sur les coûts de production.

VOLUME DE PRODUCTION Le plus connu et le plus répandu de ces principes veut que le coût diminue rapidement avec l'augmentation du volume d'une commande. Des petites commandes sont toujours dispendieuses alors que les grosses sont rentables.

Expliquez en termes économiques pourquoi un gros volume de production améliore le rendement.

SIMPLIFICATION DU PRODUIT Un directeur qui pense production préfère un produit simple. Chaque caractéristique additionnelle, chaque élément ajouté augmente les difficultés de la production. Henry Ford aimait son modèle T parce qu'il pensait production. Il disait: «Ils peuvent avoir la couleur qu'ils veulent aussi longtemps que c'est du noir.» Henry Ford ne voulait pas que la couleur lui complique l'existence. On fait de grandes économies en simplifiant les produits et les méthodes de production. Si, au contraire, on complique les produits et les procédés de fabrication, on multiplie les coûts de production.

Comment le nombre de modèles en production peut-il influencer les coûts de fabricatiion d'appareils ménagers?

RÉPARTITION DU TRAVAIL Au début de la révolution industrielle, on a vite compris que la répartition du travail est d'un excellent rapport. La simplification du travail augmente le rendement. C'est pourquoi la direction doit simplifier au maximum le travail d'un employé pour que celui-ci donne son rendement optimum.

Nommez quelques-uns des problèmes créés par la simplification du travail.

PLACER LE MATÉRIEL À LA PORTÉE DU TRAVAILLEUR L'expérience prouve qu'il est très économique de mettre matériel et travail à la portée du travailleur. Les employés prennent place quelque part sur la chaîne de production et on leur apporte le travail.

Comment ce principe peut-il économiser de l'argent?

LA RÉPÉTITION On sait qu'en répétant constamment une tâche un travailleur finit par l'accomplir plus rapidement et bien mieux. Dans l'industrie, on reconnaît généralement que dans l'exécution d'une tâche modérément compliquée on peut espérer que si un travailleur prend «x» temps pour produire 100 unités de travail, il prendra 1.8x temps pour produire 200 unités du même travail sans arrêts.

On utilise beaucoup ce principe pour augmenter le rendement en veillant à ne pas interrompre l'ouvrier dans son travail: ces interruptions, en effet, le ramènent presque au début de son processus d'opération.

Pourquoi? Dites comment appliquer cela à vos façons d'étudier.

DÉBIT DE TRAVAIL Tous les efforts d'un directeur de production tendent à maintenir la constance du débit de travail d'une usine. Il déteste voir le travail s'accumuler. Il veut en général que ses matières premières passent directement à la production «sans entreposage» et que la marchandise soit expédiée aussitôt fabriquée.

Quels sont les coûts occasionnés par l'accumulation du travail?

MINIMISATION DES COÛTS Bien des facteurs peuvent occasionner des pertes de temps: on peut manquer de matières premières ou de pièces d'équipement, les machines sont peut-être brisées, la main-d'oeuvre refuse de travailler. Il est possible également que la faute soit imputable à certains services qui n'arrivent pas à terminer leur travail à temps. Quelle qu'en soit la raison, le temps perdu coûte extrêmement cher et, si l'on veut réaliser des profits, il faut le réduire au minimum.
ENTRETIEN DE L'ÉQUIPEMENT Un excellent moyen de diminuer les pertes de temps est un entretien régulier et préventif. Les opérations de production mettent l'équipement à dure épreuve: il faut donc l'entretenir convenablement, autrement il deviendra bien vite inutilisable. Le coût d'entretien est généralement faible en comparaison des dépenses encourues lorsqu'une machine arrête de fonctionner.
PIÈCES STANDARD Toutes pièces qu'une usine doit garder en inventaire coûtent de l'argent. Si une usine fabrique différents produits, plus il y aura de pièces communes (pièces standard), plus le coût de ses opérations de production sera réduit. Les ingénieurs de la production s'arrangent pour que les petites pièces, comme les écrous, les boulons, etc., soient standardisées. Voilà une façon vraiment rationnelle de simplifier les procédés de production.
SPÉCIFICATION ET TOLÉRANCE Le coût augmente rapidement lorsque le produit est soumis à des spécifications et à des tolérances de plus en plus exigeantes. Si les ingénieurs spécifient qu'une pièce doit être usinée avec une précision de $\pm$ 0.0001 pouce, cette pièce coûtera évidemment plus cher que si elle était usinée à $\pm$ 0.01 pouce. Ces spécifications sont la cause de nombreux conflits entre les ingénieurs responsables de la conception et les ingénieurs responsables de la production.

L'ingénieur responsable de la production veut des spécifications minimales, alors que celui qui conçoit exige des tolérances aussi précises que possible dans sa recherche de la perfection. La production de haute précision coûte très cher!
ENTRETIEN DE L'ÉDIFICE On maximise le rendement par un travail ordonné et propre. Depuis longtemps les directeurs de production savent que débris et déchets traînant par terre sont nuisibles au rendement. On perd beaucoup de temps à la recherche d'un outil ou de matériel dans une usine en désordre.
AUTOMATION Depuis dix ans on a beaucoup écrit au sujet de l'automation des procédés de production. Automation signifie substitution de la machine à la main-d'oeuvre. Il n'y aurait rien de nouveau à cela si ce n'est que l'automation moderne veut dire beaucoup plus. Dans une usine entièrement automatisée, l'ouvrier n'est jamais en contact direct avec le produit: il ne fait que superviser la production de machines elles-mêmes commandées par ordinateur.

Que faut-il pour automatiser un processus de production?
Quelles sont les implications sociales de l'automation?

Il existe une variété étonnante de machines automatisées. Il n'y a pas si longtemps la soudure, par exemple, réclamait beaucoup de travail: il fallait, pour l'exécuter, un ouvrier armé d'un chalumeau. Il existe maintenant des machines à souder qui ajustent automatiquement les pièces et soudent à tous les endroits requis. Ces machines sont très coûteuses; il en existe dans l'industrie électronique qui sont évaluées à $750 mille dollars. Les forces sous-jacentes à l'automation nous poussent sans cesse et nous ne voyons aucune limite à leur application pratique dans l'industrie. L'avènement de l'automation a permis des réalisations jusqu'ici inconcevables. De nos jours, des usines entières fonctionnent sous le contrôle d'ordinateurs; la machinerie est mise en marche et dirigée dans ses divers processus au moyen de bandes perforées ou de programmes d'ordinateur.

On pourrait parler sans fin des conséquences économiques de l'automation, mais il suffit de dire qu'il est presque impossible pour une usine non automatisée d'entrer en concurrence avec une usine automatisée dans le domaine de la production de masse.

CONTRÔLE DE LA QUALITÉ Pratiquement toutes les opérations de production sont soumises à un contrôle de la qualité qui doit garantir les spécifications du produit. Les techniques élaborées de ces services dépassent le cadre de ce livre; il n'en reste pas moins qu'il existe divers principes qu'il est important de connaître.

Le contrôle de la qualité ne saurait être qu'un examen du produit fini, parce qu'à ce stade, il n'y a plus grand chose à faire pour remédier aux éventuels défauts. Si un produit fini ne peut être corrigé de façon économique, il s'ensuit une perte importante: matériel gaspillé, travail perdu, etc. Un contrôle de la qualité vraiment efficace se traduit par une vérification du produit à chacune des étapes de son processus de fabrication.

«Trouver le défaut dès le début», telle est la consigne. Si un produit est inspecté à chacune des étapes de sa fabrication, il est évident que l'inspection finale n'est plus qu'une formalité. C'est en agissant ainsi qu'on économise de l'argent.

On a mis au point de nombreux systèmes de statistiques qui visent à contrôler le travail au moyen d'échantillons plutôt que par l'inspection de chaque unité. Ce procédé permet d'économiser des sommes considérables.

CONCLUSION

Une direction de production experte est nécessaire à la prospérité d'une entreprise: si celle-ci n'arrive pas à produire économiquement, en quantité suffisante et selon les normes de qualité désirées, l'entreprise ne peut pas réussir.

Le produit, né de la recherche, nourri par l'évolution du progrès, est amené à maturité par les ingénieurs de conception et de production.

La direction a un rôle délicat car il est difficile de contrôler et de stimuler le processus créateur.

Les principes de base d'un rendement efficace s'appliquent à un grand nombre d'activités utiles: l'étude, le ménage, le travail de bureau. Quelle que soit la tâche à accomplir, ces principes peuvent nous servir.

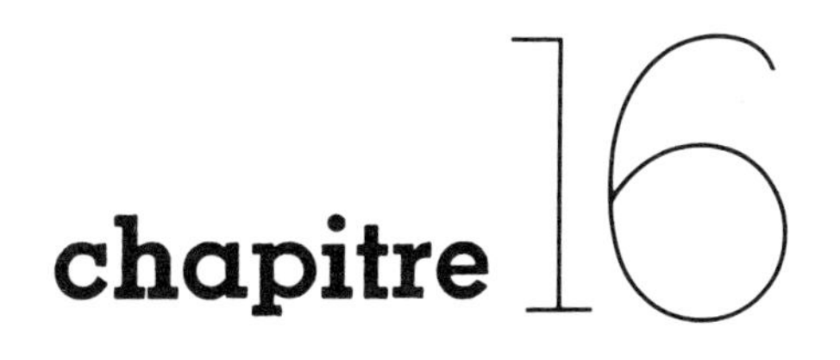

la gestion du matériel

Le concept de gestion de matériel englobe les achats, le transport, l'entreposage, la manutention de toutes les matières premières, les pièces usinées, les composantes, les produits en cours de fabrication et les produits finis. Tout cela doit être contrôlé et dirigé. Les trois ressources de base: la main-d'oeuvre, l'équipement et la matière, ont besoin d'être dirigées. La gestion du matériel s'est développée de manière à grouper sous l'autorité d'un seul directeur toutes les fonctions ayant trait à l'achat, la manutention, l'entreposage, le transport, et le contrôle physique et quantitatif du matériel.

Implanté à la fois par les petites et les grandes entreprises pour des raisons économiques, techniques et organisationnelles, ce concept a servi de catalyseur dans certaines transactions commerciales, particulièrement les fusions. Un fabricant se rend alors propriétaire de ses fournisseurs de matières premières et d'éléments composants; il décide d'acheter les organisations de vente au détail ou en gros pour s'assurer une meilleure distribution ou décide d'employer un service de transport privé au lieu des services publics.

La gestion de matériel dépasse le simple contrôle des matières premières à l'intérieur de l'usine. Elle commence par une connaissance des sources d'approvisionnement en matières premières, se poursuit tout au long des procédés de fabrication et se termine par les problèmes de distribution des produits finis dans tout le réseau jusqu'à l'utilisateur.

LES OBJECTIFS

Un système de gestion du matériel poursuit les objectifs énumérés ci-dessous.

Définition et étendue du contrôle

Ce premier objectif exige que soit clairement défini le champ d'action du système. Qu'est-ce que le système contrôle? Quelles en sont les limites? Jusqu'à quel point l'entreprise doit-elle s'intéresser au système de gestion du matériel de ses fournisseurs? de ses clients? Ce premier objectif veut aussi définir le rôle du directeur de ce système et l'étendue de son pouvoir.

Quel contrôle estime-t-on pouvoir exercer sur le matériel lorsqu'il transite chez le fournisseur? le client? Des questions se posent: une entreprise doit-elle ou non acheter ses fournisseurs et/ou ses réseaux de distribution? Il n'y a pas grand intérêt à acheter le fournisseur d'une matière première que l'on utilise peu et qu'il est facile de se procurer, mais il peut être avantageux de prendre le contrôle d'un produit de base difficile à obtenir.

Réduction des coûts

Une entreprise investit beaucoup d'argent dans la gestion du matériel. Non seulement cette gestion est-elle très dispendieuse mais encore faut-il investir d'importantes sommes dans l'inventaire et l'équipement à chacune des étapes du processus de fabrication et de distribution des produits jusqu'aux tablettes et étagères du vendeur. Cela implique des sommes immenses et des risques élevés.

Le responsable de la gestion du matériel justifie son salaire quand il peut abaisser le coût total des opérations et réduire les risques. Il peut éliminer la duplication des efforts, obtenir de meilleurs prix des fournisseurs et organiser le système en entier pour en tirer le maximum de rendement.

Augmentation de l'efficacité de la distribution

Avant l'avènement de la gestion systématique du matériel, la plupart des grandes entreprises ne parvenaient pas à faire face aux problèmes de contrôle des inventaires de leurs nombreux entrepôts. Chaque entrepôt relevait souvent d'une direction indépendante et la distribution en souffrait: certains entrepôts étaient surchargés alors que d'autres manquaient de stock.

La gestion du matériel maintient un contrôle rigoureux à tous les points de distribution pour assurer un équilibre entre tous les inventaires dans tout le système. Les réseaux de communications modernes et les ordinateurs rendent possibles une telle concentration du contrôle.

Qu'est-ce qu'un réseau de communications?

Sensibilisation de la haute direction à l'importance de la gestion du matériel

Les directeurs responsables du matériel n'étaient jusqu'à maintenant que peu consultés à propos des décisions les plus importantes: emplacement d'une usine, achats de compagnies, emplacement des centres de distribution, politique des inventaires et politiques d'intégration verticale. Il est évident que le concept de gestion du matériel donne au directeur de cette section un rôle important lorsqu'il s'agit de prendre de pareilles décisions.

Établissement d'un centre de profit

Une fois la gestion du matériel unifiée sous un seul commandement, il est facile d'en faire un centre de profits. Il sera alors possible d'identifier, d'isoler et de mesurer les coûts, ce qui permettra de déterminer la contribution de la gestion du matériel aux profits de l'entreprise.

LE SYSTÈME DE GESTION DU MATÉRIEL

Le déroulement des activités d'un système bien organisé de gestion du matériel est clairement établi (voir tableau 16.1). Il peut évidemment s'y produire des écarts au fur et à mesure que l'entreprise modifie le système pour l'adapter à ses besoins. Un système inflexible causerait une baisse d'efficacité en même temps qu'il provoquerait du mécontentement. Dans ce genre de système, le pragmatisme est à conseiller.

Dès que la direction décide de fabriquer un produit, tout le processus se met en branle. Le service technique élabore un dossier de dessins et devis de tous les articles nécessaires à la fabrication du produit: matière première, pièces usinées, écrous, boulons, peinture, etc. Ces devis servent, entre autre, à préparer les réquisitions de matériel. Le soin d'acheter toutes les pièces qui ne sont pas en inventaire, travail long et complexe, incombe au service de gestion du matériel. Un chef d'entreprise a dû se procurer plus de 10 000 pièces distinctes pour fabriquer un système de liaison radio destiné à l'armée. Non seulement son service des achats a-t-il été à la recherche de fournisseurs pour chacun des articles et a-t-il dû négocier les contrats, mais encore il a fallu s'assurer que toutes les pièces correspondaient aux exigences du devis, qu'elles seraient livrées à temps, au bon endroit et en quantité suffisante.

Vérification du matériel en inventaire

Avant de demander des soumissions pour acheter du matériel, il faut vérifier si l'entreprise ne l'a pas déjà en stock. Les ingénieurs essaient de standardiser le plus de petites pièces possible. L'entreprise peut ainsi acheter boulons, écrous, petits moteurs électriques, vis, clous, transistors, résistances etc., en quantité économique et les conserver dans ses inventaires usuels.

Pourquoi est-il coûteux d'acheter en petites quantités?

Fournisseurs éventuels

Il existe souvent des centaines de fournisseurs pour un article donné et, pour d'autres articles, il n'en existe qu'un seul et encore faut-il le connaître. De toute façon, il faut parfois se donner beaucoup de mal pour trouver un fournisseur et on peut réaliser

TABLEAU 16.1 Séquence des étapes dans un système organisé de gestion du matériel

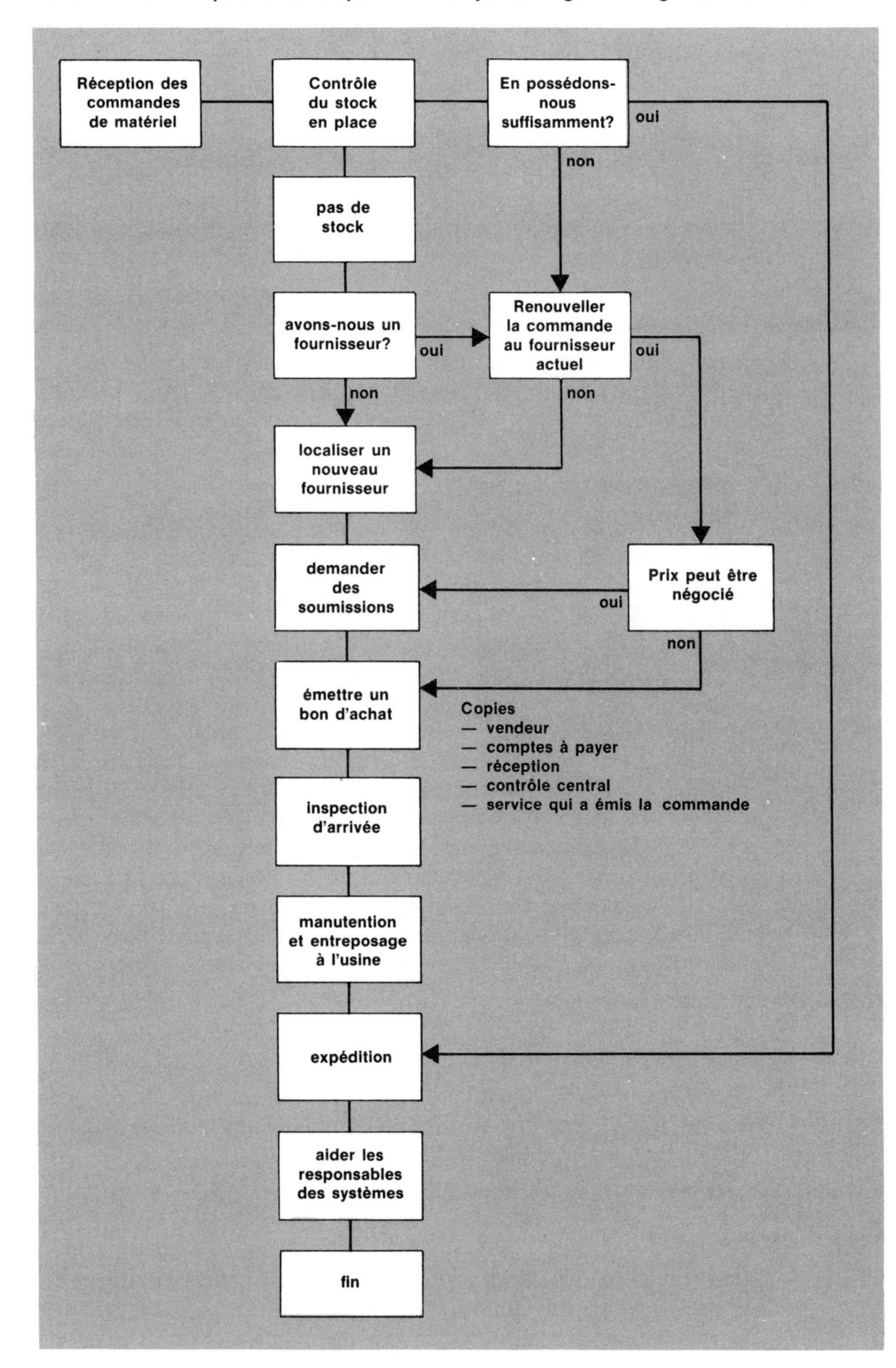

des économies substantielles lorsqu'on en découvre un. Un acheteur qui ne se donne pas la peine de rechercher de nouvelles sources d'approvisionnement s'expose à payer plus cher la marchandise qu'il se procure. Il faut consulter catalogues et annuaires quand on est à la recherche de fournisseurs. Un service d'achat bien organisé garde d'ailleurs à jour des dossiers sur toutes les sources d'approvisionnement possibles pour tous les articles qu'il peut acheter.

Demande de soumissions

Un acheteur travaille beaucoup par téléphone pour obtenir des informations sur les prix, les quantités disponibles ou les dates de livraison. Néanmoins, la majorité des acheteurs exigent des fournisseurs des soumissions écrites. L'acheteur qui est pressé peut parfois commander par téléphone et faire suivre une confirmation écrite. Mais cela demeure une procédure d'exception.

S'il n'est pas pressé et s'il peut prendre le temps d'étudier les possibilités du marché, l'acheteur transmettra à tous les fournisseurs éventuels une demande de soumission où il décrira en détail tous les articles qu'il désire acheter. Les fournisseurs intéressés retourneront leur soumission qui pourra devenir le contrat de vente si l'acheteur l'accepte; à moins que le fournisseur n'ait stipulé certaines dispositions particulières dans la formulation de sa soumission.

Bons de commande

Lorsque l'acheteur a finalement choisi son fournisseur, il émettra un bon de commande qui deviendra un contrat d'achat une fois que le fournisseur l'aura accepté. Il faut décrire avec soin les articles demandés et consigner toutes les conditions de la transaction dans le bon de commande. Souvent le bon de commande est une copie du formulaire de demande de soumission.

Pourquoi émettre un bon de commande? À qui doit-on faire parvenir une copie de chaque bon de commande? Pourquoi?

Transport

L'acheteur peut s'organiser pour réduire le coût du transport plutôt que de laisser ce soin au fournisseur lorsque le transport des marchandises risque de trop grever le prix d'un article livré. Dans certaines circonstances, le responsable de l'acheminement des marchandises peut économiser substantiellement, en employant une forme de transport plus adaptée à ses besoins. Un de ces responsables avait remarqué que les camions d'une compagnie de transport, dont les entrepôts étaient situés près de son usine, revenaient souvent à vide d'une ville où il avait un important fournisseur. Ce responsable acheta l'espace disponible bien moins cher qu'il n'aurait payé ce service d'un transporteur choisi par le fournisseur.

Réception des marchandises

La réception des marchandises achetées exige un contrôle rigoureux. Le réceptionniste doit accomplir plusieurs tâches dès l'arrivée du transporteur au débarcadère. Il doit vérifier si la marchandise ou les emballages n'ont pas subi de dommages évidents; s'il ne le fait pas, et que l'on constate ces dommages plus tard, la compagnie aura plus de difficulté à réclamer un dédommagement. Il contrôlera ensuite la marchandise grâce au connaissement que lui remettra le camionneur. Si, par exemple, les dix colis mentionnés ne s'y trouvent pas, il faudra corriger le connaissement en conséquence et le contresigner avec le livreur.

Pourquoi faut-il prendre tant de soins pour vérifier les marchandises à l'arrivée?

Vérification de la marchandise reçue

Selon la nature des marchandises reçues, plusieurs méthodes peuvent être utilisées mais, dans tous les cas, on vérifiera le bon état des marchandises reçues et leur conformité au bon de commande: qualité, quantité, etc. On peut vérifier la marchandise au moyen de la facture du vendeur, mais il vaut mieux la vérifier avec une copie du bon de commande. La compagnie ne veut pas payer pour des marchandises qu'elle n'a pas commandées ou qui sont inutilisables à leur arrivée.

Entreposage

Une fois la marchandise acceptée, elle sera mise en stock ou elle sera immédiatement acheminée à la production. Il faut prendre soin de la placer au bon endroit, car si un magasinier manipule beaucoup de marchandises, il peut perdre celle qu'il n'aurait pas mise à la place prévue. Il est évident qu'il faut prévoir un système qui permette à tout moment de savoir où est placée la marchandise et en quelle quantité. Il faut aussi la protéger contre les avaries et le vol.

Manutention en cours de production

On déplace beaucoup les marchandises à travers l'usine pendant les diverses étapes de transformation.Tous ces mouvements doivent être étudiés,coordonnés de façon à éviter les files d'attente et les entreposages inutiles. Il est ainsi possible de réduire les coûts.

Inventaire des produits finis

Que faut-il faire des produits finis? Doivent-ils être expédiés sur le champ à un entrepôt éloigné, ou entreposés à l'usine, ou expédiés à l'acheteur immédiatement?

Transport à l'extérieur

Comment transporter les marchandises jusqu'à l'entrepôt ou à l'acheteur? C'est une question assez complexe. Plusieurs solutions peuvent se présenter. Le directeur du trafic — en gestion de matériel, on appelle ainsi le responsable qui doit choisir et coordonner le mode de transport approprié pour chaque marchandise — ne doit pas croire que le transport traditionnel est nécessairement le meilleur. Chaque jour, la technologie met de nouveaux moyens à sa disposition. Pendant des années, une compagnie a expédié son contre-plaqué en wagon fermé jusqu'au jour où un directeur plus avisé eut l'idée de le faire transporter en wagon plate-forme en le protégeant d'une bâche doublée de matière plastique.

Pourquoi les wagons plate-forme sont-ils supérieurs aux wagons fermés pour le transport du contre-plaqué?

La gestion du matériel des clients

Parfois la gestion du matériel d'un fabricant s'étend jusqu'aux opérations de ses clients. Un manufacturier peut augmenter sa capacité concurrentielle s'il s'assure d'une manutention efficace des marchandises jusqu'à leur point de consommation. Plusieurs vendeurs ont besoin d'assistance technique à cet effet et ne peuvent l'obtenir. Un fabricant qui offre un tel service devient un fournisseur très recherché.

LES ACHATS

Tous les systèmes de gestion du matériel comportent cinq grandes sections: les achats, le contrôle des inventaires, l'entreposage, la manutention et le transport.

Voyons d'abord quelques notions fondamentales des achats. On appelle agent acheteur le directeur responsable des activités d'achats. L'importance de son rôle varie avec l'importance des achats au sein d'une entreprise. Les grandes compagnies qui s'occupent de la défense nationale achètent des milliers de pièces et doivent employer des centaines d'acheteurs adjoints. Le service des achats peut être placé au niveau de la vice-présidence.

Quels sont les facteurs qui déterminent l'importance de la fonction d'acheteur dans une entreprise commerciale?

Décision de fabriquer ou d'acheter

Il arrive souvent que la direction ait le choix de fabriquer un article ou de l'acheter à un fournisseur. Il est généralement facile de prendre une décision à ce sujet, parce qu'elle se résume à calculer quelle méthode permet le prix de revient le plus bas. Lorsqu'on peut éventuellement fabriquer un article, les fournisseurs se sentent menacés et l'offrent à un meilleur prix. Plusieurs raisons incitent un manufacturier à acheter plutôt qu'à fabriquer un article. Pressé par les horaires de livraison, il peut lui être impossible d'usiner cet article dans le délai fixé. Son usine peut en outre être utilisée à plein rendement pour fabriquer des produits qui rapporteront plus d'argent que ne permettrait d'en économiser la fabrication de cette pièce. Il est possible que l'entreprise soit incapable de le fabriquer.

Quels sont les risques encourus par le fournisseur?

Établissement du prix

Le prix ou, plus exactement, le coût d'utilisation est à la base de presque toutes les décisions d'achat.

Que veut-on dire par coût utile? En quelles circonstances le prix d'un produit et son coût utile diffèrent-ils considérablement?

Plusieurs facteurs détermineront le prix qu'on acceptera de payer à un fournisseur: quantité totale, motivation du vendeur, spécifications exigées, termes de vente, urgence du besoin de l'acheteur, habileté à négocier tant de l'acheteur que du vendeur et diverses autres considérations stratégiques.

En règle générale, les prix diminuent dans la mesure où les quantités augmentent: celui qui achète de grosses quantités a le pouvoir d'exiger un prix plus bas. L'acheteur obtiendra un meilleur prix s'il accepte les spécifications courantes soumises par le vendeur plutôt que d'imposer des spécifications rigoureuses: la qualité se paie et quelquefois même très cher! Le vendeur peut réduire sensiblement son prix si l'acheteur accepte d'abandonner certaines spécifications de moindre importance. Les acheteurs doivent cependant s'assurer auprès des ingénieurs que ces modifications des spécifications permettent quand même de satisfaire les exisgences du projet.

Le vendeur pourra accorder une réduction si l'acheteur paie comptant ou s'il n'exige pas de livraison trop rapide. Si l'usine du vendeur travaille à plein rendement et s'il a des commandes en souffrance, il ne proposera certainement pas des prix d'aubaine à l'acheteur. L'acheteur vraiment pressé d'obtenir un article aura à payer le prix fort. Il ne pourra pas marchander. L'habileté à négocier de l'acheteur et du vendeur influence grandement les prix. L'acheteur adroit obtiendra un bien meilleur prix qu'un autre. Certains vendeurs sont meilleurs que d'autres et ils le prouvent par les prix qu'ils réussissent à obtenir.

De quelles façons acheteurs et vendeurs procèdent-ils pour obtenir les meilleurs prix pour leurs entreprises?

Des raisons de stratégie entrent parfois en jeu. Certains acheteurs paieront un prix intéressant pour encourager un fournisseur. Si l'acheteur doit faire face à un monopole, il peut faire beaucoup de concessions pour introduire un autre fournisseur dans le circuit de façon à pouvoir s'assurer des sources constantes d'approvisionnement. Quelquefois aussi, l'acheteur acceptera de payer un prix plus élevé pour garder le contact avec un fournisseur particulièrement utile ou accomodant.

Il y a trois principaux moyens d'établir un prix: une liste, une négociation, une soumission.

PRIX DE LISTE Il arrive souvent que le vendeur offre un prix de liste: à prendre ou à laisser. Si l'on veut acheter une machine à écrire IBM, il faut accepter le prix de liste IBM ou renoncer à acheter une IBM.

Quelles sont les conditions qui déterminent la stricte observation des prix de liste?

PRIX NÉGOCIÉS Certains prix de liste se négocient dans des circonstances particulières: selon la quantité demandée ou si le fournisseur est désireux de vendre. Il est toujours bon de s'assurer du sérieux du prix de liste, car on ne perd rien à vouloir obtenir un meilleur prix. L'acheteur peut vouloir se procurer un produit qui n'est pas courant; il connaît le fournisseur qui pourrait le lui vendre. Il entreprend alors des négociations pour établir un prix. Les prix de la plupart des produits fabriqués selon les spécifications de l'acheteur appartiennent à cette catégorie.

SOUMISSIONS La loi exige que les produits achetés par le gouvernement fassent toujours l'objet d'une soumission. Elle stipule, de plus, que l'achat doit être accordé au plus bas soumissionnaire, à moins de raisons valables.

Quelles sont les raisons valables permettant de ne pas acheter à la soumission la plus basse?

Comment les acheteurs adroits peuvent-ils contourner la loi de la soumission la plus basse?

Les entreprises privées utilisent souvent ce procédé pour acheter des articles courants susceptibles de provenir de plusieurs fournisseurs. La soumission n'est autre qu'une forme de négociation que les entreprises utilisent pour forcer les fournisseurs à offrir les meilleurs prix de peur de perdre la vente. Mais ce n'est pas toujours ce qui arrive, car les soumissionnaires aguerris ont trop souvent appris les dangers d'offrir des prix trop bas.

Que veut dire ce dicton courant en affaires: les soumissions trop basses ruinent?

Centralisation des achats

Les grandes entreprises ont découvert les avantages de la centralisation des achats, entre autre celui d'une capacité de négociation accrue. Un acheteur central négociera par exemple un contrat annuel et les produits seront livrés au même bas prix à tous les bureaux et à toutes les usines de l'entreprise selon leurs besoins.

Plusieurs entreprises veulent bien acheter en très grosses quantités, mais elles ne désirent toutefois pas de livraison immédiate. Le contrat pourra se négocier de façon à couvrir les besoins d'une année entière, mais en spécifiant que les livraisons devront coïncider avec les besoins de l'entreprise. Cette façon de procéder réduit les problèmes d'inventaire de l'acheteur tout en facilitant les échéances de production du fournisseur.

Ces procédés deviennent cependant onéreux pour l'achat de petits articles faciles à se procurer localement. Voilà pourquoi un directeur régional ou local pourra se procurer lui-même certains articles dont le coût ne dépasse pas un montant établi, $500 par exemple.

Le contrat

Certains achats se font par commandes verbales; l'acheteur téléphone au fournisseur pour demander un article qui a déjà fait l'objet de plusieurs commandes antérieures. On confirme parfois la commande téléphonique par un bon de commande. C'est là en fait le travail routinier des commis au service des achats. Par contre, si l'achat est d'importance, la marche à suivre est différente: on rédigera un contrat pour protéger les deux parties. Le service des achats dispose, en général, d'un formulaire de contrat qui s'applique à tous les achats courants, mais il se peut que le vendeur insiste pour utiliser son propre formulaire.

Pourquoi un contrat écrit constitue-t-il une protection pour les deux parties? Qu'entend-on par le mot «protection»? Pourquoi les deux parties insistent-elles pour utiliser des contrats préparés par leurs propres organisations?

Dans le cas d'un très gros achat, le contrat sera préparé par le contentieux. Certains de ces documents impressionnent par leur longueur et leur complexité. Les contrats pour les travaux du ministère de la Défense ont jusqu'à cent pages.

Objectifs et exigences de base

GARANTIR L'APPROVISIONNEMENT Un acheteur humoriste nous déclarait que trois principes devaient guider l'achat: garantir l'approvisionnement, garantir l'approvisionnement et garantir l'approvisionnement. Il entendait par là que l'acheteur doit toujours fournir le produit que réclame la direction en quantité voulue, à l'endroit requis, au moment précis: s'il s'acquitte mal de cette tâche, les répercussions peuvent être graves. Une usine peut devoir fermer ses portes si elle manque d'une pièce et il en résulterait une perte financière importante. C'est pourquoi les acheteurs ne traiteront qu'avec des fournisseurs qui sont capables de respecter leurs contrats. Il est nécessaire que les dates de livraison et la qualité soient conformes aux exigences. Quels que soient ses prix, le fournisseur qui n'est pas digne de confiance n'obtiendra pas beaucoup de contrats.

SOURCES D'APPROVISIONNEMENT MULTIPLES Le bon agent acheteur aime avoir plusieurs sources d'approvisionnement pour les mêmes articles. Il tâchera toujours d'en trouver d'autres.

Pourquoi les directeurs chargés des achats évitent-ils autant que possible d'avoir des sources d'approvisionnement uniques pour un article?

VALEUR Les entrepises dont la fonction d'achat est très importante ont mis au point des techniques nouvelles pour faciliter le travail de leurs acheteurs. Des ingénieurs étudient les produits à acheter et estiment leur coût de fabrication. Connaissant les marges de profit brut de l'industrie, ils sont ainsi à même de définir un prix de vente. Si le prix proposé par le fournisseur dépasse de beaucoup le prix estimé, l'acheteur recherche d'autres fournisseurs. Plus encore, des ingénieurs tentent de trouver des moyens de simplifier le produit ou ses procédés de fabrication. Ils peuvent ainsi réduire son coût de fabrication et, par voie de conséquence, son prix de vente.

COMMANDES GROUPÉES Commander quelque chose, c'est déjà dépenser de l'argent: frais de bureau, téléphone, temps de l'acheteur. Souvent les petites commandes coûtent trop cher. Alors pourquoi ne pas placer de grosses commandes? Il est vrai qu'elles coûtent aussi très cher, car il faut compter, en plus du prix, le coût d'entreposage et la dépréciation de la marchandise. Il existe différentes formules qui permettent à l'acheteur d'évaluer les quantités optimales pour chacun des produits à acheter. Ces formules se basent, en général, sur l'utilité du produit et sur son coût.

LE CONTRÔLE DES INVENTAIRES

Contrôler les inventaires signifie: maintenir, préserver et manutentionner le matériel d'une entreprise. Ce matériel comprend les matières premières, les produits semi-finis, les produits finis et les différentes fournitures. Plusieurs personnes jouent un rôle dans le contrôle des inventaires: l'acheteur, les ingénieurs, les responsables de la production et les responsables des ventes. Toutes les activités de ces personnes, en ce qui concerne les stocks, doivent être coordonnées.

Le rôle premier du contrôle des inventaires consiste à s'assurer qu'il y a toujours en entrepôt les marchandises, les matières premières et les pièces dont ont besoin la production et les ventes. Le responsable du contrôle des inventaires doit concilier deux tâches paradoxales: avoir tout le nécessaire en stock et, en même temps, y investir le minimum d'argent. Dans les très grosses entreprises, les inventaires, en unité et en dollar, sont tenus à jour par des ordinateurs; les petites entreprises tentent de les imiter chaque fois qu'elles le peuvent.

Les principes du bon système d'inventaire sont simples, mais leur mise en pratique crée de nombreux problèmes. Dès qu'un article est reçu du fournisseur, il faut vérifier s'il s'agit bien de l'article commandé et s'assurer qu'il est en bonne condition. On doit ensuite enregistrer sa place s'il doit être entreposé. Il faut le protéger du vol et de la détérioration. Il faut qu'une personne autre que le magasinier en fasse un décompte périodique. On fournira enfin l'article sur demande soit à la production soit au client.

La réalité est malheureusement souvent toute autre: par exemple, on identifie mal un article, ou on le place à un endroit éloigné dans l'entrepôt et l'on oublie de l'enregistrer, ou encore on ne l'inscrit pas au compte de l'inventaire et, lors d'une réquisition de matériel, on se voit dans l'obligation de renvoyer les gens les mains vides.

L'ENTREPOSAGE

L'entreposage coûte cher: environ 6% du produit national brut. On ne doit pas diminuer son importance, car tout sera entreposé à un moment ou à un autre, soit comme matière première, soit comme produit fini. (Voir le tableau 16.2). Les marchandises sont entreposées pour plusieurs raisons: en attendant leur usage; en attendant leur vente; aux fins d'inspection, de triage, de classement, d'empaquetage, etc.

Il faut réduire le plus possible les temps d'entreposage, non seulement parce qu'ils coûtent cher, mais encore parce qu'ils créent des risques que personne n'aime prendre. Le principe à respecter à ce sujet est de ne jamais laisser les marchandises trop longtemps au même endroit et de les acheminer vers l'étape suivante aussitôt que possible.

Quels sont les risques de l'entreposage?
Pourquoi ne pas réduire l'entreposage en achetant le strict nécessaire?

ENTREPOSAGE DES MARCHANDISES PRÈS DE LEUR LIEU D'UTILISATION Il fut un temps où les immenses entrepôts étaient à la mode: tout s'entreposait à un seul endroit. De nos jours, des études ont démontré que la décentralisation des entrepôts réduit les coûts et facilite la manutention. On emmagasine donc les matières brutes, les pièces et les fournitures tout près de leur lieu d'utilisation.

Quels sont les problèmes d'entretien causés par de nombreux petits espaces d'entreposage?

MAINTIEN D'INVENTAIRE Le magasinier doit non seulement retrouver rapidement tous les articles en entrepôt, mais il doit encore s'assurer que les marchandises les plus anciennes sont employées d'abord. Plus encore, il doit savoir à tout moment, ou pouvoir trouver rapidement, le nombre et le genre d'articles en stock.
RANGEMENT DES STOCKS On plaçait autrefois les marchandises lourdes tout près de la sortie pour réduire les distances sur lesquelles on devait les transporter. De nos jours, le transport des marchandises lourdes à l'intérieur des entrepôts ne pose plus les mêmes problèmes grâce à l'emploi de chariots élévateurs. On range les marchandises en fonction des besoins qu'on peut en avoir. Les marchandises dont on a souvent besoin sont placées tout près, alors que les pièces dont on se sert moins sont reléguées dans des parties éloignées.

LA MANUTENTION

On doit souvent manipuler les marchandises soit sous forme de matière première soit sous forme de produits finis. On les charge à bord d'un véhicule, on les entrepose pour les recharger à bord d'un autre véhicule et ainsi de suite. On répète ce cycle plusieurs fois et chaque fois cela coûte des sommes considérables. (Voir le tableau 16.2 pour mieux se représenter le processus).

Heureusement, la manutention est maintenant hautement mécanisée: on dispose de chariots, de tapis roulants, d'appareils à décharger aux mécanismes mus par gravité, de dispositifs d'appel par vide, etc. Comme la main-d'oeuvre coûte trop cher, c'est la machine qui fait le travail.
DIMINUER LES DÉPLACEMENTS Il faut placer les marchandises là où elles doivent servir. En planifiant, on évite d'avoir à manipuler les marchandises inutilement. Un constructeur insistait pour que les fournisseurs livrent les marchandises à l'endroit même où elles devaient servir. Il ne voulait pas que ses menuisiers, payés $6 de l'heure, aient à déplacer les planches sans raison valable.
UTILISER L'OUTILLAGE Il faut bien s'outiller pour le travail à faire, car à la longue, il en coûtera moins cher. Un manufacturier a cru économiser de l'argent en n'installant pas un système de tapis roulant pour transporter les marchandises dans son usine. Il s'est contenté de l'ancien système manuel pour faire circuler le matériel. Il n'a jamais compris pourquoi son coût de production ne lui permettait pas de rester concurrentiel.

TABLEAU 16.2 Cycle de manutention des marchandises

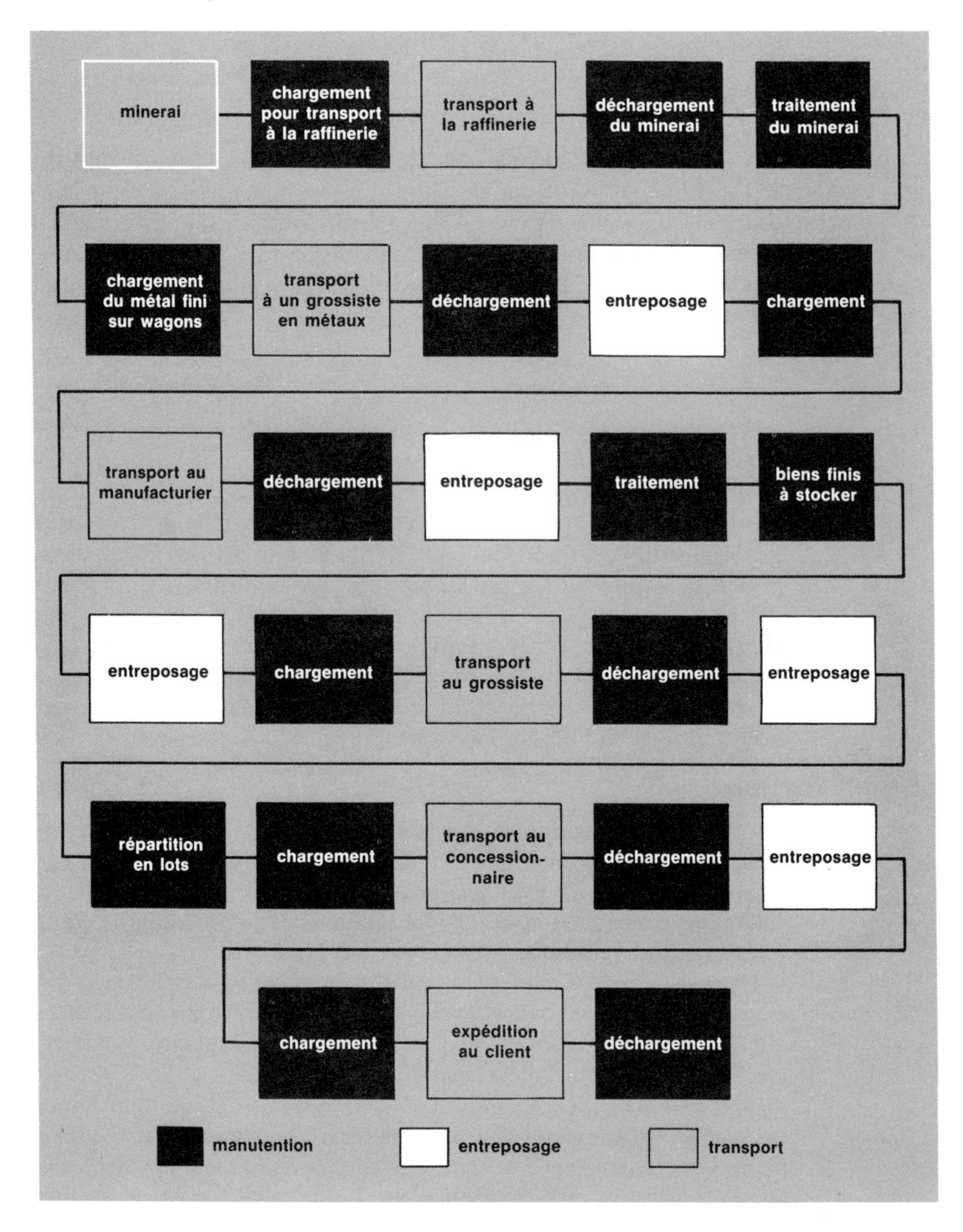

REGROUPEMENT EN UNITÉS L'utilisation de palettes et de contenants économise de l'argent. Pour garder le coût par article à un niveau raisonnablement bas, il est bon d'utiliser des contenants afin d'y mettre suffisamment de marchandises en même temps.

LIVRAISON EN CAISSE COMPLÈTE Le vieux principe du transport de marchandises en grosses unités est toujours valable. Les coûts de transport et de manutention sont minimisés aussi longtemps que les marchandises sont regroupées dans la même unité. Mais lorsqu'on ouvre un de ces contenants et qu'on commence à séparer la marchandise, les coûts augmentent rapidement. Il en coûte aussi cher de manipuler un tube de pâte dentifrice qu'une caisse entière. Il faut faire son possible pour que la marchandise se rende en caisse au moins jusqu'au grossiste; elle se rendra parfois même jusqu'au vendeur sans que le contenant n'ait été ouvert.

NE MANIPULER LA MARCHANDISE QU'EN CAS D'ABSOLUE NÉCESSITÉ Souvent, il est possible d'éviter toute manutention de marchandise. Un grossiste peut faire porter les marchandises directement à son client plutôt que de les faire passer par son entrepôt. C'est un envoi direct de l'usine au client. Certains détaillants demandent à leurs clients de venir chercher les marchandises directement à leur entreprôt plutôt que de faire passer les marchandises par leur magasin.

L'ACCÈS AUX MARCHANDISES Il convient d'organiser le rangement de l'entrepôt de façon à permettre l'accès à toutes les marchandises. On dépense de l'argent inutilement lorsqu'on doit déplacer de la marchandise pour arriver jusqu'aux articles recherchés.

LE TRANSPORT

Le spécialiste du transport économisera bien plus que son salaire à l'entreprise qui l'emploie, en diminuant simplement les coûts de transport. On a tort de croire que les prix de transport de Montréal à Toronto sont les mêmes, quel que soit le moyen de transport choisi. Le coût varie non seulement avec le moyen de transport utilisé: chemin de fer, camion, bateau, avion ou colis postal, mais dépend aussi du trajet choisi. En fait, les tarifs des compagnies de transport sont si complexes et confus que seul un expert saura quelle route sera la moins coûteuse. Il ne faut pas oublier que la satisfaction du client dépend largement du choix du transporteur. La rapidité est souvent essentielle surtout lorsque le client demande la livraison immédiate de sa marchandise. Les caractéristiques d'une marchandise empêchent parfois l'utilisation de certains modes de transport.

Modes de transport et leur évaluation

Pendant plusieurs décennies, le chemin de fer l'emporta sur tous les autres transporteurs de marchandises. Malheureusement, il a abusé de son privilège et n'a pas rendu les services que le marché en attendait. Même si expéditeurs et acheteurs réclamaient un service rapide, libérés des contraintes du plein chargement des wagons, les chemins de fer ont continué de fournir un service très lent de gare en gare. L'expéditeur doit souvent porter ses marchandises à la gare et l'acheteur doit aller au dépôt pour les chercher. Les chemins de fer demeurent tout de même le mode de transport le plus important pour déplacer de grosses quantités de marchandises lourdes. Il sont toujours le moyen de transport intercontinental le moins coûteux, si le vendeur expédie ses marchandises en quantités suffisantes pour remplir un wagon. Les chemins de fer acceptent des chargements inférieurs au wagon complet, mais la livraison est extrêmement lente et les risques de vol et de dégâts deviennent très élevés.

Lorsqu'une institution ne rend pas les services qu'on attend d'elle, de nouvelles entreprises apparaissent pour suppléer et satisfaire à la demande. C'est ainsi que le transport par camion a remplacé les chemins de fer dans beaucoup de cas. La plupart des expéditions en quantité moindre qu'un wagon entier se font par camion de nos jours. C'est un mode de transport rapide et qui rend de grands services aussi bien à l'expéditeur qu'à l'acheteur.

Les entreprises de transport par camion viennent chercher les marchandises à l'embarcadère de l'expéditeur pour les livrer au débarcadère de l'acheteur. Les directeurs de trafic soutiennent que les marchandises sont moins endommagées lorsqu'elles sont transportées par camion que par chemin de fer et que les entreprises de transport par camion donnent plus rapidement suite aux réclamations qu'on leur fait. On ne s'étonnera pas de l'ampleur qu'a rapidement pris ce mode de transport aux dépens des chemins de fer qui dépérissent. Il n'est pas vraiment difficile de déterminer quels modes de transport une entreprise préférera; son choix dépendra du genre de marchandises, des quantités habituelles à expédier et de l'importance qu'elle accorde à la rapidité de livraison.

Il arrivera que le choix se portera sur le bateau, mode de transport recherché à cause de son coût peu élevé, mais les délais de livraison finissent par éliminer ce transporteur trop lent. De plus, très peu de fabricants expédient en quantités telles qu'ils puissent utiliser le bateau de façon économique.

Le tranport de marchandises par avion est une industrie qui se développe rapidement en dépit de ses prix très élevés. Lorsque la marchandise n'est pas trop encombrante, ni trop lourde, et que la livraison exige de la rapidité, ce mode de transport s'impose. D'autre part, la rapidité de la livraison par avion est telle qu'elle permet parfois aux acheteurs de maintenir de petits inventaires et de réduire ou d'éliminer un grand nombre d'entrepôts. Il est évident que la popularité de ce mode de transport grandira de plus en plus.

On peut expédier par courrier une grande quantité de petits paquets. Les règlements assez stricts du transport local, en ce qui a trait au poids et au volume d'un colis, limitent toutefois sérieusement les possibilités de ce mode de transport assez dispendieux.

Notre système de transport laisse un grand vide entre le point où la poste cesse d'être possible et le point où le transport par camions commence à être rentable. Les autobus chargés de voyageurs disposent cependant d'espace-bagage libre qui peut servir au transport de ces petits colis. Les compagnies d'autobus organisent présentement ce service qu'elles appellent Transport de colis par Autobus. Ce procédé sera populaire pour le transport de petits colis sur de courtes distances. C'est actuellement une affaire d'environ $60 millions par année, mais elle croît rapidement.

INNOVATIONS DANS LE DOMAINE DU TRANSPORT

Parce que les frais de transport influent grandement sur le coût des marchandises vendues, de nombreuses entreprises sont continuellement à la recherche d'innovations dans le domaine du transport soit pour en réduire les frais, soit pour assurer un meilleur service.

Service rail-route

Puisque le chemin de fer est le moyen le plus économique de transporter de grosses quantités de marchandises sur de grandes distances et que les camions offrent de nombreux avantages pour le transport à courte distance en très peu de temps, on a réussi à augmenter l'efficacité en combinant les deux. Les remorques pleines de marchandises sont transportées par trains express sur de longues distances. Les camions quittent le train à la gare la plus rapprochée de leur destination et rayonnent de là pour la livraison de la marchandise. Grâce à ce procédé les expéditeurs ont pu réduire leur coût de manutention d'un véhicule à l'autre tout en obtenant une livraison plus rapide. Ils ont réduit en même temps les dégâts habituellement occasionnés par le séjour de la marchandise en wagons fermés.

Certains expéditeurs ont appliqué les techniques rail-route aux bateaux. En expédiant les marchandises chargées sur des camions, eux-mêmes à bord de bateaux qui circulent le long des côtes ou sur les cours d'eau intérieurs, ils économisent beaucoup de temps et d'argent parce qu'ils n'ont pas à charger et à décharger les marchandises. Ils réduisent du même coup les pertes dues aux petits vols.

Transports spéciaux

Les transporteurs ont développé des techniques spéciales pour répondre aux problèmes de transport particuliers de certaines industries. Le laboratoire de recherche de l'Hydro-Québec avait acheté un transformateur de 310 tonnes mesurant 35 pieds de long, 15 pieds de large et 12 pieds de haut d'une compagnie scandinave l'ASEA. Ne sachant comment acheminer ce «colis» jusqu'à Varennes où sont les laboratoires, le centre de recherche s'adressa aux ingénieurs d'une grande compagnie de transport montréalaise. La méthode suivante fut élaborée: l'ASEA expédierait par bateau jusqu'à Montréal. La capacité de la grue flottante «Hercule» serait augmentée de 285 tonnes à 325 tonnes afin de pouvoir débarquer le transformateur sur un fardier de 88 roues monté sur des péniches. Une jetée spéciale de 7° d'angle serait construite à Boucherville où les péniches apporteraient le «colis». Là, deux remorques prendraient le transformateur en charge et le transporteraient par route jusqu'à Varennes. Il faudrait demander l'aide de la sureté du Québec pour diriger le trafic, l'aide des dépanneurs de la compagnie de téléphone Bell et de l'Hydro-Québec pour enlever les fils traversant la route en avant du fardier et les reposer après son passage. L'ensemble de l'opération prendrait trois jours à compter du moment où le transformateur serait débarqué du bateau au port de Montréal. Ce qui fut décidé fut fait et coûta très cher. Mais l'opération fut pleinement réussie.

Les pipelines pour le pétrole sont un autre exemple du développement des transports spéciaux créés pour répondre à des problèmes particuliers. L'importance du transport du pétrole pour notre économie a suscité cette invention qui permet de transporter à bon prix, rapidement et avec le maximum de sécurité, depuis les usines de raffinage jusqu'aux grands centres de consommation, d'énormes quantités de pétrole. Le coût du transport par pipeline est de loin inférieur au coût du transport par chemin de fer.

Les containers

Pour faciliter la manutention des marchandises qui doivent passer par plusieurs moyens de transport et minimiser les coûts, les directeurs de trafic ont découvert le moyen de regrouper dans un seul contenant les envois qui doivent être expédiés au même endroit. Un seul grand container, plutôt que plusieurs petits, est beaucoup plus facile à manipuler et coûte bien moins cher à cause de l'équipement moderne. On s'efforce de standardiser la grosseur des containers, mais sans grand succès jusqu'à présent, parce que les expéditeurs ont des exigences et des besoins totalement différents. Toutefois, une compagnie de fret aérien a mis récemment à la disposition de ses clients une série de containers de tailles différents qui permettent de consolider les expéditions destinées au même endroit. Ce développement représente un potentiel d'économie de 15% pour l'expéditeur.

ÉCONOMIES RÉELLES SUR LE TRANSPORT

Plusieurs possibilités s'offrent à un directeur de trafic pour réduire les coûts de transport de sa marchandise. Tout d'abord, le choix du mode de transport est de la plus grande importance.

On s'efforcera autant que possible d'expédier par voie d'eau. Les bateaux modernes et les nouvelles méthodes de manutention permettent d'expédier du pétrole du Moyen-Orient à Portland et par pipeline jusqu'à Montréal à meilleur marché que de transporter du pétrole par pipeline de l'Alberta à Montréal. Il est évident que si la livraison ne presse pas, le transport par voie d'eau est tout à fait recommandé et très peu dispendieux. Plusieurs fabricants ont redécouvert la navigation par cours d'eau intérieur depuis l'ouverture de la voie maritime du Saint-Laurent. Il faut essayer d'apporter les marchandises en lot, par voie d'eau, le plus près possible des marchés et de séparer ensuite les lots pour expédier les produits à destination par un mode de transport plus coûteux. Les entrepôts sont parfois situés dans des ports; on amène alors les marchandises en vrac, jusqu'à la Nouvelle Orléans, Houston, Los Angeles, San Francisco ou Montréal, par bateau, puis de là, on sépare les marchandises pour les distribuer par train ou par camion aux clients des environs.

S'il choisit le chemin de fer comme mode de transport, l'expéditeur peut réduire son coût de transport par le choix de diverses combinaisons mises à sa disposition. C'est ainsi qu'il peut utiliser le système de wagons partagés. C'est un service de transport qui permet d'obtenir le même tarif que si on utilisait un wagon à pleine capacité. C'est un système avantageux surtout lorsqu'on n'utilise qu'une partie du wagon ou s'il faut exécuter une commande réduite pour un seul client. Un wagon commun peut contenir les marchandises d'une entreprise destinées à plusieurs acheteurs, ou il peut contenir les marchandises de plusieurs entreprises destinées à un ou plusieurs acheteurs. L'idée de base est de réunir un certain nombre d'expéditions, chacune étant inférieure à la cargaison d'un wagon, et de l'expédier dans un seul wagon à un endroit à partir duquel les marchandises seront séparées et acheminées vers leurs destinataires respectifs. On réalise une économie substantielle sur les tarifs normaux chaque fois qu'on peut utiliser ce service. Les marchandises devraient être expédiées au tarif de cargaison de wagon partagé ou commun aussi loin que possible.

Les services d'un transitaire peuvent souvent s'avérer avantageux. Les transitaires prennent en charge les expéditions de marchandises de moins d'une cargaison-wagon, les réunissent en cargaisons pleins-wagons et les expédient aux tarifs wagons pleins.

Une direction avisée devrait favoriser la vente de marchandises par wagons pleins par tous les moyens mis en son pouvoir; en structurant ses prix et ses conditions de vente pour encourager la vente par wagons pleins, elle réduira considérablement le coût de transport pour la livraison de ses marchandises.

L'emballage des marchandises influe sur le coût du transport. Réduire le volume des emballages, c'est réduire de beaucoup le coût de transport, car on pourra ainsi expédier un plus grand nombre d'unités par voyage. Certaines entreprises ont pu réduire leurs frais de transport en laissant leur produit en pièces détachées pour gagner de l'espace. Souvent, il ne coûte pas plus cher d'assembler un produit une fois arrivé à destination qu'à l'usine.

L'emplacement de l'usine où la matière première sera transformée influe énormément sur le coût de transport du produit fini. Il faut réduire la masse première aussi vite que possible pour ne pas transporter de poids inutile. Un fabricant de sirop de blé d'inde aura intérêt à installer son usine le plus près possible des champs de maïs, ainsi il n'aura pas à transporter des montagnes d'épis et diminuera d'autant ses frais de transport. En fin de compte, c'est l'emplacement de l'usine qui déterminera le coût total du transport que le client devra payer. En théorie, le fabricant devrait s'efforcer de construire son usine sur l'emplacement qui lui permettra d'économiser le plus sur le volume de marchandise à expédier. Les mathématiciens modernes ont entrepris par des recherches appropriées d'établir des statistiques à cet effet. Un échantillonnage de factures sur une période écoulée leur permet de déterminer le pourcentage d'expéditions aux différents marchés et les quantités expédiées à chacun. Ils formulent ensuite des équations dont la solution indiquera au directeur l'emplacement idéal de son usine pour réduire le plus possible ses frais de transport!

En plus des quantités et des distances à parcourir, il existe encore d'autres considérations. Les différentes régions du pays ont des structures de prix différentes, ce qui influe considérablement sur le coût quand on doit faire parvenir des marchandises dans certaines localités. Évidemment, plus une usine se trouve près de son marché, plus elle offrira d'avantages à ses clients; à moins que ces avantages ne soient annulés par d'autres coûts, celui de la main-d'oeuvre par exemple.

Pour conclure, l'industrie des transports repose sur une structure immense et complexe, où de nombreuses possibilités s'entrecroisent pour déterminer la somme totale de frais de transport qu'une entreprise devra débourser. Une entreprise avisée emploiera un directeur de trafic compétent pour diminuer les frais de transport et accélérer les envois des marchandises, à moins qu'elle ne s'assure les services d'un conseiller expérimenté en transport qui organisera le travail courant d'expédition des marchandises aux grands centres commerciaux. Un conseiller en transport peut déterminer quelles routes les expéditions d'une certaine envergure devront prendre pour atteindre des régions éloignées.

Si une entreprise doit constamment expédier des grandes quantités de marchandises, elle aurait tort de penser qu'un directeur de trafic serait une dépense superflue. Celui-ci lui économiserait bien plus que son salaire en obtenant des rabais sur les factures surchargées de transporteurs et en obtenant les tarifs les plus bas pour chacune des expéditions. Les transporteurs ne se préoccupent pas de savoir si l'expéditeur obtient les prix les plus bas, ni s'il fait ses envois par la route la plus économique. L'expéditeur doit se protéger lui-même.

CONCLUSION

Il fut un temps où acheter, entreposer, contrôler les inventaires, les transports et la manutention étaient considérés comme des fonctions séparées; aujourd'hui, elles font parties intégrantes du système de gestion du matériel.

Ces activités commerciales, quoique très importantes pour le succès final d'une entreprise, ont été négligées par les hommes d'affaires en faveur de la finance, du marketing et de la production qui sont des champs d'action bien plus attrayants.

Pour devenir un spécialiste en gestion de matériel, il faut posséder et savoir mettre à profit un grand nombre d'informations techniques. Il est révolu le temps où des biceps solides étaient la seule condition imposée à qui voulait devenir contremaître d'entrepôt.

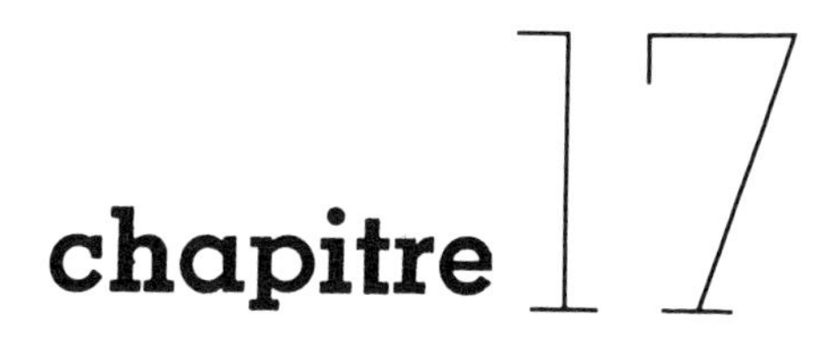

la direction du personnel et les relations de travail

Peu de problèmes causent autant de soucis que ceux auxquels doivent faire face patrons et employés à propos de la direction du personnel et des relations de travail. Certains hommes d'affaires ont préféré cesser leurs activités plutôt que de négocier des conditions de travail avec le syndicat de leurs employés. Bien plus, nombre d'entre eux ont mené, parfois à leur avantage mais souvent en vain, de longues guerres très coûteuses contre leurs employés. La stabilité émotive du plus tolérant des directeurs est souvent mise à dure épreuve lorsqu'il doit discuter de l'organisation du travail.

D'autre part, les choses ne se présentent guère mieux du côté des travailleurs! Bien rares sont les chefs syndicaux qui tiennent des propos aimables à l'égard de leurs employeurs. Au contraire, le moins que l'on puisse dire est qu'ils prêtent des intentions malhonnêtes à la direction de l'entreprise.

Conscients de cet état de choses, nous allons étudier le monde du travail et sa gestion. Puisque, dans les grandes entreprises, on a confié à un service du personnel l'ensemble des rapports entre la direction et les employés, il convient d'en dire quelques mots.

Le domaine de la gestion du personnel s'est considérablement élargi ces dernières années. Là où autrefois les directeurs de personnel ne s'occupaient guère que de techniques de gestion, il leur faut maintenant se pencher sur les problèmes bien plus étendus et profonds du comportement humain dans l'entreprise. L'étude de la gestion du personnel doit s'appuyer sur les sciences du comportement et en particulier sur le comportement des individus au sein d'un groupe ou d'une organisation.

Malgré cet apport nouveau, celui qui s'intéresse à la gestion du personnel doit se soucier en premier lieu des exigences particulières des sociétés sur lesquelles il se penche. Aussi, allons-nous nous en tenir à un exposé classique en soulignant les diverses activités reliées à la fonction de directeur de personnel.

AVÈNEMENT DE LA GESTION DU PERSONNEL ET DES RELATIONS DU TRAVAIL

Dans de nombreuses entreprises, le chef du personnel s'occupe à la fois des relations du travail et de la gestion du personnel. Ce sont pourtant des fonctions distinctes. Nous les étudierons séparément bien qu'elles se soient développées parallèlement et dans des conditions semblables.

Les directeurs du personnel et les négociateurs étaient presqu'inconnus au dix-neuvième siècle; ils sont, pour ainsi dire, une création de notre époque. En somme, ils sont nés avec le développement du syndicalisme et l'apparition de l'énorme législation du travail. Les facteurs qui ont amené l'avènement de la gestion professionnelle du personnel sont les suivants: l'augmentation du nombre des employés, la syndicalisation, le souci croissant du bien-être des employés.

Augmentation du nombre des employés.

Le patron qui emploie une centaine de travailleurs éprouve rarement le besoin de s'attacher un directeur du personnel. Avec la croissance de l'entreprise, le travail physique que représente l'embauche des employés, la tenue de leurs dossiers, le règlement des formalités de la sécurité sociale, toutes ces activités deviennent un tel fardeau qu'elles ne peuvent être assumées par les cadres ou par une simple secrétaire. On engage alors un directeur du personnel. La croissance à elle seule crée le besoin d'un tel spécialiste.

À partir de combien d'employés une société doit-elle envisager de s'adjoindre un directeur du personnel?

Syndicalisation

L'avènement de la syndicalisation a provoqué non seulement un besoin immédiat de négociateurs spécialisés dans les problèmes du travail, mais aussi la création de services d'administration des programmes d'avantages sociaux mis sur pied pour le bénéfice des employés. La syndicalisation a donné un puissant élan à la création de services du personnel.

Législation

Aujourd'hui, la législation des diverses instances gouvernementales touche à tellement d'aspects de la gestion du personnel qu'une société qui veut la respecter doit presqu'impérativement se doter d'un service du personnel bien dirigé.

La gestion moderne s'occupe de plus en plus du bien-être des employés; aussi a-t-elle mis en oeuvre divers programmes: plans de pensions et de retraite, assurances, loisirs et autres avantages sociaux. Ces programmes sont compliqués et requièrent l'attention de cadres spécialisés.

FONCTIONS DU DIRECTEUR DU PERSONNEL

Même si le travail du directeur du personnel diffère d'une société à l'autre, selon les conditions particulières à chacune, ses fonctions sont, en gros, les mêmes.

Description des tâches

Dans une entreprise bien gérée, le directeur du personnel définit soigneusement chaque tâche et l'analyse pour en trouver les tenants et les aboutissants. On n'insiste jamais trop sur l'importance de cette analyse, car un grand nombre de décisions administratives en dépendent. Par exemple, les salaires sont souvent basés sur l'analyse de la difficulté du travail et des qualifications qu'il suppose.

Comment s'y prendre pour étudier une tâche? Étudiez le travail d'un étudiant!

L'analyse précise d'un poste conduit à sa description et de là, à la définition des exigences qu'il requiert. On en trouvera un exemple au tableau 17.1. Les exigences comprennent les qualifications et les titres que le candidat doit posséder.
L'évaluation des tâches doit être refaite périodiquement, au fur et à mesure de l'évolution de l'entreprise. Comme il a été dit au chapitre sur la production, les entreprises de production ou de transformation doivent souvent se livrer à des études détaillées de certains gestes et de leur durée, afin de déterminer la complexité de diverses tâches et d'augmenter ainsi, le cas échéant, l'efficacité de leur exécution. D'ordinaire, c'est le service du personnel qui se charge de ces analyses.

Recrutement

Lorsqu'un poste est vacant, les exigences requises servent à orienter la recherche de candidats. Le dirigeant d'entreprise averti s'efforce de trouver de nombreux candidats de manière à pouvoir s'assurer les services d'une personne qui fera parfaitement l'affaire. En période difficile, un grand nombre de candidats se présenteront, mais en général, il faut s'appliquer à rechercher le bon sujet. C'est une chose d'embaucher le premier venu, c'en est une autre de recruter des candidats hautement qualifiés.

Si vous étiez à la recherche d'un représentant pour la vente de produits chimiques bien particuliers, où le recruteriez-vous?
Est-ce qu'une société doit faire toutes ses annonces d'offres d'emploi par voie de presse?

Processus de sélection

Une fois les candidatures recueillies, commence le processus long et souvent laborieux de la sélection. Le directeur du personnel en est le plus souvent chargé, mais pas toujours. Parfois, en particulier dans le cas de représentants, les dirigeants de l'entreprise ne se contentent pas de participer activement à la sélection: ils en font leur affaire, considérant que le directeur du personnel n'est pas le mieux placé pour choisir de tels spécialistes. De toute façon, le service du personnel est présent, à des degrés divers, à la plupart des étapes de sélection.

En règle générale, le candidat commence par remplir un bref formulaire d'emploi en même temps qu'il fait l'objet d'une première entrevue avec un employé du service du personnel. Il s'agit, à cette étape, de s'assurer que le candidat répond aux exigences minimales. Si oui, on lui fait remplir un formulaire plus détaillé sur son expérience et ses qualifications. Puis il est interrogé longuement par des cadres de la société. Il pourra ainsi rencontrer en premier lieu le directeur du personnel qui, après l'avoir jugé compétent, l'enverra à son éventuel patron. Si le poste comporte des responsabilités tant soit peu importantes, le candidat verra généralement divers membres du service, parfois plusieurs fois. Plus le poste exige de responsabilités, plus l'employeur mettra de soins à choisir le candidat.

TABLEAU 17.1 Description de tâche

DIRECTEUR RÉGIONAL DES VENTES

TÂCHE PRINCIPALE: Le directeur régional des ventes est un cadre du service des ventes. Il est responsable des ventes de tous les produits de la compagnie à l'intérieur d'un territoire géographique déterminé. Il doit atteindre les objectifs de ventes fixés pour sa région. Il dirige ses vendeurs dans l'exécution de leur travail.

SUPÉRIEUR HIÉRARCHIQUE: Il rend compte de ses actes au directeur général des ventes.

SUBORDONNÉS: Il contrôle la force de vente et le personnel de bureau de sa région.

PRINCIPALES ACTIVITÉS:

1- Établir les programmes de marketing pour son territoire et les soumettre à l'approbation de son supérieur.
2- Étudier et recommander la répartition du territoire entre ses agents.
3- Fixer les objectifs de vente de chacun de ses vendeurs et préciser ensuite les objectifs de la région.
4- Aider ses vendeurs à établir leur plan de travail.
5- Évaluer le travail de ses subordonnés et suggérer des améliorations.
6- S'assurer que chaque vendeur possède tous les outils de vente dont il a besoin.
7- Vérifier si les vendeurs ont toujours du matériel de démonstration à jour.
8- Rendre visite à des clients avec un vendeur pour illustrer la façon de vendre les produits de la compagnie.
9- S'occuper personnellement de l'entraînement des nouveaux vendeurs.
10- Transmettre toutes les informations pertinentes aux membres de son équipe.
11- Promouvoir l'initiative de ses vendeurs.
12- Servir personnellement certains clients désignés par le siège social.
13- Être en contact régulier et constant avec son supérieur immédiat.
14- Prendre connaissance des rapports d'activités de ses agents et prendre les mesures qui s'imposent pour combler les lacunes.

Formalités

Une fois prise la décision d'engager un candidat, c'est au service du personnel qu'incombe la tâche de remplir les formalités qui s'imposent pour l'inscrire sur la liste de paye.

À chaque employé correspond un dossier contenant tous les renseignements sur son passé dans l'entreprise, les rapports d'évaluation de ses supérieurs, de même que les divers documents relatifs à son salaire et à ses promotions. La précision de ces dossiers et leur caractère complet se révèlent particulièrement importants lorsque l'entreprise se trouve prise dans un différend avec un employé ou un organisme gouvernemental sur des questions telles que l'assurance chômage, les prestations sociales, etc.

Formation

Le service du personnel est généralement chargé de tout ce qui touche à la formation professionnelle au sein de l'entreprise. Cette formation peut aller de simples conseils pratiques pour les employés au bas de l'échelle jusqu'à des cycles complets pour les cadres supérieurs.

Tests

En même temps que la sélection et les programmes de perfectionnement, on pourra parfois faire appel à toute une série de tests qui détermineront les connaissances et les qualifications de l'intéressé. C'est au service du personnel qu'incombe la responsabilité de choisir et de développer des tests appropriés.

Analyse des salaires

La plupart des grandes sociétés se préoccupent de l'équité de leurs échelles de salaire. Elles veulent s'assurer que chacun reçoit un salaire proportionné à ses qualifications et à ses responsabilités. C'est pourquoi elles gardent presque toujours ouvert le dossier de la politique salariale et s'adonnent à des révisions périodiques des salaires pour en corriger les disparités. Le plus souvent, c'est encore au service du personnel de s'occuper de ces questions.

Règles et usages

Toute société de quelqu'importance élabore un ensemble de règles et d'usages auxquels les employés, espère-t-elle, se soumettront. Le service du personnel met au point ces directives et fait en sorte qu'elles soient diffusées dans l'entreprise.

Fin d'emploi

Lorsqu'un membre du personnel cesse d'être à l'emploi de l'entreprise (pour cause de démission, de renvoi, de décès), il faut remplir certaines formalités. Il faut aussi s'occuper de questions telles que l'arrêt du salaire et le règlement des divers avantages sociaux.

Quel profit peut-on tirer de l'interview avec celui qui quitte son emploi?
Quelle est la différence entre une mise à pied et la fin d'un emploi?

Respect de la législation

La législation mise en vigueur par les gouvernements fédéral et provincial en matière de personnel impose certaines obligations aux entreprises. Il faut soumettre les rapports exigés par les organismes gouvernementaux, car ceux-ci entreprennent des inspections visant à vérifier si la loi est bien observée. Les rapports avec ces organismes sont assurés par le service du personnel.

RELATIONS DU TRAVAIL

Depuis la promulgation de la loi sur les relations ouvrières (Québec 1944), les relations avec la main-d'oeuvre et en particulier avec les syndicats sont devenues de plus en plus importantes; elles constituent un des aspects les plus délicats de la gestion. Il fut un temps où les dirigeants d'entreprises croyaient qu'ils pouvaient eux-mêmes mener les négociations avec la main-d'oeuvre. Ils durent déchanter! Le cadre supérieur n'est pas, en général, suffisamment outillé pour négocier d'égal à égal avec le chef syndical à côté duquel il n'est qu'un débutant. Voilà pourquoi sont apparus les négociateurs professionnels. Voyons tout d'abord ce que sont les syndicats, comment ils sont devenus les institutions que l'on connaît aujourd'hui et quelles sont leurs fonctions.

La notion de syndicat

La notion de syndicat n'est pas nouvelle. Elle existe depuis la naissance du monde du commerce. En effet, les corporations du moyen-âge n'étaient rien de plus que des syndicats. Les individus partageant les mêmes intérêts ont toujours cherché à s'unir pour profiter de la force du nombre et pour restreindre la concurrence qui s'établit entre eux.

Pourquoi les gens d'un même métier tentent-ils le plus souvent de limiter la concurrence qu'ils se font?

Aux États-Unis, l'origine du syndicalisme remonte au 19e siècle. Le premier chef à être reconnu sur le plan national fut Samuel Gompers, nommé à la tête des travailleurs du monde. Ces faits sont évidemment moins importants que la notion même de syndicalisme. Pour comprendre les causes de l'avènement du syndicalisme, imaginez-vous dans une usine, vers les années 1880 ou 90, regardez ce qui se passe autour de vous, dans quelles conditions et à quel salaire vous travaillez. Comparez votre niveau de vie avec celui de votre patron qui, bien plus qu'un patron, est un personnage dont le bon vouloir détermine jusqu'à votre existence, qui peut vous renvoyer comme il l'entend, avec ou sans motif valable. Sa parole a force de loi et si cela vous déplaît, vous n'avez qu'à aller ailleurs. Il peut se permettre de ne vous donner qu'un salaire minable, puisque des centaines de travailleurs lui mendient votre emploi: de quel pouvoir de marchandage disposez-vous?

Les travailleurs d'alors se sentaient comme des pions lancés dans un tournoi féroce contre leurs compagnons pour le seul bénéfice du patron. C'est ce qui les a poussés à s'unir dans le but de s'imposer face à l'employeur. La notion de syndicalisme est né de la constatation que seul, un travailleur n'est rien, mais qu'uni à d'autres, il est capable de tenir tête au patron. Le syndicat est donc un instrument grâce auquel les employés peuvent négocier. Ces dernières années, les patrons se sont regroupés en conseils du patronnat, afin de se retrouver à égalité avec des syndicats dont la puissance, par un revers des choses, les dépassait.

La croissance des syndicats

Avant l'adoption de la loi des relations ouvrières (1944), la croissance du syndicalisme était sévèrement freinée. Les patrons et les tribunaux réussissaient à combattre, avec des succès divers, les tentatives de syndicalisation. Ils assimilaient syndicat et association illégale. L'histoire de la syndicalisation est faite de violence, de grèves, d'émeutes, de lock-out, de poursuites judiciaires de part et d'autre. Les employeurs luttaient pour conserver leurs privilèges et leurs droits avec le même acharnement que les ouvriers mettaient à obtenir les leurs. Mais l'arrivée de la Grande Crise, avec son chômage pléthorique et ses moments difficiles pour le monde du travail, sema le doute parmi les travailleurs sur la sagesse des patrons. Le monde ouvrier put alors s'arroger suffisamment de pouvoir politique pour faire voter des lois qui lui étaient favorables. Il voulut se faire octroyer plusieurs droits. En premier lieu, celui de créer des syndicats; deuxièmement, les travailleurs voulurent que les patrons reconnaissent aux syndicats le droit d'exister et de négocier en tant que groupe au nom des individus; troisièmement, ils exigèrent que les employés engagés dans l'action syndicale ne fassent pas l'objet de discrimination; quatrièmement, les syndicats demandèrent que soient déclarées illégales certaines pratiques défavorables au monde ouvrier.

Pourquoi les chefs syndicaux se sont-ils tant attachés à la reconnaissance de ces droits?

Si vous aviez été un patron non soumis à la législation en vigueur, comment vous y seriez-vous pris pour empêcher un syndicat de s'installer dans votre usine?

Si vous dirigiez une entreprise où le personnel n'est pas syndiqué, et si vous vouliez que les choses restent ainsi, que feriez-vous?

Si vous étiez un chef syndical cherchant à regrouper les employés d'une entreprise, qu'est-ce que vous chercheriez à savoir pour déterminer si elle est mûre ou non pour cette opération?

Rôle des syndicats

Les syndicats ne s'occupent pas seulement de négocier les conditions de travail et les salaires au nom des travailleurs. Dans certaines industries, ils font office de centres d'embauche. Dans la plupart des villes, si vous voulez employer cinq charpentiers, vous vous adresserez au bureau d'embauche du syndicat des charpentiers ou à celui des ouvriers du bâtiment; on vous trouvera cinq charpentiers syndiqués. Si vous êtes armateur et que vous voulez faire décharger un navire, vous vous adresserez au bureau d'embauche des débardeurs.

Que se passe-t-il si les menuisiers que l'on vous a envoyés ne font pas l'affaire?
Comment sont nés les bureaux d'embauche des syndicats?
Pourquoi les syndicats les tiennent-ils?

GESTION DU FONDS DE PENSION Un des buts des syndicats a été de mettre sur pied un fonds de pension, afin de pourvoir aux besoins des retraités. De nombreuses conventions collectives contiennent des clauses selon lesquelles l'employeur et l'employé contribuent à ces fonds que gère l'entreprise ou le syndicat, ou les deux à la fois.

La jeunesse ne comprend pas toujours l'importance émotive des négociations touchant aux fonds de pension. C'est qu'elle ne soupçonne guère la peur qui étreint le travailleur moyen à l'idée de se trouver démuni au moment de la vieillesse. La sécurité sociale ne suffit pas à lui assurer le niveau de vie qu'il désire.

BIEN-ÊTRE Beaucoup de syndicats gèrent des programmes substantiels de bien-être qui s'appliquent à leurs adhérents et à leur famille. Citons, entre autres, les prestations en cas de chômage, les assurances sur la vie et contre les accidents. En fait, à l'origine, les syndicats étaient surtout des associations d'entraide mutuelle; les travailleurs se soutenaient les uns les autres en cas de difficultés.

AVANCEMENT Les syndicats, au début, se sont beaucoup intéressés aux questions touchant l'avancement de leurs membres. Et pour cause: dans beaucoup de cas, les patrons renvoyaient les travailleurs vieillissants au profit de plus jeunes, plus productifs et auxquels ils pouvaient offrir un salaire moins élevé. Autrefois, passé la quarantaine, un travailleur pouvait craindre de perdre son gagne-pain. La plupart des syndicats sont intransigeants sur l'avancement: priorité aux anciens! La maxime «Dernier arrivé, premier renvoyé» est, en la matière, la règle d'or des syndicats.

En vertu de quels principes les syndicats sont-ils favorables au renvoi des plus jeunes en priorité? Quels employés les dirigeants d'entreprises cherchent-ils à renvoyer les premiers?

RÈGLEMENTS DU TRAVAIL Une bonne part des négociations entre syndicats et entreprises porte sur les règlements du travail. Le niveau du salaire ne signifie rien s'il n'est pas accompagné d'une définition rigoureuse du travail auquel il correspond. Les syndicats se sont toujours montrés soucieux de contrôler l'accélération des cadences et les autres moyens d'augmenter la productivité des travailleurs.

LOISIRS Souvent les syndicats s'occupent des loisirs des employés et de leur famille. Diverses activités, telles que les pique-niques, les soirées dansantes, les parties de quilles servent à rapprocher les syndiqués et leur famille; le syndicat manifeste ainsi sa présence.

CONFIANCE EN SOI Certaines études ont voulu démontrer que les syndicats cherchent à donner à leurs adhérents une raison d'être, à leur montrer qu'ils sont autre chose qu'une carte fichée au panneau de l'horloge-pointeuse. Pour un travailleur, le fait d'appartenir à un groupe donne un sens à sa vie, de là en bonne partie, sa farouche fidélité à son syndicat. Longtemps, les patrons se sont interrogés sur l'attitude des travailleurs, plus portés à défendre les intérêts de leurs syndicats ou de leurs camarades de travail que ceux de l'entreprise.

Les dirigeants d'entreprises ont toujours été préoccupés par la délicate question de la fidélité de leurs employés, dont ils attendent plus qu'ils n'obtiennent.
En quoi un travailleur doit-il être fidèle et loyal à son employeur? Pourquoi cesse-t-il parfois de l'être? Comment définir fidélité et loyauté?

Les négociations

Le public comprend souvent mal que les négociations entre patrons et syndiqués durent si longtemps. Des équipes de négociateurs mettent des semaines, voire des mois, à rédiger un contrat collectif. Les journaux se contentent d'annoncer que quelques cents de l'heure ont été acquis par les ouvriers. Ces nouvelles ne rendent compte que d'une bien faible partie des résultats.

SALAIRES Ne nous trompons pas. Dans l'immense majorité des cas, c'est l'augmentation des salaires qui est en cause au cours des négociations: combien les travailleurs gagneront-ils pour telle durée de travail? Cependant, si les travailleurs, en règle générale, négocient surtout des taux horaires, ils cherchent maintenant par leurs syndicats, et les plus importants d'entre eux sont engagés dans cette voie, à obtenir un salaire annuel garanti.

Les syndicats se sont presque toujours opposés à la rémunération à la pièce. Pourquoi?
Pourquoi les syndicats réclament-ils le salaire annuel garanti?
Pourquoi les employeurs sont-ils mal disposés à l'accepter?
Quelle répercussion ce salaire annuel garanti aurait-il sur la politique d'embauche de l'entreprise?
Et sur ses plans de production?

Comme principe de base, les syndicats fondent leurs exigences de hausse des salaires sur la hausse du coût de la vie et sur l'augmentation de la productivité du travail.

Si vous étiez négociateur pour un syndicat, comment démontreriez-vous que vos adhérents doivent obtenir des augmentations en vertu de leur productivité croissante? Quelles statistiques utiliseriez-vous?

CONDITIONS DE TRAVAIL Au début du syndicalisme, les revendications concernant les conditions de travail étaient presqu'aussi importantes que celles qui concernaient les salaires. Pourquoi? pour la raison évidente que les lieux de travail tenaient plutôt de trous à rats. La plupart des mesures de sécurité qui nous semblent naturelles aujourd'hui étaient alors inconnues. Il s'ensuivait que les ouvriers se faisaient tuer ou estropier à la chaîne.

Souvenons-nous qu'il n'y a pas si longtemps, la famille d'un travailleur qui devenait invalide endurait tous les tourments imaginables, privée qu'elle était de toute sécurité sociale et de tout secours pécuniaire. Les ouvriers voulaient des lieux de travail propres et sûrs. Ce droit nous semble aujourd'hui si évident que l'on a du mal à s'imaginer que les patrons d'alors s'y opposaient.

Pourquoi s'y opposaient-ils?

SÉCURITÉ D'EMPLOI Un employé, dont les moyens d'existence et ceux de sa famille dépendent du salaire qu'il reçoit, vit dans la crainte du licenciement ou du renvoi, surtout s'il n'est pour rien dans son congédiement. Les travailleurs ont toujours cherché à se protéger des caprices ou des fantaisies de certains patrons pratiquant le favoritisme ou renvoyant les plus vieux au profit des plus jeunes qui acceptent d'être moins bien payés.

Pourquoi les jeunes acceptent-ils de travailler à des salaires moindres que ceux des vieux?

Assez tôt, les syndicats se sont occupés de près de l'avancement et de la sécurité d'emploi. Ils ont insisté pour que l'avancement se fasse selon le nombre d'années à l'emploi de l'entreprise et pour que les licenciements n'aient lieu que pour de justes motifs. Plus tard, les causes de renvoi ont été énumérées, noir sur blanc, dans les conventions collectives.

Quels sont les justes motifs de renvoi normalement reconnus par les conventions collectives?

AVANTAGES SOCIAUX En plus de négocier les salaires proprement dits, les syndicats se sont occupés d'obtenir des avantages sociaux tels que des plans d'assurance et de retraite, des services médicaux, etc.

Alors que les employés ont tendance à considérer ces avantages comme non pécuniaires, les employeurs en font une affaire de cents et de dollars, puisqu'ils leur coûtent effectivement de l'argent.

RAPPORT SALAIRE-TRAVAIL Établir le montant d'un salaire ne signifie pas grand chose si l'on ne détermine pas du même coup la quantité de travail correspondante. Les syndicats, à l'inverse des patrons, cherchent à obtenir un rapport salaire-travail qui leur soit favorable.

Si vous étiez négociateur syndical, sur quelle base détermineriez-vous un rapport salaire-travail satisfaisant pour les syndiqués? Pourquoi cette base n'est-elle, en général, pas acceptée par l'employeur?

La quantité de travail n'est pas seule en cause. La qualité doit aussi entrer en ligne de compte: mal faire son travail est pire que de ne pas le faire du tout. Les deux parties, patronale et syndicale, doivent se mettre d'accord sur la qualité de tel ou tel travail. Si un ouvrier ne s'y conforme pas, il s'expose à être licencié.

LES ADHÉSIONS AU SYNDICAT À l'origine surtout, les patrons et les chefs syndicaux débattaient violemment la question des rapports entre le travailleur, l'employeur et le syndicat. Les syndicats voulaient des ateliers fermés, c'est-à-dire qu'ils voulaient que les patrons n'embauchent que des ouvriers déjà syndiqués, ou qui, du moins, le deviendraient avant d'être engagés. Puis les syndicats demandèrent que les cotisations syndicales soient perçues à la source et restituées au syndicat, l'employeur devenant alors un agent de perception au service du syndicat. Cette pratique ne soulevait guère d'enthousiasme chez les employeurs. Dans le cas des ateliers unionistes, l'employeur peut engager un non-syndiqué mais celui-ci doit le devenir après avoir été employé.

Dans l'atelier ouvert, le travailleur peut, comme il l'entend, adhérer ou non au syndicat, son employeur ne peut en aucune façon l'obliger à se syndiquer. Les patrons ont toujours eu une préférence marquée pour ce système.

COMPÉTENCE RESPECTIVE Le patron doit souvent négocier avec plusieurs syndicats représentant chacun un métier ou une profession: syndicats de plombiers, de menuisiers, etc. Tout ceci semble aller de soi, mais imaginez qu'il faille poser un système automatique de traitement des ordures: qui, du plombier ou de l'électricien, en sera chargé? Est-ce que le plombier pourra faire les branchements électriques nécessaires? Vues de l'extérieur, ces querelles de compétence paraissent futiles, mesquines, insensées, enrageantes même. Les syndicats sont cependant très pointilleux là-dessus.

Pourquoi les syndicats mettent-ils un soin jaloux à défendre le travail sur lequel ils ont compétence?
Pourquoi, dans l'exemple cité ci-dessus, se soucient-ils de savoir qui fera les branchements?

Lorsque l'on compte plusieurs syndicats de métier dans la même entreprise, la compétence de chacun sur tel ou tel point doit être prévue au moment des négociations des conventions collectives. Ces querelles de compétence furent une des grandes faiblesses du syndicalisme par corps de métier. L'avènement du syndicat unique par usine, auquel tous les travailleurs appartiennent, a mis fin en grande partie à ces querelles.

PROCÉDURE DE GRIEF Les travailleurs ont toujours voulu un système visant à réparer les injustices commises à leur endroit. Aussi, les conventions collectives prévoient-elles une procédure et des organismes grâce auxquels le travailleur ou le syndicat peut porter plainte auprès de l'employeur de telle ou telle violation des termes de la convention. Cette procédure de grief peut aller assez loin, jusqu'à l'arbitrage, si l'affaire ne se règle pas au départ. Beaucoup de conventions prévoient le règlement des conflits par une procédure d'arbitrage plutôt que par le recours long et coûteux aux tribunaux. La procédure est en générale la suivante: les deux parties, patronale et syndicale, nomment chacune un arbitre: ceux-ci en choisissent un troisième. Tous les trois entendront le grief et agiront comme un tribunal, mais selon une procédure très simplifiée. Ils rendront une décision acceptable et équitable pour tous. La plupart des conventions collectives prévoient que ces décisions lieront les deux parties.

Un employeur peut-il porter un grief contre un travailleur ou contre le syndicat?

La médiation est autre chose. Un médiateur est un tiers, qui ne représente ni le patron ni le syndicat. Il agit en tant qu'expert des relations du travail. Il cherche à amener les deux parties à un accord.

Ses décisions ne lient pas les parties. Il n'est en quelque sorte qu'un conseiller. Les gouvernements nomment fréquemment des médiateurs qui tentent d'accélérer le règlement des conflits.

L'organisation des syndicats

Il existe deux formes de regroupement syndical.

1— Le regroupement industriel (regroupement vertical) réunit tous les employés d'une entreprise ou d'une industrie. Le syndicat des employés de G.M., les travailleurs unis de l'acier en sont des exemples. Ainsi, tous les employés d'une entreprise, quel que soit leur métier, sont groupés dans un syndicat local. L'unité locale est affiliée à une centrale nationale, laquelle oeuvre parfois au sein du Conseil mondial du travail (CMT).

2— Le regroupement de métier (regroupement horizontal) réunit tous les travailleurs exerçant un même métier ou une même profession quel que soit leur employeur. Les syndicats d'électriciens, de plombiers, de professionnels de la santé, et de professeurs en sont des exemples. Les sections locales sont regroupées au sein d'un syndicat national qui peut adhérer à un mouvement international.

Problèmes syndicaux

Comme toute organisation, les syndicats font face à certains problèmes parmi lesquels nous commenterons les suivants: rapports avec les autorités, gestion interne, automation, discipline des travailleurs.

RAPPORT AVEC LES AUTORITÉS L'histoire montre bien que l'existence des syndicats dépend de tout un ensemble de lois. Le monde du travail n'ignore pas que, sans le secours des lois, sa situation serait des plus précaires. Aussi les syndicats mettent-ils beaucoup de zèle non seulement à protéger leurs droits acquis, mais aussi à en conquérir de nouveaux. Leurs rapports avec les autorités étant des plus importants, les syndicats s'intéressent de près à la politique.

GESTION INTERNE Les syndicats, brassant des millions de dollars par année, sont dirigés par des professionnels et connaissent tous les problèmes des grandes entreprises et de leur gestion.

AUTOMATION ET MÉCANISATION Beaucoup de travailleurs voient leur emploi disparaître à cause de l'automation. Il n'est pas besoin d'être soudeur pour utiliser une machine à souder automatique, ni d'être tourneur pour appuyer sur les boutons de l'ordinateur qui commande un tour revolver. Un simple appareil de levage remplace bien des gros bras. Qu'arrivera-t-il aux gens des métiers de la construction lorsque les maisons seront préfabriquées en usine?

L'automation, voilà peut-être le plus grave problème posé aux syndicats. En dépit de leur souci de protéger l'emploi face à l'automation, les chefs syndicaux sont suffisamment réalistes pour savoir que s'ils peuvent retarder l'automation de quelques années, ils ne pourront pas l'arrêter.

Si vous étiez chef syndical, que feriez-vous pour amortir chez les syndiqués le choc de l'introduction de l'automation?

DISCIPLINE DES TRAVAILLEURS On ne soupçonne guère les efforts déployés pour faire respecter les clauses des conventions collectives par les travailleurs. Un chef syndical conséquent s'attend à ce que, d'un côté comme de l'autre, on mène jusqu'à son terme l'accord qui a été négocié. Une grève spontanée, qui n'est pas décidée par le syndicat, est un casse-tête pour le syndicaliste, car elle annihile son pouvoir de négociation avec l'employeur. Pourquoi un patron se donnerait-il la peine de négocier avec un chef syndical incapable de contrôler ses mandats? Quelle est la valeur d'un contrat qui n'est pas respecté par les deux parties?

ATTITUDE RÉCIPROQUE DES PATRONS ET DES TRAVAILLEURS

Les sentiments des patrons et des travailleurs les uns envers les autres diffèrent considérablement selon les entreprises, le secteur d'activité, et selon les conflits qui ont pu avoir lieu par le passé. Dans certains cas, patrons et ouvriers se sont affrontés si longtemps que l'hostilité s'est répandue dans chaque camp. Quelques rares conflits ouvriers durent des années, la direction refusant mordicus tout syndicalisme dans son entreprise. À l'inverse, il est également rare que les rapports syndicat-patronat soient empreints de cordialité.

En règle générale, la direction résiste âprement à tout ce qu'elle considère comme un empiètement du syndicat sur ses prérogatives touchant la gestion de son entreprise. À l'origine, la direction estimait de son ressort de décider de la nature des tâches et du rendement des ouvriers, de même que des conditions dans lesquelles ils devaient travailler. C'est à contrecoeur que les patrons voient les syndicats s'occuper de ces questions. Ils sont portés à croire que les syndicalistes ne s'intéressent qu'au bien-être des ouvriers au détriment de la bonne marche de leur entreprise, qu'ils ne font que s'opposer à leur souci de moderniser les usines et d'augmenter la productivité. Les patrons se sentent incapables d'amener les ouvriers à leur vue, tout en reprochant aux syndicats leur molesse et leur tolérance envers leurs cotisants. Ce qui frustre particulièrement les dirigeants d'entreprises, c'est l'incapacité de certains syndicalistes d'avoir la haute main sur les ouvriers, comme le démontrent les grèves spontanées et autres activités non sanctionnées par les conventions collectives.

Le point de vue du monde du travail

Certains syndicalistes ont connu des expériences si amères qu'ils agissent avec beaucoup de fermeté, considérant les patrons comme des êtres exclusivement intéressés à transformer en bénéfice la sueur des ouvriers. Ils ne considèrent la bonne gestion et la croissance des entreprises qu'en fonction des travailleurs pour lesquels ils veulent une plus grande part du gâteau. Ils sont persuadés que les patrons rêvent d'éliminer les syndicats, qu'ils ne cessent de chercher à obtenir plus de travail pour un même salaire, qu'ils se moquent du bien-être de leurs employés et qu'ils enverraient volontiers au diable tous les droits chèrement acquis par les travailleurs au cours des quatre dernières décennies. Somme toute, les syndicats se méfient de presque tout ce qu'entreprennent les patrons.

Parfois, il peut arriver que les deux parties entretiennent de franches relations et perçoivent mutuellement l'importance de leur rôle.

Quels sont les rôles respectifs des syndicats et des dirigeants d'entreprise dans la conduite des affaires?

LES GRÈVES

Le lecteur de journal ou «l'homme de la rue» ne porte guère d'attention aux grèves, à moins qu'elles ne le touchent d'une façon ou d'une autre: par exemple, quand ses poubelles restent sur le trottoir ou qu'il recherche vainement un taxi. Cependant, les conséquences économiques d'une grève, tant pour l'employeur que pour les travailleurs, peuvent être durement ressenties, surtout si l'arrêt de travail se prolonge. Une grève touchant une très grande compagnie peut même avoir des répercussions sur l'économie nationale. Qu'on se rappelle la grève des ouvriers du charbon à la fin de 1973 et au début de 1974, en Angleterre.

D'ordinaire, l'homme de la rue réagit ainsi: «Pourquoi, Grand Dieu, font-ils la grève? Jamais les grévistes ne rattrapperont l'argent qu'ils ont perdu!...» Parfois, il en va ainsi et les travailleurs subissent, comme les patrons du reste, des pertes qu'ils ne pourront rattrapper. Pourquoi donc la grève? Est-ce une hérésie économique? Peut-être, en un certain sens, mais il faut comprendre le fondement d'une négociation pour saisir la raison d'être du débrayage.

Une négociation n'a pas de sens si chaque partie n'a pas de moyen de pression pour obliger l'autre à signer un accord. La grève est l'arme ultime du travailleur qui aura épuisé les autres recours, c'est-à-dire la parole et la logique. Le véritable pouvoir du travailleur au cours d'une négociation, c'est de retirer ses services. Si ce travailleur était forcé de travailler, l'employeur ne serait guère porté à négocier réellement. À l'inverse, les patrons peuvent recourir au lock-out si la situation l'impose.

Pourquoi les employeurs décident-ils parfois de recourir au lock-out? Quel avantage une entreprise retire-t-elle à empêcher les ouvriers de travailler?

La question atteint une dimension morale lorsqu'elle concerne des secteurs d'activités vitaux pour le bien commun. Les policiers peuvent -ils faire la grève? Et les professeurs? Les éboueurs? Sinon, comment feront-ils valoir leurs droits?

Que se passerait-il si les syndicats de transport routier faisaient la grève générale?

Jusqu'ici, on n'a encore trouvé aucun moyen de remplacer la grève comme outil de négociation; et c'est bien dommage.

Avez-vous des suggestions?

Les grèves spontanées

«Vous avez entendu? Ils ont mis le pauvre Arthur à la porte sous prétexte qu'il buvait au travail! On ne va pas laisser faire ça! En grève!». Voilà comment démarre une grève spontanée, c'est-à-dire un arrêt de travail des ouvriers syndiqués, sans l'accord du syndicat. Dans le cas cité, les éléments du conflit étaient peut-être les suivants:

1— Boire des boissons alcoolisées sur les lieux du travail est interdit aux termes de la convention collective et constitue un motif de renvoi.

2— Arthur avait effectivement bu. Mais ses camarades se faisaient une autre idée de la question et avaient décidé d'agir.

Les chefs syndicaux, tout en désapprouvant les grèves sauvages, doivent procéder avec doigté sous peine de s'aliéner leurs mandants. Une grève spontanée est en général contraire à la convention collective. Certains patrons ont tenté, sans grand succès, d'introduire des clauses pénales dans les conventions collectives, en vue de rendre responsables les syndicalistes des pertes financières causées par les arrêts de travail illégaux.

CONCLUSION

L'importance des relations du travail s'est accrue considérablement au cours des quarante dernières années, en même temps que la croissance des entreprises et que la prise de conscience de la société quant au bien-être des travailleurs. Le service du personnel remplit plusieurs fonctions importantes: la recherche et l'engagement des employés, la formation, l'étude des salaires, l'étude des tâches et leur chronométrage, les relations du travail, la tenue des dossiers de chaque travailleur, les formalités de fin d'emploi.

La syndicalisation doit être traitée à part, à cause de ses aspects spécifiques et de sa grande importance dans les affaires des entreprises. Pour comprendre les attitudes des syndicats et des patrons les uns envers les autres, il faut se placer dans une perspective historique, en tenant compte de la situation des travailleurs au début du siècle.

la gestion financière

L'argent est le nerf de la guerre. Ce vieil adage, bien sûr, s'applique dans son sens réel à l'économie. Il ne sert à rien d'avoir de bonnes idées, un système de production unique et une organisation de mise en marché avant-gardiste si l'on vient à manquer de fonds. Seul l'argent peut permettre de financer des opérations, d'acheter et de produire des biens.

L'argent est littéralement englouti à chacune des étapes de production des biens, à partir de l'exploitation minière jusqu'à l'arrivée du produit fini chez le consommateur. Il y a toujours quelqu'un dont l'argent est investi, non seulement dans les produits, mais également dans les organisations, les usines et les réseaux de distribution. Et tous ces systèmes coûtent de l'argent.

L'argent est, en soi, une denrée qui s'achète et se vend, et son prix est l'intérêt. Payez trop cher et vos frais sont trop élevés. Refusez de payer le prix et vous n'obtenez pas d'argent.

Mais où trouver l'argent? C'est là un art propre au financier qui explore le marché financier et y trouve les liquidités nécessaires à la marche des affaires. Si vous possédez cet art, vous serez une personne en demande.

la monnaie et le système monétaire

« Parfois la monnaie semble être une pure futilité et, aussi loin qu'aille sa nature, un pur rien, car si ceux qui s'en servent abandonnent une monnaie pour une autre, elle devient sans valeur pour les nécessités de la vie. »

Cette citation d'Aristote contient, tant par ses affirmations que par ses conséquences, la définition de la monnaie et toute son histoire. Sa vérité, affirmée à une époque où la valeur de la monnaie était garantie par la rareté et la difficulté d'extraction du métal qui la matérialisait, a acquis sa véritable portée depuis les années 1600 qui ont vu apparaître en Europe le papier-monnaie. Ce papier-monnaie fut gagé tour à tour par un stock monétaire et par une libre convertibilité en métal, puis par l'existence de biens fonciers, et enfin par la parole de l'autorité émettrice.

Mesure théoriquement impartiale de la valeur des échanges économiques, la monnaie se dévalue, et parfois se réévalue, en fonction de l'évolution politico-économique d'une société. Après 300 ans d'activité monétaire, l'actualité tend à démontrer que l'outil humain le plus simple par son abstraction demeure le plus difficile à maîtriser. On compte, dans notre société, trois formes de la monnaie: les pièces de métal qui ont cours légal, c'est-à-dire qui peuvent être données en paiement de tout achat ou en remboursement de toute dette, les billets de banques, eux aussi cours légal, qui peuvent parfois être convertis en pièces de métal mais qui bénéficient très souvent de cours forcé, ce qui signifie que la banque émettrice est dispensée de les rembourser en métal; les effets de commerce (chèque, billets, traites...) qui sont largement admis dans nos pratiques commerciales, bien qu'ils n'aient pas cours légal.

DÉFINITION DE LA MONNAIE

La monnaie est l'unité au moyen de laquelle les individus évaluent les biens et les services, mesurent la richesse et expriment les dettes. Cette unité, parfois désignée monnaie de compte, distingue un système monétaire d'un autre: le dollar canadien, le franc français, la lire italienne, la livre anglaise, la roupie indienne, le rouble russe.. Le nombre d'unités monétaires nécessaires à l'acquisition d'un bien ou d'un service en constitue le prix. Le prix d'une automobile est de 4200 dollars canadiens, le prix d'un voyage en train de Montréal à Québec est de 15 dollars canadiens...

L'ensemble des prix forme un système qui permet de comparer les valeurs d'échange des biens et des services offerts sur les marchés. La monnaie, en plus de permettre la comparaison des valeurs des biens, facilite la mesure de la richesse. En effet, elle permet une comptabilité simple des avoirs aussi bien que des dettes, déterminant ainsi la richesse d'une personne.

FONCTIONS DE LA MONNAIE

Moyen d'échange et réserve de valeur

La monnaie sert de moyen de paiement d'un achat ou de moyen de remboursement d'une dette. Par son acceptation répandue, elle confère à son détenteur la capacité de se procurer ce qu'il désire quand cela lui plaît.

Instrument d'action

Longtemps, les économistes ont défini la monnaie comme étant l'unité de mesure dont le rôle consistait à servir d'intermédiaire des échanges. Ce faisant, ils considéraient qu'elle n'avait pas d'action réelle sur l'économie: ce n'était qu'un lubrifiant pour les rouages du mécanisme économique et elle ne pouvait ni assurer ni détruire l'équilibre économique général. Dans le contexte actuel, où il y a pénurie de capitaux, nous ne pouvons plus défendre cette thèse de neutralité de la monnaie. Au contraire, la monnaie est devenue un instrument d'action pour l'économie dans son ensemble.

FACTEUR D'EXPANSION ET DE RÉCESSION Dans une économie où le plein emploi des ressources humaines et matérielles n'est pas assuré, un accroissement de la masse monétaire par des moyens tels que l'accroissement du pouvoir d'achat, la diminution des impôts, l'expansion du crédit bancaire, la réduction des taux d'escompte et d'intérêts, peut provoquer non pas une hausse des prix mais plutôt un accroissement de la productivité et de la demande des biens et de services si les injections monétaires sont sagement dosées.

Au contraire, dans une économie emballée, que des spéculateurs poussent à l'état de surchauffe, les autorités monétaires peuvent tenter de calmer cette tension en refusant au marché les liquidités supplémentaires qu'il exige: il y a restriction de crédit et hausse des taux d'intérêts.

FACTEUR DE DISTRIBUTION DES REVENUS Tout le monde sait que l'inflation fait des victimes, les rentiers par exemple, et qu'elle privilégie un petit nombre d'entreprises, à qui l'accroissement de la demande de leurs produits permet de vendre plus cher alors que certains éléments de leurs coûts de production n'ont pas encore augmenté. Il peut aussi arriver que les créations et les distributions de monnaie soient pratiquées de façon à favoriser tel ou tel secteur de l'économie

Cette sélection favorise certains groupes sociaux au détriment de tous les autres. Même si l'on ne tient pas compte de cette redistribution intentionnelle des pouvoirs d'achat, tout déséquilibre monétaire a pour résultat d'accroître les revenus de certains pour diminuer ceux des autres, puisque les prix des marchandises sont inégalement flexibles les uns par rapport aux autres: la répartition des revenus perçus par les divers vendeurs se trouve donc modifiée.

INSTRUMENT DE DOMINATION Ce rôle de la monnaie se manifeste à diverses échelles. On sait bien que les réservoirs de monnaie que sont les banques ont le pouvoir de sauver ou de perdre des entreprises qui doivent faire face à des échéances difficiles, selon qu'elles leur accordent les liquidités nécessaires ou refusent de le faire: elles utilisent ce pouvoir pour imposer à ces compagnies la politique la plus conforme à leurs voeux. Dans le domaine international, cette domination s'exerce de façon plus spectaculaire. Un grand centre financier comme New York possède le pouvoir d'agir sur le comportement d'une économie étrangère simplement en accordant ou en refusant les crédits qui lui sont demandés. Aujourd'hui, on parle, non sans raison, d'une diplomatie du dollar.

HISTORIQUE DE LA MONNAIE

Le troc est cette pratique qui consiste à échanger un bien pour un autre, sans l'intermédiaire de la monnaie. On imagine que les hommes primitifs devaient utiliser cette méthode pour échanger les produits de leurs activités. Il est facile de percevoir les inconvénients de cette méthode. C'est pourquoi les hommes ont imaginé un outil d'échange; ce fut du sel, des épices, du blé, bref tout ce qui pouvait être mesuré et qui était accepté par une population à cause de sa valeur intrinsèque. Très vite, ces sociétés réalisèrent que les denrées qui leur servaient de monnaie étaient difficiles à manipuler et à converser pour de longues périodes. Alors, les peuples commencèrent à utiliser des espèces. Des archéologues ont découvert dans la vallée de l'Indus des barres de cuivre oblongues revêtues d'empreintes datant du troisième millénaire av. J.-C. Divers systèmes monétaires se sont succédés de l'antiquité au moyen-âge, chaque nouvelle civilisation dominant son époque et imposant sa monnaie: l'Asie Mineure, la Grèce, Rome. Toutes ces monnaies, basées sur les métaux, ont contribué à l'avènement des systèmes monétaires actuels. Ainsi, c'est la quête de l'or et de l'argent qui fut l'un des ressorts principaux des grands voyages d'exploration du 15e siècle vers l'Afrique et l'Amérique; ces voyages ont permis l'injection de monnaie dans les économies européennes du 16e siècle. Graduellement, toutes les civilisations occidentales adoptèrent l'étalon-or qui fut maintenu jusqu'au début du 20e siècle. Il y eut quelques périodes où un étalon bimétallique (or et argent) fut favorisé, mais les pays revinrent toujours à un système monométallique: l'or, importable et exportable, était le seul métal admis à la frappe libre, gageait le papier, jouissait d'un pouvoir libératoire illimité. L'argent et les autres métaux n'étaient plus utilisés que pour la fabrication des monnaies d'appoint. C'est ce système de l'étalon-or qui fut ruiné par la guerre mondiale de 1914-1918.

Par ailleurs, on a vu, aux 14e et 15e siècles, apparaître une monnaie de papier qui était constituée des lettres de change que les banquiers accordaient aux voyageurs. Très vite, on s'aperçut qu'une banque respectable, bénéficiant de la garantie de l'autorité politique, pouvait émettre une valeur en billets supérieure à celle de son encaisse métallique et donc, de faire fructifier largement les dépôts. C'est sur une amélioration de ce principe que fut fondé le crédit public.

Plusieurs civilisations résistèrent longtemps à la généralisation de l'usage du papier-monnaie; ce n'est qu'à la suite de l'instauration d'un pouvoir politique stable et de l'acquisition d'une confiance raisonnable en cette autorité, qu'un système basé sur papier-monnaie s'édifia. Et encore, le papier-monnaie était gagé par du métal et librement convertible sauf en période de crise nationale. Dès 1925, l'on constata que les monnaies européennes n'étaient plus basées sur l'or mais sur des avoirs déposés dans les banques de Londres et de New York et que les billets de banque étaient donc seulement convertibles en livres et en dollars. La débâcle de 1929 entraîna la dévaluation de toutes les monnaies y compris le dollar américain dont la valeur fut fixée en 1934 à 1/35 de l'once d'or. Depuis la seconde guerre mondiale, l'inflation et les dévaluations en cascades n'ont pas permis la stabilité du système malgré les accords de Bretton Woods (1944) qui confirmèrent le dollar et la livre comme monnaie de réserve. En mars 1968, d'autres traités réduisirent la libre convertibilité en or du dollar supprimant par le fait même le marché libre de l'or. Au mois d'août 1971, les États-Unis ont entièrement aboli la relation du dollar à l'or laissant ainsi leur monnaie «flotter» et établir par elle-même sa relation avec les autres devises.

Ainsi, les théories de Ricardo, Smith et Keynes paraissent triompher. Ces théories affirment que l'or est appelé à disparaître comme signe monétaire et qu'il n'existe pas de différence entre monnaie et crédit. La situation monétaire actuelle tend à confirmer d'une façon péremptoire ces théories.

Au début de 1974, environ 90% de la masse monétaire était constituée de dépôts à vue et dépôts à terme. Les effets de commerce, surtout le chèque, sont les outils d'échange utilisés.

De plus, le temps n'est pas loin où les effets de commerce seront, à leur tour, remplacés par les cartes de crédit et les imputations automatiques par ordinateurs. Seuls quelques problèmes concernant la sécurité restent à régler.

LE SYSTÈME BANCAIRE

Le système bancaire canadien englobe toutes les institutions financières qui ont la capacité de modifier par leurs acitvités la masse monétaire disponible. Les principaux éléments de ce système, le gouvernement, la banque centrale, les banques commerciales et les institutions financières, fonctionnent selon une mécanique complexe que nous tenterons d'expliquer. Il ne s'agit pas d'étudier dans les détails tous les rouages de ce système mais plutôt d'en survoler les principales composantes.

Les banques commerciales

Il existe, au Canada, neuf banques incorporées en vertu de la loi fédérale sur les banques. Ce sont:

1— La banque de Montréal
2— La banque Royale du Canada
3— La banque de Nouvelle-Écosse
4— La banque Toronto-Dominion
5— La banque Canadienne Impériale de Commerce
6— La banque Provinciale du Canada
7— La banque Canadienne Nationale
8— La banque Mercantile
9— La banque de la Colombie britannique

Les cinq premières banques de cette liste possèdent des succursales sur tout le territoire canadien, les deux suivantes sont connues surtout au Québec, la huitième est une filiale d'une banque de New York et a établi des bureaux dans six villes canadiennes et enfin, la dernière est née récemment en Colombie britannique.

Les banques à charte offrent de nombreux services au public. Tout d'abord, elles convertissent la monnaie fiduciaire (les billets de banque) en espèces. Les billets de banque étant au porteur, les banques remettent aux individus qui le demandent l'équivalent en métal de la valeur des billets présentés.

Elles facilitent les paiements; par les transferts, les virements, les mandats bancaires; elles permettent à leurs clients de payer leurs achats ou de rembourser leurs dettes tant à l'intérieur du pays qu'à l'extérieur.

Elles encaissent les effets de commerce qui leur sont présentés, les escomptent et les conservent pour leurs clients. Elles investissent pour leurs clients les épargnes qui leur sont confiées. Enfin elles conservent des objets de valeur dans des locaux aménagés à cette fin.

Cette énumération n'est pas exhaustive et chaque banque essaie d'implanter un service qu'elle sera la seule à offrir afin d'obtenir des avantages concurrentiels.

Mais l'occupation principale d'une banque est la création et la destruction de la monnaie par le jeu de l'achat et de la vente de droits de créance. En effet, lorsqu'une banque consent à prêter de l'argent, elle achète un droit de créance que l'emprunteur consent à lui donner en retour de l'argent qu'il reçoit. Par cette opération, la banque crée de la monnaie et augmente le pouvoir d'achat de son client. À l'inverse, lorsqu'une banque accepte le remboursement d'un emprunt, elle vend un droit de créance qu'elle détenait et, par là, réduit la masse monétaire. Par ces opérations, les banques sont les causes principales de la fluctuation des stocks de monnaie. Il est évident que cette capacité d'expansion et de contraction de la masse monétaire est conditionnée par l'attitude du public envers le crédit bancaire.

Les banques forment un segment important du marché financier. Leurs actions peuvent influencer l'offre des capitaux dans un sens ou dans l'autre. Ainsi, elles peuvent contrôler, partiellement bien sûr, la quantité de fonds disponibles et les prix (l'intérêt).

Toutes les banques à charte sont structurées selon un système de succursales dirigées par un siège social qui établit les politiques, les cadres d'action et les limites de l'autonomie des succursales.

Ce système de succursales présente des avantages dont les principaux sont de faciliter la diversification des activités bancaires et par la même occasion de réduire les risques, d'assurer une meilleure distribution et une plus grande circulation de la monnaie, d'offrir à la clientèle les services d'une grande banque.

Les institutions non bancaires

Autour des banques à charte, il y a une quantité d'institutions financières non bancaires dont les activités peuvent faire varier la masse monétaire disponible. Ces institutions se sont développées pour répondre à un besoin spécifique de la commumauté économique. Nous pouvons regrouper ces organismes en deux catégories selon les objectifs poursuivis: les institutions d'épargne et les institutions de crédit.

LES INSTITUTIONS D'ÉPARGNE Comme l'indique leur nom, ces maisons se sont fixé pour but de recueillir et d'administrer les économies de ceux dont les ressources ne permettent pas de faire de grands investissements.

Les banques d'épargne Fondées par des groupes de particuliers dans le but d'encourager l'épargne chez les gens à revenu modique, ces banques connurent du succès surtout dans la province de Québec. Les deux principales sont la Banque d'Épargne de la Cité et du District de Montréal et la Banque d'Économie de Québec. Ces banques ne peuvent ouvrir des succursales que dans la ville où est situé leur siège social.

Leur principale source de fonds est constituée par les dépôts de leurs épargnants et elles offrent depuis peu des services semblables à ceux des banques à charte. Cependant leur liberté d'action est moins grande.

Les caisses populaires ou les caisses d'économie La première caisse d'économie fut fondée au début du siècle par Alphonse Desjardins, père du mouvement coopératif Desjardins. En quelques décades, ce mouvement est devenu une force économique du Québec et les caisses d'économie jouent un rôle important dans les autres provinces du Canada. Au Québec, les caisses populaires se sont organisées en fonction des principes coopératifs. Elles permettent aux membres d'une communauté de grouper leurs épargnes et de prêter des fonds au besoin, moyennant un taux d'intérêt préférentiel. Ce sont des institutions sans but lucratif, indépendantes, affiliées à une centrale régionale. Les caisses populaires vendent des parts sociales et acceptent des dépôts à vue et à terme. Elles consentent du crédit à leurs membres seulement.

Les sociétés de fiducie Les sociétés de fiducie sont des intermédiaires financiers habilités à agir comme fiduciaires. Elles sont les seules sociétés autorisées à agir en tant qu'exécuteurs, fiduciaires, administrateurs en vertu de dispositions testamentaires. Elles font souvent office de curateur, d'agent de transfert et de syndics. Elles aident à la protection des patrimoines en investissant d'une manière productive les fonds qui leur sont confiés.

Les compagnies d'assurance sur la vie À cause de la nature des contrats qu'elles passent avec leurs clients, les compagnies d'assurance sur la vie acquièrent des fonds importants qu'elles doivent investir. Leurs activités sont principalement axées sur des transactions à longs termes. Leurs sources de fonds sont constituées des profits réalisés sur leurs placements et des primes contractuelles que versent leurs assurés.

Les sociétés d'investissement (fonds mutuels) Ces sociétés furent créées afin de permettre aux petits investisseurs de bénéficier des avantages d'un portefeuille diversifié et géré professionnellement. À l'inverse des autres institutions d'épargne, ces sociétés n'ont pas de dettes ni d'obligations de paiement contractuelles et peuvent composer leur portefeuille sans se préoccuper des problèmes de liquidité.

LES INSTITUTIONS DE CRÉDIT Plusieurs institutions se sont spécialisées dans le prêt de fonds destiné à répondre aux besoins particuliers d'un certain segment du marché financier.

Les courtiers en valeurs mobilières À toute fin pratique, les courtiers en valeurs mobilières sont des négociants dont la formation consiste à acheter en gros des émissions d'actions et à revendre ces titres au détail. Leurs activités les amènent souvent à remplir des fonctions de banquier, prêtant de l'argent à leurs clients et supportant des transactions sur marge.

Les sociétés de développement privées Ces sociétés se spécialisent dans les prêts aux entreprises qui ont besoin de capitaux à long terme, mais qui ne sont pas assez importantes pour attirer des souscripteurs dans une opération de vente de leurs actions. Elles occupent une position intermédiaire entre les banques à charte et les courtiers en valeurs mobilières et concentrent surtout leurs activités sur la petite et moyenne entreprise.

Les compagnies de prêts Ces entreprises concentrent leurs activités aux domaines du crédit à la consommation de biens durables et de biens services. Les taux d'intérêt que font payer ces entreprises sont à la mesure des risques qu'elles assument. Elles obtiennent leurs fonds en empruntant sur les marchés financiers.

La Société centrale d'hypothèque et de logement (SCHL) Cette société est un organisme fédéral créé pour administrer la loi nationale sur l'habitation; la S.C.H.L. est autorisée à garantir des prêts hypothécaires à l'occasion de la construction et de l'achat d'habitations, ainsi que pour l'amélioration et l'agrandissement de maisons existantes. Elle peut aussi octroyer directement des prêts à des particuliers qui achètent une maison neuve. La loi l'autorise à effectuer d'autres transactions spécifiques concernant les immeubles. Ses limites proviennent de sa capacité à trouver des bailleurs de fonds.

Le gouvernement du Québec possède sous sa juridiction une société d'habitation qui fonctionne selon les mêmes principes.

La société de crédit agricole L'objectif principal de la société de crédit agricole est d'aider au maintien, à l'amélioration et au développement des entreprises agricoles familiales. Les prêts sont consentis pour satisfaire à presque tous les besoins des fermiers y compris l'achat ou l'amélioration de la ferme, l'acquisition de bétail et d'équipement, la construction et la réparation des bâtiments.

La Banque d'expansion industrielle La B.E.I. a été créée à la fin de la seconde guerre mondiale afin d'aider les petites et moyennes entreprises incapables d'obtenir une aide financière des sources conventionnelles de prêt. Même si elle concentre ses efforts dans le secteur industriel, elle est autorisée à prêter à n'importe quelle entreprise. Elle peut accepter toutes sortes de garanties, mais sa préférence est marquée pour les garanties immobilières.

Au Québec, la Société de développement industriel (S.D.I.) joue le même rôle

La Banque centrale (Banque du Canada)

La Banque centrale réglemente l'offre et le coût de la monnaie. À cette fin, elle dispose de certains pouvoirs que les autres institutions ne possèdent pas. Ces pouvoirs spéciaux lui permettent d'excercer une influence considérable sur les éléments du marché financier et, par voie de conséquence, sur le niveau de la demande de biens et de services.

La Banque centrale du Canada ne transige pas avec le public. Toute son action porte sur les institutions financières.

Afin d'exécuter son mandat qui est de contrôler la masse monétaire dans l'intérêt public, elle peut conserver et utiliser les réserves des banques commerciales, émettre de la monnaie fiduciaire et servir d'agent financier du gouvernement fédéral.

ADMINISTRATION DES RÉSERVES BANCAIRES 1) Chaque banque est obligée de maintenir à la Banque du Canada un certain pourcentage des dépôts de ses clients sous forme de réserve-encaisse. La Banque du Canada gère ces fonds, mais n'a pas la capacité de modifier le poucentage imposé. 2) Par le contrôle des réserves des banques commerciales, la Banque du Canada agit sur le pouvoir qu'ont ces institutions de créer de la monnaie scripturale et du crédit. 3) En plus d'administrer les réserves, la Banque du Canada détermine les politiques du système bancaire canadien. Elle sert aussi de guide et de support pour les autres banques.

Enfin, la Banque du Canada assure les opérations de compensation et de règlement entre les neuf banques à charte.

Si le bénéficiaire d'un chèque possède un compte à la même succursale que le tireur, la compensation se fait au niveau de la succursale par un jeu d'écriture comptable. Si le bénéficiaire a son dépôt dans une autre succursale de la même banque que celle du tireur, la banque possède son système de compensation et régularise les comptes. Dans ces deux cas, la Banque du Canada n'intervient pas. Mais si le chèque déposé par le bénéficiaire est tiré sur une autre banque, la Banque centrale assure la compensation par une écriture au niveau des comptes des banques commerciales qu'elle administre. Les institutions non bancaires ont accès à ce système par le biais des banques commerciales où elles ont ouvert un compte.

ÉMISSION DES BILLETS DE BANQUE Au Canada, seule la Banque centrale a le pouvoir d'émettre de la monnaie fiduciaire. De cette façon, elle peut contrôler la quantité maximale de monnaie en circulation en dehors des banques. Elle assume donc la responsabilité de fournir au marché une quantité suffisante de billets pour que l'activité économique fonctionne bien et que la stabilité monétaire soit assurée.

AGENT FINANCIER DU GOUVERNEMENT FÉDÉRAL La Banque du Canada effectue les opérations bancaires du gouvernement fédéral. Elle détient les dépôts, encaisse les créances et les chèques, transfère des fonds, vend des titres pour le compte du gouvernement et procède au versement des intérêts que ce dernier s'est engagé à payer.

Le contrôle monétaire

Le gouvernement propose des objectifs économiques de plein emploi, de stabilité monétaire, de croissance soutenue et fait de la Banque centrale l'instrument de leur réalisation. Or, ces objectifs sont contradictoires et ne peuvent pas être atteints en même temps: le plein emploi s'accompagne généralement d'inflation; la croissance cause une instabilité monétaire; la stabilité monétaire en période de plein emploi ne se réalise qu'avec un arrêt de la croissance. La Banque doit donc faire un bon diagnostic avant de décider de l'outil de contrôle capable de corriger le déséquilibre. S'il y a inflation, la banque peut diminuer les stocks de monnaie et, ce faisant, elle risque de provoquer le chômage. À l'opposé, s'il y a récession, la Banque centrale peut la combattre en augmentant la quantité de monnaie en circulation. Cette décision favorise, toutefois, l'inflation. Les décisions sont difficiles à prendre et ne sont possibles que si la banque dispose des renseignements nécessaires.

Comme les déséquilibres à court terme se corrigent automatiquement par les opérations quotidiennes de la banque, la plupart des efforts peuvent porter sur le diagnostic des tendances à long terme. La banque tente alors par son contrôle de les orienter vers le mieux-être de la collectivité économique. Ses moyens de contrôle peuvent être quantitatifs, c'est-à-dire globaux, ou sélectifs.

Par un contrôle quantitatif, la Banque du Canada essaie de modifier la masse monétaire et, de la sorte, l'ensemble des conditions monétaires. La Banque centrale dispose de divers instruments qu'elle utilise séparément ou conjointement, évaluant leurs résultats et combinant leurs effets.

Un premier moyen, largement utilisé, consiste à agir sur le marché libre. Supposons une situation inflationniste que la banque veut contrôler par une réduction de la masse monétaire. Elle vendra, alors, des titres gouvernementaux et la monnaie reçue en échange des titres ne sera pas remise en circulation, ce qui diminuera la quantité de monnaie.

Un autre moyen utilisé par la Banque centrale est une modification du taux d'escompte. Le taux d'escompte est le taux d'intérêt auquel est assujettie une banque commerciale lorsqu'elle emprunte à la Banque du Canada. Ce taux sert de modèle aux taux du marché financier. La monnaie, comme bien des produits, a une demande qui varie selon son prix. Enfin, la banque peut utiliser des pressions morales. La Banque du Canada, par divers moyens d'information, donne son avis et fait connaître sa position sur l'augmentation ou la diminution de la masse monétaire. La structure concentrée du système bancaire canadien, l'excellence des autorités monétaires, le prestige et le respect qu'impose la Banque du Canada font de la pression morale un instrument important et efficace du contrôle monétaire quantitatif. Par un contrôle sélectif, la Banque centrale tente d'influencer certains secteurs de l'économie. Elle peut essayer de modifier les conditions du crédit à la consommation, ou du crédit immobilier et mobilier; elle peut surtout faire varier la structure des taux d'intérêts.

CONCLUSION

La pierre angulaire d'une économie saine est un bon système monétaire. Un bon système monétaire est basé sur une unité de mesure capable de favoriser les échanges. Ce système doit permettre de constituer une réserve de valeurs et assurer un minimum de sécurité.

Les banques commerciales constituent le coeur de notre système monétaire et possèdent le pouvoir de créer ou de détruire la monnaie. Ces banques sont dirigées par la Banque centrale du Canada qui peut agir sur la masse monétaire selon les besoins de la collectivité.

Le marché monétaire, à savoir le regroupement des fournisseurs et des utilisateurs de capitaux, est un réseau complexe d'institutions financières qui permet la libre circulation de la monnaie.

le financement de l'entreprise

L'argent est le lubrifiant qui fait fonctionner l'entreprise. Sans lui, pas d'achat de matières premières, pas d'emploi de main-d'oeuvre, pas de distribution des produits finis. Dans une compagnie, la fonction du financement est habituellement confiée au contrôleur ou au trésorier, mais la haute direction et le conseil d'administration y jouent aussi un rôle.

Un financement inadéquat peut conduire une firme à la faillite aussi sûrement qu'un produit médiocre, qu'un marketing inadapté, ou que des coûts de production trop élevés. Payer trop cher pour ses fonds diminue les profits et utiliser de mauvaises sources de crédit peut mettre la compagnie en péril lorsqu'arrive le temps de rembourser.

L'entreprise qui utilise un financement adéquat obtient, sur les marchés, d'importants avantages concurrentiels. Le fait pour les manufacturiers d'offrir des programmes de financement des stocks aux intermédiaires influence de plus en plus les décisions d'achats de ces derniers. Dans l'industrie de l'ordinateur, la location est devenue une arme si importante que le manufacturier qui ne peut financer des plans intéressants de location devient moins compétitif. En fait, certaines entreprises riches achètent littéralement leurs positions sur le marché. Des investissements dans des usines automatisées, des stocks suffisants et de grandes campagnes de publicité exigent des sommes d'argent énormes dont ne dispose pas la petite firme. Il ne faut pas sous-estimer l'importance de la finance: de nombreux projets valables ont échoué parce que l'entrepreneur était incapable de trouver des fonds.

STRUCTURE FINANCIÈRE ET INSTRUMENTS FINANCIERS

La structure du capital et les différents instruments financiers qui s'y rapportent semblent complexes pour un débutant mais, en fait, c'est un sujet assez simple. Il n'y a que deux types fondamentaux de financement pour une entreprise: l'émission d'actions et le crédit: les principes régissant leur utilisation sont relativement peu nombreux.

L'avoir des actionnaires

L'avoir des actionnaires est constitué par les sommes d'argent investies par les propriétaires et les bénéfices antérieurs non répartis entre eux.

À titre d'exemple, étudions les activités d'une compagnie fictive que nous nommerons RIVON Limitée. Dans leur requête pour incorporation, les promoteurs de RIVON ont demandé la permission d'émettre un capital de 1 000 000 d'actions ordinaires d'une valeur nominale de $1. Ce capital s'appelle le capital autorisé. Même si la notion de valeur nominale, ou de valeur au pair, n'a pas de signification pour le profane, elle a un sens légal très strict. Ainsi, la compagnie RIVON doit recevoir, soit en argent soit en valeur, au moins $1 pour chaque action qu'elle émet. Si les requérants de RIVON n'avaient pas spécifié de valeur nominale, les actions auraient pu être vendues à n'importe quel prix fixé par les dirigeants.

Quelle valeur autre que l'argent peut servir à payer les actions?

Les requérants auraient pu créer diverses catégories d'actions ordinaires (classe A, classe B, etc.), accordant à chaque classe des droits et/ou des privilèges distincts destinés à différents investisseurs. Droit de vote, priorité de remboursement, droit de rachat... sont des exemples de droits et/ou de privilèges des actions d'une classe donnée. Des actions dont le dividende est garanti s'appellent des actions privilégiées; nous les commenterons plus loin.

Du point de vue de la compagnie, le facteur le plus important des actions est qu'elles assurent un apport permanent. C'est-à-dire que la compagnie RIVON ne sera jamais obligée de rembourser les détenteurs de certificats d'actions. Plus encore, les administrateurs ne sont pas tenus de déclarer des dividendes sur les actions ordinaires.

En conséquence, l'émission d'actions sera un moyen idéal de financer un investissement à long terme. L'avoir des actionnaires représente aussi la mesure des autres formes de financement qu'une compagnie pourra obtenir.

Poursuivons notre exemple de RIVON Limitée qui a un capital autorisé de 1 000 000 d'actions. Les administrateurs ont jugé que l'entreprise avait besoin de $500 000 pour commencer ses opérations. Aussi ont-ils vendu au public 500 000 actions ordinaires à leur valeur nominale. C'est le capital souscrit et payé. Ils ont à leur disposition les 500 000 actions non émises qu'ils utiliseront en temps opportun.

Si les directeurs de RIVON trouvent nécessaire de vendre, plus tard, plus d'actions que le capital autorisé, ils devront se soumettre aux stipulations légales de la province où ils se sont incorporés.

Si une compagnie dispose d'un potentiel de croissance intéressant ou si elle est prospère, elle peut obtenir des fonds par une émission d'actions offertes au grand public par les mécanismes des marchés financiers. Malheureusement, cette source financière n'est pas toujours disponible: quand le marché est bas, les investisseurs hésitent à acheter n'importe quelle action ordinaire, ancienne ou nouvelle. Les années 1969-1970 n'ont pas été favorables à la vente de nouvelles actions.

Les firmes moins connues doivent chercher leurs fonds ailleurs. Dans de très petites entreprises, le capital personnel du principal intéressé, ou celui de sa famille, fournit habituellement l'argent nécessaire. Autrement l'entrepreneur doit être capable de trouver des particuliers qui veulent investir dans son entreprise.

De nos jours, les bénéfices non répartis forment une source de financement importante. Les administrateurs préfèrent conserver les profits réalisés pour assurer la croissance et étendre les activités de l'entreprise.

Le crédit

L'autre source principale de financement des entreprises est le crédit; il consiste en sommes d'argent empruntées à d'autres parties: banques, compagnies d'assurance, investisseurs privés ou gouvernement. Les dettes sont représentées par des instruments tels que billets, obligations, etc.

Le conseil d'administration de RIVON Limitée a décidé que la compagnie avait besoin de $100 000 pour financer la construction d'un entrepôt. Désirant étaler ses remboursements sur une période de 20 ans, l'entreprise choisit d'émettre 100 obligations de $1000 chacune et de les vendre au public par l'entremise d'un courtier. La compagnie RIVON Limitée a accepté de payer un intérêt annuel de 10% à chaque détenteur d'obligations. Ces paiements se font au moyen de versements semestriels de $50. De plus, elle s'est engagée à déposer annuellement une somme de $5 000 dans un fond d'amortissement qui lui permettra de rembourser les obligataires à l'échéance.

On appelle débenture les obligations émises par la compagnie RIVON Limitée, car elles constituent des créances reposant uniquement sur le crédit général de la compagnie sans aucune garantie hypothécaire, ni privilège sur des biens spécifiques de la compagnie. Les détenteurs, qui n'ont aucun droit de priorité sur l'actif de l'entreprise, prennent rang avec les autres créanciers ordinaires en cas de liquidation de l'entreprise émettrice.

Une émission d'obligations est un processus long et laborieux, entraînant un grand nombre de formalités. Quand cela leur est possible, les compagnies préfèrent emprunter l'argent directement à une banque ou à une compagnie d'assurance: c'est un procédé plus facile, généralement moins coûteux, car il leur évite les frais de vente de l'émission.

Contrairement à l'émission d'actions, l'utilisation du crédit présente un danger pour les entreprises. Danger trop souvent ignoré, hélas! En effet, l'incapacité de rembourser capital et/ou intérêt peut provoquer la faillite de l'entreprise. Aucune compagnie n'a été forcée de fermer ses portes parce qu'elle n'avait pas payé de dividendes sur ses actions ordinaires, mais beaucoup ont dû le faire parce qu'elles ne pouvaient pas rembourser leurs créanciers.

Évidemment, celui qui emprunte croit toujours être capable de rembourser, mais il ignore ce que l'avenir lui réserve. Puisque l'utilisation du crédit peut provoquer de si graves conséquences, on peut se demander pourquoi une compagnie veut emprunter. La raison principale est que les directeurs veulent profiter de l'effet de levier.

L'effet de levier

L'effet de levier résulte d'une manipulation financière par laquelle les directeurs d'une compagnie augmentent leur taux de rendement sur le capital investi par des emprunts de fonds à un taux d'intérêt donné et réalisent, par leurs opérations, un taux de rendement plus élevé que les coûts de l'argent emprunté. La différence entre le rendement obtenu et le prix de l'argent constitue un profit additionnel.

Le tableau 19.1, ci-dessous, illustre l'effet de levier:

TABLEAU 19.1 Effet de levier

	Compagnie A	Compagnie B	
		Avant l'emprunt	Après l'emprunt
Capital investi	1 000 000	500 000	500 000
Capital emprunté	NIL	NIL	500 000
Capital disponible	1 000 000	500 000	1 000 000
Profit avant remboursement d'intérêt	200 000	100 000	200 000
moins remboursement d'intérêt (10%)	NIL	NIL	50 000
Profit net	200 000	100 000	150 000
Taux de rendement sur le capital investi	200 000 / 1 000 000 = 20%	100 000 / 500 000 = 20%	150 000 / 500 000 = 30%

Par une grande utilisation de cet effet de levier, une direction peut bénéficier d'un taux de rendement considérable sur un petit capital investi. Voilà pourquoi le crédit a pris tant d'ampleur ces dernières années.

Cette pratique peut assurer la fortune d'un homme d'affaire ou sa perte. En effet, l'effet de levier peut être négatif! Imaginez la situation où l'argent vous coûte 10% et où, malgré vos efforts, vous ne parvenez qu'à réaliser 5%. La différence provient en droite ligne de votre poche. C'est donc une arme à deux tranchants.

Comme le taux d'intérêt a augmenté considérablement ces dernières années, il devient de plus en plus difficile aux compagnies de gagner suffisamment pour payer l'intérêt et rembourser la dette à long terme. C'est la situation dans laquelle se sont trouvées grand nombre de compagnies en 1972: elles avaient emprunté de l'argent à un taux d'intérêt élevé, et leurs profits se sont maintenus au-dessous du niveau d'intérêt.

Puisqu'il fallait payer les intérêts, il en résultait une sortie de fonds de l'entreprise et une baisse de ses liquidités. Cette baisse de liquidité, à son tour, causait des retards dans le paiement des factures et ralentissait la circulation de la monnaie. Voilà comment expliquer la crise de liquidités qu'ont connue les entreprises ces dernières années.

Enfin, il faut noter que plusieurs firmes, surtout les compagnies privées ou celles dans lesquelles un petit nombre de gens détient une part importante du capital souscrit et payé, préfèrent obtenir l'argent nécessaire à leur expansion par l'utilisation du crédit plutôt que par la vente d'actions. Ainsi, les propriétaires conservent leur part de propriété et par conséquent leur contrôle, car, quand on a vendu des actions, on constate que les nouveaux actionnaires veulent participer à l'administration.

Moyens hybrides

Nous mentionnons plus haut qu'il n'y avait que deux sources de financement: l'émission d'actions, c'est-à-dire la vente d'un droit de propriété, et le crédit, c'est-à-dire la vente d'un droit de créance. Cependant, quelques financiers avisés ont astucieusement combiné ces droits et ont créé trois moyens hybrides:

L'ACTION PRIVILÉGIÉE L'action privilégiée est une forme modifiée de l'action ordinaire pour laquelle des dividendes doivent être habituellement payés, alors que le capital n'a jamais à être remboursé: c'est un investissement permanent. L'action privilégiée est généralement rachetable, comme une obligation.

L'action privilégiée ne confère généralement pas le droit de vote, sauf si les dividendes promis ne sont pas payés pendant une certaine période de temps. L'émission d'actions privilégiées restreint le droit des directeurs de déclarer des dividendes ordinaires tant que les dividendes garantis aux actions privilégiées n'ont pas été payés. Cette restriction peut être annuelle, dans le cas des actions privilégiées non cumulatives, ou être à long terme, dans le cas d'actions privilégiées cumulatives.

Selon les caractéristiques dont les requérants les ont dotées, les actions privilégiées varient: date à laquelle les dividendes doivent être payés, conséquences de l'omission du paiement des dividendes, droit de vote, droits lors de la liquidation, primes de rachat, participation aux profits de la compagnie.

Même si l'action privilégiée type est payée à un taux de rendement fixe semblable à celui des obligations, l'administration peut la faire s'aligner à la prospérité de la compagnie en conférant au titulaire un droit de participation.

L'OBLIGATION CONVERTIBLE L'obligation convertible a été proposée à des investisseurs qui voulaient les garanties d'une obligation en même temps que les avantages de l'action ordinaire: participation aux profits de la compagnie. Une obligation convertible possède toutes les caractéristiques d'une débenture et peut, en plus, être convertie en actions ordinaires de la compagnie à un taux spécifié et durant une période déterminée.

L'OBLIGATION À REVENUS Ce sont des obligations qui permettent à une compagnie de ne pas payer l'intérêt couru si les profits réalisés ne le permettent pas. Elles peuvent être cumulatives ou non cumulatives.

En résumé, il ne faut jamais oublier que la personne qui possède l'argent est très bien placée pour exiger les garanties qu'elle juge nécessaires à la protection de l'argent qu'elle met à la disposition du chef d'entreprise.

L'équilibre de la structure financière

L'équilibre de la structure financière d'une compagnie dépend de la catégorie d'industrie à laquelle elle appartient et des caractéristiques de sa propre organisation. Cependant, certains principes de gestion éprouvés aident à déterminer quelle part du capital proviendra des actionnaires et quelle part sera fournie par les créanciers.

LA STABILITÉ DES REVENUS La stabilité des revenus a toujours été le facteur le plus important pour la détermination de la marge de crédit qu'une entreprise peut se donner. Si une compagnie agit dans un environnement économique qui lui assure un revenu constant et substantiel pendant une longue période, elle peut accorder une large part au crédit dans sa structure financière. C'est le cas, par exemple, des entreprises de services publics: téléphone, électricité, gaz... Ces entreprises, en effet, peuvent prédire avec suffisamment de certitude quels seront les revenus qui leur permettront de payer les intérêts et de rembourser le capital à l'échéance de la dette. À l'opposé, une entreprise de fabrication de vêtements pour dame, oeuvrant dans une industrie très instable, ne devrait emprunter que pour de courtes périodes afin de financer un stock saisonnier ou des comptes à recevoir.

Une des principales causes des difficultés qu'ont connues plusieurs compagnies au début des années '70 était le fait que les administrateurs croyaient que leurs revenus des années '60 seraient constants durant vingt ans; tel n'a pas été le cas! Un administrateur tend à être optimiste! Il est bien difficile de ne pas l'être lorsqu'il s'agit d'administrer une compagnie. La réalité fait toutefois payer bien cher le manque de prudence des optimistes.

NIVEAU DES PROFITS D'UNE INDUSTRIE La rentabilité des industries varie beaucoup. Certaines ont toujours réalisé de faibles profits: les salaisons et les grands magasins par exemple. D'autres bénéficient généralement de profits élevés sur leur investissement. Un administrateur ne devrait pas utiliser le crédit dans sa structure de capital si le taux des profits prévus est moindre que le taux d'intérêt payé sur l'argent. Les industries à bas profit doivent être financées par l'émission d'actions et par le réinvestissement des bénéfices.

COÛT DU CAPITAL

Peu de choses dans le monde sont gratuites, et certainement pas l'argent. L'argent coûte de l'argent. l'argent doit compter parmi les frais d'exploitation d'une entreprise et, dans b des cas, c'est l'un des plus importants. Le coût de l'argent qu'une compagnie de prêts accorde aux consommateurs représente la plus grande partie de ses frais. Dans le financement des grandes entreprises, la diminution d'une fraction de 1% du taux d'intérêt payé aux créanciers peut se traduire par des millions de plus au poste des profits.

Coût du capital emprunté

De prime abord, on peut penser que le coût d'un emprunt est constitué par le taux d'intérêt exigé par le prêteur.

Dans bien des cas, l'intérêt ne représente qu'une partie des coûts d'un emprunt. Les banques exigent souvent que l'emprunteur maintienne un solde de compensation et cette exigence a pour effet de hausser le taux d'intérêt effectif. Maintenir un solde de compensation signifie que l'emprunteur doit conserver une somme minimum en banque: il ne peut pas retirer tout l'argent qu'il emprunte. Les banquiers imposent cette règle afin de forcer l'emprunteur à conserver les réserves nécessaires pour garantir l'emprunt. Si le ratio de réserve est de 20% et que l'emprunteur demande $1 000 000, la banque peut exiger qu'il garde $200 000 de cet argent en dépôt, en tout temps; l'emprunteur fournit ainsi les réserves pour appuyer son crédit, mais il augmente en même temps le coût de son emprunt.

Certaines restrictions, telles que la défense d'emprunter des fonds additionnels ailleurs et le maintien de certains coefficients du bilan, peuvent être incluses dans les clauses. Cela augmente d'une façon importante le coût d'emprunt des fonds. Dans certaines situations complexes, le prêteur exige que l'emprunteur engage d'autres garanties comme les stocks ou les comptes à recevoir. Ces frais additionnels s'ajoutent à l'intérêt et constituent le coût total de l'emprunt.

Coût du capital investi par les actionnaires

Les experts ne s'entendent pas sur la façon d'établir le coût du capital investi par les actionnaires.

Les économistes prétendent que ce coût doit être établi en prenant comme barême le taux courant de l'argent sur les marchés monétaires pour la période considérée. Ainsi, pour l'année 1972, si le taux moyen annuel était de 9%, il faut calculer 9% du capital investi pour en fixer le coût.

Les tenants de l'école traditionnelle maintiennent que le coût du capital investi par les actionnaires est le pourcentage de leur avoir que les «anciens» actionnaires donnent aux «nouveaux». Si les directeurs de la compagnie RIVON Limitée émettaient les 500 000 actions qu'ils ont en réserve, chaque action perdrait de la valeur et cette baisse représenterait le coût du capital investi. Le tableau 19.2, ci-dessous, illustre ce phénomène.

TABLEAU 19.2 Coût du capital investi

	Compagnie RIVON Limitée	
	Avant l'émission	**Après l'émission**
Nombre d'actions	500 000	1 000 000
Capital souscrit et versé	$500 000	$1 000 000
Bénéfices nets non répartis	150 000	150 000
Avoir des actionnaires	$650 000	$1 150 000
Valeur de une action	$\frac{650\ 000}{500\ 000} = \$1,30$	$\frac{1\ 150\ 000}{1\ 000\ 000} = \$1,15$
Coût du capital investi:	$\frac{\$1,30 - \$1,15}{\$1,30} = 11,54\%$	

Enfin, une école de pensée plus réaliste affirme que le coût du capital investi n'est que la somme des dividendes payés, c'est-à-dire que si une entreprise ne paie jamais de dividendes, le capital investi ne coûte rien. Supposez qu'une compagnie paie $4 de dividendes par année sur ses actions ordinaires et entend continuer ainsi. Si elle vend 100 000 actions additionnelles, il lui en coûtera $400 000 par année. Ce point de vue semble plus pragmatique et plus réaliste. Il en résulte que le coût du capital investi par les actionnaires est ce que l'administrateur veut qu'il soit. De plus, le contrôle d'une corporation peut ou non faire partie de ce coût.

ÉTABLISSEMENT DES BESOINS DE CAPITAUX

Un administrateur compétent n'attend pas que les besoins de capitaux soient urgents pour se trouver des sources de fonds. Au contraire, il planifie longtemps à l'avance.

Les budgets d'exploitation sont fait un an avant leur mise en vigueur; souvent même, ils couvrent trois ou cinq années.

Parmi tous les documents servant à l'administration moderne, il n'existe probablement aucun instrument aussi important que le budget de caisse. Il montre à l'administration exactement ce qui est prévu comme entrées et sorties de fonds ainsi que la différence qui en résulte. Quand les sorties de fonds excèdent les entrées, une certaine source de financement doit combler la différence.

Le tableau 19.3 est un exemple d'un budget de caisse.

PRINCIPES DE FINANCEMENT D'UNE COMPAGNIE

Il existe certains principes de financement d'une compagnie avec lesquels il convient de se familiariser. L'effet de levier, expliqué antérieurement, ne nécessite plus de développement ici, même s'il est aussi important que toutes les autres notions que nous allons exposer.

Besoins à long terme

Les besoins de capitaux à long terme devraient, de préférence, être financés par l'émission d'actions ou, à défaut, par l'émission d'obligations à long terme. Ces besoins ne doivent jamais être satisfaits par du crédit à court terme, car cette pratique pourrait obliger l'entreprise à liquider des investissements pour rembourser un billet échu. Un grand nombre d'administrateurs se sont trouvés dans cette situation en 1970, lorsque leurs dettes à court terme, contractées deux ou trois ans plus tôt, sont arrivées à échéance et qu'ils ont été incapables de trouver les fonds pour les refinancer.

Dans des situations normales, il est possible de refinancer des dettes à court terme, soit en les renouvelant, soit en empruntant ailleurs. Cependant, si l'entreprise se trouve en difficulté ou si l'on se trouve dans une période de récession économique, le refinancement devient très difficile.

Bref, un financement avisé exige qu'un besoin à long terme soit satisfait par un moyen à long terme.

Besoins à court terme

Le financement des comptes à recevoir et des inventaires crée la majorité des besoins de fonds à court terme. Selon le principe énoncé plus haut, ces besoins doivent être comblés par des emprunts à court terme. Les banques sont les principaux fournisseurs. Un emprunt destiné à couvrir les stocks ne dépasse généralement pas un an, car les banques préfèrent voir le billet remboursé avant la liquidation des marchandises pour lesquelles le prêt a été consenti. La base permanente du stock et des comptes à recevoir doit être supportée par des capitaux à long terme et ce ne sont que les variations saisonnières qui font l'objet du financement à court terme.

Fonds de roulement

Le fonds de roulement se définit comme étant la différence entre les disponibilités et les exigibilités.

TABLEAU 19.3 Budget de caisse d'un magasin de vêtements pour hommes

	Janvier	Février	Mars	Avril	Mai	Juin	Juillet	Août	Septembre	Octobre	Novembre	Décembre
Stock prévu:												
au détail (4 mois de vente)	34 700	35 300	35 800	34 700	36 200	44 100	52 000	60 200	71 600	63 100	55 300	48 700
au coût (C.D.M.) *	20 800	21 200	21 500	20 800	21 720	25 640	31 200	36 120	42 960	37 860	33 180	29 220
Achats au détail	9 100	8 200	8 400	10 500	17 800	15 800	16 600	21 900	8 800	8 000	10 000	10 000
Achats au coût	5 460	4 920	5 040	6 300	10 380	9 480	9 960	13 140	5 280	4 800	6 000	6 000
Ventes prévues	8 500	7 700	9 500	9 000	9 100	8 200	8 400	10 500	17 300	15 800	16 600	21 900
Solde en banque au départ	3 300											
Encaissement: ventes **	3 400	3 080	3 800	3 600	3 640	3 280	3 360	4 200	6 920	6 320	6 640	8 760
- comptes à recevoir	9 600	4 080	3 696	4 560	4 320	4 368	3 936	4 032	5 040	8 304	7 584	7 968
- 2 mois	1 824	2 280	969	877	1 083	1 026	1 037	935	958	1 197	1 972	1 801
Encaisse totale disponible	18 124	9 440	8 465	9 037	9 043	8 674	8 333	9 168	12 918	15 821	16 196	18 529
Montant cumulatif des recettes	18 124	27 564	36 029	45 066	54 109	62 783	71 116	80 284	93 202	109 023	125 219	143 748
Moins: déboursés												
comptes à payer (marchandises)	6 000	5 460	4 920	5 040	6 300	10 380	9 480	9 960	13 140	5 280	4 800	6 000
frais d'exploitation (25%)	2 125	1 925	2 375	2 250	2 275	2 050	2 100	2 625	4 325	3 950	4 150	5 475
investissement en équipement			1 000					3 000				
Total des déboursés	8 125	7 385	8 295	7 290	8 575	12 430	11 580	15 585	17 476	9 230	8 950	11 475
Montant cumulatif des déboursés	8 125	15 510	23 805	31 095	36 670	52 100	63 680	79 265	96 732	105 962	114 912	126 387
Solde en banque	9 999	12 054	12 224	13 971	14 439	10 683	7 436	1 019	3 530	3 061	10 307	17 361

* Commencement du mois

** L'expérience de ce magasin indique que 40% des ventes sont faites au comptant. Toutefois, 80% des comptes à recevoir sont payés le mois suivant; 19%, le second mois; 1% n'est jamais payé.

L'administration prévoit une marge brute de 40% et des frais d'exploitation de 25% des ventes. En pratique, les frais d'exploitation seraient détaillés par postes. On prévoit acheter $1000 d'équipement de bureau en mars et un camion de $3000 en août. On prévoit avoir quatre mois de ventes en stock, c'est-à-dire une rotation du stock de 3 fois par année.

Une compagnie sans fonds de roulement approprié est incapable de rentabiliser ses opérations, car les fournisseurs se montrent réticents à accorder du crédit, les banques hésitent à prêter et le chiffre d'affaires diminue. Alors, la compagnie ne peut plus payer ses comptes courants. C'est le premier stade des difficultés financières de l'entreprise. Puis vient la phase où elle est incapable d'acheter ce qu'il lui faut pour poursuivre ses activités et enfin, elle ne peut plus payer ses employés. La faillite est proche!

Plein emploi des fonds

Théoriquement, le parfait administrateur financier maintient un solde en banque de zéro et fait rouler tout l'argent de la firme, car l'argent ne rapporte rien s'il n'est pas utilisé. Quand une compagnie dispose de beaucoup plus de liquidités qu'il n'est nécessaire, elle a de l'argent qui dort. Un bon administrateur investirait cet argent dans des titres très négociables, tels que les obligations du gouvernement ou de grandes compagnies ou encore des actions de première catégorie même si ce n'est pas là l'objet de l'entreprise. Les actionnaires de la compagnie, en effet, ne paient pas l'administration pour qu'elle investisse leur argent dans des titres; ils pourraient le faire euxmêmes. Les actionnaires confient leur argent à la compagnie pour qu'il rapporte plus que les placements mobiliers.

Provenance et utilisation des fonds

Un des documents comptables utiles dont dispose l'analyste financier est l'état de provenance et d'utilisation des fonds. Il montre d'où provient l'argent de la compagnie et comment il est utilisé. Un tel état peut être établi à partir du bilan de l'entreprise. Le tableau 19.4 fournit un exemple.

Taux de rendement sur le capital investi

Le critère sur lequel se base le financier pour prendre la plupart des décisions d'investissement est le taux de rendement sur le capital investi. Il se détermine en divisant le profit d'un investissement par la somme d'argent investie:

$$\text{taux de rendement} = \frac{\text{profit}}{\text{capital investi}}$$

Le taux de rendement sur l'investissement réalisé par différentes compagnies est sans aucun doute le dénominateur commun qui sert de base de comparaison pour les experts financiers. Le taux de rendement est la mesure commune utilisée pour évaluer l'efficacité et la productivité d'une entreprise.

Roulement du capital

Le roulement du capital se mesure en divisant le volume des ventes d'une compagnie par son capital investi. Certains analystes utilisent les actifs totaux d'une entreprise pour évaluer l'investissement, tandis que d'autres emploient seulement l'avoir des actionnaires. Le dénominateur à utiliser dépend du but pour lequel le coefficient a été calculé. Le coefficient du roulement du capital indique la valeur de l'investissement nécessaire pour produire $1,00 de vente. Certaines industries, les services publics et les chemins de fer, ont un coefficient de roulement du capital inférieur à 1, ce qui signifie que des investissements relativement importants sont requis pour chaque dollar de vente qu'elles obtiennent annuellement. D'autres industries, telles que l'alimentation, arrivent à un coefficient de roulement du capital de 12 à 15, ce qui signifie que chaque dollar investi dans l'industrie rapporte de $12 à $15 de ventes. En principe, une entreprise à roulement de capital élevé constitue un investissement beaucoup plus intéressant qu'une entreprise avec un roulement de capital bas.

Le coefficient de roulement du capital constitue la moitié de la formule qui permet de calculer le taux de rendement sur le capital investi, l'autre moitié étant formée par la marge de profit:

$$\text{Taux de rendement} = \frac{\text{profit}}{\text{capital investi}} = \underbrace{\frac{\text{profit}}{\text{ventes}}}_{\textit{marge de profit}} \times \underbrace{\frac{\text{ventes}}{\text{capital investi}}}_{\textit{roulement du capital}}$$

TABLEAU 19.4 Services ABC Inc. – provenance et utilisation des fonds, 1969-1970

	3 octobre 1969 (en milliers de dollars)	2 octobre 1970 (en milliers de dollars)	Provenance (d'où viennent les $)	Utilisation (où vont les $)
DISPONIBILITÉS				
Encaisse	16 828	17 489		661
Titres négociables	5 312	6 102		790
Comptes à recevoir	36 888	51 092		14 204
Stock	31 752	36 530		4 778
Divers payés d'avance	4 433	4 745		312
Total	95 213	115 958		20 745
Investissements dans les filiales	7 942	8 776		834
Autres investissements	8 188	8 531		343
Immeuble (net)	105 635	112 053		6 418
Terrain	30 151	33 475		3 324
Frais différés	7 536	6 914	622	
Total des actifs	254 665	285 707		31 042
EXIGIBILITÉS				
Effets à payer-banque	1 136	7 070	5 934	
Versement sur dette à long terme	7 537	7 099		438
Comptes à payer	33 494	35 312	1 818	
Frais courus à payer	17 079	17 384	305	
Impôt féd. à payer	3 696	4 552	856	
Total	62 942	71 417	8 475	
Taxes courues à payer	8 370	9 707	1 337	
Dette à long terme	69 387	71 839	2 452	
AVOIR DES ACTIONNAIRES				
Actions privilégiées	7 939	6 541		1 398
Actions ordinaires	4 325	4 403	78	
Surplus d'apport	27 637	33 989	6 352	
Profits accumulés	74 060	87 811	12 952	
Total	113 966	132 744	18 778	
Total du passif et de l'avoir des actionnaires	254 665	285 707	31 042	

INTERPRÉTATION Même si on peut examiner la liste de tous les postes pour voir d'où est venu l'argent et où il est allé, nous pouvons dire, en général, que Services ABC Inc. a utilisé $31 000 000 pour accroître ses actifs, $20 000 000 en actifs à court terme dont $14 000 000 en comptes à recevoir et environ $5 000 000 en stocks. $10 000 000 environ ont été investis à différents postes. L'argent provient en grande partie des profits qu'a permis de réaliser la croissance de $18 000 000 de l'AVOIR; le reste vient d'une augmentation du passif - $5,9 millions en effets à payer à la banque.

Ainsi, en multipliant le coefficient de roulement du capital d'une compagnie par sa marge de profit, on obtient son taux de rendement.

$$\frac{\$10\,000}{\$25\,000} = \frac{\$10\,000}{\$100\,000} \times \frac{\$100\,000}{\$25\,000}$$

$$40\% = 10\% \times 4$$

On peut établir le roulement de capital d'une firme en étudiant le cycle de conversion des opérations. Nous parlions plus haut du temps que met une compagnie à convertir ses actifs en liquide. Le coefficient du roulement du capital n'est autre que l'expression mathématique de ce cycle de conversion; une firme à cycle de conversion rapide aurait un coefficient élevé de roulement du capital et vice versa.

LE RÔLE D'UN ADMINISTRATEUR FINANCIER

Administration de l'encaisse

La plupart des compagnies prospères manquent de liquidités pour leur croissance. Néanmoins, il y a, dans leurs cycles opérationnels, des moments où elles disposent de surplus de fonds. Un administrateur financier habile veille à investir tout dollar en excès dans des placements valables à court terme. Sur une période d'un an, si l'administrateur financier peut garder une moyenne de $1 000 000 investi à 6%, il gagne plus que son salaire.

L'intérêt de 1 000 000 à 6% pour une journée seulement représente $166, une petite somme qui fait $60 000 à la fin de l'année: ce qui cause une différence dans les profits de la compagnie. En réalité, tous les fonds qui ne sont pas immédiatement nécessaires pour les opérations devraient être investis quelque part à un taux d'intérêt raisonnable. Toutefois, il ne faut jamais investir ces fonds dans des titres qui ne peuvent être négociés rapidement et sans perte.

Contrôle des investissements

Plusieurs compagnies se sont trouvées en difficulté parce qu'elles n'avaient pas soigneusement contrôlé leurs investissements. Quelqu'un doit s'assurer que les sommes d'argent investies dans les diverses activités maintiennent leur rentabilité. Cette tâche appartient au responsable financier.

Réduction des coûts de capital

Le prix de l'argent, comme celui des autres produits, varie selon sa provenance. L'administrateur financier habile, qui réussit à obtenir des fonds à un moindre taux, réduit les frais d'exploitation de son employeur. Parce qu'il a su où acheter l'argent, un contrôleur peut faire économiser à sa compagnie une somme de $1 200 000 par année sur un emprunt de $100 000 000.

Plus que tout autre, l'administrateur doit connaître les mécanismes des marchés financiers, car le marché monétaire n'est pas parfait: plusieurs fournisseurs ne connaissent pas les utilisateurs et vice versa.

PROBLÈMES FINANCIERS

On pourrait dresser une longue liste des différents problèmes financiers qui méritent une étude. Nous nous contenterons de n'en mentionner ici que quelques-uns des plus importants.

Croissance

Au cours des vingt dernières années, l'industrie nord-américaine a éprouvé des difficultés à financer sa croissance. Un grand nombre de compagnies ont tenté de croître plus rapidement que ne le leur permettaient leurs profits. C'est là un principe fondamental: la croissance d'une entreprise doit être financée par ses bénéfices non répartis.

Cependant, dans certains cas, les profits n'étaient pas engendrés assez rapidement pour répondre aux projets de croissance des dirigeants. On a donc cherché à financer cette croissance accélérée par d'autres moyens. Certaines compagnies se sont orientées vers la fusion; d'autres ont emprunté de l'argent à court et à long terme. Certaines ont émis de nouvelles actions. Bref, croître à un rythme plus rapide que ne le permettaient les profits a été l'un des principaux problèmes de l'administration financière. L'histoire nous montre que les firmes qui ont financé leur croissance par l'émission d'actions ou par des emprunts à très long terme ont mieux réussi que celles qui ont pris le raccourci de la fusion. Les firmes qui ont connu de rapides difficultés financières sont celles qui ont tenté de financer leur croissance par des emprunts à court terme.

Le risque d'une nouvelle entreprise

Un problème crucial de notre système actuel de libre entreprise est celui de la pénurie de capitaux destinés à financer de nouvelles entreprises. La création de nouvelles entreprises a toujours comporté beaucoup de risques.

De nouvelles aventures attirent les investisseurs qui désirent spéculer; quand ils réussissent, le rendement est extrêmement satisfaisant. Mais investir dans de nouvelles entreprises est un jeu spéculatif dangereux. Malheureusement, les lois fiscales ainsi que d'autres barrières ont grandement restreint ces investissements, car les gains sont imposables et les déductions pour les pertes sont souvent limitées. De plus, plusieurs entrepreneurs refusent de rémunérer ce capital en proportion des risques assumés. Souvent même, des promoteurs n'émettent pas d'actions pour ne pas avoir à partager la propriété de l'entreprise. Ils considèrent les investisseurs comme des parasites. Ces entrepreneurs devraient comprendre que l'argent est un facteur de production aussi nécessaire que la main-d'oeuvre, l'équipement et les matières premières.

Distribution de dividendes

Les grandes compagnies nord-américaines se sont senties obligées de maintenir une politique qui leur faisait distribuer, à chaque année, une partie de leurs profits à leurs actionnaires. Le pourcentage de profits distribués varie d'une année à l'autre, en fonction des revenus de la compagnie, mais les entreprises ont tenté de maintenir un niveau stable de dividendes, afin de permettre à leurs actionnaires de planifier leur revenu.

Mais quand les taux d'intérêt montent et qu'il devient plus difficile d'emprunter pour financer l'entreprise, les compagnies font face au dilemme suivant: satisfaire les actionnaires et leur payer un dividende ou satisfaire la compagnie et veiller à sa sécurité en ne distribuant pas les bénéfices.

Taux d'intérêt

Le niveau élevé des taux d'intérêt et une diminution des sources d'approvisionnement ont compliqué le financement des entreprises, surtout des nouvelles.

CONCLUSION

L'argent propulse l'entreprise! Rien ne se passe sans lui.

Quoique l'approvisionnement en fonds soit une tâche très importante pour un responsable financier, il est aussi nécessaire qu'il sache comment équilibrer la structure financière de l'entreprise. Le crédit a l'inconvénient de comporter une échéance et de s'accompagner d'un intérêt. De mauvais calculs concernant la capacité de payer les intérêts et de rembourser le principal mènent à la faillite.

Le contrôle de l'entreprise est le plus gros problème que rencontre l'administrateur qui cherche des fonds en émettant des actions.

L'administrateur de l'encaisse est la tâche la plus importante du directeur des finances. S'il peut avoir la liquidité disponible pour payer les dettes au bon moment, il a accompli le plus gros de son travail.

Le financier doué connaît bien le marché de l'argent; il sait où il peut en obtenir au prix le plus raisonnable. Par conséquent, il peut gagner plusieurs fois son salaire en réduisant les coûts des emprunts.

les investissements

Peu de sujets suscitent, dans le domaine des affaires, autant d'attention et d'intérêt que celui des investissements. Tous ceux qui ont des économies, si modestes soient-elles, se demandent ce qu'ils doivent en faire, comment les investir au mieux. Il n'est certes pas agréable de travailler et d'économiser, pour ensuite tout perdre dans un investissement douteux. Le problème mérite d'être examiné avec soin.

VOTRE SITUATION EST PARTICULIÈRE

Un investissement qui est bon pour une personne ne l'est pas forcément pour une autre. Il vous appartient de définir vos propres besoins, vos objectifs, et de veiller à ce que ceux qui ignorent votre situation financière ne puissent influencer indûment vos décisions en matière d'investissement. Ne prêtez jamais l'oreille à l'agent d'assurance ou au courtier en valeurs qui, sans discernement, vous conseille de souscrire à une police d'assurance ou d'acheter une action donnée. La plupart du temps, il ne connaît pas vos possibilités financières et il y a peu de chances pour que sa recommandation soit conforme à vos projets d'investissement. Cela explique pourquoi les gens fortunés font toujours appel à un spécialiste en matière de placement, de la même façon qu'ils font appel à leur médecin, leur avocat ou leur comptable.

L'ÉVALUATION DU RISQUE

Le risque est le dénominateur commun de tous les investissements. Il importe de bien comprendre la théorie du risque et ce qu'est un investissement risqué, si l'on entend effectuer de bons placements ou réussir dans les affaires. Le risque est la probabilité de perdre l'investissement effectué. Heureusement que le risque est souvent une épée à double tranchant: les investissements qui présentent un gros risque de perte offrent également de grandes possibilités de gains. Parfois, les investissements qui comportent un gros risque de perte n'offrent qu'une faible possibilité de gain. Il est insensé de faire un placement de ce genre. Si le risque de perte est grand, les possibilités de gains doivent être aussi importantes, sinon il vaut mieux oublier ce placement. Une évaluation judicieuse du risque est un élément capital de la gestion des investissements. Il existe différentes sortes de risques: le risque financier, la perte du pouvoir d'achat, le risque du taux d'intérêt, le risque politique et la perte de revenu.

Le risque financier

Le risque financier est celui qui peut entraîner la perte de la totalité ou d'une partie des placements qui ont été faits. Tout placement, y compris les obligations du gouvernement canadien, comporte un élément de risque financier. Supposons que vous achetiez des actions de la General Motors à raison de $80 l'action et que, pour une raison ou une autre, vous les vendiez par la suite à $60. Vous perdez $20 par action. Supposons encore que vous ayez investi $10 000 dans une station-service qui fait faillite. Les créanciers saisissent tout et vous perdez la totalité de vos $10 000. Il s'agit là d'un risque financier.

LA PERTE FINANCIÈRE TOLÉRABLE En matière d'investissement, la veuve ayant des enfants à charge représente le cas classique de la personne qui n'est nullement en mesure d'assumer un trop grand risque financier. Si elle perd son avoir dans un investissement mal avisé, elle n'est pas en mesure de gagner suffisamment d'argent pour compenser cette perte. Son plan d'investissement doit donc comporter le minimum de risque. Un couple de retraités qui vivent du revenu de leurs investissements ne doivent pas non plus accepter de courir un risque financier, car la perte de leur avoir pourrait compromettre leur bien-être pour le reste de leur vie.

À l'opposé, un jeune homme qui, sur le plan professionnel, occupe un poste lucratif peut se permettre de prendre des risques. Supposons qu'un homme fortuné investisse $100 000 dans une affaire et qu'il perde la totalité de son placement. Sa situation financière n'en sera pas vraiment touchée pour la simple raison qu'il dispose de fonds plus que suffisants pour lui permettre de vivre et de tenter sa chance à nouveau. La question cruciale est de savoir si un homme peut ou non se permettre de perdre de l'argent. S'il n'est pas en mesure d'en perdre, le risque financier doit être minimisé. Si le niveau de vie de l'investisseur n'est pas menacé par la perte d'une certaine somme, alors il peut accepter de courir sans trop de danger un tel risque.

Pourquoi prendre un risque financier?

CONJURER LE RISQUE FINANCIER Ceux qui ne peuvent prendre de risques financiers investissent d'habitude dans les titres gouvernementaux, les obligations d'entreprises garanties par le nantissement de valeurs et les actions ordinaires des entreprises les mieux cotées. Dans ce dernier cas, certains contestent, à juste titre, la sagesse de l'acquisition d'actions ordinaires par ceux qui ne peuvent pas courir de risque financier.

Pourquoi les banques, les compagnies d'assurances et les sociétés de fiducie investissent-elles tant dans les titres gouvernementaux?

La plupart des conseillers en placement conviennent que les titres du gouvernement canadien comportent un minimum de risque financier. En effet, aussi longtemps que le gouvernement fédéral sera stable, l'investisseur est assuré de recevoir la valeur nominale du titre à son échéance. Cela ne signifie pas pour autant qu'on peut percevoir le montant des titres avant la date de leur échéance. Si le marché des titres est en période de récession, le détenteur ne pourra pas vendre le titre à sa valeur nominale. Mais cela est relié au risque du taux d'intérêt dont nous parlerons plus loin.

Bien que les investissements dans les petites compagnies privées, dans les actions ordinaires hautement spéculatives, dans les denrées et dans les valeurs immobilières soient généralement considérés comme comportant un grand risque financier, ce risque est en fait déterminé par les caractéristiques de la situation: l'entreprise, son personnel de direction, son marché et le prix payé pour l'investissement. Les risques financiers sont toujours grands lorsqu'on paie trop cher pour acquérir quelque chose. En cela, il y a parfois moins de risques à investir dans une petite entreprise que dans une grande société nationale. Pour l'investisseur astucieux, les spéculations dans les actions minières peuvent même être moins hasardeuses que l'achat d'actions de certaines grandes entreprises. Tout dépend de la situation.

L'un des problèmes les plus difficiles qui se posent à l'investisseur dans l'évaluation du risque financier est de déterminer si un placement, qui paraît très sûr à un moment donné, peut, par une nouvelle tournure des événements, devenir un investissement comportant un grand risque financier. À une époque, les actions de chemins de fer étaient généralement considérées comme un bon investissement; mais, aujourd'hui, le transport sur rail uniquement ne saurait suffire à attirer les investisseurs. Le Canadien National et le Canadien Pacifique ont élargi leurs activités au transport en général et à l'hôtellerie. Le risque financier de n'importe quel placement peut se modifier de façon inattendue et, par conséquent, il faut périodiquement réévaluer ses investissements.

La perte de revenu

Bien que légèrement différente, la perte de revenu est apparentée au risque financier. Le capital investi peut être à l'abri, mais le revenu ne l'est pas toujours. En principe, si le revenu provenant d'un placement diminue, la valeur de l'investissement baisse elle aussi; ce qui entraîne, par voie de conséquence, un risque financier. Cela n'est toutefois pas le cas en ce qui concerne les titres non négociables ou d'autres placements dont la valeur n'est pas constamment réévaluée selon le mécanisme du marché. Supposons que vous ayez investi dans un Dairy Queen $25 000 qui vous rapportent, tel que vous l'aviez anticipé, un profit annuel de $10 000. Après quelques années, ce revenu tombe à $8 000 par année en raison de la concurrence. En revendant l'affaire, vous avez des chances de récupérer votre investissement initial et d'éviter ainsi une perte financière, mais vous aurez quand même perdu une partie des revenus que vous espériez retirer de votre placement.

Certes, la perte de revenu peut entraîner une perte financière, mais celle-ci ne survient que si l'investisseur le décide volontairement. Vous pouvez, par exemple, maintenir votre placement, conserver l'affaire avec un revenu moindre parce que vous estimez qu'elle est, somme toute, plus rentable qu'un autre investissement.

LA PERTE DE REVENU ADMISSIBLE Certaines catégories d'investisseurs doivent minimiser le risque de perdre des revenus. Reprenons l'exemple de la veuve avec deux enfants à charge. Aussi longtemps que son revenu demeurera inchangé, elle ne se préoccupera guère de la valeur de son placement initial. Si elle a investi son avoir dans des actions privilégiées qui lui rapportent $8 000 par an et que ce revenu suffit à ses besoins, elle s'occupera peu du cours du marché de ses actions. Le couple de retraités, d'autre part, accordera beaucoup d'importance à la stabilité du revenu, parce que celui-ci est indispensable au maintien de son niveau de vie. En ce qui concerne le jeune homme qui, pour vivre, dispose d'une source de revenu autre que celle de ses investissements, l'augmentation de la valeur de ses placements présentera plus d'intérêt que les revenus qu'il en tire.

CONJURER LA PERTE DE REVÉNU L'investisseur qui doit disposer d'un revenu stable provenant de son placement achète des valeurs accordant un revenu fixe. Les investissements immobiliers (maisons de rapport) sont particulièrement recherchés pour cette raison.

La perte du pouvoir d'achat

La perte du pouvoir d'achat est un risque financier qui concerne uniquement le montant investi; elle est liée à l'inflation. En général, l'investisseur entend récupérer au moins la somme qu'il a investi, mais celui qui se soucie du pouvoir d'achat veut que son investissement lui permette de maintenir son niveau de vie. Au cours des dernières décennies, la perte du pouvoir d'achat semble avoir été la principale préoccupation des investisseurs. L'inflation galopante qui ne cesse de se manifester depuis la fin de la Seconde Guerre mondiale a détourné l'investisseur moyen des placements à revenu fixe. En 1940, $1 000 était une somme importante et représentait le revenu annuel de certains ouvriers. On pouvait acheter une nouvelle voiture avec ce montant. En 1973, mille dollars représentent le sixième du revenu annuel d'un bon nombre de canadiens et ne permettent même pas l'achat d'une bonne voiture d'occasion. L'inflation a, par exemple, sérieusement diminué le pouvoir d'achat qu'avait le dollar de 1949. Il faut deux dollars de 1973 pour avoir le même pouvoir d'achat qu'avait un dollar de 1949.

LES INVESTISSEURS ET LA PERTE DU POUVOIR D'ACHAT La perte du pouvoir d'achat n'inquiète pas tous les investisseurs. De nombreuses institutions, telles que les banques et les compagnies d'assurances ont un passif évalué en dollars fixes. Elles ne se préoccupent donc guère du problème du pouvoir d'achat qui se pose surtout pour l'investisseur privé, notamment le petit investisseur qui, en épargnant, entend s'assurer un niveau de vie satisfaisant dans l'avenir. Un jeune homme devrait être beaucoup plus attentif à la perte du pouvoir d'achat qu'un retraité de 80 ans. Ce dernier ne subira l'inflation que pour un court laps de temps (quelques années seulement), alors que le jeune homme se doit de l'envisager à long terme, probablement pour un demi-siècle.

CONJURER LA PERTE DU POUVOIR D'ACHAT Celui qui investit dans des valeurs à capital fixe comme les obligations, les comptes d'épargne, les polices d'assurance ou les hypothèques est pleinement exposé à la perte du pouvoir d'achat. Si vous investissez $1 000 dans une obligation à valeur fixe, vous recevrez à l'échéance la somme de $1 000 quel que soit le pouvoir d'achat de ce dollar. Les investisseurs désireux d'éviter la perte du pouvoir d'achat investiront plutôt dans des actions ordinaires, dans l'immobilisation, dans les mines ou dans de petites entreprises.

On peut attribuer la poussée phénoménale qu'a connu le marché des valeurs mobilières durant les années 50 à 60 à la peur que les investisseurs nourrissaient à l'endroit de l'inflation. Cette peur était si grande que de nombreux investisseurs n'hésitèrent pas à payer 20, 30 ou 40 fois plus cher le prix des actions ordinaires d'entreprises qu'ils croyaient appelées à un avenir florissant. Mais pour combattre avec succès l'inflation, il ne suffit pas d'investir aveuglément dans les actions ordinaires. Il faut savoir acheter, car certaines actions ordinaires n'augmentent pas en valeur au même rythme que l'inflation.

Quelles sortes d'actions permettent à l'investisseur d'échapper plus facilement à l'inflation?

Bien des investisseurs ont effectué des placements dans les valeurs immobilières sur la foi du principe suivant lequel la hausse de valeur des biens immobiliers précède toujours l'inflation. Cette conception est plus valable certes que celle des actions ordinaires, mais elle pose néanmoins de graves problèmes de gestion, car il y a des biens immobiliers dont la valeur ne grimpe pas préalablement ou même parallèlement à l'inflation.

Pour échapper à l'inflation, certains investissent dans des compagnies privées offrant de larges possibilités d'expansion. Ils se fondent sur le fait que les bénéfices de ces petites entreprises suivent souvent le mouvement de l'inflation.

La perte du taux d'intérêt

La perte du taux d'intérêt est limitée aux valeurs fixes négociables et aux investissements accordant un revenu calculé en fonction d'un taux d'intérêt fixe comme les obligations et les actions privilégiées. Supposons que vous ayez acheté une obligation de $1 000 à 6% d'intérêt. Tant que le taux d'intérêt est demeuré inchangé, votre obligation était négociable à environ $1 000 et vous pouviez récupérer facilement votre placement. Mais, supposons que le taux d'intérêt sur le marché passe à 10% pour la sorte d'obligation que vous possédez; alors, vous continuerez à recevoir un revenu d'intérêt de $60,00 par année jusqu'à l'échéance, date à laquelle vous récupérerez vos $1 000. Cependant, si vous voulez récupérer votre capital avant la date d'échéance, votre obligation sera vendue sur le marché des obligations compte tenu du taux d'intérêt de 10% en cours. C'est tout comme si la personne intéressée décidait d'acheter votre obligation à escompte, c'est-à-dire à un prix inférieur à sa valeur nominale. Elle fait le raisonnement suivant: il reste dix années à courir avant la maturité de l'obligation: quel est le prix qu'il faut payer pour obtenir un rendement de 10%? Ce prix est constitué de la valeur actuelle de l'ensemble des paiements à venir, c'est-à-dire de la somme des valeurs actuelles de chacun des versements d'intérêts annuels et de la valeur actuelle du capital nominal à l'échéance. Ce prix est de $754,21[1]. En raison de l'augmentation du taux d'intérêt vous perdrez la somme de $245,79 si vous décidez de vendre. En fait, vous ne subirez pas de perte en ne vendant pas et en conservant votre obligation jusqu'à l'échéance, mais vous ne recevrez qu'un taux d'intérêt de 6% sur votre argent alors que d'autres investisseurs recevront 10% sur le leur.

CONJURER LA PERTE DU TAUX D'INTÉRÊT On peut minimiser le risque de perte d'intérêt en disposant de liquidités suffisantes pour ne pas être contraint de vendre à perte des obligations. De plus, il est préférable de ne vendre que les obligations qui viennent à échéance dans un proche avenir. Le facteur temps joue un rôle important et c'est pourquoi beaucoup d'investisseurs recherchent les bons du Trésor et autres obligations d'État à court terme.

Le risque politique

Le risque politique est la possibilité de perdre de l'argent du fait d'une décision gouvernementale. C'est là un risque imprévisible auquel sont exposés tous les placements effectués dans un pays étranger. Le risque est toutefois plus grand lorsqu'on investit dans un pays où le pouvoir est instable. Qu'il nous suffise de rappeler, à ce sujet, le cas des investissements effectués en Russie et ce qu'il en est advenu avec l'arrivée des soviétiques au pouvoir. De nombreuses entreprises belges ont perdu d'énormes capitaux avec l'indépendance du Congo. Plus près de nous, il est facile de comprendre le risque politique couru par les compagnies pétrolières américaines dans leurs investissements au Moyen-Orient.

Le risque politique n'est pas exclu sur le plan local. Prenons, par exemple, le cas d'un distributeur d'essence indépendant qui achète au prix fort un emplacement de choix pour y installer une station-service. Par la suite, un nouveau règlement municipal sur le zonage l'empêche de réaliser son projet. Il est alors obligé de revendre son terrain à perte en raison de sa moins grande valeur spéculative.

Comment aurait-il pu éviter cette perte?

Les décisions des pouvoirs publics influent beaucoup sur la valeur des propriétés et des entreprises. Ainsi, la modification du tracé d'une route peut faire prospérer certaines entreprises et en faire péricliter d'autres. Un règlement de zonage industriel pour des terrains situés dans un quartier résidentiel occasionne souvent une dépréciation des maisons. Les entreprises qui doivent leur prospérité à la répétition des contrats gouvernementaux sont à la merci d'une simple décision. Le gouvernement peut, au gré d'un changement de politique, favoriser certains genres de dépenses plutôt que d'autres. Ce sont là des exemples de risques politiques. Il n'existe pas de panacée pour parer le risque politique. Il faut tout simplement savoir évaluer les risques que comporte chaque situation.

LE PROBLÈME DES LIQUIDITÉS

Le problème des liquidités se pose lorsque surgit le besoin de convertir rapidement des placements en argent liquide, sans pour autant subir une perte. Mais on doit généralement payer pour son impatience et lorsqu'on est obligé de vendre rapide-

1. intérêt: $60\ a_{\overline{10|}}\ 10\% = 60 \times 6{,}1445671 = \$368{,}67$
   capital: $1000\ (1 + 10\%)^{-10} = 1000 \times 0{,}3855432 = \$385{,}54$
   prix d'achat: $754,21

ment quelque chose, on se voit souvent offrir un prix inférieur à sa valeur réelle. La seule véritable liquidité, c'est l'argent sonnant. Même les dépôts bancaires ne peuvent pas toujours être considérés comme des liquidités directes. Avez-vous déjà essayé d'encaisser un chèque le samedi soir dans une grande ville? En ce qui concerne la vente d'actions ordinaires cotées dans plusieurs bourses, il faut compter à peu près une semaine avant que l'investisseur puisse récupérer ses fonds. Lorsqu'on transige dans le domaine immobilier, les titres au comptoir et les placements dans les compagnies privées, la récupération des fonds peut être fort longue. Le domaine de l'immeuble est frappant. Cela prend parfois des mois, voire des années, avant de vendre. L'investisseur qui est pressé de récupérer ses fonds dans ce domaine peut subir de lourdes pertes financières. D'autre part, les spéculateurs de terrains reconnaissent que leurs investissements prennent de cinq à dix ans avant d'être récupérés avec profit. Le tableau 20.1 nous donne un aperçu des problèmes de liquidités occasionnés par divers types d'investissements.

TABLEAU 20.1 Liquidité de divers investissements

Liquidité	Placement
élevée	— dépôt à vue ou à demande — dépôt d'épargne
moyenne	— valeur de rachat d'une police d'assurance-vie — actions ordinaires et privilégiées inscrites en bourse — obligations cotées sur un marché hors bourse — part d'un fonds mutuel bien connu
faible	— actions hors bourse — obligations municipales
très faible	— hypothèques — biens immobiliers commerciaux — immeubles résidentiels — terrains — actions de compagnies privées

LE PROBLÈME DE LA GESTION

Tous les programmes d'investissement requièrent, en plus de l'argent, deux autres éléments, à savoir la connaissance et le temps. Il faut d'abord connaître les diverses méthodes d'investissements envisagées. Il faut même être un expert en la matière, car le marché des investissements n'est pas fait pour les amateurs. Les placements dans les actions ordinaires ou les biens immobiliers n'échappent pas à cette règle. D'ailleurs, les investisseurs professionnels sont conscients de ces difficultés et cherchent surtout à se spécialiser dans un domaine précis.

En second lieu, il faut du temps pour administrer ses investissements, sinon il vaut mieux confier cette tâche à d'autres. Il n'existe pas de placement que l'on puisse faire les yeux fermés et qu'on oublie ensuite après avoir placé les titres dans un coffre-fort.

Certains investissements exigent beaucoup plus de temps que d'autres. Un homme qui investit son argent dans des terrains ou des immeubles sans recourir aux services d'un professionnel devra consacrer une grande partie de son temps, sinon tout son temps, à la gestion de ses placements.

Le manque de connaissances et de temps sont les deux raisons majeures qui font que de nombreux investisseurs recourent à des gestionnaires professionnels pour placer leur argent en leur nom. Ceux qui investissent dans l'achat d'appartements en confient la gestion à des sociétés de fiducie ou de gestion immobilière. Les gros investisseurs qui placent des sommes importantes dans les actions, les obligations, etc., louent en général les services d'un conseiller en placement qui gère leur portefeuille. Pour les gros portefeuilles, des décisions importantes doivent être prises concernant la vente de valeurs en déclin ou l'apport de nouveaux fonds lorsque des occasions se présentent.

LES FAÇONS D'INVESTIR

L'investisseur habile dispose toujours d'un compte courant pour le paiement de ses factures et d'un compte d'épargne qui lui rapporte, chaque jour, des intérêts qui lui permettront d'amasser des montants substantiels. Si vous investissez $1 000 dans un compte d'épargne à 6% d'intérêt, il vous rapportera un gain de $60 à la fin de l'année. Ce n'est peut-être pas beaucoup, mais c'est tout de même quelque chose, et si vous laissez l'intérêt dans le compte sans toucher au capital pendant quelques années, c'est encore plus profitable. Le tableau 20.2 montre le jeu de l'intérêt composé sur un capital de $10 000 investi sur un grand nombre d'années selon divers taux d'intérêt.

Tant et aussi longtemps que la réserve de votre compte d'épargne n'est pas suffisante, il ne faut pas envisager de faire des placements ailleurs. Ce n'est pas sans inquiétude que l'on voit parfois des gens qui n'ont aucun compte d'épargne investir leurs premiers $5 000 dans des actions négociables. Le montant de la réserve est relatif, mais le chiffre de $5 000 semble être une somme minimale étant donné le coût actuel de la vie.

Les obligations

Certains investisseurs s'intéressent aux obligations parce qu'elles sont des titres à revenu fixe. L'emprunteur s'engage à verser un taux d'intérêt déterminé (le coupon) une ou deux fois l'an et à rembourser le capital à l'échéance de l'obligation. L'avantage présenté par les obligations en regard des comptes d'épargne est l'intérêt plus élevé qu'elles rapportent. À titre d'exemple, indiquons que l'épargne bancaire rapporte à l'heure actuelle 6% d'intérêt et les obligations de qualité environ 8 ½%. La différence est loin d'être négligeable, surtout si la somme investie est substantielle.

Le marché canadien des obligations comprend trois catégories: les titres des gouvernements (fédéral et provincial), ceux des municipalités et ceux des compagnies.

LES OBLIGATIONS DES GOUVERNEMENTS Les obligations du gouvernement fédéral et des gouvernements provinciaux présentent un risque financier minimal. Le taux des intérêts qu'elles rapportent sert de point de repère à l'émission des autres types d'obligations. Bien que manipulées dans tout le pays, elles ne sont pas négociées sur une grande échelle par les courtiers parce que le détenteur peut les revendre facilement lui-même. Elles présentent toutefois un risque de perte s'il y a fluctuation du taux d'intérêt sur le marché, particulièrement pour les obligations provinciales qui sont plutôt émises à long terme.

LES OBLIGATIONS DES MUNICIPALITÉS Les obligations émises par les municipalités sont si nombreuses qu'il est difficile de les classifier. Il en existe pour la voirie, l'aqueduc, les commissions scolaires, l'aménagement et pour diverses autres formes d'activité. Les municipalités émettent des obligations qui ne sont pas garanties par certains biens: ce sont des débentures. Les débentures à court terme sont surtout achetées par les sociétés de fiducie et les banques, alors que celles à long terme intéressent les compagnies d'assurance-vie et les fonds de retraite comme le Régime des rentes du Québec.

TABLEAU 20.2 Intérêt composé annuel sur un investissement de $10 000.

	Pourcentage					
Période	5	10	15	20	25	30
1	$10 500	$11 000	$ 11 500	$12 000	$12 500	$13 000
2	11 025	12 100	13 225	14 400	15 625	16 900
3	11 576	13 310	15 208	17 280	19 531	21 970
4	12 155	14 641	17 490	20 736	24 414	28 561
5	12 762	16 105	20 113	24 883	30 517	37 129
6	13 401	17 715	23 130	29 859	38 146	48 268
7	14 071	19 487	26 600	35 831	47 683	62 748
8	14 775	21 435	30 590	42 998	59 604	81 573
9	15 513	23 579	35 178	51 597	74 505	106 045
10	16 289	25 937	40 455	61 917	93 132	137 858
11	17 103	28 531	46 523	74 300	116 415	179 216
12	17 959	31 384	53 502	89 161	145 519	232 980
13	18 856	34 522	61 527	106 993	181 899	302 875
14	19 799	37 974	70 757	128 391	227 373	393 737
15	20 789	41 772	81 370	154 070	284 217	511 858
16	21 829	45 949	93 576	184 884	355 271	665 416
17	22 920	50 544	107 612	221 861	444 089	865 041
18	24 066	55 599	123 754	266 233	555 111	1 124 554
19	25 270	61 159	142 317	319 480	693 889	1 461 920
20	26 533	67 274	163 665	383 376	867 362	1 900 496
21	27 859	74 002	188 215	460 051	1 084 202	2 470 645
22	29 253	81 402	216 447	552 061	1 355 253	3 211 839
23	30 715	89 543	248 914	662 473	1 694 066	4 176 390
24	32 251	98 497	286 251	794 968	2 117 583	5 428 008
25	33 864	108 347	329 189	953 962	2 646 978	7 056 410
26	35 557	119 181	378 567	1 144 754	3 308 723	9 173 333
27	37 335	131 099	435 353	1 373 705	4 135 903	11 925 333
28	39 201	144 209	500 656	1 648 446	5 169 879	15 502 933
29	41 161	158 630	575 754	1 978 135	6 462 349	20 153 813
30	43 219	174 494	622 117	2 373 763	8 077 936	26 199 957
31	45 380	191 943	761 435	2 848 515	10 097 420	34 059 944
32	47 649	211 137	875 650	3 418 218	12 621 775	44 277 927
33	50 032	232 251	1 006 998	4 101 862	15 777 219	57 561 305
34	52 533	255 476	1 158 048	4 922 235	19 721 524	74 829 696
35	$55 160	$281 024	$1 331 755	$5 906 682	$24 651 904	$97 278 605

LES OBLIGATIONS DES COMPAGNIES La qualité des obligations de compagnies peut varier énormément. Si certaines sont pratiquement aussi solides que celles des gouvernements, d'autres ne constituent que des bouts de papier et nombreux sont ceux qui ont perdu leur argent en achetant des obligations qu'ils croyaient être de bonne qualité. Leur popularité provient de leur taux d'intérêt élevé.
Elles s'accompagnent toutefois d'un risque de perte de taux d'intérêt et de pouvoir d'achat. Les obligations de compagnies se présentent sous un grand nombre de formes, allant de l'obligation garantie par hypothèque à la débenture, en passant par l'obligation à intérêt conditionnel (si les bénéfices le permettent) et l'obligation convertible. Cette dernière, comme son nom l'indique, peut être échangée contre des actions ordinaires. Si le prix de l'action ordinaire est supérieur au prix de conversion

fixé, l'obligation offre la possibilité d'une plus-value de capital grâce au droit que possède son porteur de convertir son titre pendant la période déterminée. L'avantage pour l'investisseur réside dans le fait que l'obligation rapporte un intérêt l'assurant d'un revenu régulier.

Quand le détenteur d'une obligation convertible doit-il l'échanger contre une action ordinaire?

On peut se demander pourquoi ne pas acquérir tout simplement une action ordinaire de la compagnie. Il y a trois raisons: (1) si une diminution des revenus entraîne une baisse du prix de l'action, l'obligation ne subit, pour sa part, aucune perte de valeur, à moins que la situation financière de l'entreprise ne soit franchement mauvaise; (2) les dividendes que rapportent l'action ne sont pas toujours supérieurs à l'intérêt de l'obligation et sont moins prévisibles; (3) le détenteur de l'obligation est un créancier de l'entreprise alors que le détenteur d'actions ordinaires en est propriétaire.

Pendant les années 50, les obligations étaient fort peu recherchées par les investisseurs en raison du risque élevé de perte du pouvoir d'achat. L'inflation en détournait l'investisseur moyen. Un revirement s'est produit au début des années 70 à cause du taux d'intérêt élevé et de la faiblesse relative des transactions sur le marché des actions. Des investisseurs avisés se tournent maintenant vers le marché des obligations. C'est bien là une constatation du changement dans les habitudes d'investissement qui se font jour pour répondre à des conditions économiques nouvelles.

Les actions

Les actions sont classées en deux catégories: les actions ordinaires et les actions privilégiées.

LES ACTIONS PRIVILÉGIÉES Les actions privilégiées sont un moyen terme entre les obligations et les actions ordinaires. Elles rapportent un dividende fixe, mais le paiement des dividendes est lié aux bénéfices réalisés et dépend d'une décision du conseil d'administration. L'unique moyen dont dispose l'investisseur pour s'en débarrasser est de les vendre à un autre investisseur.

Les actions privilégiées peuvent être cumulatives (les dividendes non payés s'accumulent d'une année à l'autre), non cumulatives (les dividendes ne sont payables que dans l'année où ils sont déclarés, ils ne s'accumulent pas), convertibles (en actions ordinaires), rachetables (au gré de la compagnie), non rachetables (tant que la compagnie existe), avec droit de vote ou sans droit de vote, avec ou sans participation, etc... Les actions privilégiées avec participation assurent le droit de partager les profits de l'entreprise, alors que les autres actions privilégiées accordent seulement un dividende déterminé.

Une action privilégiée n'a de valeur que par les avantages qu'elle offre. Certaines actions privilégiées ressemblent beaucoup à des actions ordinaires, alors que d'autres assurent une protection presque identique à celle de l'obligation.

LES ACTIONS ORDINAIRES Nous verrons d'abord le cas des actions offertes au public et qui sont négociées sur le marché des valeurs mobilières. Nous étudierons ensuite les actions ordinaires des compagnies privées, puis nous nous intéresserons aux actions ordinaires des fonds mutuels.

L'achat d'actions ordinaires a pour but de permettre à un investisseur de profiter des gains d'une entreprise prospère. Cependant, celui qui place son avoir désire plus qu'un revenu, il veut un gain de capital. Ce gain de capital est difficile à prévoir, car il repose sur le comportement de l'action autant que sur son prix d'achat. Il est vrai qu'un très grand nombre de personnes ont réalisé des fortunes en investissant dans les actions ordinaires de compagnies en pleine expansion, mais le contraire est également vrai. L'investisseur qui cherche à se prémunir contre les problèmes financiers en n'achetant que des actions cotées à la Bourse des valeurs de Montréal ou de Toronto prend quand-même des risques. Le fait qu'une action soit cotée en Bourse ne garantit pas sa valeur.

Actions offertes au public Les actions ordinaires offertes au public doivent être émises conformément aux dispositions de la loi sur le commerce des valeurs mobilières. Les informations pertinentes à ces titres paraissent régulièrement dans les publications officielles et dans les journaux. Les états financiers de ces entreprises sont généralement publiés.

L'investissement dans les actions offertes au public plutôt que dans les actions d'entreprises privées comporte un double avantage. En premier lieu, il est plus facile d'obtenir des renseignements sur le comportement de l'entreprise grâce aux états financiers annuels, et en second lieu, la revente des actions est plus facile. Cela est particulièrement vrai pour les entreprises dont les actions sont cotées en Bourse. Ces dernières ont un prix sur le marché qui les rend facilement négociables. L'action d'une entreprise privée n'a pas une valeur établie par le marché et l'investisseur qui veut revendre n'obtient que rarement le montant de son investissement initial. Souvent, l'investisseur ne peut même pas obtenir une offre pour ses actions.

Pourquoi donc certains investisseurs achètent-ils des actions non inscrites à la cote officielle? Parce qu'ils entretiennent l'espoir de réaliser de gros bénéfices. Ces actions sont en général moins chères justement parce qu'elles ne sont pas inscrites à la cote officielle. De plus, certaines entreprises émettent de telles actions parce qu'elles sont trop modestes pour être acceptées parmi les entreprises inscrites à la cote officielle de la Bourse.

Certains courtiers se spécialisent dans ce domaine, parce qu'ils sont bien informés et perçoivent bien le jeu qui s'établit entre le prix de l'offre et celui de la demande. Le prix offert est celui auquel le courtier déclare vouloir acheter l'action et le prix demandé est celui auquel il désire éventuellement la vendre.

En règle générale, cette forme d'investissement devrait être confiée à des professionnels qui savent ce qu'ils font. Le profane ne connaît rien aux pratiques qui caractérisent ce marché.

Actions d'entreprises privées Les investissements dans ce domaine sont très risqués. En bref, l'investisseur détient une partie de l'entreprise ainsi que tous les risques que cela comporte. Puisque ces actions sont difficilement négociables, elles n'ont aucune valeur marchande et peuvent ne payer aucun dividende, alors pourquoi donc les acquérir? Tout simplement parce que, si l'entreprise est engagée sur une bonne voie et que l'on sait prévenir les risques, il est possible de réaliser des gains fort importants.

Les investissements de cet ordre posent bien des problèmes d'éthique, de droit et de gestion. L'investisseur doit s'entourer de garanties légales et veiller à ne pas s'associer avec un coquin qui l'escroquera. Il faut, de plus, avoir des connaissances suffisantes pour participer à la gestion de l'entreprise.

Les fonds mutuels Les compagnies de fonds mutuels ont été créées pour répondre aux besoins des investisseurs profanes qui veulent placer leur argent dans des actions ordinaires sans avoir à l'administrer.

L'écueil qui guette ces institutions est l'appropriation d'un trop grand nombre de valeurs. Pour qu'un portefeuille d'actions ordinaires soit contrôlable, il faut pouvoir liquider rapidement les avoirs sans trop de perte; cette possibilité n'est pas à la portée des grandes entreprises de fonds mutuels. Si les établissements de ce genre détiennent un trop grand nombre d'actions, ils ne peuvent les revendre à temps sur le marché sans en déprécier la valeur. Ironiquement, plus ces entreprises grossissent, moins elles peuvent protéger les investissements de leurs clients.

Les fonds mutuels conviennent aux investisseurs amateurs, c'est-à-dire à ceux qui ne connaissent rien ou fort peu de choses au sujet des placements dans les actions ordinaires. Quiconque s'y connaît les évite parce que leurs services coûtent trop cher. Le rendement des actions n'est pas particulièrement séduisant, car l'investisseur paye pour la gestion environ ½ de 1% par année de la valeur totale des fonds administrés. Si les revenus en dividendes d'un portefeuille sont de 4% (moyenne enregistrée), cela signifie que les frais de gestion s'élèvent à environ 12% du montant des dividendes, et cela représente une réduction importante du revenu.

Les sociétés de fonds mutuels ont connu une très grande vogue au cours des deux décennies qui ont suivi la Seconde Guerre mondiale, surtout parce que les gens voulaient obtenir pour leurs placements un taux d'intérêt supérieur à celui des comptes d'épargne.

TABLEAU 20.3 La structure d'un fonds mutuel

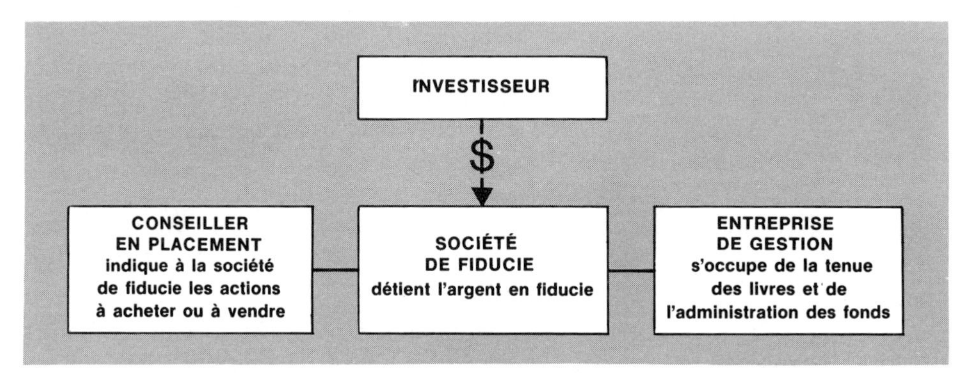

1) Fonds variables et fonds fixes. Le fonds variable, la forme la plus commune et la plus populaire, ne comporte aucune limitation dans la vente des actions. L'entreprise vendra des actions tant qu'il se présentera des acheteurs. Les actions sont subséquemment remboursées à leur valeur nette après déduction d'un faible montant pour frais de service.

Comment une société de fonds mutuels variables s'y prend-elle pour racheter ses actions?

Les sociétés à fonds fixes sont analogues aux entreprises ordinaires sur le plan de la vente des actions, en ce sens que seul un nombre limité d'actions peut être vendu. Une fois les actions écoulées, la compagnie ne peut en vendre d'autres. De plus, elle ne peut racheter les actions dont elle s'est défaite; c'est l'investisseur qui doit les revendre sur le marché.

Pourquoi ces actions se vendent-elles à un prix inférieur à leur valeur nette?

Pourquoi les actions des entreprises à fonds mutuels fixes sont-elles recherchées?

2) Le problème du choix d'un fonds mutuel. Il est absolument faux de croire qu'il n'y a pas de différence entre les diverses sociétés de fonds mutuels. En fait, elles diffèrent sur de nombreux points.

a. Le rendement. La différence sur le plan du rendement est très grande et le choix de la société de fonds mutuels pose des problèmes aussi complexes que celui de l'achat des actions. Une société mutuelle qui enregistre d'importants gains au cours d'une année peut perdre des fonds l'année suivante. Le facteur de la chance joue un très grand rôle à cet égard.

b. Les frais généraux. Les frais de gestion varient grandement eux aussi. Les gestionnaires de certaines sociétés sont parfois peu efficaces et les actionnaires paient leurs services beaucoup trop cher.

c. Les frais de vente. Les actions des sociétés mutuelles sont négociables sous plusieurs formes. Le système de vente sous pression directement au public est coûteux. Les frais de cette distribution sont payés par l'investisseur et s'élèvent en moyenne à 8% de la valeur de l'investissement. La commission au vendeur est souvent prélevée sur les fonds avant que ceux-ci ne puissent servir à l'achat des actions.

L'immeuble

Aucun programme de placement ne peut omettre la possibilité d'investir dans la propriété immobilière. La résidence personnelle doit constituer le premier objectif de l'investisseur. C'est un investissement aussi important que celui qui est effectué dans l'achat d'appartements, de terrains, de bâtiments commerciaux et d'édifices à bureaux. L'immeuble est un excellent placement à long terme. En effet, des fortunes ont été édifiées par ce moyen en raison de l'augmentation de la valeur des biens immobiliers.

L'accroissement démographique explique cette augmentation. Les hommes ont besoin d'endroits pour vivre et pour travailler: l'accroissement de la demande entraîne une augmentation du prix des biens immobiliers. De plus, l'investisseur n'a pas à s'occuper des fluctuations du marché des valeurs dans ce domaine. Seules des connaissances en gestion suffisent. Bref, l'investisseur n'a pas un grand effort à fournir.

L'investissement immobilier est intéressant à plus d'un point de vue.(1) On peut obtenir des prêts pouvant atteindre jusqu'à 90% de la valeur réelle au marché des immeubles. Il s'agit de laisser l'emprunt se payer tout seul au cours des années.(2) La demande d'achat des biens immeubles se présente aisément sous un angle favorable.(3) Les biens immobiliers comportent des avantages sur le plan de l'impôt sur le revenu qu'on ne trouve pas dans d'autres formes d'investissement.(4) Le bien immobilier est tangible. Les actions ne sont, somme toute, que des morceaux de papier alors qu'un terrain offre d'autres possibilités comme la construction d'un bâtiment.

LA RÉSIDENCE PERSONNELLE La résidence personnelle représente un investissement et est aussi bien un moyen de gagner que de perdre de l'argent, au même titre que les actions négociables. Il s'agit, en fait, d'un gros investissement malgré l'illusion que peut faire naître la modicité du paiement de base. La valeur de la maison s'accroîtra avec le temps si l'achat a été fait avec circonspection et sagesse.

Les déceptions que se prépare l'acheteur imprévoyant sont si nombreuses qu'il est difficile de les exposer ici. Plusieurs ouvrages ont traité longuement de la question et l'acheteur avisé serait bien inspiré de lire l'un ou l'autre d'entre eux avant de s'engager. Il convient toutefois d'indiquer ici un certain nombre de points importants.

L'EMPLACEMENT La situation d'un immeuble est un facteur déterminant sur le plan commercial. Quelqu'un a dit un jour qu'il y avait trois facteurs importants dans l'immeuble: l'emplacement, l'emplacement et l'emplacement. Si on achète une maison mal située, on éprouve des difficultés à la revendre et bien souvent, on essuie une perte. Un bon emplacement ajoute de la valeur à la maison.

Qu'est-ce qu'un bon emplacement? Que faut-il éviter lorsqu'on choisit l'emplacement de la maison?

SAVOIR ACHETER Comme c'est le cas pour toute autre forme d'investissement, on ne peut réaliser des bénéfices dans le secteur immobilier si l'on paye trop cher les biens acquis. Un point dont il faut tenir compte est l'élément personnel qui joue ici un rôle plus important que dans les autres formes d'investissement. Supposons que votre femme tombe littéralement amoureuse d'un fort joli bungalow. Elle veut absolument l'avoir et vous incite à payer n'importe quel prix pour vous en rendre propriétaire. Si vous le payez trop cher, ne vous attendez pas à ce que le futur acheteur en fasse autant. La théorie du plus bête que soi n'est pas toujours valable.

Les prix des biens immobiliers sont très négociables. Vous pouvez réaliser un bon achat si vous savez choisir un moment propice où le propriétaire veut vendre. Ne perdez pas de vue cette règle, car un jour vous serez à votre tour vendeur.

Cela nous amène à considérer un facteur clé dans ce domaine, à savoir la patience. Ne soyez jamais pressé pour vendre ou acheter un bien immobilier. Si vous oubliez ce principe, vous pourrez payer cher votre hâte. Celui qui s'installe dans une ville et doit s'acheter une maison en quelques jours accepte n'importe quoi et n'a pas le temps de marchander avec le propriétaire. Il en est de même pour le vendeur qui, s'il est pressé, doit accepter le prix du premier acquéreur qui se présente. Dès que l'acheteur ou le vendeur réalise que l'autre partie est pressée de conclure l'affaire, il s'assure des atouts de négociation supplémentaires.

L'APPARENCE L'aspect d'une maison est un important facteur de vente. Un bel emplacement, un extérieur soigné, une décoration de bon goût augmentent la valeur marchande de tout bien immobilier. Il faut éviter les maisons mal entretenues à moins d'être disposé à investir pour sa remise en état.

LA REVENTE En achetant une maison, essayez de vous mettre à la place de celui à qui vous la revendrez éventuellement. Évitez d'attacher trop d'importance à ce qui vous semble, à vous, particulièrement agréable ou qui répond à vos besoins propres, lesquels ne sont pas forcément ceux du futur acquéreur. Un bon acheteur ne doit pas perdre de vue le fait qu'il pourrait être appelé dans un avenir plus ou moins rapproché à revendre ce qu'il vient d'acquérir.

LE FINANCEMENT On a affirmé à maintes reprises et à juste titre que les gens n'achètent pas une maison mais un financement. Si vous pouvez soumettre à l'acheteur un plan de financement qui lui permette d'acquérir votre maison avec un faible paiement de base, vous augmentez du même coup les chances de vente et le prix de votre propriété. Les gens s'abstiennent généralement d'acheter lorsque les premiers versements sont trop élevés.

Les appartements

L'accroissement démographique a entraîné la construction d'un grand nombre d'immeubles d'habitation et a suscité, chez un grand nombre de personnes, le désir d'y acheter leur propre appartement. On peut emprunter généralement 70% de la valeur de l'appartement à acheter et parfois même jusqu'à 90%.

L'achat d'un immeuble à appartements comporte également ses inconvénients. Les frais généraux et d'entretien peuvent être élevés. La rentabilité de l'immeuble peut être également menacée si des appartements restent trop souvent inoccupés.

Comment déterminer le taux de non-occupation?
Comment minimiser le taux de non-occupation?

Au nombre des inconvénients, citons le faible taux d'occupation des appartements et la mauvaise conception. Un spécialiste en la matière a indiqué les trois conditions suivantes de réussite: la gestion de l'immeuble par une entreprise spécialisée (les frais d'administration représentent généralement 6% du montant des loyers), un minimum de 32 appartements par immeuble (il s'agit d'un chiffre approximatif) et la fixation d'un prix raisonnable pour l'achat ou la location des appartements (l'investissement n'est pas profitable si l'on doit rembourser une somme élevée au départ).

Certains investisseurs préfèrent les immeubles neufs comportant tous les avantages du confort moderne, d'autres recherchent de vieux immeubles qu'ils peuvent acquérir à bon prix et remettre en état.

La propriété commerciale

Certains investisseurs trouvent qu'il est très rentable de faire des placements dans les centres d'achat, les immeubles commerciaux, les entrepôts et autres bâtiments du même genre. Les risques peuvent être grands dans ce domaine. Si le propriétaire n'a pas les connaissances financières nécessaires, il peut se retrouver avec des locaux inoccupés ou peu recherchés. Aussi certains investisseurs préfèrent-ils louer leurs immeubles à des compagnies ou des magasins à succursales multiples connus, d'autant plus que ces entreprises assurent un rendement net du placement.

Pourquoi les grandes entreprises désirent-elles louer ces immeubles à un taux de location apparemment élevé?

Les terrains

Les terrains vagues sont très spéculatifs. Les investisseurs dans ce domaine sont généralement des gens aisés qui disposent d'importantes sommes à placer et qui peuvent se permettre d'attendre que la valeur augmente, ce qui exige de cinq à quinze ans. La spéculation sur les terrains est très risquée. Pour qu'elle soit rentable, il faut acquérir de grandes superficies à un faible prix et savoir attendre. L'aménagement du terrain peut être très coûteux.

Consortiums et sociétés de fiducie

Les investisseurs modestes ne peuvent s'engager dans des opérations comme l'achat de gros immeubles d'habitation et de grands centres commerciaux, où la spéculation immobilière règne, en raison des sommes fort importantes qui y sont requises. On peut à peine acquérir un petit immeuble résidentiel pour $100 000. Aussi, ce sont les grandes entreprises, les consortiums et les sociétés de fiducie qui s'en occupent.

Le principe fondamental d'un consortium est l'association, au sien d'une organisation légale, d'un certain nombre de personnes désireuses d'investir en commun leur avoir dans un projet immobilier. Les bénéfices, déduction faite des frais de gestion, sont répartis entre les intéressés. Il existe diverses formes d'arrangements à ce sujet, qu'il n'est pas opportun d'exposer ici. Signalons toutefois qu'il ne faut s'engager dans ces associations qu'avec prudence.

L'assurance

Le secteur de l'assurance est si important et si compliqué que nous lui réservons un chapitre particulier.

CONSEILS GÉNÉRAUX EN MATIÈRE D'INVESTISSEMENT

Conformément au principe selon lequel les problèmes que pose l'investissement dépendent des conditions propres à chaque investisseur, il est impossible de présenter un programme uniforme d'investissement valable pour tous. Il nous semble plus judicieux de donner ici quelques considérations générales.

Les liquidités

L'expérience indique que lorsqu'on place une trop grande partie de son avoir dans des investissements pour lesquels les fonds ne sont pas facilement récupérables, on s'expose à de graves difficultés. Il faut toujours conserver une réserve en argent liquide et effectuer certains investissements aisément convertibles en espèces.

La prévision à long terme

Un bon investisseur doit prévoir des placements à long terme et faire preuve de perspicacité et de patience. L'investisseur impatient de s'enrichir réussit rarement, car plusieurs investissements exigent du temps pour fructifier. La majorité de ceux qui ont acheté des actions de haute qualité et qui ont su attendre le moment propice pour vendre ont réalisé de gros bénéfices. Un investisseur modeste qui a fait un placement dans les années 40 en achetant des actions d'IBM possède aujourd'hui des capitaux pouvant servir à de nombreux autres investissements.

Le taux de rendement du capital

La cupidité a causé la perte de plus d'un investisseur. Il ne faut pas s'attendre à ce que le placement rapporte un trop gros profit. L'importance du taux de rendement du capital est généralement proportionnelle au risque financier. Celui qui investit *tout* son avoir dans des opérations à risque élevé sera tôt ou tard ruiné. Inévitablement, l'une de ces opérations entraînera sa perte.

La connaissance

L'une des qualités indispensables à la réussite de tout investisseur est, avec l'art d'agir au moment opportun, une bonne connaissance du domaine des investissements. Il faut connaître les règles du jeu si l'on veut mettre de son côté les chances de réussite. Il faut du temps et de l'effort pour apprendre les techniques de l'investissement fructueux, et ce principe est valable pour toutes les formes de placement. Si vous n'êtes pas disposé à fournir l'effort voulu pour acquérir les connaissances nécessaires, alors restez en dehors du jeu, placez votre argent dans un compte d'épargne afin que ceux qui connaissent les règles le fasse fructifier pour vous.

Autrui

Si une expérience pénible est parfois nécessaire pour nous faire connaître les gens qui nous entourent, la franchise exige que nous parlions un peu de cet aspect de la nature humaine. Les hommes étant ce qu'ils sont, les principes moraux et l'honnêteté des individus faiblissent lorsque l'argent est en cause. Il est souvent difficile de croire les propos des individus qui veulent absolument vendre quelque chose. Il faut être extrêmement circonspect devant les paroles d'autrui, car elles dissimulent souvent des pièges.

En cas de doute, il faut se demander simplement ceci: pourquoi, si l'affaire est si bonne, cet homme cherche-t-il tant à me convaincre d'investir les quelques dollars que je possède? Et pourquoi éprouve-t-il tant de difficultés à trouver de l'argent, si la proposition est si alléchante? Les bons investissements n'ont pas besoin d'être à ce point vantés. Lorsqu'une personne vous promet de vous rendre riche du jour au lendemain, vous êtes en droit de douter de son honnêteté.

Il n'existe malheureusement pas de méthode infaillible pour se prémunir contre les mauvais investissements. La réussite, en fin de compte, repose sur un jugement éclairé et une saine prudence.

CONCLUSION

Croyez-vous avoir saisi le problème? Si vous vous attendiez à trouver des recettes sur la manière d'investir votre modeste pécule et de vous enrichir rapidement, vous devez maintenant connaître les difficultés qui vous attendent. Les méthodes d'enrichissement rapides sont ou suspectes, ou frauduleuses. Il n'existe aucun moyen facile de s'enrichir. L'investissement est une dure tâche. Il faut du temps et de la patience et, par-dessus tout, un jugement ferme.

Diverses voies s'offrent à vous en matière d'investissement. Le choix dépend, dans une large mesure, de vous-même et de vos besoins. Chaque personne vit dans des conditions particulières et son programme d'investissement doit être établi en fonction de ses besoins.

Il n'y a pas de réponse à la question: «Où dois-je investir mon argent?...» Toute réponse comporte ses risques: risques financiers, politiques, risque du taux d'intérêt, pertes du pouvoir d'achat et du revenu. Il faut savoir les reconnaître et les évaluer. De plus, le problème des liquidités et celui de la gestion doivent être réglés judicieusement si l'on veut que le programme d'investissement réussisse. Et maintenant, bonne chance!... Car il en faut aussi un peu.

le marché des valeurs mobilières

Imaginez que vous avez fondé une compagnie et que vous l'avez gérée sagement. Elle a grandi et maintenant, vous faites face à un sérieux problème de financement. Vous avez besoin d'argent afin de construire une nouvelle usine qui vous permettra d'augmenter votre production et de satisfaire aux besoins du marché que vous avez étudié. Votre banquier vous refuse son aide affirmant que ce n'est pas le rôle d'une banque de supporter ce genre d'investissements.

L'ÉMISSION DE NOUVELLES ACTIONS SUR LE MARCHÉ PUBLIC

La solution qui s'offre à vous est d'émettre des actions pour $4,5 millions. Vous y consentez, car vous reconnaissez qu'il est temps pour votre entreprise d'acquérir un statut public.

Vous savez que votre entreprise vaut beaucoup d'argent et que la valeur comptable de vos actions s'élève à $15 l'unité. Vous savez que si vous étiez obligé de vendre rapidement, vous ne réussiriez pas à obtenir ce prix. Cette situation vous embarrasse. Vous avez acquis la certitude que le fait d'émettre des actions ordinaires corrigerait le problème en créant un marché pour ces valeurs.

Le courtier en valeurs mobilières

Dans le passé, vous avez monté personnellement un petit portefeuille de valeurs mobilières. Vous avez transigé avec la Maison Benoît et Bastien, courtiers en valeurs mobilières dont l'une des spécialités est le financement de la croissance des entreprises. B et B a participé à plusieurs transactions de ce genre à titre de membre d'un syndicat financier. Un syndicat est le nom donné à un groupe de courtiers qui conviennent d'assumer ensemble la manipulation d'une grosse émission d'actions. Le syndicat achète les actions et les revend à un prix supérieur obtenant ainsi un revenu couvrant ses frais d'exploitation et sa marge de profit. Cette opération, dans le langage du métier, s'appelle une souscription.

Vous connaissez personnellement monsieur Bastien, le président, et vous lui soumettez votre problème. Monsieur Bastien, après les conclusions tirées par ses analystes, vous propose d'organiser une souscription de 1 000 000 d'actions ordinaires d'une valeur nominale de $5. Ainsi, vous serez en mesure de recevoir les $4,5 millions dont vous avez besoin, les frais de l'opération étant fixés à $500 000.

En réalité, B et B est une institution de marketing. Son affaire consiste à vendre des valeurs mobilières et à percevoir une commission sur les transactions.. Le taux de commission varie d'un cas à l'autre, car il fait l'objet de négociations. De plus, il n'est pas rare de voir des taux de commission de 20% justifiés par le fait que le risque est élevé. Dans le cas de votre compagnie, la commission exigée est de 10%.

Les courtiers en valeurs mobilières peuvent rendre sept genres de services:

1- *Organisation de souscription*: Organisation et vente de nouvelles actions.
2- *Courtage*: Intermédiaire entre acheteur et vendeur; cette fonction facilite les échanges des actions existantes.
3- *Fonction bancaire*: Support des clients qui achètent sur marge ou à découvert, et prêt d'argent en cas de nécessité en retour d'un intérêt.
4- *Consultation*: Conseils donnés à tous ceux qui le désirent.
5- *Recherche*: Recherche de renseignements sur les entreprises afin de bien conseiller et de bien investir.
6- *Investissement*: Placement de leurs propres fonds.
7- *Vente*: Souvent un courtier peut garder un inventaire de certains titres bien cotés afin de mieux servir sa clientèle et de réaliser un bénéfice sur l'accroissement de leur valeur.

Cette extension d'activités s'est produite graduellement par suite de l'apparition des besoins du marché. Certaines maisons se sont spécialisées dans l'un ou l'autre de ces services.

La bourse

Le lieu d'échange est la Bourse. Plusieurs villes en ont une. Citons à titre d'exemple, la Bourse de New York, la Bourse de Toronto, la Bourse de Montréal... Cette dernière qui fut fondée en 1832, est la plus ancienne au Canada. C'est une institution sans but lucratif financée par les cotisations des membres et par les frais d'inscription des titres. En 1973, environ 500 titres y étaient cotés et pouvaient y être transigés. La commission des valeurs mobilières, organisme gouvernemental, régit toutes les activités de la Bourse.

La transaction

Le conseil d'administration de votre compagnie ayant entériné le projet d'émettre des actions sur le marché, un contrat a été rédigé et signé. En bref, ce contrat précise que votre entreprise mandate B et B pour la formation d'un syndicat capable d'assurer la transaction et que B et B s'engage à faire toutes les démarches requises pour satisfaire aux exigences de la commission des valeurs mobilières. La C.V.M. exige notamment que soit publié un prospectus. Ce document contient toutes les informations concernant la compagnie: ce qu'elle est, ce qu'elle projette, etc. Tout investisseur devrait lire ce prospectus avant de finaliser l'achat d'actions nouvellement émises.

Procurez-vous un prospectus, étudiez-le et évaluez les actions qui y sont offertes. En achèteriez-vous?

Une fois les exigences de la C.V.M. satisfaites, le syndicat peut procéder à la vente des actions. Il faut noter que la C.V.M. ne juge pas de la valeur des actions offertes. Elle ne fait qu'attester que les exigences légales ont été respectées.

B et B a formé un syndicat avec d'autres courtiers pour faciliter la vente rapide des actions émises.

Pourquoi est-il important que la vente soit faite rapidement?

L'efficacité de cette organisation permet de recueillir l'argent dont vous avez besoin pour assurer l'expansion que vous avez projetée.

ACHAT ET VENTE D'ACTIONS EXISTANTES

Il existe deux systèmes d'acquisition des valeurs mobilières: la Bourse et le marché hors-bourse ou au comptoir.

La Bourse

ADMISSION À LA COTE Votre compagnie a vendu des actions au grand public et vous aimeriez que vos actions soient cotées à la Bourse. Pour y parvenir, vous devez faire une demande à la bourse de votre choix et satisfaire à ses exigences. Les exigences de la Bourse de Montréal sont les suivantes:

1- être agréé par un comité des inscriptions:
2- établir la preuve que le public détient un pourcentage raisonnable des actions émises (environ 25%);
3- établir la preuve d'un nombre suffisant d'actionnaires (environ 300) provenant du public;
4- remettre les documents exigés par le comité d'étude: la charte, la capitalisation, la composition du conseil d'administration, etc.;
5- avoir un actif net d'au moins $1 million;

6- avoir eu au moins $50 000 de bénéfices nets l'année précédente;
7- avoir réalisé en moyenne au cours des trois dernières années des bénéfices nets de $50 000;
8- accepter de publier des états financiers annuels;
9- payer les frais d'inscription.

Vous constatez alors que votre entreprise n'est pas immédiatement admissible, mais vous savez ce qu'il faut faire. Vous êtes aussi conscient des avantages de l'inscription à la bourse.

Quels sont les avantages de l'inscription à la cote de la Bourse?

Imaginons maintenant une autre situation. Vous êtes étudiant et vous venez de gagner un prix de l'inter-loto: $10 000. Vous décidez d'investir cette somme dans des valeurs mobilières. Après analyse, vous décidez d'acheter des actions de Bombardier qui vous paraissent intéressantes et abordables. Vous vous adressez à une maison de courtage reconnue afin d'ouvrir un compte. L'hôtesse vous dirige vers le bureau d'un jeune homme de quelques années votre aîné, spécialisé dans la gestion de portefeuilles comme le vôtre; il sera votre courtier-conseiller. Presque tous vos contacts avec le monde des valeurs mobilières se feront par son intermédiaire. Vous devez avoir confiance en votre courtier et en son habileté. Sinon, choisissez-en un autre. C'est votre droit. Si vous désirez acheter ou vendre des titres, téléphonez-lui; de son côté, il vous conseillera sur vos placements. Vous lui exposerez quels sont vos intérêts et vos objectifs de placements. Il vous demandera si vous voulez acheter comptant ou acheter sur marge. Puisque vous n'êtes pas disposé à emprunter de l'argent, vous choisissez d'acheter comptant.

ACHAT SUR MARGE Un courtier offre deux modes d'acquisition d'actions: l'achat comptant et l'achat sur marge. L'achat comptant est une transaction par laquelle vous devenez propriétaire de valeurs mobilières en déboursant immédiatement leur prix entier. Vous n'empruntez pas du courtier pour effectuer le paiement.

À l'opposé, l'achat sur marge se fait en empruntant du courtier une partie de l'argent qu'il vous faut pour payer le titre. L'emprunt maximum qu'il vous est permis de faire est fixé à un certain pourcentage de la valeur des titres. La marge, que l'investisseur doit payer, est établie par un règlement de la Bourse et varié selon les conditions des marchés. Règle générale, les titres acquis sont conservés par le courtier en garantie collatérale du prêt consenti.

Si la marge est établie à 70%, vous pouvez débourser $3 500 pour acheter 1 000 actions cotées à $5; le courtier vous prête la différence.

Les avantages de l'achat sur marge sont les suivants:

1- il oblige le courtier à ouvrir un compte qui facilite les transactions et réduit les transferts d'argent. Ce compte permet au courtier d'assumer la réception et la livraison des titres transigés;
2- il rend possible l'achat d'actions par versements. Un investisseur peut acheter pour $10 000 de titres, verser $7 500 au moment de la transaction et payer le reste en versements égaux;
3- enfin, l'achat sur marge permet d'utiliser l'effet de levier. Le tableau 21.1 ci-après illustre un effet de levier *positif* dont a bénéficié un investisseur profitant d'une marge de 50%. Le rendement réalisé est de 15%.

Votre courtier vous conseille l'achat de 100 actions de Steinberg qui, selon lui, est une valeur sûre, mais vous préférez Bombardier. Vous lui commandez d'acheter

1 000 actions de Bombardier au marché. Passer une commande au marché signifie que vous dites à votre courtier d'acheter au meilleur prix possible lorsque votre commande parviendra sur le parquet de la bourse. Vous auriez pu lui transmettre une commande limitée, c'est-à-dire une commande à un prix déterminé d'avance par vous. Dans ce cas, l'ordre d'achat ou de vente ne peut être exécuté qu'à ce prix ou à un prix plus avantageux. Vous auriez pu, aussi, lui donner un ordre ouvert pour un prix défini. Dans ce cas, la commande reste valable jusqu'à son exécution ou son annulation.

TABLEAU 21.1 Effet de levier

	Achat comptant		Achat sur marge (50%)	
Fonds au début de l'année		$10 000		$20 000
Plus:				
rendement 15%		1 500		3 000
Valeur du fonds à la fin de l'année		$11 500		$23 000
Moins:				
emprunt		NIL		$10 000
intérêt 10%	NIL	NIL	1 000	$11 000
Valeur nette du fonds à la fin de l'année		$11 500		$12 000
Taux de rendement effectif	1 500 / 10 000	15%	2 000 / 10 000	20%

Votre courtier vérifie à quel prix s'est effectuée la dernière transaction des actions de Bombardier et vous informe que vous paierez environ $2,25 l'action. Puis, il rédige l'ordre d'achat qu'il expédie au siège social de son entreprise. Quelques minutes plus tard, il reçoit la confirmation de la transaction exécutée. Durant ce court laps de temps, tout un travail a été effectué. Le tableau 21.2 illustre le cheminement d'une commande.

Une fois votre commande exécutée, vous passez à votre courtier une commande limitée à $2,00. Vous lui commandez de vendre vos actions si elles baissent jusqu'à ce prix. Ainsi, vous protégez votre investissement.

Le marché hors-bourse ou au comptoir

Une fois les titres payés, les frais de courtage et la taxe acquittés, il vous reste $7 705,25 de votre fonds initial de $10 000.

Votre courtier vous parle d'une valeur non cotée à la bourse qui semble intéressante. Il s'agit des actions d'une compagnie locale prospère dont les perspectives d'avenir sont excellentes. Il précise que ces actions émises il y a quelques semaines seulement à $5 l'unité, se vendent maintenant $6,50 sur le marché hors-bourse. Elles pourraient très bien monter jusqu'à $15, lorsque les états financiers de 1973 seront connus. Les dirigeants de cette compagnie prévoient un profit d'environ $2 par action. Votre courtier ajoute que le rapport entre le cours des actions en bourse et le bénéfice par action réalisé par la compagnie, le coefficient prix / revenu, devrait être d'environ 10; ce qui établit un prix approximatif de $20. Un bon placement! Avant de prendre une décision, vous préférez vous renseigner sur les produits et sur le personnel de la compagnie. Quelques jours plus tard, vous téléphonez à votre courtier et vous lui commandez l'achat de 500 actions à un prix n'excédant pas $6,50 l'action. Cette fois, votre commande sera acheminée par d'autres voies, car les actions désirées ne sont pas cotées en bourse.

TABLEAU 21.2 Acheminement des ordres d'achat et de vente d'actions

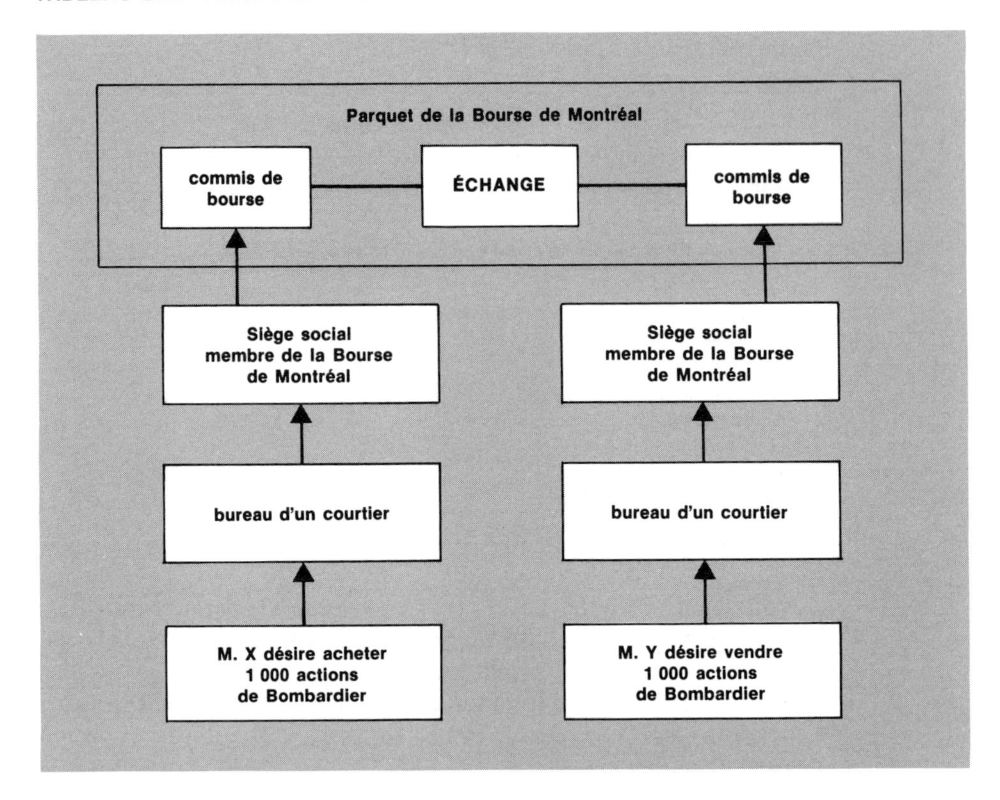

Votre courtier vérifie d'abord si son entreprise possède des actions de cette compagnie et si elle est prête à les vendre à ce prix. Son directeur lui dit qu'en effet la maison de courtage possède des actions mais qu'elle exige $7 l'unité. Alors, votre courtier téléphone à la maison Benoît et Bastien, laquelle a distribué l'émission, et demande les cotes. B et B demande $6,40 et offre $5,75. On vendrait à un prix de $6,40 l'action et achèterait à $5,75. Votre courtier est en mesure de finaliser la transaction et il vous avise que vous avez acheté 500 actions à $6,40.

Si un jour vous désirez vendre ce placement, vous n'avez qu'à le signifier à votre courtier. Vous n'aurez même pas besoin de vous déplacer si vous lui avez laissé les certificats d''actions.

Règle générale, si un placement est à long terme, il est préférable que vous vous fassiez transmettre les certificats. Mais si vous spéculez, c'est-à-dire si vous achetez et vendez à court terme, il est beaucoup plus pratique de demander à votre courtier de conserver les titres.

Vente à découvert

Il s'agit d'une transaction par laquelle vous vendez des actions que vous ne possédez pas dans l'espoir de les racheter par la suite et de réaliser un profit.

Pour payer vos études, vous travaillez dans un restaurant à succursales multiples. Le Gourmet Ltée est un exemple typique de ces entreprises des dernières années qui ont connu une croissance astronomique et qui ont eu beaucoup de succès en vendant leurs actions au public.

Le fonctionnement de l'entreprise, vu de l'intérieur, vous permet de prévoir l'effondrement prochain de l'entreprise: l'administration est déficiente, le prix des actions, à $35,00, est beaucoup trop élevé, le coefficient prix / revenu à 32 n'est pas réaliste. Alors vous décidez de monnayer votre conviction. Vous téléphonez donc à votre courtier et vous lui demandez de vendre à découvert 100 actions de Le Gourmet Ltée. Votre courtier vous demande d'ouvrir un compte sur marge et vous précise que vous devrez y déposer une certaine somme pour couvrir la perte qui pourrait survenir si les actions de Le Gourmet Ltée continuaient à monter au lieu de descendre. Ces formalités remplies, votre courtier vend 100 actions à un prix de $35,00 l'unité. Vous recevez donc $3 500, moins la commission du courtier. Dans ce cas, le courtier emprunte les actions de quelqu'un qui veut bien les prêter et les livre à l'acheteur. Vous vous engagez à remettre ces actions à une date ultérieure. Entre temps, vous espérez que les prix baisseront.

Vous avez vu juste! Le prix des actions de Le Gourmet Ltée commencent à dégringoler quelques semaines plus tard. Lorsque les prix atteignent $25, vous jugez qu'il est temps de couvrir votre découvert et vous demandez à votre courtier d'acheter. Il achète à $23, les prix baissant vite. Votre profit s'établit à $1 200, car vous avez vendu à $35 et racheté à $23.

Pourquoi avoir acheté à $23?

De l'avis des experts, vendre à découvert est dangereux, car les risques de pertes sont élevés.

LA BOURSE DES DENRÉES

Il existe tout un système boursier permettant d'acheter et de vendre les denrées. Aux États-Unis, les principales bourses de denrées sont situées à Chicago et à New York. Au Canada, elles sont établies à Winnipeg et à Vancouver.

Seuls les experts devraient spéculer sur les denrées; les risques sont extrêmement élevés, car la marge requise est de 5%. En effet, un investissement de $500 peut suffire pour acheter une cargaison de maïs de $10 000. Cela signifie que 95% du montant est emprunté. Cela peut paraître merveilleux jusqu'à ce qu'on réalise qu'une baisse de 5% des prix suffit pour détruire l'investissement. Ces bourses existent pour la majorité des denrées offertes sur le marché: grains, viande, sucre, coton, tabac, etc.

Ces marchés des denrées répondent à un besoin. Plusieurs entreprises doivent acheter, entreposer, vendre des denrées. Weston, Kellogg, Steinberg achètent de grandes quantités de maïs et de blé pour fabriquer leurs produits, mais ne veulent pas spéculer sur les prix. Ces bourses permettent de transférer à des spéculateurs les risques que les producteurs et les utilisateurs ne veulent pas assumer.

Les prix des denrées sont très variables, car l'offre de ces produits est facilement modifiée par les conditions climatiques, les aléas de la demande et d'autres causes touchant les producteurs et les acheteurs.

L'INFORMATION FINANCIÈRE

L'information est l'essence du marché des valeurs mobilières. La pertinence de cette information, sa précision et sa rapidité d'obtention déterminent bien souvent la sagesse des décisions de placement. Plusieurs entreprises se spécialisent dans la cueillette, la publication et la vente de l'information financière. Des publications comme Les Affaires, The Financial Post, The Financial Times et la revue Commerce contiennent plusieurs réclames de maisons qui analysent l'actualité financière et publient les résultats de leurs recherches sous diverses formes. Bref, il ne manque pas d'information de cette nature. Les problèmes proviennent plutôt de la précison et de l'utilité de ces données.

Les pages financières des journaux

Les pages financières de votre quotidien ou de certains hebdomadaires vous renseignent sur l'évolution des cotes de la Bourse et des autres cotes que l'on publie. Il est utile de comprendre ces amas de chiffres. Le tableau 21.3 indique comment lire une page financière.

Les sources d'information

Il y a deux principales sources d'information financière:

SOURCES PUBLIQUES Elles comprennent les états financiers annuels des compagnies et des prospectus qu'exige la commission des valeurs mobilières. Ces documents sont distribués à toutes les personnes qui en font la demande. Ils contiennent des renseignements sur les objectifs des compagnies, leurs activités, leurs produits et leurs affaires.

Les publications financières, les quotidiens, les périodiques, les services spécialisés, font aussi partie des sources publiques. Voici quelques noms connus: The Globe and Mail Report on Business, La Presse, Business Week, Fortune, La Revue Mensuelle de la Bourse de Montréal, The Wall Street Journal, Canadian Business Service, Moody's, Standard & Poor's, Value Line, etc... Cette liste n'est pas exhaustive, car il existe plus de 125 autres publications au Canada seulement. Toutes ces informations sont présentées d'une façon utile et permettent à l'investisseur intéressé de se documenter sur l'entreprise de son choix.

SOURCES PRIVÉES La diversité des sources privées est aussi grande que celle des sources publiques. Toutes les maisons de courtage offrent à leurs clients des bulletins de nouvelles du marché des valeurs mobilières.

La qualité des informations privées varie beaucoup. Dans certains cas, elle est excellente; dans d'autres, elle est douteuse, voire mauvaise.

Bien sûr, il y a les informations informelles et officieuses, les rumeurs, mais il est souvent impossible d'établir leur exactitude et leur valeur. Certains s'y fieront, d'autres n'oseront pas.

Pourquoi certaines compagnies cachent-elles les résultats réels de leurs affaires?

UNE CRITIQUE DU SYSTÈME

Aucun système n'est parfait! Pas plus celui des marchés de valeurs mobilières que les autres. Toutefois, en énumérant ses principaux défauts, nous n'oublions pas qu'il a bien fonctionné et qu'il a fait ses preuves. C'est un réseau complexe d'institutions qui agit avec un minimum de formalités. Il est basé sur la parole d'un individu et sur la confiance, et les quelques problèmes qui surgissent sont vite réglés.

TABLEAU 21.3 Comment lire une page financière

1. Le nom de la compagnie émettrice, généralement sous une forme abrégée. Exemple: Anglo-Canadian Pulp and Paper. Il s'agit d'actions ordinaires à moins que

2. Les lettres «PR», «PF» ou «PFD» ne soient indiquées à côté du nom, auquel cas, il s'agit d'actions privilégiées.

3. Deux colonnes indiquent le plus haut prix et le plus bas prix payé pour une action depuis le début de l'année.

   Exemple: les actions ordinaires de Bombardier se sont vendues $2,50 et $1,75 pour la période 1974 (au 23 mars 1974).

4. Une colonne indique le nombre d'actions transigées au cours d'une période.
   Exemple: il s'est transigé 500 actions de Cablecast durant la semaine du 15 au 22 mars 1974.

5. Le plus haut prix et le plus bas prix payé pour ces actions durant une période.
   Exemple: Canadian Arena a varié de $14,50 à $14,00 durant cette période.

6. Le prix à la fermeture de la bourse.
   Exemple: CIL a clôturé à $19,125.

7. La variation entre le prix de clôture de cette période et celui de la période précédente.
   Exemple: le prix des actions de Canadian Tire série A a diminué de $1,125 (1 et ⅛) durant cette période.

(en dollars et les fractions en huitièmes)

	Volume	Haut	Bas	Clôt.	Var.	1974 Haut	1974 Bas
A — B							
Abitibi	11867	$14½	13¾	13⅞	— ¼	14¾	11½
Abitibi 7½p	100	$49½	49½	49½	+ ½	49½	49
Alta Gas T	4125	$13½	13	13⅛	— ½	14	10½
Alcan	55915	$34⅜	31⅞	31⅞	—2½	40½	31½
Algoma St	9760	$25¼	24¾	24⅞	— ¾	26	19¾
Almin 2p	636	$33½	33½	33½		35	33¼
Anglo—Cn	7500	$21¾	20¼	20¼	—1½	22½	16¼
Ang CT 290	250	$34	34	34	—3½	34	34
Aquitaine	42172	$32	28	29½	—2⅝	32⅝	24⅞
Argus C pr	12430	$12⅞	12½	12⅝	— ¼	12⅞	11¾
Asbestos	2553	$20¼	19	19	—1¼	20½	16¾
Ahld Ol	4800	$11	10¾	10¾	— ¼	11¾	10⅝
Bank Mtl	17246	$20⅞	19¾	19¾	—1	21	18⅛
Bank NS	28967	$40	39	39	—1¼	41⅛	35
Bnk NS r	51260	490	48	48	—27	490	48
Banq CN	5557	$19⅝	18¾	19½		19⅞	17⅝
Bq Deprg	1240	$17¾	17⅝	17¾	+ ⅛	19¼	17w4
Bq Pv Can	4076	716½	15⅞	16	— ⅛	16½	14¾
Baton	1300	$5⅞	5	5	— ½	5⅞	485
Bell Canad	24270	$44½	44¼	44⅜	— ⅛	44¾	39½
Bell A pr	346	$45¼	45	45	— ¼	45¾	43⅛
Bell B pr	640	$46¾	46⅛	46½	+ ½	47½	46
Bell C pr	200	$30¼	30¼	30¼	— ⅛	30½	29⅝
BM RT U	10850	$13⅝	13¼	13⅝		14	13⅛
BM RT w	700	230	230	230	—20	275	230
Bombrder	10625	230	215	230		250	175
Border C	13300	325	285	290	—5	325	260
BP Can	4558	$16⅞	15½	15½	—1¼	17½	11
Brcan a	19062	$18¼	17¾	17¾	— ½	18⅜	15⅞
BC Forest	5200	$21¼	19⅞	19⅞	—1⅝	22	17¼
BCT 7.04	300	$23½	23½	23½	+ ¼	23½	22½
C — D							
CAE Ind	3390	$11	10½	10½	— ½	11	8
Cablecast	500	475	450	475		5	400
Calgary P	3335	$24½	23¾	23¾	— ⅜	25	22¾
Camp a	717	$9⅝	9½	9½	— ½	10	8
Camp c	200	$11½	11½	11½	+ ½	11½	10
Can Cem L	2806	$14½	14⅛	14¼		14¾	11¾
CC Laf pr	646	$17	17	17	— ½	17½	16⅞
C Pack c	700	$25¼	24¼	25¼	+ ½	25¼	23¾
Can Perm	2566	$20	18⅜	18¾	—1¼	20¼	17
C P un	1600	$10⅛	9⅞	9⅞	— ½	10½	9⅞
CSL pr	100	450	450	450		450	450
C Arena	300	$14½	14	14½	+1	14½	12⅞
Cdn Cable	1350	$15¾	15¾	15¾	— ¼	18⅝	13¾
Cble w	100	270	270	350		350	270
C Cel	5980	$7	6¾	6¾	— ⅞	8	5½
C Hydro	5000	$8¾	8½	8⅝		8¾	7⅛
C Imp Bank	12922	$30⅝	30	30¼	— ¼	31⅜	26¼
CIL	6360	$20	19⅛	19⅛	— ⅞	20¼	17
C Int Pw	1812	$13¼	13	13	— ⅛	13½	11¾
CI Pow pr	250	$13½	13½	13½		13½	13
C Javin	7400	$8¾	8	8¼	— ½	10	7½
C Marconi	1000	365	365	365	—10	390	330
CP Inv	4968	$17⅞	17¼	17¼	— ½	18	16
CPI pr	2670	$35⅜	34¾	35	— ¼	36	31⅝
CP Inve w	6615	370	325	325	—55	405	285
Cdn Salt	900	$15	15	15		15	14
Cdn Tire A	7410	$43½	41	41⅜	—1⅛	48	39¾
Canron	2700	$22¾	21½	21½	—1¼	23	18½
CPLtd	44460	$17½	16½	16½	— ⅞	17¾	15⅛
CP uk p	500	$6⅝	6⅝	6⅝	+ ¼	6⅝	6⅜
CP A p	2100	$10	10	10	— ½	10½	10
Carl Ok	3680	365	350	355	—15	425	350
Carl Ok a	125	$23¾	23¾	23¾	+ ¼	24½	23½
Celanese	35235	$6⅛	5¾	6⅛	+ ¼	6⅛	485
Cent Dyn	6500	105	100	105		0140	90
Charter Ind	200	130	115	130	+30	130	100
Chrysler	7687	$19¼	18	18¼	—1	19¾	14⅝
CHUM B	1220	$8	8	8	— ½	9¼	8
Coles B	1400	$7	7	7	+ ⅜	7	6⅝
Cockfield	400	$5⅛	5⅛	5⅛		5½	5
Cominco	2841	$32¾	32¼	32⅝	— ½	35½	30¾
Comodor	1096	$6¾	6½	6¾		7¾	5
Cdm A wt	1000	300	250	250	—80	375	250
C Holiday I	5000	$7½	7½	7½		8½	6¾
Con Bath	6589	$28½	27¼	27⅞	—1⅛	29½	25
Con Bath w	200	195	190	190	—30	245	190
CBath Pr	14600	$18½	18½	18½		18¾	17½
Cons Gas	690	$17¾	17⅛	17⅛	— ⅞	18⅛	15½

La paperasserie

La paperasserie du système de valeurs mobilières a suscité beaucoup de critiques et il est vrai que ce monde est en retard sur la mécanisation qui se poursuit dans les autres champs d'activité économique. Cet abus provient de l'augmentation rapide du nombre de transactions qu'assument des institutions qui n'avaient pas estimé nécessaire de mécaniser leurs opérations. Cependant, cet état de fait ne constitue pas un grave problème puisqu'il suffirait d'un minimum d'efforts pour le régler.

Les dangers de manipulation

Même si la commission des valeurs mobilières et les directions des Bourses font tout ce qu'elles peuvent pour prévenir les manipulations, même si ces manoeuvres sont malhonnêtes et que leurs auteurs sont passibles d'amendes et d'emprisonnement, il y a des manipulations frauduleuses qui se pratiquent. Dans combien de cas? Personne ne le sait.

L'information confidentielle

Bien que plusieurs mettent en doute la valeur de l'information confidentielle, il n'en reste pas moins que certaines personnes possèdent des indices et n'hésitent pas à s'en servir. Par exemple, des administrateurs et des directeurs d'entreprises sont placés dans des situations qui leur permettent d'acquérir des connaissances qu'ils peuvent utiliser à leur profit personnel Quoi que l'on fasse, il n'y a pas de moyens pratiques d'empêcher ces individus de tirer profit de leur situation, car s'ils y sont décidés, ils trouveront bien une façon de le faire.

La motivation

Tout le marché des valeurs mobilières n'a qu'un but: vendre des titres et, ce faisant, permettre un profit. Les courtiers étant rémunérés par une commission sur les transactions, ils feront tout ce qu'ils peuvent pour inciter leurs clients à acheter et à vendre des valeurs, même si ce n'est pas toujours dans leur intérêt. C'est une faiblesse du système.

La spéculation

Ce système encourage la spéculation. Des fortunes se sont bâties sur des valeurs qui croissaient rapidement. Les courtiers s'arrachent les investisseurs qui ont pour but premier la spéculation, parce que ces derniers achètent et vendent souvent.

L'influence sur l'économie

Le comportement des prix des actions cotées en Bourse influence profondément l'attitude du consommateur dans son choix économique. C'est une influence psychologique démesurée.

Durant les années 1970, l'économie reprenait son souffle après une période de croissance rapide. Ce léger ralentissement ne signifiait pas que tout allait mal. Bien au contraire, les indicateurs économiques permettaient de croire que notre économie était saine. Toutefois, cette situation ne plaisait pas aux spéculateurs qui avaient fait grimper les prix à des niveaux trop élevés. C'est parce que les compagnies ne pouvaient pas satisfaire aux exigences des acheteurs que les prix ont baissé. Cette diminution fut interprétée à tort comme étant une récession. Ce qui est vrai, c'est que de nombreux millionnaires sur papier n'ont pas pu convertir leurs gains en argent. Cette incapacité a modifié leurs habitudes d'achat.

Il faut se rappeler que le prix d'une action en Bourse ne correspond en aucune façon à la valeur réelle d'une compagnie. Ce prix n'est que le résultat de l'offre et de la demande des actions de cette compagnie. Voilà pourquoi il est mauvais que les fluctuations boursières influencent le comportement économique des investisseurs.

CONCLUSION

Nous avons créé un réseau complexe d'institutions que nous pouvons qualifier de système de distribution des valeurs mobilières.

C'est un système unique qui possède des normes de fonctionnement bien définies. Quiconque désire y participer doit, au préalable, l'étudier pour bien le connaître.

Le point central de ce système est le courtier en valeurs mobilières. Il joue un rôle important et diversifié. Mais il faut toujours se rappeler que l'objectif de ce système est de vendre des titres et non de faire gagner de l'argent. Cela, l'investisseur doit le faire lui-même.

l'assurance

L'assurance est l'une des principales activités de notre économie. Elle a donné lieu à la formation d'un immense réservoir de capitaux qui sont réinvestis. L'industrie de l'assurance représente indiscutablement une force économique avec laquelle il faut compter.

LA NOTION D'ASSURANCE

Vous aurez besoin d'assurances sous diverses formes au cours de votre vie: assurance automobile, feu, santé, vie, responsabilité... Les assureurs offrent donc plusieurs services à la communauté économique et pour bien les apprécier, définissons d'abord la notion d'assurance.

L'assurance a pour rôle de nous protéger contre les risques de perte qu'implique toute activité. La perte de la vie ou du gagne-pain est souvent, pour les familles, une cause de difficultés financières. L'incendie de votre demeure se traduit par une perte de sécurité et d'argent. Un accident d'automobile implique une responsabilité et l'obligation de dédommager les victimes. Un voleur peut vous délester de vos biens. Un visiteur peut être blessé sur votre propriété et vous tenir responsable. Voilà quelques-uns des risques auxquels tout individu est exposé quotidiennement. Cette liste n'est pas exhaustive, loin de là! Si vous êtes suffisamment riche, vous pouvez assumer vous-même les responsabilités; dans ce cas, vous n'avez pas besoin d'assurance, car une perte ne met pas en péril votre sécurité financière. Mais la majorité des gens n'est pas en mesure de supporter les conséquences d'une telle perte. On cherche donc à se protéger en achetant de l'assurance.

L'assurance est, en fait, le partage collectif d'une perte; sa raison d'être est contenue dans les constatations suivantes: a) il est préférable d'assumer une petite perte annuelle qui ne met pas en péril la sécurité financière, que de s'exposer à une grosse perte éventuelle; b) plus il y a d'individus qui décident d'assumer collectivement les risques, plus les pertes individuelles sont petites.

Les compagnies d'assurance sont alors des instruments qui facilitent le transfert des risques. Elles regroupent les gens exposés au même risque, recueillent les primes annuelles de chacun et payent ceux du groupe qui ont subi une grosse perte.

Y a-t-il des risques contre lesquels il est impossible de s'assurer?

Ce concept de base s'applique à toutes les formes d'assurances; dans tous les cas, il s'agit de répartir ou de minimiser un risque de perte.

ASSURANCE-VIE

Même si l'assurance-vie peut être utile de diverses façons, elle sert surtout à protéger l'entourage d'un individu contre les risques qu'implique son décès. À la mort d'un père de famille, il faut payer les frais d'enterrement, les frais de succession, rembourser les dettes et les hypothèques; l'assurance-vie permettra à l'épouse et aux enfants de vivre jusqu'à ce que la famille se trouve d'autres sources de revenus. L'assurance-vie regroupera tous les individus voulant protéger leurs proches contre ces dangers; elle répartira entre tous les assurés de ce groupe l'argent remis en prévision de décès durant une année. Supposons que 100 000 personnes de 25 ans conviennent de partager les risques financiers qui résulteraient de leur décès. Ils évaluent à $10 000 la somme nécessaire à leurs proches pour faire face aux conséquences de leur mort. Ils décident donc de se cotiser et de verser une telle somme aux héritiers de chaque membre du groupe. Une table de mortalité, comme celle qui figure au tableau 22.1, indique un taux de décès de 1,35 pour 1000; le groupe perdra donc 135 membres durant l'année et versera la somme totale de $1 350 000 aux héritiers des disparus. Chaque participant, y compris ceux qui mourront, versera $13,50 pour assurer sa protection. Voilà ce qu'est l'assurance-vie. Cinq ans plus tard, le groupe aura perdu près de 685 membres et les survivants se partageront les coûts des 149 décès de cette année-là [(100 000 — 685) x 1,50]. La prime de cette période sera de $15 par membre.

TABLEAU 22.1 Table de mortalité

Âge	Décès pour mille	Âge	Décès pour mille	Âge	Décès pour mille	Âge	Décès pour mille
<1	22,39	18	1,15	35	2,09	52	8,89
1	1,35	19	1,21	36	2,27	53	9,71
2	0,87	20	1,27	37	2,45	54	10,59
3	0,66	21	1,33	38	2,65	55	11,56
4	0,57	22	1,37	39	2,86	56	12,58
5	0,60	23	1,37	40	3,10	57	13,65
6	0,49	24	1,36	41	3,36	58	14,75
7	0,40	25	1,35	42	3,66	59	15,90
8	0,33	26	1,34	43	4,00	60	17,12
9	0,29	27	1,34	44	4,37	61	18,44
10	0,28	28	1,38	45	4,78	62	19,94
11	0,30	29	1,44	46	5,23	63	21,66
12	0,37	30	1,50	47	5,72	64	23,58
13	0,47	31	1,58	48	6,26	65	25,62
14	0,61	32	1,68	49	6,84	66	27,79
15	0,77	33	1,76	50	7,47	67	30,16
16	0,93	34	1,93	51	8,14	68	32,76
17	1,06						

Cette forme d'assurance s'appelle l'assurance temporaire 1 an. Elle présente un certain nombre d'inconvénients dont le plus important est le coût croissant de la protection. Un coup d'oeil sur la table de mortalité nous permet en effet de constater qu'à l'âge de 60 ans, le risque de décès est d'environ 11 fois plus grand que celui de l'âge de 30 ans. Les survivants du groupe dont nous avons parlé devront donc supporter un coût de mortalité plus élevé et seront moins nombreux pour le faire. Afin de contrer ce désavantage, les compagnies d'assurance ont imaginé d'allier le coût de mortalité à un programme d'épargne qui permet à un assuré de payer une prime fixe pendant tout le temps qu'il est assuré. Il paie ainsi plus cher pendant les premières années de cotisation que le coût de mortalité de son âge; l'accumulation des excédents lui permet ensuite de maintenir sa prime au même niveau. Le graphique 22.2 illustre ce phénomène. L'instauration de cette modalité oblige les compagnies d'assurance à créer des réserves avec la partie épargne pour être en mesure d'assumer les pertes qui surviendront avec l'avance de l'âge. Ces réserves sont alors sous forme de placements à long terme (ex: obligations du gouvernement fédéral). Dans certains cas, la partie épargne de la police d'assurance peut être retournée au détenteur, si ce dernier décide de ne plus continuer à payer sa protection. Il obtient alors la valeur de rachat de sa police. N'importe quel accord peut alors être conclu: limite de temps durant laquelle les primes sont payables, augmentation graduelle de la protection, bénéfices spéciaux... L'assurance-vie peut aussi permettre l'accumulation de fonds pour fin de retraite, d'éducation, ou pour toutes autres fins. L'assurance mixte «assurance dotation» a été créée dans ce but. C'est une forme d'assurance qui paie le capital assuré, advenant le décès au cours d'une période déterminée. Si le décès n'a pas eu lieu, le montant du capital est versé à la fin de cette période. Les primes sont calculées de façon qu'elles permettent l'accumulation du capital, le paiement des coûts de mortalité et les frais d'administration.

GRAPHIQUE 22.2 Prime uniforme d'assurance

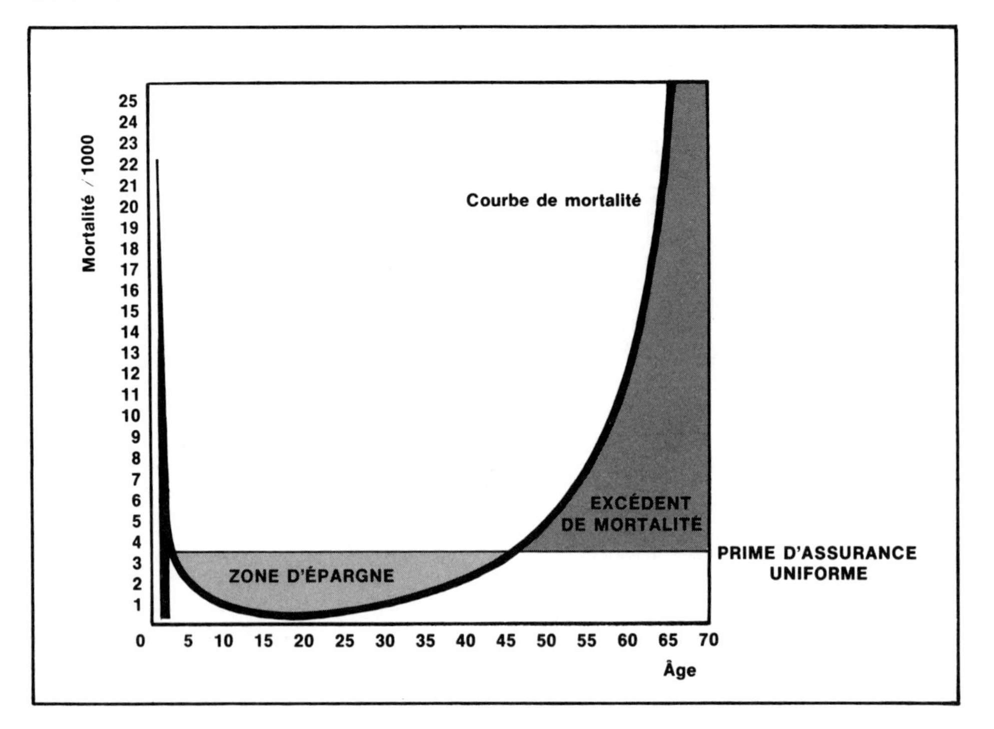

Le tableau 22.3 indique le capital assuré que peut obtenir un homme de 25 ans qui verserait $1000 de prime annuelle.

TABLEAU 22.3 Capital assuré d'un homme de 25 ans, pour une prime de $1000 par an

Type de police	Capital assuré
Assurance-vie temporaire	
Terme de 5 ans	$217 319
Terme de 15 ans	208 333
Terme de 20 ans	198 807
Terme jusqu'à 65 ans (soit 40 ans)	124 378
Assurance-vie entière	
Ordinaire	$66 979
Ordinaire avec paiement des primes jusqu'à 65 ans	60 422
Ordinaire avec paiement des primes pendant 10 ans	24 348
Ordinaire avec paiement des primes pendant 20 ans	41 271
Ordinaire avec paiement des primes pendant 30 ans	52 882
Assurance mixte	
Capital versé à l'âge de 65 ans	$50 050
Capital versé après 10 ans	10 515
Capital versé après 15 ans	16 507
Capital versé après 20 ans	22 928
Capital versé après 30 ans	36 643

Certaines compagnies d'assurance versent des dividendes à leurs assurés. Ces dividendes proviennent des surplus réalisés, soit sur les taux de mortalité, soit sur les taux d'intérêt. Les calculs de prime ne sont pas basés sur des données trop optimistes.

L'ASSURANCE GÉNÉRALE

Assurance incendie

Les dommages résultant d'un incendie pouvaient autrefois affliger toute une population, parce qu'on ne connaissait pas de moyens efficaces de combattre ce fléau. Qu'on se rappelle les incendies de Montréal au siècle dernier, ou ceux de Chicago et de San Francisco. Cette crainte du feu et de ses conséquences fut une des raisons qui ont poussé les gens à s'organiser en vue de se protéger contre ces catastrophes. Au début, des associations mutuelles se sont formées où chacun acceptait de partager les pertes subies par les membres. Ces associations organisaient des services de pompiers privés dont la tâche consistait à protéger les biens de leurs assurés. Certains se souviendront peut-être d'avoir vu, accroché au mur extérieur d'un édifice, un écusson attestant que cet immeuble était assuré par tel groupe et, en conséquence, était protégé par son service de pompiers. Aujourd'hui, les services de prévention des incendies appartiennent à la collectivité et les compagnies d'assurance ont étendu leur protection à bien d'autres causes de dommages. Si un incendie détruit une maison ou un commerce, la compagnie d'assurance dédommagera l'assuré selon les clauses de la police d'assurance.

Le tableau 22.4 donne un exemple des protections offertes par les polices d'assurance modernes:

Pourquoi y a-t-il eu extension de la protection?

L'efficacité des services de prévention des incendies, les normes de construction modernes et la technologie ont réussi, au cours des dernières décennies, à limiter les pertes dues aux incendies. Il est même rare de constater la perte totale d'un immeuble qui a subi les ravages du feu. Les propriétaires ont donc la tentation de n'assurer leurs immeubles que pour une partie de leur valeur: ils ne souscrivent qu'à une police d'assurance de $25 000 pour un immeuble qui en vaut $50 000. Les compagnies d'assurance n'aiment pas cette pratique.

Pourquoi?

Afin d'en limiter l'extension, les assureurs ont ajouté à leur contrat une clause de coassurance qui précise qu'un immeuble doit être assuré pour au moins 80% de sa valeur réelle. À défaut du respect de cette clause, l'assuré peut être forcé de supporter une part proportionnelle de la perte. Dans notre exemple, si un incendie occasionne pour $20 000 de dommages, l'assuré en supportera 50%, soit $10 000.

L'incendie n'est qu'un risque parmi d'autres, qui peut du reste être la conséquence d'un cataclysme (tornade, ouragan, grêle, vent), d'un accident (explosion, impact d'aéronef ou de véhicule terrestre) ou de méfait (émeute, vandalisme) qui sont aussi graves et plus probables. À cet égard, de nombreuses compagnies d'assurance incluent ces risques dans leur police d'assurance pour propriétaires occupants. Certaines compagnies préfèrent parfois offrir cette protection au moyen d'un avenant d'extension de couverture.

TABLEAU 22.4 Protection habituelle d'une police d'assurance: propriétaire occupant

A - Couverture:
1- Bâtiment du local d'habitation 2- Structures particulières y compris les dépendances 3- Biens personnels 4- Frais supplémentaires de subsistance 5- Responsabilité civile des particuliers 6- Responsabilité civile incendie - Résidences temporaires 7- Indemnisation volontaire pour frais médicaux 8- Indemnisation volontaire pour dommages aux biens
B - Risques assurés:
Les pertes ou dommages directs causés par: 1- Incendie ou foudre 2- Explosion 3- Chute d'objet 4- Bris de glace 5- Impact d'aéronefs ou de véhicules terrestres 6- Émeute 7- Rupture et fuite d'eau: rupture d'installation de chauffage, d'eau, de climatisation ou fuite d'eau d'une de ces installations ou d'une conduite principale publique. 8- Fumée 9- Vol 10- Actes de vandalisme ou actes malveillants 11- Ouragan ou grêle
C - Extension de couverture
1- Déménagement des biens 2- Enlèvement des débris 3- Pertes indirectes 4- Arbres, arbustes, plantes

Bien qu'un homme d'affaires puisse être dédommagé, grâce à sa police d'assurance, pour les pertes causées à ses biens par un incendie ou autre désastre, il peut aussi subir un manque à gagner parce que son entreprise ne peut fonctionner durant le temps des réparations. Un contrat d'assurance-interruption des affaires peut lui faire recouvrer les revenus qu'il n'a pas touchés pendant la période de fermeture suivant l'avènement d'un risque assuré, et ainsi permettre de faire face à ses obligations.

Assurance-automobile

La probabilité que votre automobile vous occasionne une perte est assez élevée. Les sommes engagées peuvent varier de quelques billets à quelques centaines de milliers de dollars. Les gouvernements, désireux de protéger les victimes contre de sérieuses pertes financières causées par des individus irresponsables et insolvables, ont imposé par des lois l'obligation de prouver la solvabilité d'un conducteur ou d'un propriétaire de véhicule automobile. À défaut de cette preuve, ces derniers sont obligés de souscrire à une police d'assurance-responsabilité civile d'un montant minimum. Ce minimum varie selon les provinces: à Terre-Neuve, il est de $75 000; en Ontario, de $50 000; au Québec, de $35 000.

ASSURANCE-RESPONSABILITÉ CIVILE L'assurance-responsabilité civile protège le propriétaire ou le conducteur d'une automobile contre les pertes que pourrait lui occasionner l'obligation de dédommager un tiers pour des torts causés à sa personne et/ou à ses biens. En conséquence, il y a deux sortes de protections: l'une contre les dommages corporels, au cas où vous seriez l'objet d'une réclamation pour blessures à autrui ou pour cause de décès; l'autre, contre les dommages matériels, au cas où vous causeriez des pertes aux biens d'une autre partie. Tout conducteur ou propriétaire d'un véhicule moteur doit acheter cette protection, car il peut être tenu responsable même s'il n'est pas directement impliqué dans un accident. Si vous prêtez votre voiture, vous êtes responsable des dommages que pourrait causer le conducteur. Vous êtes responsable des dommages causés par vos employés pendant leur travail. En fait, tout conducteur ou propriétaire devrait avoir pour au moins $100 000 d'assurance-responsabilité civile, quelle que soit sa situation financière. On peut aussi s'assurer pour frais médicaux, mort et mutilation. Cette protection couvre les frais médicaux, jusqu'à une limite déterminée, pour des soins prodigués au conducteur et aux occupants de la voiture, quelle que soit la partie qui est trouvée responsable. Ces avenants stipulent généralement le paiement d'une certaine somme advenant le décès de l'une ou l'autre des personnes occupant la voiture au moment d'un accident.

ASSURANCE-COLLISION ET RISQUES MULTIPLES Cette assurance protège vos bien contre les dommages résultant d'un accident. Plusieurs modalités de protection sont offertes.

Collision Cette assurance remboursera le montant des dommages cousés à votre véhicule à la suite d'une collision ou d'un renversement indépendamment de votre responsabilité. Vous pouvez assurer la pleine valeur de votre voiture, auquel cas, vous serez dédommagé pour la perte subie jusqu'à la valeur marchande de votre automobile. Cette protection complète n'est pas seulement coûteuse, elle est aussi inutile, car vous pouvez assumer vous-même les petites pertes. Les assureurs offrent aussi des polices avec franchise: vous payez une partie des dommages. Le montant des franchises varie selon les besoins des assurés. Lors de l'achat de la police, vous spécifiez le montant de franchise que vous désirez. Cette somme est habituellement de $100 ou $250. Chaque fois que vous avez un accident, la franchise s'applique, c'est-à-dire que vous supportez les cent (ou deux cent cinquante) premiers dollars de dommages.

Risques spécifiés Cette assurance protège contre les pertes causées par des événements spécifiés dans le contrat. Les risques spécifiés sont: l'incendie, la foudre, le vol ou les tentatives de vol, les explosions, les tremblements de terre, les ouragans, la grêle, la crue des eaux, les émeutes, les troubles populaires, l'atterrissage forcé ou la chute , en tout ou en partie, d'appareils de navigation aérienne, l'échouement, le naufrage, l'incendie, le déraillement ou la collision de tout véhicule terrestre ou bateau servant à transporter le véhicule assuré.

Risques multiples Cette assurance protège l'assuré contre les pertes résultant d'événements autres que les collisions et les renversements. En fait, elle protège contre toute autre possibilité de perte.

Tous risques Cette forme de police est globale et protège entièrement l'assuré contre tous les risques dont nous avons parlé. En règle générale, une seule franchise s'applique.

Au Canada, il existe dans toutes les provinces un fonds d'indemnisation des victimes de la route qui peut vous dédommager si une personne insolvable et non assurée vous occasionne des pertes dans un accident.

Assurance-santé et assurance-accident

Durant les vingt dernières années, cette forme d'assurance a connu une croissance phénoménale, surtout à cause de la hausse constante des frais médicaux et chirurgicaux.

Cette assurance rembourse au bénéficiaire le coût des soins médicaux consécutifs au traitement d'une maladie ou d'un accident. Il existe tellement de combinaisons d'assurances qu'il est impossible de toutes les décrire. Toutefois, la forme la plus employée est celle du contrat médical majeur qui rembourse un ensemble de frais jusqu'à concurrence d'un montant global par période, par assuré.

L'avenir de cette forme d'assurance est menacé par l'extension des services gouvernementaux de bien-être social; au Québec, le gouvernement provincial impose de plus en plus son régime d'assurance-maladie. Votre assurance personnelle peut toutefois vous être utile si vous êtes malade à l'étranger.

Assurance-salaire

Un revenu régulier est nécessaire à la stabilité financière d'une famille. Si, pour quelque raison, le chef de famille devient incapable de travailler pendant une assez longue période, la famille peut alors se trouver en difficulté. L'assurance-salaire protège contre cette éventualité, ce qui explique sa popularité croissante.

Protections diverses pour les entreprises

Les entreprises encourent des risques: dommages aux clients, aux employés, au public. Elles s'exposent à des poursuites judiciaires en raison de l'étendue de leur responsabilité. Afin de se protéger, les firmes peuvent souscrire à diverses polices d'assurance:

RESPONSABILITÉ CIVILE Une compagnie, personne morale, peut se protéger contre les pertes découlant des réclamations de toute personne qui a été blessée par ses biens ou ses activités.

RESPONSABILITÉ DE PRODUIT Si le produit d'une entreprise cause un préjudice à son utilisateur, il a droit de recours contre le fabricant, lequel peut se protéger contre ce risque par une police d'assurance-responsabilité de produit.

CAUTIONNEMENT ET GARANTIE Les employés peuvent parfois voler ou détourner les biens d'une compagnie: une assurance-cautionnement aura prévu ce genre de perte.

Dans d'autres cas, une compagnie d'assurance peut garantir l'exécution d'un contrat, protégeant ainsi l'assuré contre les pertes pouvant résulter de son incapacité à remplir ses obligations (ex: retard dans l'exécution d'un contrat en raison d'une grève).

VOL Que ce soit pour un vol avec violence ou un cambriolage, les pertes subies sont couvertes par l'assurance-vol.

TRANSPORT Les produits d'une entreprise seront, tôt ou tard, transportés. De sérieux dommages peuvent leur être causés lors du déplacement. C'est pourquoi on a créé l'assurance-transport. Il existe une assurance-maritime pour le transport sur mer et une assurance-transport pour l'intérieur (Inland Marine) qui couvrent tout genre d'expédition: rail, route, péniche, bateau... Les assureurs offrent une formule particulière qui couvre les biens d'une compagnie, quel que soit leur emplacement, contre tous les genres de risques. Ils nomment cette police «assurance-flottante des biens».

ACCIDENTS DE TRAVAIL Les accidents de travail sont inévitables. Il y a, au Québec, un organisme gouvernemental (Commission des accidents du travail) qui protège les employés contre les pertes de revenus dues à un accident survenu sur les lieux du travail. Cette assurance est obligatoire et les employeurs en paient les primes. En Ontario, la législation force les entreprises à souscrire auprès d'assureurs privés à des polices d'assurance protégeant les employés contre les accidents.

CONCLUSION

L'assurance constitue une importante industrie puisque toute activité implique des risques. Vous aurez besoin d'assurance durant votre vie et vous transigerez avec des assureurs.

L'industrie de l'assurance est aussi complexe que peuvent l'être les risques auxquels vous êtes exposé. Toutes les ramifications de cette industrie se rattachent à deux grandes branches: l'assurance-vie et l'assurance générale.

Les gouvernements interviennent de plus en plus dans cette industrie soit pour jouer le rôle d'assureur, afin d'étendre les protections à tous les citoyens, soit pour régulariser et contrôler les actions des assureurs, et protéger ainsi les intérêts de leurs mandants.

le contrôle des opérations

Le contrôle des opérations exige un travail minutieux, souvent ennuyeux et peu attrayant. Un bon contrôle des activités est indispensable à toute entreprise qui désire réaliser des profits. Plusieurs compagnies doivent leur insuccès à des lacunes dans ce domaine.

Le directeur qui néglige cet aspect de la gestion de l'entreprise sera rapidement dans une situation difficile, car il ne pourra comparer les résultats obtenus aux objectifs fixés, ni prendre les mesures correctives qui s'imposent. Bref, le contrôle est la clé du succès.

le système de contrôle

L'entreprise est un ensemble qui atteindra les objectifs fixés si chacune de ses composantes fonctionne correctement. Les ventes, la production et le financement doivent être efficaces et harmonieusement coordonnés pour assurer la croissance de la compagnie.

On peut comparer une entreprise à un moteur d'automobile. Chaque pièce est nécessaire au bon fonctionnement de l'ensemble et si vous enlevez par exemple un petit ressort du carburateur, votre moteur sera défectueux ou ne tournera pas bien. La personne au volant contrôle le démarrage par une clé et la vitesse par l'accélérateur; des voyants lumineux ou des indicateurs enregistrent l'état de fonctionnement des sous-systèmes électriques et de refroidissement. Une indication de mauvais fonctionnement incite le conducteur à faire faire les réparations qui s'imposent. Une direction efficace développera donc les outils requis pour le contrôle de l'entreprise et s'assurera que les buts visés seront atteints.

Les états financiers, le budget, les normes de production, les quotas de ventes, les analyses de coûts et divers rapports internes renseignent sur l'état de l'entreprise.

Si les ventes de janvier sont inférieures aux prévisions, la direction doit être avisée de ce fait le plus tôt possible afin qu'elle puisse étudier la situation et établir des plans d'action s'il y a lieu.

Énumérez quelques causes qui auraient pu être à l'origine de la baisse du volume des ventes.

Les dirigeants doivent s'efforcer de trouver et d'implanter un système de contrôle efficace et précis. Un mauvais système les induira en erreur, par des indications de bon fonctionnement par exemple, alors que la situation est précaire ou mauvaise. Il peut indiquer des dangers alors qu'il n'y en a pas vraiment.

Un bon système se doit d'être représentatif et fournir une image fidèle de la situation. Il faut éviter par ailleurs que ce système de contrôle ne soit trop dispendieux. Il est inutile d'instaurer un système de contrôle qui coûte plus cher que les pertes qu'il peut éviter.

Toute procédure de contrôle doit être conçue de façon telle qu'elle puisse faire apparaître les écarts entre les prévisions et les résultats. Ces écarts constituent des avertissements aux directeurs qui en rechercheront les raisons et pourront ainsi prendre les mesures qui s'imposent.

LE SYSTÈME DE CONTRÔLE

Fonctionnement d'un système

La mise en place d'un système de contrôle comporte quatre étapes distinctes:

ÉTABLISSEMENT DES NORMES POUR LES ACTIVITÉS À CONTRÔLER Ces normes peuvent être établies pour toute activité contribuant au rendement de l'entreprise: le chiffre et la quantité des ventes par produit, par région, par vendeur, par période, par acheteur; le coût de fabrication par produit, par employé, par équipe de travail; le coût de distribution par unité fabriquée, par unité vendue; la quantité de travail par heure-homme; le profit par produit, par territoire, par période... Il est possible de déterminer des normes pour chaque activité, et tout écart positif ou négatif demandera à être étudié.

RELEVÉ DES ACTIVITÉS L'entreprise doit maintenir des dossiers précis et à jour de ses opérations. Cette image réelle des activités doit être continuellement comparée aux standards définis afin de découvrir tous les écarts significatifs. Le système de contrôle informera de cette façon la direction des résultats inférieurs ou supérieurs aux prévisons.

RECHERCHE DES CAUSES DES ÉCARTS Lorsque la différence entre les objectifs et la réalité est significative, l'entreprise doit déterminer pourquoi il en est ainsi. Est-ce que les prévisions étaient fausses? Est-ce que certaines innovations ont accéléré le processus de production?

CORRECTION DES ÉCARTS Une fois les causes identifiées, le directeur prendra les décisions nécessaires à la correction des écarts et à l'orientation des activités vers les objectifs initiaux ou révisés.

Les qualités d'un bon système

Tout bon système de contrôle doit répondre aux exigences suivantes:

FONCTIONNEMENT RAPIDE Le système doit détecter les lacunes ou les déviations rapidement afin d'éviter qu'elles ne se transforment en pertes tellement considérables qu'elles ne peuvent plus être récupérées.

FACILITÉ DE GESTION Un système trop compliqué coûte cher et incite les utilisateurs à ne pas s'y conformer, justement parce qu'il est trop onéreux.

COÛT RAISONNABLE Le système doit établir un équilibre entre les économies qu'il fait réaliser et les frais qu'il occasionne. Il serait stupide d'instaurer un système de contrôle sur la consommation des trombones dans une entreprise. Il faut qu'il y ait corrélation entre le coût et l'utilité du système.

DIFFICILE À CONTOURNER Les moyens de contrôle doivent être tels qu'il soit impossible de s'y soustraire ou de les contourner. Un budget n'est plus utile si les directeurs peuvent jouer avec les fonds, les transférer à leur guise ou faire fi des contraintes budgétaires. Les politiques doivent être claires et précises.

ADAPTÉ À L'ENTREPRISE Le système de contrôle doit tenir compte de la taille de l'entreprise. Si le produit fabriqué est de haute qualité, le système de contrôle de la qualité doit pouvoir fournir l'assurance que ses spécifications précises ont été respectées. Il doit, pour ce faire, être lui-même de haute qualité.

SÉLECTIONNER LES PERSONNES QUI AURONT ACCÈS À L'INFORMATION Les rapports doivent être dirigés vers les bonnes personnes, c'est-à-dire seulement celles qui ont besoin de l'information. C'est là une mesure de sécurité et d'économie.

LES OUTILS DE CONTRÔLE

La direction d'une entreprise dispose de plusieurs outils pour assurer le contrôle des opérations. Ces outils ont souvent une double fonction: ils sont à la fois un guide pour l'établissement de la marche à suivre ou un énoncé des objectifs à atteindre et un moyen de mesurer les écarts.

Certains outils sont dits qualitatifs lorsqu'ils contrôlent les comportements. Ils sont quantitatifs lorsqu'ils s'appliquent aux données numériques par lesquelles on mesure le rendement.

Les outils qualitatifs

LES POLITIQUES Que devrait faire un gérant de magasin lorsqu'il attrape un garçon de 12 ans qui a fait un vol à l'étalage? La politique du magasin peut répondre à cette question. Les politiques d'une entreprise sont des règles de conduite spécifiques à certaines situations. Ce sont des décisions fixées à l'avance. Il est vrai que l'on doit réviser les politiques régulièrement pour tenir compte des nouvelles situations, mais la raison d'être des politiques est de standardiser les décisions. Toutes les déviations à ces normes doivent être soumises à la direction qui contrôle ainsi les cas d'espèce. L'application des politiques tend à uniformiser les comportements et à faciliter l'identification des écarts.

LA SURVEILLANCE La surveillance permet de s'assurer que le travail d'un employé correspond à ce qu'on attend de lui. En plus de son rôle de surveillant, un contremaître peut guider ses employés dans l'exécution de leur travail et s'assurer que les exigences de qualité sont satisfaites.

ANALYSE ET DÉFINITION DES TÂCHES Cet outil de contrôle subtil définit les tâches à accomplir et les qualifications requises pour bien exécuter le travail. L'employé connaît ainsi exactement ce qu'on attend de lui et ce que comporte son travail.

L'ORGANIGRAMME illustre la répartition des tâches et indique les responsabilités de chaque poste.

Les outils quantitatifs

LE BUDGET Un budget est l'expression monétaire du programme d'activités de l'entreprise pour une période définie. Le budget des ventes indique les objectifs et les activités que doit assumer le service des ventes. Un budget est une projection des fonds requis pour fonctionner au niveau d'activité déterminé par la direction. Il prévoit les montants qui seront versés en salaires, la quantité et le prix des ressources, la nature et la valeur de l'équipement. Toutes ces informations constituent le cadre des activités de la période budgétaire. Si l'entreprise réussit à maintenir ses coûts réels à l'intérieur de ces limites, elle conserve son contrôle sur sa marge de profit. L'utilisation d'un budget libère la direction de l'obligation de vérifier continuellement les dépenses de l'entreprise, car elle peut concentrer son attention sur les secteurs où les dépenses ont dépassé les prévisions. Toutes les personnes touchées par un budget devraient prendre part à son élaboration; la responsabilité budgétaire est alors assumée par tous.

Un des objectifs recherchés par les hommes d'affaires est de maintenir une marge de profit acceptable et de payer un prix raisonnable pour le chiffre d'affaires réalisé. Un budget détermine et explicite le prix que l'on veut payer. Si vous estimez que votre chiffre de ventes sera de $5 millions pour l'année prochaine, que vous voulez réaliser 10% de revenu net, cela veut dire que vous fixez le prix que vous consentez à payer à $4,5 millions. Cette somme sera répartie entre la production, les ventes et l'administration, selon leurs besoins. Cette répartition constitue l'encadrement monétaire dans lequel fonctionnera un service. Le budget permet donc de contrôler les dépenses et de les limiter à leur juste proportion du total des ventes.

Un budget est de plus un outil de coordination des activités. Affirmer que la production et les ventes doivent être coordonnées est une lapalissade. Le budget des ventes sert de guide au responsable de la production des marchandises; celui-ci peut ajuster la production selon les besoins ou les impératifs exprimés.

Un budget de caisse permet au directeur financier de prévoir les périodes où il aura un surplus de fonds ou un besoin d'argent. Il peut alors entreprendre à temps les démarches qui s'imposent.

En plus de servir de programme d'action, le budget exprime des normes de travail propres à chaque service. Si le budget a été conçu à partir d'analyses sérieuses du marché et de la concurrence, il aidera l'entreprise à tirer le meilleur parti de ses ressources en présentant des objectifs à atteindre.

Tout objectif déterminé devient un barême, une mesure des résultats concrets à obtenir.

LES QUOTAS Les quotas s'apparentent au budget en ce qu'ils définissent des niveaux de réalisation pour une période. Il ne tiennent toutefois pas compte des dépenses occasionnées. En fait, les quotas précisent une quantité d'unités à produire ou à vendre.

Les résultats obtenus par un vendeur dans une région sont comparés avec les quotas ou objectifs fixés pour cette région. Les différences sont analysées par les responsables des opérations. Les quotas et les budgets présentent l'avantage de permettre une gestion par laquelle seuls les écarts significatifs sont étudiés.

LE SYSTÈME COMPTABLE Le prochain chapitre traitera du système comptable d'une manière plus approfondie. Nous voulons souligner ici que le système comptable est le principal outil quantitatif de contrôle. Il est utilisé dans toutes les entreprises. En fait, la loi oblige les entreprises à se doter d'un système comptable.

LES RAPPORTS Les rapports forment une partie vitale des systèmes d'information et de contrôle. Ils peuvent être quantitatifs: rapport de ventes, de production, de coûts; ou bien qualitatifs: évaluation d'un produit, rapport d'une étude en laboratoire... Ici encore, les écarts sont repérés et tout indice pouvant témoigner d'un problème fait l'objet d'un approfondissement. Les rapports sont cependant coûteux: prix du papier et de l'impression, temps de préparation, temps de lecture, délais, classement. Il faut donc éviter de produire des rapports qui ne justifient pas leur coût et qui ne sont pas lus. Les ordinateurs ont permis, depuis quelques années, de mettre sur pied des systèmes d'information et de contrôle beaucoup plus complexes. On peut les utiliser pour transmettre des données sur de longues distances dans des délais très courts, permettant ainsi à une maison mère d'exercer un contrôle rigoureux sur les opérations d'une succursale éloignée.

VÉRIFICATION Il est parfois nécessaire de procéder à une vérification du produit pour pouvoir déceler les défauts de fabrication. Les vérifications peuvent se faire en cours de fabrication ou sur les produits finis. Il est nécessaire, dans certains cas, de procéder par échantillonage. Sylvania contrôle la qualité de ses ampoules électriques de cette façon. Si le résultat démontre qu'il y a plus de ½% de pièces défectueuses, tout le lot est retiré et vérifié en entier.

CONCLUSION

Plusieurs études ont démontré qu'une cause importante d'insuccès est l'incapacité d'une entreprise d'assurer un bon contrôle de ses opérations et de ses coûts.

À l'inverse, les compagnies solidement implantées se distinguent par la diversité et l'efficacité des moyens de contrôle que la direction a su mettre en place afin de s'assurer que les résultats correspondent aux prévisions.

Il est vrai que les opérations de contrôle peuvent être fastidieuses, mais elles n'en sont pas moins nécessaires, pour ne pas dire essentielles au succès de l'entreprise.

chapitre 24

le système comptable

La comptabilité est un système grâce auquel on peut enregistrer toute l'activité économique de l'entreprise. Elle permet d'évaluer, en dollars, et avec certitude, l'efficacité et le succès d'une entreprise.

Il est difficile de juger des performances d'une direction à partir d'éléments aussi peu tangibles que le leadership de ses dirigeants, leur capacité à développer de nouveaux produits ou le nombre de nouveaux emplois qu'ils peuvent créer. L'évaluation comptable peut nous révéler toutes ces choses. Le service de la comptabilité enregistre les dépenses, les ventes, les changements de l'avoir net, ainsi que l'achat ou la vente des biens immobiliers de l'entreprise. Le rôle des comptables est d'analyser et d'interpréter les diverses transactions effectuées et d'en mesurer l'impact sur la situation financière de l'entreprise. Leur activité permet donc d'évaluer le rendement de la firme.

Dans ce chapitre, nous traiterons de l'importance d'une bonne information comptable, des règles de présentation des registres comptables, du bilan, de l'état des revenus et dépenses, de l'état de variation de la valeur nette, ainsi que des méthodes d'interprétation des états financiers.

POURQUOI COMPTABILISER?

La direction d'une entreprise désire en tout temps connaître sa situation financière. Elle cherche à déterminer avec précision le montant de ses ventes, de ses dépenses, pour des périodes données, et savoir à tout moment ce qu'elle doit et à qui elle le doit. De plus, la direction doit savoir quels sont les biens possédés par l'entreprise ainsi que les marchandises qu'elle peut vendre. Tous ces renseignements permettent à la direction de s'assurer le contrôle des opérations.
La connaissance de l'état actuel de la dette et de la valeur des biens est essentielle à la planification des dépenses futures, ainsi qu'à l'évaluation de l'opportunité d'acquérir de nouveaux biens et d'entreprendre de nouveaux contrats.

Les états financiers indiquent à la direction les problèmes auxquels elle doit faire face. À la question: «Quel est l'argent qu'on nous doit et qui est exigible immédiatement?...», le registre des comptes à recevoir fournit immédiatement, en réponse, la liste des clients négligents. Dépensons-nous trop d'argent pour la publicité? Une analyse des dépenses de publicité en relation avec le total des ventes peut aider à trouver la réponse. Devrions-nous hausser nos prix? Un regard à la marge de profit brut, combiné avec une analyse des coûts de production, peut dégager les éléments de la réponse. Le service de la comptabilité peut fournir les données permettant à la direction de régler à peu près n'importe quel problème financier interne.

Les registres comptables reflètent la participation de tous et chacun à la bonne marche de l'entreprise. Alfred le vendeur fait-il sa part? Vend-il comme il le devrait? Le programme de ventes dans les Maritimes est-il rentable? L'atelier de montage est-il pleinement efficace? Les coûts de fabrication sont-ils trop élevés? Les documents comptables peuvent fournir des données qui permettront de répondre à ces questions.

De quels renseignements avez-vous besoin pour juger de l'efficacité du programme d'entraînement des vendeurs?

Les propriétaires analysent constamment le comportement financier de leur entreprise, plus particulièrement son taux de profit. Les créanciers veulent savoir si l'entreprise est en mesure de régler ses dettes. La banque veut connaître la situation financière de l'entreprise avant de renouveler un billet ou de consentir un emprunt. Les gouvernements tiennent à ce que l'entreprise paie ses taxes: les impôts fédéral et provincial, les contributions au régime d'assurance-maladie, au régime de pension du Canada ou au régime des rentes du Québec, l'assurance-chômage, la taxe d'accise, les taxes foncières, les taxes scolaires, la taxe de vente, la taxe d'affaires et même une taxe d'eau.

Les groupes extérieurs à l'entreprise utilisent également les renseignements financiers rendus publics. Les fédérations syndicales se servent des états financiers de l'entreprise comme base de revendication salariale pour les ouvriers. Les analystes financiers consultent les rapports annuels de l'entreprise pour déterminer si elle peut faire l'objet d'un placement sûr.

Le besoin de structurer un bon système comptable est rendu encore plus nécessaire par les fluctuations de revenus qui touchent la grande majorité des entreprises. Les firmes doivent, en effet, dépenser de l'argent avant d'obtenir des revenus. Si le temps écoulé entre le moment de la dépense et le moment de l'encaissement est trop long, l'entreprise peut se retrouver dans une situation financière fâcheuse face à ses fournisseurs. Sans la mise en place d'un système comptable approprié, ce problème de liquidité peut s'amplifier au point que l'entreprise dépense plus d'argent qu'elle n'en perçoit.

DUALITÉ DE LA TRANSACTION

L'élément de base de la comptabilité est la transaction. Que ce soit pour un achat ou pour une vente, toute transaction doit être enregistrée. Pour chaque transaction, l'entreprise acquiert quelque chose et perd quelque chose. Si un produit est vendu, elle obtient de l'argent ou un compte à recevoir et elle perd une unité-produit au niveau de l'inventaire. Si l'entreprise emprunte de l'argent à la banque, elle obtient des liquidités, mais elle enregistre en contrepartie une dette. Un accroissement des dettes représente en quelque sorte une perte sur le plan du statut financier de l'entreprise. Le paiement d'une facture provoque une diminution de l'encaisse, mais également une diminution des comptes à payer. Le paiement du salaire abaisse le montant de vos liquidités, mais parallèlement il y a augmentation de la valeur des produits en cours de fabrication. La comptabilité peut dans la réalité être beaucoup plus complexe, mais elle fait ressortir dans tous les cas les deux aspects propres à chaque transaction.

Identifiez la dualité dans chacune des transactions suivantes: vous achetez une automobile à crédit; vous faites un paiement sur l'auto; vous empruntez $50 à un ami; vous donnez $10 en cadeau à un ami.

L'impact de toutes les transactions effectuées par l'entreprise se répercute sur la valeur des biens qu'elle possède (actif) et sur les sommes qu'elle doit (dettes). La différence entre la valeur de l'actif et l'ensemble des dettes s'appelle le capital ou l'avoir du propriétaire. Prenons un exemple qui nous permettra d'illustrer la dualité de chaque transaction et les changements qui se produisent dans l'actif, les dettes et l'avoir du propriétaire. Jacques, étudiant, a gagné $20 en faisant des travaux de ménage. Sa situation financière est la suivante.

Jacques Lebeau
31 août 1973

Caisse $20	Capital $20

Le 2 septembre, il décide de s'acheter un stylo à bille de deux dollars. Son encaisse diminue de $2, mais il ajoute un stylo de $2 à ses biens personnels.

Jacques Lebeau
2 sept. 1973

Caisse $18,00	
Stylo à bille $2,00	
$20,00	Capital $20

Le 4 septembre, il obtient un prêt d'étude de $50. Il augmente ses liquidités ou son encaisse de $50, mais il se crée par le fait même une dette. Sa situation financière est maintenant la suivante:

Jacques Lebeau
4 sept. 1973

Caisse $68	Emprunt $50
Stylo à bille$ 2	Capital $20
$70	$70

Supposons maintenant que l'on établisse la situation financière de Jacques Lebeau après quelques transactions.

1. Il achète pour $50 de volumes à la librairie de son collège.
2. Il achète à crédit d'un autre étudiant un volume de $10.
3. Il reçoit en cadeau la somme de $100.
4. Il paie le 15 octobre le volume acheté à crédit.

Si vous établissez la situation financière de Jacques Lebeau après chacune des transactions, vous devriez arriver au résultat suivant le 15 octobre:

Jacques Lebeau
15 oct. 1973

Caisse $108	Emprunt $ 50
Stylo à bille $2	Capital $120
Volumes $ 60	$170
$170	

Les quelques transactions effectuées par Jacques Lebeau nous ont permis d'apprécier son actif, ses dettes et son capital, à des moments différents dans le temps. Cette présentation particulière de sa situation financière s'appelle un bilan. Mais nous allons voir qu'avant d'établir le bilan pour une entreprise, il faut d'abord enregistrer les transactions et faire l'état des revenus et dépenses.

L'ENREGISTREMENT DES TRANSACTIONS

Afin de bien enregistrer le double aspect propre à chaque transaction, on utilise un registre des comptes. Chaque transaction s'inscrit sur au moins deux comptes. Le tableau 24.1 montre une liste partielle des comptes divisés selon leur catégorie.

Avant d'établir la situation financière d'une entreprise pour une date donnée, il faut d'abord solder chacun de ces comptes. Il y a des comptes, dits de valeurs, qui représentent l'actif possédé par l'entreprise, les dettes de cette dernière et le capital qui y a été investi par ses propriétaires. Ces comptes vont figurer au bilan. Il y a également des comptes, dits transitoires ou de résultats, qui témoignent des revenus et des dépenses reliés aux opérations de l'entreprise. Ces comptes vont apparaître à l'état des revenus et dépenses, et le résultat, un profit ou une perte, est reporté au bilan. Le profit viendra augmenter l'avoir net, et une perte le diminuer.

Le solde des comptes est établi périodiquement, mais il doit obligatoirement être établi au moins une fois l'an. On présente alors les états financiers (état des revenus et dépenses, bilan) de l'entreprise. L'usage accru de l'ordinateur permet maintenant à certaines entreprises d'obtenir quotidiennement, à la semaine ou au mois, un résumé de leur situation financière. De plus, l'ordinateur peut être programmé pour fournir des renseignements sur certains comptes.

Quels sont les avantages et les inconvénients de la présentation fréquente de rapports financiers de toutes sortes?

LA BALANCE DE VÉRIFICATION

Tous les comptes sont groupés dans un registre des comptes ou grand livre général. Chaque compte est inscrit sur une feuille à trois colonnes: débit, crédit et solde. Par convention, l'actif figure dans la colonne du débit, alors que la dette (passif) et le capital sont reportés dans la colonne du crédit. On augmente un actif en le débitant et on le diminue en le créditant. On augmente une dette et le capital en les créditant; on les diminue en les débitant. La colonne solde sert à établir la différence entre les sommes inscrites au débit et celle inscrites au crédit. Un compte peut donc avoir un solde débiteur ou un solde créditeur.

La comptabilité à partie double, qui tient son nom de la dualité de chaque transaction, exige que pour chaque somme inscrite au débit d'un compte corresponde un montant égal inscrit au crédit d'un autre. La balance de vérification est un état, avec des colonnes débit et crédit, dans lequel sont inscrits tous les comptes du grand livre général, avec leurs soldes respectifs. Le total des comptes débiteurs doit égaler le total des comptes créditeurs.

À la balance de vérification vont apparaître des comptes de valeurs (bilan) et des comptes de résultats (état des revenus et dépenses). Nous pouvons maintenant étudier cet état qui est préalable à la préparation du bilan.

TABLEAU 24.1 Comptes

ACTIF	DETTES	REVENUS et DÉPENSES	AVOIR NET
Caisse Comptes à recevoir Effets à recevoir Stocks Bâtiments Terrains Équipement Placements	Comptes à payer Effets à payer Salaires à payer Taxes à payer	Ventes Frais d'exploitation: publicité salaires transport fournitures intérêts taxes assurances	Entreprises à propriétaire unique: Capital M. Leblanc Société: Capital M. Roy Capital M. Lavoie Capital M. Cyr Compagnie limitée: Capital-actions surplus d'apport surplus accumulé

L'ÉTAT DES REVENUS ET DÉPENSES

L'état des revenus et dépenses est une représentation chiffrée de l'activité qu'a connue l'entreprise durant une période donnée (ex: 1er janvier au 31 décembre). C'est un état sommaire qui rend compte de l'ensemble des opérations engageant des revenus et des dépenses. Les dépenses sont l'expression de ce qu'il en coûte de biens et de services pour obtenir les revenus d'une période. Elles sont, en général, groupées selon leur nature: le coût de production, le coût des marchandises vendues, les frais de vente et les frais d'administration. Le tableau 24.2 nous donne l'état de revenus et dépenses de la compagnie RIVON Limitée.

Les ventes nettes sont le résultat du total des ventes brutes diminuées des marchandises retournées et des escomptes sur ventes accordés aux clients. Le profit brut est alors obtenu en soustrayant des ventes nettes le coût total des marchandises vendues. Le coût des marchandises vendues dans une entreprise de fabrication comprend le coût de la matière première utilisée pour la production durant la période financière, le coût total de la main-d'oeuvre directe et l'ensemble des frais généraux de fabrication, tels que le loyer, le coût d'éclairage et de chauffage de l'usine, le salaire des contremaîtres, l'amortissement sur l'équipement, etc. Une entreprise de service (clinique médicale) peut ne pas avoir de poste pour le coût des marchandises vendues dans son état de revenus et dépenses. Par ailleurs, une entreprise commerciale (magasin de détail) n'aura pas de coût de la matière première, mais plutôt un coût d'achat de toutes les marchandises vendues durant la période financière. Les dépenses dites d'exploitation peuvent être reliées aux ventes (frais de ventes), tels les salaires des vendeurs, la publicité et les dépenses de livraison. Elles peuvent également être reliées à l'administration (frais d'administration), tels les salaires des administrateurs, les salaires des employés de bureau, les taxes foncières, les mauvaises créances, etc. En soustrayant le total de ces dépenses du profit brut, on obtient le bénéfice net d'exploitation. Il reste à ajouter des revenus (intérêts sur placements), à soustraire des dépenses (intérêt sur emprunt bancaire) qui ne sont pas directement reliés aux activités principales de l'entreprise et l'on établit le profit net avant impôts. Une fois ces derniers prélevés, on obtient le profit net réel de l'entreprise pour une année financière.

LE BILAN

Le bilan est une image statique de la situation financière de l'entreprise à un moment précis de l'année (ex: le 31 décembre). Les comptes de valeurs apparaissant au bilan sont ceux qui représentent l'actif, les dettes et l'avoir du propriétaire. La comparaison du bilan d'une entreprise au 31 décembre 1972 avec celui du 31 décembre 1973 permet d'expliquer l'évolution des différents comptes du bilan durant l'année 1973.

Le bilan se présente généralement sur deux colonnes. La première colonne comprend tous les comptes de l'actif; la deuxième, tous les comptes du passif (dettes) et l'avoir du propriétaire (entreprise à propriétaire unique) ou l'avoir des actionnaires (compagnie limitée). La relation entre les comptes de valeurs est représentée par l'équation fondamentale:

Actif	= dettes (passif)	+ avoir du propriétaire
L'entreprise utilise des biens	qui appartiennent pour une part à des créanciers,	et pour l'autre part au propriétaire

Le tableau 24.3 nous donne le bilan de la compagnie RIVON Limitée. L'actif représente les biens que possède l'entreprise. Ces valeurs peuvent être matérielles, comme les immeubles, ou immatérielles, comme les brevets ou l'achalandage. Les «disponibilités» sont les comptes de l'actif qui peuvent être convertis en argent immédiatement ou dans un avenir rapproché, c'est-à-dire dans un délai d'un an. Ce sont l'argent comptant et les obligations ou actions facilement monnayables, les comptes à recevoir, les inventaires de produits finis prêts pour la vente et les dépenses payées d'avance. Il arrive que des clients ne paient pas leurs factures et on crée des «provisions pour créances douteuses» qui viennent en déduction du montant des comptes à recevoir.

Comment une entreprise qui possède un excellent service de perception des comptes à recevoir peut-elle quand même avoir des créances douteuses? Comment s'y prendre pour faire diminuer les créances douteuses?

Les dépenses payées d'avance, dont l'exemple type est la prime d'assurance payée d'avance pour trois années, représentent des droits de l'entreprise à certains services qui s'étendent au-delà de la période d'une année financière.

Les immobilisations matérielles sont des comptes de l'actif qui englobent les terrains, les bâtiments, l'équipement et le matériel roulant, lesquels ne sont pas destinés à être vendus. La période d'utilité de ces biens dépasse une année financière, mais à l'exception des terrains, ils sont sujets à l'usure et des montants estimés de perte de valeur pour chacun d'eux depuis leur acquisition sont indiqués au poste de «l'amortissement accumulé». Une camionnette achetée pour $5 000 au début d'une année fi-

TABLEAU 24.2 État des revenus et dépenses de l'entreprise RIVON Limitée

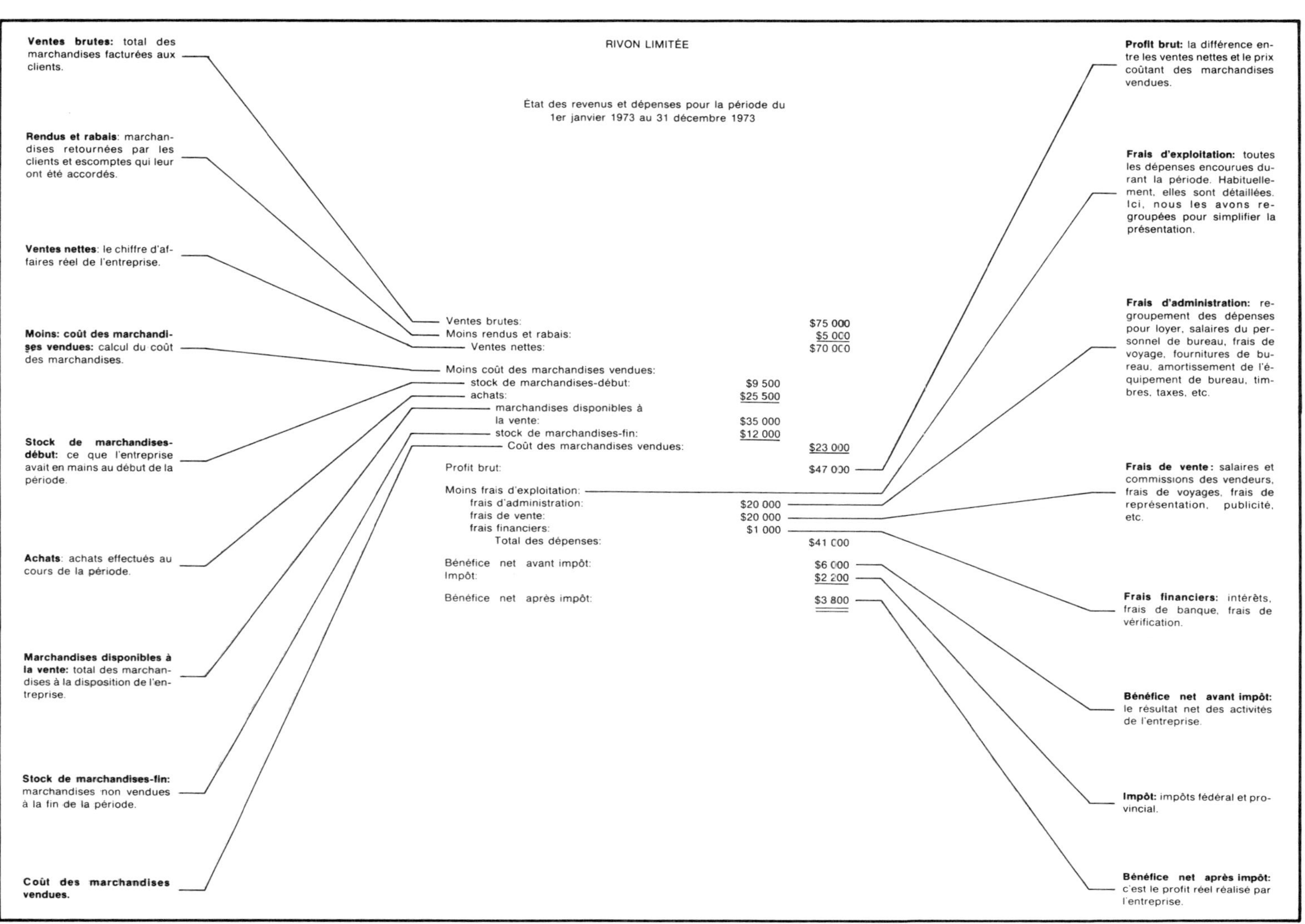

nancière n'aura certes pas la même valeur après deux ans. Le taux d'amortissement usuel est d'environ 30%.

Coût de la camionnette	$5 000
Moins: Amortissement accumulé (2 ans)	$3 000
Valeur nette de la camionnette qui sera portée à l'actif après deux ans	$2 000

La somme de $3 000 sera considérée comme une dépense pour l'entreprise ($1 500 la première année, $1 500 la seconde).

Les placements ou investissements dans les obligations ou les actions d'autres entreprises sont inscrits à leur coût d'acquisition sous la rubrique «placements». Quand ce poste n'existe pas, ils sont inclus dans les disponibilités.

Les immobilisations immatérielles sont des comptes de l'actif qui portent sur des réalités non corporelles. Ils comprennent les droits de brevets, l'achalandage et la valeur que l'on pourrait attribuer à des résultats de recherches industrielles.

Pourquoi capitaliser des dépenses de recherche au lieu de les considérer comme dépenses courantes?

L'achalandage est la valeur monétaire que l'on attribue au nom que porte l'entreprise ou à des marques de commerce. En théorie, l'achalandage est la somme d'argent pour laquelle une entreprise serait vendue en excédent de l'actif net (actif moins les dettes) ou de l'avoir net. Si le montant de la vente d'une entreprise semble exagéré, compte tenu de la valeur réelle sur le marché de son actif, c'est probablement parce que l'acheteur a fait un déboursé supplémentaire pour l'achalandage.

Les «dettes» au passif de l'entreprise représentent des sommes d'argent dues à des individus ou à d'autres organisations. Les exigibilités sont des comptes du passif qui représentent des dettes encourues par l'entreprise dans le cours régulier de ses affaires. Ce sont des comptes à payer à des fournisseurs de matériel, des salaires à régler, des intérêts à débourser aux détenteurs d'obligations de l'entreprise, certains effets à payer, et toutes les autres dettes de l'entreprise qui doivent être liquidées dans une période d'un an. Les dettes à long terme, comme les effets ou les obligations à payer, sont des comptes qui arrivent à échéance dans plus d'un an et sont placées dans une catégorie à part au passif.

L'avoir des actionnaires comprend d'abord les sommes investies directement dans l'entreprise par le propriétaire, les associés ou les actionnaires. Les actions souscrites et payées d'une compagnie limitée entrent également dans cette section du bilan. De plus, les bénéfices nets réalisés par l'entreprise, après impôt et après la déclaration des dividendes aux actionnaires, figurent dans cette section sous la rubrique «bénéfices nets non répartis» ou surplus accumulé. Si l'entreprise encourt une perte, elle est soustraite des bénéfices nets non répartis de l'année précédente.

ÉTAT DE VARIATION DE LA VALEUR NETTE

L'état de variation de la valeur nette sert de lien entre l'état des revenus et dépenses et le bilan. Il sert particulièrement à indiquer la variation de l'avoir du propriétaire au cours des années. Dans une compagnie limitée, il porte le nom d'état des bénéfices non répartis et, comme son nom l'indique, il renseigne sur les bénéfices accumulés

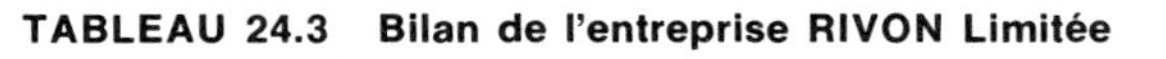

TABLEAU 24.3 Bilan de l'entreprise RIVON Limitée

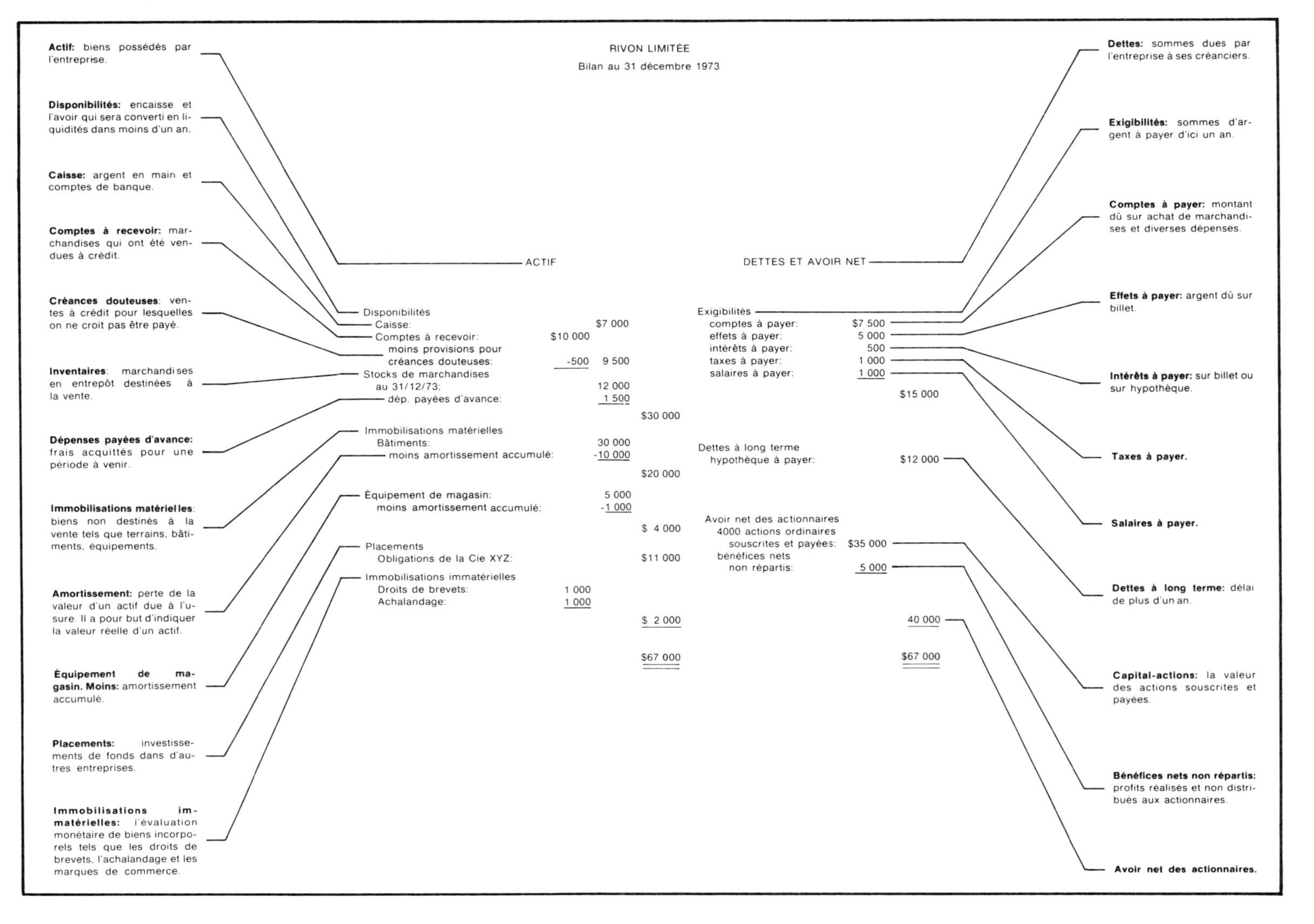

dans l'entreprise au cours des années. C'est là un indice intéressant pour l'investisseur averti.

Pour l'entreprise à propriétaire unique, on ajoute au capital de la fin de l'exercice précédent les apports du propriétaire durant l'année; on ajoute le profit net indiqué dan l'état des pertes et profits pour l'année en cours; puis on soustrait les prélèvements (marchandises ou argent) du propriétaire et la perte nette (si l'état des revenus et dépenses indique une perte); le solde obtenu constitue le capital du propriétaire à la fin de l'année en cours. C'est ce dernier montant qui sera reporté au bilan, sous la rubrique «avoir du propriétaire».

A. Lozeau, fleuriste
État de variation de la valeur nette
pour l'année terminée le 31/12/73

Solde du capital, le 1/1/73	$45 000
Plus: Apports	
Bénéfices nets de l'année	$26 000
	$71 000
Moins: Prélèvements	$10 000
Solde du capital, le 31/12/73	$61 000

Le calcul est sensiblement le même pour la compagnie limitée. On ajoute au solde des bénéfices nets non répartis (surplus accumulé) le bénéfice net indiqué à l'état de pertes et profits de l'année en cours et on déduit les dividendes versés au cours de l'exercice. La création de «réserves» peut également influer sur l'état des bénéfices nets non répartis. Le solde final est lui aussi reporté au bilan. Cet état est de plus en plus intégré à la présentation des états financiers.

SYSTÈMES COMPTABLES

Nous n'avons qu'effleuré le travail véritable des comptables dans l'entreprise. Leur véritable défi réside dans la mise en place d'un système de contrôle qui permette de s'assurer que toutes les tâches soient accomplies. En comptabilité, on manipule toute une kyrielle de documents: il faut faire des chèques pour payer les factures, les employés, les gouvernements, et en plus, il faut facturer les clients, percevoir leurs chèques et les déposer à la banque. Bref, il y a beaucoup de gens dans l'entreprise qui manipulent des fonds et du papier. Il est donc important d'avoir un système cohérent qui permette un contrôle global et efficace de l'ensemble de ces opérations. L'expérience prouve que si cette structure n'existe pas, la malhonnêteté s'infiltre et la confusion règne dans les opérations de l'entreprise.

Chaque firme doit développer un système de contrôle global et des sous-systèmes qui répondent à ses besoins propres. L'entreprise en croissance se doit également de développer son système comptable au même rythme que s'effectue son expansion. Là encore, l'expérience a prouvé qu'un système approprié à un certain niveau d'activités pouvait devenir insuffisant et inefficace pour le traitement d'un nombre accru de transactions. Il est clair qu'à ses débuts, une firme peut traiter les transactions sur un bout de papier, mais au fur et à mesure de son développement, les transactions deviennent plus complexes et un système mieux adapté et plus évolué doit remplacer le bout de papier.

L'ANALYSE FINANCIÈRE

Même si l'état des revenus et dépenses résume les activités d'une entreprise pour la période considérée et que le bilan fournit l'image de la valeur d'une compagnie à un moment précis, ils ne sont pas suffisants pour déterminer si le rendement obtenu a été bon ou mauvais, car ils font seulement état de la façon dont les fonds ont été utilisés. Une analyse financière plus poussée sera nécessaire afin de juger si l'emploi des ressources a été judicieux.

Deux outils d'analyse sont habituellement employés: l'état de la provenance et de l'utilisation des fonds et l'analyse des coefficients.

Un coefficient est le rapport entre deux nombres. Six personnes, dont quatre hommes et deux femmes, occupent une pièce. Le rapport du nombre d'hommes au nombre de femmes est de 4 à 2 ou de 2 à 1. Pour rendre l'utilisation de cette valeur plus facile, on divise le premier nombre par le deuxième et l'on obtient, dans le cas présent, le coefficient 2.

Lorsque les coefficients servent à l'analyse financière, il faut les comparer aux barèmes de l'industrie à laquelle appartient la compagnie étudiée. Imaginez que le coefficient du nombre de travailleurs par superviseur est de 8. Est-ce bon? Est-ce mauvais? Il n'y a pas moyen de le dire si l'on ne peut pas comparer ce rapport à certains critères extérieurs à l'entreprise. Même là, il faut être prudent. Si le coefficient moyen de l'industrie s'élève à 12, cela veut tout simplement dire que la direction de l'entreprise engage proportionnellement plus de surveillants que ses concurrents. A-t-elle tort? A-t-elle raison? Cela dépend des résultats. Le chiffre des frais généraux de fabrication ou des frais fixes peut aider à répondre à cette question. Si cette stratégie réduit les coûts de main-d'oeuvre et qu'elle augmente la productivité des employés, alors l'entreprise a bien fait de prendre cette décision.

Bref, la leçon à retenir est que l'on doit toujours s'empêcher de conclure trop rapidement lorsqu'on utilise des coefficients, car ils peuvent induire en erreur. Voilà pourquoi certains experts refusent d'utiliser cette technique. Vous devez néanmoins la connaître pour répondre aux gens qui vous poseront des questions.

Les coefficients les plus fréquemment calculés sont regroupés en quatre classes:

a) les coefficients de liquidité;
b) les coefficients de structure;
c) les coefficients d'activité et d'efficacité;
d) les coefficients de rendement.

Les coefficients de liquidité

Cette série de rapports permet d'évaluer la capacité d'une entreprise de payer à court terme ses dettes.

LE RAPPORT DU FONDS DE ROULEMENT est constitué par le rapport des disponibilités aux exigibilités. En général, il est établi à 2 par l'homme d'affaires prudent et indique qu'une compagnie qui maintient cette proportion n'aura probablement pas de difficultés à rembourser ses fournisseurs.

Se peut-il qu'une compagnie ait un coefficient du fonds de roulement de 3 et qu'elle soit incapable de payer ses fournisseurs? Expliquez votre réponse.

L'entreprise RIVON Limitée présente un rapport du fonds de roulement de 2:

$$\frac{\text{disponibilités}}{\text{exigibilités}} = \frac{\$30\ 000}{\$15\ 000} = 2$$

LE RAPPORT DE LIQUIDITÉ permet de mesurer la rapidité de conversion des disponibilités en liquidités. En effet, les disponibilités comprennent l'encaisse, les comptes à recevoir, les stocks, les frais payés d'avance. Or les stocks peuvent parfois mettre un certain temps à être convertis en argent. Ce coefficient dénote donc la capacité de l'entreprise à rencontrer ses obligations à très court terme. La norme courante est de 1 pour 1. Le coefficient de RIVON Limitée est supérieur à la moyenne.

$$\frac{\text{Disponibilités - stocks - frais payés d'avance}}{\text{exigibilités}} = \frac{30\,000 - 12\,000 - 1500}{15\,000} = 1{,}1$$

Les coefficients de structure du capital

Ces rapports attestent de la solvabilité d'une compagnie à long terme. Ils définissent la sécurité des créanciers sur une longue période.

LE RAPPORT DES IMMOBILISATIONS SUR L'AVOIR NET est le pourcentage obtenu par la division de la valeur des immobilisations et de l'avoir net des propriétaires. Si ce pourcentage est supérieur à 100, cela signifie que la part des propriétaires est insuffisante. Les experts affirment, en effet, que les immobilisations doivent être financées par le capital des propriétaires. L'entreprise RIVON Limitée présente un pourcentage de 60.

$$\frac{\text{immobilisations}}{\text{avoir net}} = \frac{\$24\,000}{\$40\,000} \times 100\% = 60\%$$

LE RAPPORT DU PASSIF SUR L'AVOIR NET constitue une variante du précédent. Il indique quelle partie de l'actif appartient au propriétaire. La norme demande de ne pas dépasser 1. Dans le cas de RIVON Limitée, les actionnaires détiennent une part plus grande que les créanciers.

$$\frac{\text{passif}}{\text{avoir net}} = \frac{\$27\,000}{\$40\,000} = 0{,}67$$

Les coefficients d'activité et d'efficacité

Ces coefficients permettent d'estimer l'efficacité de la gestion des biens de l'entreprise.

LE RAPPORT DES VENTES SUR L'AVOIR NET indique le nombre de fois que l'avoir net peut être récupéré par les ventes. Plus la vitesse de récupération est grande, moins il y a de risque. En ce qui concerne RIVON Limitée, ce rapport est:

$$\frac{\text{ventes}}{\text{avoir net}} = \frac{\$70\,000}{\$40\,000} = 1{,}75$$

LE RAPPORT DES VENTES NETTES SUR L'ACTIF TOTAL détermine le nombre de fois que les sommes d'argent investies dans l'actif d'une compagnie peuvent être récupérées par les ventes annuelles. Le rapport pour RIVON Limitée est le suivant:

$$\frac{\text{ventes nettes}}{\text{actif}} = \frac{\$70\,000}{\$67\,000} = 1{,}04$$

LE TAUX DE CONVERSION DES COMPTES À RECEVOIR est le résultat de la division des comptes à recevoir par la moyenne des ventes quotidiennes. Ce compte indique le nombre de jours requis pour la collection des comptes à recevoir. Pour RIVON Limitée, on a:

$$\frac{\text{comptes à recevoir x 365}}{\text{ventes}} = \frac{\$9\,500 \text{ x } 365}{70\,000} = 49{,}5 \text{ jours}$$

LE TAUX DE ROTATION DES STOCKS est le résultat de la division de la valeur des stocks, au prix coûtant, par le coût moyen quotidien des marchandises vendues. Il nous permet de connaître la rapidité avec laquelle les marchandises sortent des entrepôts. En d'autres termes, ce rapport indique combien de jours de vente sont possibles avec les inventaires actuels. RIVON Limitée conserve en inventaire l'équipement de 190 jours de vente:

$$\frac{\text{inventaire x 365}}{\text{coût des marchandises vendues}} = \frac{\$12\,000 \text{ x } 365}{\$23\,000} = 190 \text{ jours}$$

On calcule parfois le taux de rotation des stocks de la façon suivante:

$$\frac{\text{coût des marchandises vendues}}{\frac{1}{2}\text{ (inventaire du début + inventaire de la fin)}}$$

Pour RIVON Limitée, on obtient:

$$\frac{2 \text{ x } \$23\,000}{\$9\,500 + \$12\,000} = \frac{\$46\,000}{\$21\,500} = 2{,}14 \text{ fois}$$

Les coefficients de rendement

Ces rapports servent à évaluer la rentabilité financière d'une entreprise.
LA MARGE DE PROFIT précise le rendement obtenu par dollar de vente. Ainsi, l'exploitation de RIVON Limitée a rapporté:

$$\frac{\text{bénéfices nets avant impôt}}{\text{ventes}} = \frac{\$6\,000}{\$70\,000} = 8{,}57\%$$

LE TAUX DE RENDEMENT SUR L'AVOIR NET DES PROPRIÉTAIRES. Les actionnaires de RIVON Limitée ont obtenu 15%:

$$\frac{\text{bénéfices nets avant impôt}}{\text{avoir net}} = \frac{\$6\,000}{\$40\,000} = 15\%$$

LE TAUX DE RENDEMENT SUR LE CAPITAL INVESTI s'obtient par la division du profit net avant impôt par l'actif total. L'entreprise RIVON Limitée a réalisé 8,95% sur chaque dollar d'actif qu'elle possède.

$$\frac{\text{bénéfices nets avant impôt}}{\text{actif total}} = \frac{\$6\,000}{\$67\,000} = 8{,}95\%$$

Le taux de rendement sur le capital investi s'obtient aussi par la multiplication de la marge de profit et du rapport des ventes nettes sur l'actif total.

$$\text{Taux de rendement} = \frac{\text{bénéfices nets avant impôt}}{\text{ventes}} \times \frac{\text{ventes nettes}}{\text{actif total}}$$

Pour RIVON Limitée, ce calcul se présente de la façon suivante:

$$\frac{\$6\ 000}{\$70\ 000} \times \frac{\$70\ 000}{\$67\ 000} = 8{,}95\%$$

Cette équation illustre que la rentabilité d'une entreprise dépend de sa marge de profit et de son roulement de capital.

CONCLUSION

La comptabilité tente de reproduire l'image financière de la compagnie par l'enregistrement minutieux des transactions qu'elle effectue et par la production d'états attestant des résultats obtenus. Cette image est toutefois incomplète et ne constitue pas une base suffisante pour évaluer l'efficacité de l'administration.

La valeur comptable de l'actif porté au bilan exprime habituellement le prix d'acquisition moins une certaine réserve d'amortissement. Cette évaluation peut être loin de la valeur marchande ou de la valeur réelle des biens de l'entreprise.

De plus, certains coûts invérifiables n'apparaissent pas aux états financiers d'une compagnie. Les coûts sociaux dus aux conséquences de certaines activités comme la pollution de l'environnement ne sont pas nécessairement exprimables en dollars. Les frais de perfectionnement des employés sont comptabilisés au coût et il n'est pas certain que l'augmentation de productivité qui résulte normalement de ces programmes reflète toute la plus-value des ressources humaines de l'entreprise.

En somme, les entreprises ont une responsabilité sociale. Lorsqu'elles assument cette responsabilité, elles rapportent un profit social qu'aucun système comptable ne peut enregistrer. Statuer sur la valeur d'une entreprise et sur l'efficacité de ses administrateurs requiert beaucoup plus de données que ce que peut fournir un système comptable traditionnel. Certes, la fonction de comptabilité est essentielle: elle permet de juger des résultats financiers atteints. Cependant, il faut aussi rechercher à évaluer toutes les conséquences non monétaires de l'activité d'une compagnie.

gestion de l'information

«Combien d'unités du modèle 77 avez-vous en stock au dépôt de Québec?»
«À combien s'élevaient nos frais de voyage pour les Maritimes le mois dernier?»
«Quel est notre potentiel de vente dans la région de Québec et quelle partie de ce marché nos vendeurs ont-ils atteint?»
«Quels sont les frais d'exploitation de notre entrepôt no 2?»

Ce sont là quelques exemples des questions que posent quotidiennement les administrateurs des grandes entreprises. Les réponses n'existent pas toujours et les administrateurs doivent s'en passer, ce qui n'empêche nullement les affaires d'aller leur train. Mais les choses se sont beaucoup compliquées, depuis quelques années, car la gestion d'une entreprise de quelque envergure implique une série de problèmes complexes et difficiles à résoudre. Il y a, en effet, beaucoup de produits à fabriquer, à entreposer et à vendre. Il y a de plus en plus de personnes engagées dans ce processus, beaucoup plus d'argent en jeu, et, qui plus est, une concurrence encore plus vive qu'auparavant. On doit pouvoir répondre sans délai à des questions importantes, comme: «Combien d'unités de tel produit avons-nous et où sont-elles entreposées?» ou «Combien nous en coûte-t-il pour faire telle ou telle chose?»

La gestion se faisait autrefois sans ces renseignements. Le service de la comptabilité pouvait tout au plus fournir des états trimestriels dont les chiffres accusaient déjà quelques mois de retard. Seuls quelques rares administrateurs étaient en mesure d'obtenir des rapports mensuels dans un délai raisonnable. En fait, la plupart du temps, les décisions devaient être prises sans aucune information valable. Le coût élevé de la main-d'oeuvre et le temps nécessaire au traitement rapide des données constituaient des entraves majeures à la diffusion de l'information. Le système d'information se limitait donc à la bonne tenue des livres comptables, particulièrement des journaux des achats et ventes, des registres de comptes à recevoir et à payer, ainsi qu'à la production de documents sur le contrôle des inventaires. Puis vint l'ordinateur.

L'ORDINATEUR

Dans les années 1930, la compagnie IBM a imaginé le système par lequel l'information pouvait être enregistrée sur cartes perforées, emmagasinée et récupérée sur une imprimante. C'était là une innovation remarquable qui a servi de tremplin à la technologie avancée de l'ordinateur que nous connaissons aujourd'hui. L'extraordinaire succès d'IBM témoigne amplement du besoin profond des entreprises d'obtenir de tels services. Les grandes compagnies désespéraient de trouver une solution au problème de l'information, aggravé par le fardeau croissant de la paperasserie. Une entreprise ne peut espérer croître au-delà d'un certain volume sans disposer d'un système approprié de traitement de l'information. L'ordinateur s'est donc développé en réponse à ce besoin nouveau.

Il s'agit d'abord de bien comprendre ce qu'est un ordinateur. Fondamentalement, l'ordinateur est une énorme machine à calculer, extrêmement rapide, qui peut être dirigée ou programmée pour l'exécution de divers travaux; être dotée d'une mémoire pour se rappeler ce qu'on lui demande de faire et retenir les données que l'on veut emmagasiner pour usage ultérieur. L'ordinateur comporte les éléments suivants:

L'entrée (input)	Le moyen par lequel nous fournissons l'information et les directives à l'ordinateur.
La mémoire (storage bank)	C'est le mécanisme qui contient les informations emmagasinées et l'ensemble des directives.
Le traitement des données (data processing)	C'est le réseau électronique qui traite les données selon les directives.
La sortie (output)	C'est le mécanisme qui imprime les résultats désirés selon les directives données.

Comment faire fonctionner un ordinateur? Il s'agit simplement de parler à la machine dans un langage qu'elle comprend. Les ordinateurs peuvent comprendre toutes sortes de langages, mais il y en a deux qui sont généralement utilisés dans le monde des affaires: le Fortran et le Cobol. Il n'est certes pas question ici d'apprendre ces langages. La technologie et les langages de l'ordinateur évoluent si rapidement qu'il est inutile d'apprendre un langage, sauf lorsqu'on en a vraiment besoin. Bornons-nous à dire que des milliers d'étudiants au niveau collégial ont appris à utiliser les ordinateurs sans la moindre difficulté. Tout étudiant en administration se doit de considérer l'ordinateur comme un instrument indispensable, voire même plus utile que sa machine à écrire. Cela ne l'oblige pas à connaître le fonctionnement interne de l'ordinateur, mais uniquement à apprendre à converser avec lui.

COMMUNIQUER AVEC L'ORDINATEUR

Il faut apprendre à communiquer avec l'ordinateur et comprendre comment il nous répond. Il y a quatre principaux moyens de communiquer avec la machine: la carte perforée, la console, le lecteur optique, le ruban magnétique ou le ruban perforé.

La carte perforée

Le système le plus ancien pour fournir des données à l'ordinateur est celui de la carte perforée. Bien que toujours en usage, ce système a perdu de sa popularité et est presque tombé en désuétude. Il demeure toutefois utile lorsqu'une carte peut accomplir deux fonctions à la fois. Le chèque de paye sur carte perforée, par exemple, n'est pas un simple chèque, mais l'entrée (input) dans le système de l'information relative à ce chèque.

L'usage de la carte perforée comporte plusieurs inconvénients. Premièrement, elle requiert l'utilisation d'un clavier ou machine à perforer: une opération séparée qui fait perdre beaucoup de temps et durant laquelle des erreurs peuvent se glisser. En second lieu, l'information fournie sur une carte est limitée par la capacité maximum de 80 colonnes de cette dernière; en d'autres termes, une opération particulière peut entraîner l'utilisation de plusieurs cartes et du travail supplémentaire sur clavier. Troisièmement, l'emploi de la carte perforée est un procédé plutôt lent comparativement à d'autres méthodes d'entrée (input). Finalement, les cartes s'accumulent, deviennent encombrantes et créent des problèmes d'entreposage.

La console

L'usage de la console se répand au fur et à mesure que son prix diminue. C'est un appareil simple, souvent une machine à écrire, relié à un ordinateur auquel il permet un accès direct. Le directeur du service de crédit d'une entreprise peut récupérer, grâce à la console, tous les renseignements emmagasinés dans la mémoire de l'ordinateur concernant le crédit de la clientèle. Si le service des ventes demande l'approbation de l'achat d'une robe de $150,00 par Lucie Tremblay, le responsable du crédit inscrit sur la console le nom de la cliente ou plus probablement son numéro de crédit, et l'ordinateur fournit aussitôt son état de compte, c'est-à-dire ce qu'elle doit, la régularité de ses derniers paiements, sa marge de crédit, etc... L'ordinateur permet d'évaluer le crédit de Lucie Tremblay et peut même être programmé pour ordonner d'assumer le risque et de conclure la vente. Le directeur des ventes désire-t-il connaître le nombre total des tondeuses à gazon «Rase Tout» vendues durant le mois de juin dans la région de Montréal? Il lui suffit d'actionner correctement les touches de la console pour recevoir en retour l'information demandée. La façon de procéder est analogue pour le trésorier qui veut connaître le total des comptes à payer de la semaine ou pour l'ingénieur qui désire connaître la racine carrée de 122. Le temps n'est pas loin où la règle à calcul sera reléguée à son tour aux oubliettes à côté des trolleybus et des glacières.

Le lecteur optique

Certaines applications requièrent l'utilisation d'analyseurs optiques capables de lire les lettres et les chiffres imprimés sur des documents. Les banques les emploient pour la lecture des numéros de comptes bancaires au bas des chèques. Les chiffres sont alors imprimés sous une forme spéciale qui permet à la machine de les reconnaître et de les transformer en impulsions électriques. Le système d'information NCR (National Cash Register) pour magagins de détail utilise des rubans optiques qui sont obtenus par le truchement des opérations de la caisse-enregistreuse. Il suffit de surveiller le procédé dans un magasin d'escompte K-Mart. Chaque article porte un numéro et, au moment de la vente, ce numéro s'imprime dans le registre en même temps que le montant en dollars. Cette opération complète la transaction et fournit en même temps à la compagnie un système de contrôle des inventaires.

Pourquoi les détaillants désirent-ils un système précis de contrôle des inventaires (gestion des stocks)?

Le ruban

L'information peut être consignée sur ruban de papier ou sur bande plastique soit au moyen de la perforation ou par des moyens magnétiques. Elle est ensuite fournie à l'ordinateur. Le ruban est particulièrement pratique lorsqu'il s'agit d'emmagasiner des données rapidement et en quantités importantes.

La production (output)

L'ordinateur dispose de plusieurs moyens pour répondre à vos questions, dont la carte perforée, le ruban ou bande, l'imprimante, la console et l'écran cathodique.

On utilise pour l'ordinateur une méthode de réponse sur carte à 80 colonnes lorsque tout le système est élaboré en fonction de la carte perforée. Les réponses sont alors mises de côté et réutilisées sur ordinateur plus tard.

L'ordinateur peut consigner ses réponses sur rubans de papier ou bandes magnétiques. Cette méthode est utilisée lorsque le système a les bandes pour base, sans impression automatique. Les bandes doivent subséquemment être traitées par une imprimante qui permet de visualiser les réponses.

L'imprimante rapide est le mécanisme de production des résultats le plus répandu. C'est un dispositif dactylographique capable d'écrire plusieurs lignes à la minute; l'ordinateur lui indique ce qu'il y a à imprimer et où l'imprimer.

Le mécanisme de production des résultats d'une console s'apparente beaucoup à celui de l'imprimante, mais la console peut de plus interroger l'ordinateur et lui fournir les moyens de répondre. L'ordinateur ne prend le contrôle du mécanisme d'impression que pour donner l'information demandée.

L'écran cathodique, pour sa part, peut servir à un courtier qui veut se renseigner sur une valeur mobilière. Il inscrit sur le clavier le symbole du titre et toute l'information pertinente apparaît immédiatement sur l'écran situé au-dessus du clavier. L'écran cathodique a une grande valeur scientifique, particulièrement pour les travaux qui exigent une grande part de calculs. Il est aussi utilisé dans beaucoup d'entreprises; le système de réservation d'Air Canada fonctionne au moyen de ce genre d'appareil.

SYSTÈMES INTÉGRÉS D'INFORMATION

Au début de l'ère des ordinateurs, les hommes d'affaires parlaient de traitement des données. Pour eux, l'ordinateur n'était qu'un moyen de compiler des renseignements en grandes quantités et de plus en plus rapidement. Des choses impossibles à envisager auparavant devenaient réalisables. Il était désormais possible d'obtenir des rapports quotidiens ou hebdomadaires de certaines opérations et de les comparer aux prévisions budgétaires ou de les soumettre à divers autres modes de contrôle. Il est tout naturel que l'on ait en premier lieu mécanisé les données comptables. On a d'abord réglé le cas de l'énorme fardeau qu'imposait la préparation des salaires. Les comptes à recevoir et les comptes à payer n'ont pas tardé à suivre, car ils comportaient de nombreuses opérations manuelles. Quant au contrôle des inventaires, il représentait déjà un gros problème à l'époque où les Phéniciens transportaient et vendaient leurs denrées sèches aux populations réparties sur les rives de la Méditerranée. Un surplus ou un manque de marchandises a été de tout temps une cause importante de problèmes financiers pour les entreprises. C'est pourquoi le contrôle des inventaires a été rapidement assumé pour des ordinateurs.

Dès lors, on a commencé à envisager le traitement des données sous un angle plus global: ne faisait-il pas partie, après tout, d'un grand système d'information ayant des implications tant internes qu'externes? C'est ainsi que prit naissance le concept du système intégré d'information, système qui en est encore à ses débuts. Il suffit de jeter un coup d'oeil au tableau 25.1 pour s'expliquer son fonctionnement.

L'information, tant interne qu'externe, constitue une somme de données nécessaires et utiles dans un système intégré de gestion. Elle constitue une nette amélioration sur les systèmes antérieurs de données, centrées surtout sur l'information comptable. Des entreprises de services se sont développées et fournissent aux intéressés des renseignements pertinents sur la clientèle d'un marché spécifique. La Banque mondiale de données, par exemple, peut fournir des renseignements clairs et détaillés sur la population et l'économie de chacun des pays du monde. N'est-ce pas là une aide précieuse pour le vice-président du marketing d'une entreprise multinationale?

Quels renseignements aimeriez-vous obtenir sur vos clients?

LE PROGRAMMEUR

L'ordinateur n'est qu'une machine inerte qu'il faut faire fonctionner. Si on lui demande de faire des opérations à partir de fausses données ou suivant une logique erronée, elle le fera, mais ses réponses n'auront aucune valeur.

La responsabilité de fournir de bonnes directives à l'ordinateur incombe au programmeur qui sait comment obtenir de la machine ce qu'il désire. Mais la responsabilité de fournir des données justes n'appartient pas au programmeur. Ce dernier n'a rien à voir avec la cueillette des données. Cette distinction est importante, car il arrive souvent que les opérations d'un ordinateur se soldent par des résultats incorrects et que le programmeur soit blâmé à tort.

Le programmeur fournit des directives à l'ordinateur - le programme - mais il lui faut l'aide du personnel des autres services de l'entreprise pour le faire. Il ne peut élaborer un bon programme sans l'assistance de ceux qui utiliseront l'information. Des rapports étroits s'imposent donc entre le programmeur et les utilisateurs.

TABLEAU 25.1 Système intégré de gestion

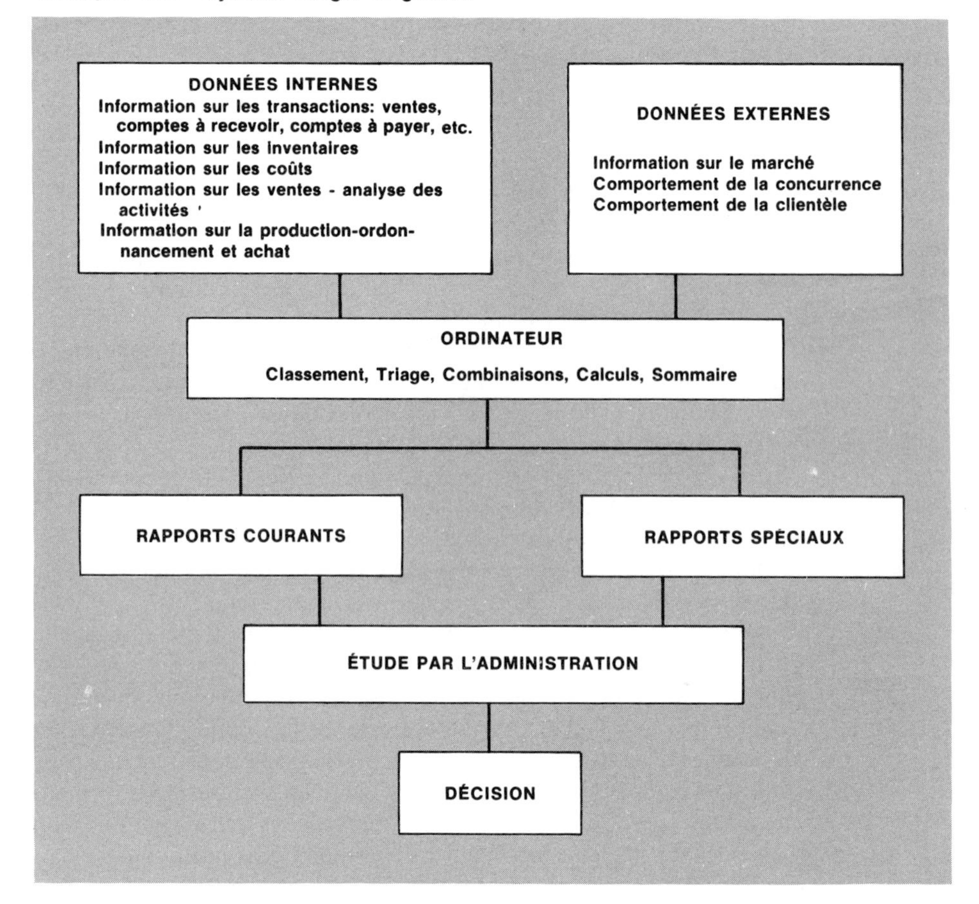

L'entreprise doit retenir les services d'un programmeur compétent. Certaines entreprises ont raté leur processus de conversion à l'informatique à cause d'une mauvaise programmation et de programmeurs incompétents. De nombreuses entreprises ont renoncé au traitement des opérations par leur propre ordinateur au bénéfice d'un télétraitement en temps partagé.

Le concept du temps partagé

L'utilisation conjointe du même ordinateur par différentes organisations s'appelle le temps partagé. Il arrive qu'une entreprise, une fois l'ordinateur acheté pour son usage personnel, réalise qu'elle dispose d'une capacité excédentaire qu'elle peut vendre à d'autres entreprises intéressées. Une nouvelle institution est donc apparue: celle de la compagnie de temps partagé dont le but est d'acheter un ordinateur, de trouver le personnel nécessaire et de vendre du temps d'utilisation à des organisations qui estiment plus sage de ne pas posséder leur propre ordinateur.

L'existence du temps partagé dépend de trois éléments: (1) les ordinateurs actuels sont d'une rapidité et d'une capacité telles qu'il est possible d'accorder du temps à la majorité des usagers; (2) le coût élevé des opérations oblige l'utilisation maximale des capacités de l'ordinateur; (3) les hommes de très grand talent sont rares dans ce domaine et ne sont généralement pas disponibles pour travailler comme employés dans des entreprises.

Le problème tient au fait que nombre de personnes ont appris le fonctionnement de l'ordinateur et peuvent élaborer des programmes plutôt simples, mais rares sont celles qui peuvent maîtriser les programmes complexes qu'exigent les opérations d'une entreprise de grande envergure.

L'INDIVIDU DANS UN SYSTÈME INTÉGRÉ D'INFORMATION

Nous avons décrit le système intégré d'information comme un réseau, mais à quoi est-il relié et que véhicule-t-il à travers ses multiples canaux? Ce réseau d'information relie en fait des individus prêts à échanger des informations. Tout individu membre d'une organisation est intégré à un système d'information auquel il fournit des données et qui, en retour, lui donne l'information dont il a besoin pour faire son travail.

Prenons le cas de Paul, vendeur itinérant d'une grande entreprise pour le Québec et les Maritimes. Quel rôle joue-t-il? D'abord il prend des commandes de marchandise qu'il inscrit sur un formulaire ou bon de commande, créant ainsi le seul document vraiment important dans le système d'information: la feuille de vente. À partir de ce document, les données de vente sont accumulées selon les produits, les clients, le territoire et les périodes de l'année. Les données doivent être précises, sinon les conséquences peuvent être fâcheuses. Des erreurs continuelles impatientent la clientèle, irritent la direction et provoquent les congédiements. Il y a ensuite le relevé des dépenses et les appels téléphoniques de Paul qui fournissent un supplément d'information au système. Grâce à eux, on peut suivre le déroulement des activités de Paul et savoir comment il dépense l'argent de l'entreprise.

En quoi le rapport de dépenses du vendeur peut-il être utile à la direction?

Le rapport des communications téléphoniques est le sommaire des appels que Paul a faits aux clients ou à des acheteurs éventuels et de ce qu'il a pu en conclure.

Quel type d'information Paul devrait-il faire paraître dans son rapport d'appels téléphoniques?

Paul a également besoin d'être informé. Il veut savoir si ses activités correspondent à ce qu'il est censé faire, et si le fruit de son travail cadre avec le budget prévu. Il a besoin d'indications pour savoir où sont les bonnes affaires à traiter sur son territoire. Il veut connaître les activités de l'entreprise en matière de nouveaux produits, nouvelles méthodes de vente et ce qui se passe en général au siège social. Il veut savoir aussi ce que fait la concurrence. Il appartient à la direction de communiquer ces informations à Paul. On peut lui faire parvenir des résultats d'analyse fournis par l'ordinateur où ses ventes sont comparées aux prévisions et à partir desquels il peut établir un parallèle entre sa situation et celle des autres vendeurs. La majeure partie des renseignements fournis à Paul ne proviendront cependant pas de l'ordinateur, mais plutôt de moyens de communication utilisés bien avant l'avènement de l'ordinateur.

L'INFORMATION ET LES MÉDIA DE COMMUNICATION

La qualité de l'information au moyen des imprimés sortis de l'ordinateur est telle qu'il est facile d'oublier les vieux outils de travail qui, pendant de longues années, ont transmis l'information à ceux qui en avaient besoin. Mais ces moyens eux-mêmes ont été l'objet de changements technologiques qui ont permis de réaliser d'étonnants développements.

La transmission téléphonique de matériel imprimé

Le directeur d'une usine affiliée à une entreprise nationale a besoin de certains documents pour un contrat de travail. Il y a à peine quelques années, ces documents auraient été transportés par courrier, par avion ou par livraison spéciale. S'il s'agissait de documents importants, on les mettait à bord d'un avion. Nous disposons aujourd'hui d'appareils qui nous permettent de transmettre des fac-similés de ces documents par téléphone très rapidement et à coût réduit. Les succursales d'une entreprise nationale peuvent être reliées à un ordinateur central par téléphone, afin de lui transmettre des données et d'en recevoir des rapports imprimés. Un petit magasin de vêtements pour hommes peut bénéficier d'un moyen analogue. Il s'agit de disposer d'un système comptable informatisé et d'un système d'inventaire contrôlé par ordinateur sur une base de temps partagé. Tous les jours, les données sont fournies à l'ordinateur par téléphone et le travail est fait en moins de deux minutes.

Service téléphonique à long rayon d'action (interurbain)

Nous admettons, depuis fort longtemps, que le courrier est un moyen de communication aussi lent qu'inefficace. Les discussions d'affaires comportent de nombreuses questions et réponses et les lettres peuvent être un facteur de confusion, car le lecteur peut donner à des mots une signification qu'ils n'ont pas. Le ton même de la lettre est une affaire délicate que l'homme d'affaires, dans le bourdonnement de ses activités, néglige et qui laisse souvent une fausse impression. Le téléphone, au contraire, permet à l'interlocuteur une compréhension beaucoup plus claire des propos échangés. Pour une communication rapide et nette, le téléphone a toujours été l'outil favori de l'homme d'affaires. Mais les coûts montent rapidement, surtout pour les appels interurbains. La compagnie de téléphone Bell offre actuellement le système "WATS" (Wide Area Telephone Service) qui a pour but de permettre des appels interurbains à prix modique. Pour un tarif uniforme d'environ $1 800 par mois, une firme peut disposer d'une ligne téléphonique directe lui permettant de rejoindre n'importe quelle ville du Canada sans supplément. L'avantage d'une telle installation est évident pour l'entreprise dont les activités s'étendent à tout le pays. Un appel direct à un client peut remplacer avantageusement une visite personnelle très coûteuse.

Machines à polycopier

Xerox a permis la distribution rapide, à travers l'entreprise, de copies de mémos, de rapports et d'autres documents. Un client désire un relevé de son compte, une photocopie peut être immédiatement tirée pour lui. Un article dans une revue d'affaires semble pertinent au travail d'un collègue, on peut facilement lui en expédier une photocopie. L'information peut maintenant être reprise à peu de frais, rapidement, et transmise à tout le personnel d'une organisation.

Contacts personnels, mémos, lettres et rapports

L'enthousiasme provoqué par la technologie moderne et l'équipement qu'elle crée ne doit pas nous faire oublier les moyens usuels de communiquer l'information. Lorsque le patron d'une entreprise rappelle à un jeune cadre qu'il doit arriver à l'heure, il communique une information qu'il estime nécessaire. Le résultat aurait peut-être été le même si le patron avait utilisé la lettre ou le mémo.

Sans considération pour le coût, à quelles occasions une lettre est-elle plus indiquée qu'un appel téléphonique?

Le rapport, pour sa part, semble être particulièrement estimé dans le domaine des affaires. On a l'impression que l'homme d'affaires est toujours en train de préparer, donner ou lire un rapport. Cette manie, qui s'étend à bien d'autres secteurs d'activités, consomme beaucoup de temps et d'énergie. Le pourcentage des rapports vraiment utiles nécessite-t-il de tels efforts?

Qu'est-ce qui pousse les dirigeants à faire préparer des rapports?

Les mémos sont presque un signe de déséquilibre de l'organisation. On est porté à croire qu'il existe des centaines de personnes dont la seule tâche est de se creuser continuellement la tête pour pondre des mémos destinés à circuler dans les dédales de l'organisation. Le mémo a malgré tout son utilité.

Quel mal y a-t-il à écrire des mémos? Comment pouvez-vous évaluer s'il y a trop de mémos dans une organisation? Comment pouvez-vous guérir une personne qui a la manie du mémo?

PROBLÈMES RELIÉS À LA GESTION DE L'INFORMATION

Les systèmes d'information ne sont pas sans problèmes. Examinons-en quelques-uns: le surplus d'information, les coûts, les délais exagérés et les problèmes d'interprétation.

Quantité d'information

Il fut un temps où le manque d'information constituait une entrave aux activités. Mais aujourd'hui, ces mêmes opérations sont souvent noyées par un flot d'information prétendument destinée à assurer une plus grande efficacité administrative. Lorsqu'une personne reçoit une information dont elle n'a pas besoin, elle doit quand même prendre le temps de l'analyser pour en déterminer la valeur. Placer le tout dans le classeur 13 prend aussi un peu de temps. Si l'information reçue est utile à la personne qui la reçoit, une lecture attentive est évidemment nécessaire avant de décider ce qui doit être fait.

De nombreux administrateurs consacrent plusieurs heures par semaine à lire des tas de documents qui leur sont envoyés par des collègues bien intentionnés: un rapport sur ceci, un article sur cela, un mémo sur ceci, une lettre sur cela. Que de temps perdu! Il faudrait réfléchir, se demander si le destinataire en aura vraiment besoin. Il ne faut surtout pas envoyer de la documentation dans le but d'impressionner les gens par son activité.

Que font certains administrateurs pour se protéger contre ces communications inutiles?

Il y a lieu de doter le système d'information de certains mécanismes de sélection qui réduiront la quantité d'information destinée à chaque personne et éviteront que des documents importants tombent entre de mauvaises mains. Ce triage fera également épargner du temps à la personne qui n'a pas besoin de cette information pour faire son travail.

Coûts

L'information est coûteuse et si son prix ne se justifie pas, il vaut mieux ne pas la diffuser. L'accès à un ordinateur sert souvent de prétexte à des gens qui ne cherchent qu'à produire des rapports et à faire des expériences. Ce serait un demi-mal si tout s'arrêtait là, mais tel n'est pas le cas, et ces rapports en provoquent de nombreux autres. Il convient donc d'appliquer au système d'information le critère du coût, c'est-à-dire se demander si l'information obtenue vaut le prix qu'on la paie.

Délais

L'information n'est bien souvent valable que si elle est reçue à temps. L'ordinateur ne garantit pas nécessairement que l'information sera transmise à temps et nombreux sont les administrateurs qui affirment avoir reçu des renseignements importants plus rapidement par l'ancien système d'information.

Problèmes d'interprétation

Des données trop techniques sont peu utiles à l'administrateur qui n'a ni le temps, ni les aptitudes pour en tirer profit. L'information doit être fournie à l'administrateur en temps opportun et sous une forme qu'il peut comprendre. Les données scientifiques ne l'intéressent pas; ce qu'il veut, c'est en connaître le sens. Il faut donc lui donner des renseignements interprétés.

DONNÉES EXTERNES — LE COMPORTEMENT DE LA CONCURRENCE

Les discussions concernant les systèmes d'information portent surtout sur les activités internes de l'entreprise comme les ventes, les coûts, les inventaires et la production. Mais le traitement systématique de l'information a suscité de nouveaux centres d'intérêt et fait surgir l'importance des données externes, telles que le comportement de la concurrence et la situation du marché.

Certaines grandes entreprises ont créé des postes au niveau du marketing ou de la recherche afin d'ouvrir et de garder à jour des fichiers complets sur chaque concurrent. C'est là une opération de reconnaissance industrielle. Il existe une quantité importante de renseignements disponibles sur la plupart des compagnies à fonds social et il est possible d'en récolter davantage avec un peu d'effort. Les journaux d'affaires sont scrutés avec attention afin de découvrir les articles concernant la concurrence. On récupère de la même façon les communiqués de presse, les publications, les listes de prix et les catalogues de chaque concurrent. Il est possible d'obtenir des rapports sur la situation financière de chaque entreprise et des renseignements sur leurs principaux administrateurs. Les vendeurs rapportent tout ce qui leur semble pertinent sur les activités de la concurrence. Toute cette information est emmagasinée dans un fichier central et utilisée au besoin.

Quel type d'information désirez-vous obtenir sur votre concurrent?
Quelles considérations d'éthique sont en cause dans ce type d'enquête?

À l'occasion, des entreprises cherchent à dévoiler les secrets de la concurrence. Certains manufacturiers achètent les produits de la concurrence afin d'en copier les caractéristiques ou pour en apprendre les coûts. Il arrive qu'on place des hommes dans des usines pour en apprendre les secrets de fabrication, mais le plus souvent, on attire les gens par des offres d'emploi alléchantes afin de s'approprier leurs connaissances sur les secrets de l'entreprise où ils travaillent. Ces procédés sont toutefois exceptionnels, car la plupart des enquêtes sur la concurrence sont centrées sur des informations qui sont directement accessibles.

CONCLUSION

L'équipe de direction d'une entreprise a besoin d'une information appropriée et suffisante pour pouvoir prendre des décisions éclairées. Le concept moderne de la gestion de l'information a beaucoup évolué avec l'usage de plus en plus répandu de l'ordinateur. L'ordinateur permet de traiter, d'emmagasiner et de diffuser beaucoup plus d'informations qu'auparavant. La communication rapide qui s'établit entre une console et l'ordinateur central permet en outre un contrôle précis des opérations de succursales éloignées.

Malgré l'enthousiasme suscité par ce nouveau moyen de gestion, il ne faudrait pas oublier le rôle particulièrement important de la programmation et des hommes qui ont pour tâche de la développer: les programmeurs. L'ordinateur est inutile sans une programmation adéquate.

Il ne faut pas sous-estimer non plus les autres moyens qui permettent d'obtenir et de diffuser l'information à ceux qui en ont besoin. Les transmissions téléphoniques, les mémos, les lettres, les rapports et les machines à photocopier ont tous un rôle très important à jouer.

le contrôle gouvernemental

L'objectif de ce chapitre n'est pas d'énumérer les différentes législations qui réglementent les activités des entreprises. Il vise surtout à survoler la théorie du contrôle gouvernemental en s'attardant surtout aux raisons de son existence, aux domaines touchés, aux méthodes utilisées et aux problèmes qu'il suscite. Une mise en garde s'impose toutefois, le contrôle gouvernemental est évolutif: il change souvent. Aussi, l'homme d'affaires recourra-t-il fréquemment à des experts afin de s'assurer de la légalité des actions qu'il veut entreprendre.

HISTORIQUE

Combien de fois a-t-on entendu des gens glorifier le bon vieux temps où l'entreprise était libre de faire ce qu'elle désirait et où le gouvernement n'intervenait pas dans les affaires! Ces éloges témoignent cependant d'une méconnaissance de l'histoire économique, car ce temps n'a jamais existé. Les gouvernements ont de tout temps contrôlé, ou tenté de le faire, l'activité économique de leurs ressortissants. Les rois de France et d'Angleterre, par exemple, ont reconnu très tôt que le maintien de leur pouvoir politique reposait sur la puissance économique de leur royaume et sur le bien-être économique de leurs sujets. À l'époque de la révolution industrielle, époque du soi-disant «laisser-faire» en matières économiques, l'autorité réglementait certaines activités et leur accessibilité. De plus, le pouvoir central a toujours prélevé une part des revenus des entreprises. Le contrôle des gouvernements s'est étendu au fur et à mesure que se précisaient les besoins de la société. Ainsi, lors de la crise économique des années 1929-1932, le gouvernement canadien est intervenu afin de tenter d'assurer à ses travailleurs un minimum de revenu même si ces derniers étaient en chômage. Lorsque les autorités constataient que les intérêts privés n'étaient pas capables d'assumer la poursuite du mieux-être collectif, elles retiraient certains privilèges aux entreprises.

Aujourd'hui, on constate que le gouvernement joue un rôle de plus en plus grand dans l'activité économique. Il n'est plus un simple agent de contrôle; il est devenu dans bien des cas un agent de production qui exerce un rôle de chef de file et oblige les industriels à le suivre sur de nombreux terrains.

La question fondamentale n'est plus de savoir si le gouvernement doit ou ne doit pas régulariser les activités économiques, mais plutôt de s'interroger sur la façon dont il doit exercer son contrôle pour ne pas réduire la productivité, diminuer la créativité et limiter la liberté d'entreprise.

LÉGISLATION ET AUTONOMIE DES ENTREPRISES

Les législations des gouvernements peuvent être regroupées en trois catégories assez bien définies selon leurs objectifs et leurs portées: l'obtention de revenus, la protection de la santé et du bien-être, l'encadrement des systèmes économiques et financiers.

Les législations pour l'obtention de revenus

Plusieurs lois visent à donner au gouvernement des revenus qui lui permettent de remplir ses obligations. Nous ne nous référons pas seulement aux lois dites de taxes directes mais aussi à la kyrielle de prescriptions qui lui procurent des revenus indirects. En fait, il n'existe pas d'autorité ayant un pouvoir de taxation qui n'exige pas, en plus, l'obtention d'un permis d'exploitation ou la production de rapports, chacun étant accompagné d'une contribution financière.

Le propriétaire d'un restaurant doit obtenir l'accord des inspecteurs des services de santé municipaux et celui des inspecteurs du service des incendies. Il doit de plus se procurer un permis d'exploitation, un permis de la Régie des alcools et un permis de taxe de vente avant d'entreprendre ses activités. Toutes les entreprises doivent remplir divers rapports et les transmettre, avec leur chèque, aux instances gouvernementales qui ont juridiction sur elles.

De plus, les hommes d'affaires n'aiment pas jouer le rôle de percepteurs de taxe que les gouvernements leur imposent: impôts déduits à la source, taxe de vente à réclamer des clients... Tout défaut de percevoir et tout retard dans la transmission des montants perçus est sévèrement pénalisé par la loi.

Pourquoi les administrateurs n'aiment-ils pas ce rôle?

Législation pour la protection de la santé et du bien-être

Plusieurs lois réglementent les entreprises qui oeuvrent dans le domaine de la santé et du bien-être des individus. Les entreprises de fabrication et de distribution d'aliments, de médicaments, de cosmétiques, d'automobiles, de prothèses, etc., sont sévèrement contrôlées quant au respect des prescriptions gouvernementales sur la qualité de leurs produits. Les gouvernements engagent des inspecteurs qui enquêtent chez les fabricants et veillent à faire respecter les exigences. Parfois, ils obligent un manufacturier à retirer ses produits du marché. Ce fut le cas pour certaines compagnies de produits pharmaceutiques. L'exemple de la thalidomide est encore bien présent à nos esprits.

Législation pour l'encadrement des systèmes économiques et financiers

Par ses lois, le gouvernement met de l'avant une philosophie de gestion des entreprises qu'il estime avantageuse. Les lois «antitrust» expriment l'idée que notre économie se comportera plus sainement dans un climat de concurrence, que le monopole est dangereux et que l'oligopole ou la collusion sont néfastes au bon fonctionnement de l'économie.

Les gouvernements fédéral et provinciaux s'efforcent de maintenir le niveau de vie de la nation. Écoutez le ministre de l'Industrie et du Commerce exposer les plans de son ministère et vous constaterez l'intérêt qu'il porte au maintien du rythme de croissance du produit national brut québécois.

L'épine dorsale de notre économie étant notre monnaie et notre système bancaire, les instances gouvernementales fédérales ont promulgué plusieurs lois qui ont pour objet la protection et le perfectionnement de notre système financier.

LES DOMAINES DU CONTRÔLE GOUVERNEMENTAL

Étudions l'impact du contrôle gouvernemental sur l'activité de l'homme d'affaires.

Liberté d'entreprise

Même si notre système économique prône la liberté d'entreprise, un entrepreneur ne peut pas se lancer dans n'importe quelle aventure. Certaines industries ou certaines activités lui sont interdites: il ne peut pas fabriquer des armements nucléaires, car ce domaine est strictement réservé au gouvernement fédéral; au Québec, il ne peut pas ouvrir un magasin de distribution d'alcools et de liqueurs fines. Dans d'autres cas, il doit obtenir l'approbation des autorités gouvernementales, par exemple pour agir comme assureur ou banquier. En fait, l'exploitation de la plupart des entreprises est régie par une forme quelconque de permis.

Le produit

Le manufacturier doit respecter les ordonnances gouvernementales concernant la nature, les caractéristiques et la qualité de son produit. Une conserverie ne peut pas faire fi des exigences et des spécifications du service fédéral des aliments et drogues. Si elle ne s'y conforme pas, elle risque des pénalités qui peuvent aller jusqu'au retrait de son permis d'exploitation. Bref, tous les produits sont assujettis à une certaine réglementation, ne serait-ce qu'au niveau de l'étiquetage.

Le prix

Les gouvernements surveillent les politiques de prix des entreprises. Leur objectif consiste à protéger le public et les concurrents entre des pratiques commerciales illégales. À cette fin, ils ont promulgué des lois qui interdisent la discrimination des prix, la collusion, etc... Une entreprise du Lac Saint-Jean fabriquait des manches de haches et les vendait sur le marché local. Un producteur de Montréal qui désirait s'emparer de ce marché baissa le prix de ses produits afin de détruire le concurrent. Cette réduction de prix ne fut décidée que pour la région couverte par le concurrent gênant. Une telle discrimination est interdite. Le gouvernement fédéral veut contrôler les prix et veiller à ce que l'entreprise privée ne contrecarre pas les mesures qu'il a adoptées pour assurer la santé économique de la nation, pour lutter contre l'inflation ou contrer le chômage.

Les événements de la crise mondiale du pétrole sont un exemple de cette situation et le gouvernement n'a pas hésité à geler les prix des produits canadiens et à subventionner les importations pour maintenir une certaine parité des prix.

Méthodes

Les exigences gouvernementales façonnent les méthodes des entreprises. Les services des impôts dictent les façons de maintenir les registres comptables et les inspecteurs des taxes imposent leurs contraintes. Les lois de l'étiquetage précisent les informations qui doivent figurer sur les emballages. D'autres lois réglementent les heures d'ouverture et de fermeture des commerces. En résumé, les ordonnances gouvernementales encadrent d'une manière assez rigide les activités des entreprises.

Croissance et fusion

Les programmes d'action des gouvernements présupposent souvent une croissance de l'économie et, par conséquent, une augmentation de leurs revenus. Les pouvoirs publics impriment ainsi un mouvement d'expansion aux activités économiques et les entreprises sont les agents de cette croissance. Cependant, par d'autres mesures, ils freinent la capacité de développement de ces mêmes entreprises soit en augmentant les impôts, soit en exerçant plus de contrôle, soit en limitant les activités des entrepreneurs. C'est ainsi qu'il est interdit de recourir à des fusions monopolisantes comme moyen de croissance. Le gouvernement préfère favoriser la liberté concurrentielle, même si dans certains cas, elle restreint de cette façon l'expansion. Les actualités nous fournissent souvent des cas intéressants de cette surveillance gouvernementale. Les québécois ont présent à la mémoire la polémique soulevée à l'occasion de la vente par la famille Gilbert du quotidien *Le Soleil*. Le gouvernement est intervenu et a, sans conteste, influé sur le cours des événements.

La publicité

Toutes les activités susceptibles d'influencer indûment le comportement des masses sont étroitement surveillées par les gouvernements. La publicité est une de ces activités très réglementées. Toutes les réclames d'un produit tombant sous la loi des aliments et drogues, par exemple, doivent être approuvées par une régie gouvernementale avant d'être publiées. Parfois, au non de la santé nationale, le gouvernement interdit ou restreint la publicité. C'est le cas des cigarettes. Dans d'autres cas, comme pour la publicité des jouets s'adressant aux enfants, le gouvernement impose un cadre et des modalités spécifiques.

La main-d'oeuvre

Une bonne partie des législations concerne la main-d'oeuvre, les salaires et les relations de travail.

LE SALAIRE La loi du salaire minimum définit pour diverses catégories d'emploi le taux minimal de rémunération horaire. Les entreprises sont obligées de se conformer à ces stipulations, faute de quoi elles s'exposent à des pénalités. Cette loi précise en plus que, au delà d'un certain nombre d'heures par semaine, le taux horaire minimum doit être multiplié par 1 ½ ou 2.

LA COMMISSION DES ACCIDENTS DE TRAVAIL est un organisme qui a été créé pour veiller à la protection des travailleurs dans l'exercice de leurs fonctions. Elle oblige à un degré minimum de sécurité et à l'établissement de conditions adéquates de travail. Elle prévoit aussi des mécanismes de compensation pour les travailleurs affectés par une maladie ou un accident découlant de leur emploi.

LE CODE DU TRAVAIL, pour sa part, réglemente les relations industrielles au Québec. Ils subit actuellement une révision en profondeur qui a pour but de l'adapter davantage au contexte socio-politique.

MÉTHODES DE CONTRÔLE

Les divers paliers de gouvernement utilisent de nombreuses méthodes de réglementation des activités industrielles et commerciales: l'émission de permis, la taxation, l'inspection, les poursuites judiciaires au civil ou au criminel, la persuasion morale et le contrôle administratif.

L'émission de permis

Toutes les entreprises doivent se procurer une série de permis ou d'autorisations écrites des divers paliers de gouvernement avant d'entrer en fonction. Elles doivent obtenir un numéro d'employeur au fédéral et au provincial (pour les impôts déduits à la source). Au Québec, ce numéro attribué à l'employeur est le même que celui utilisé pour la perception des contributions au régime d'assurance-maladie et au régime des rentes. Au fédéral, le numéro de l'employeur pour les impôts déduits à la source sert également pour la perception des cotisations d'assurance-chômage. De plus, la majorité des entreprises doivent se procurer un numéro de taxe de vente des gouvernements fédéral et provincial. Elles doivent également, dans la plupart des cas, obtenir un permis de place d'affaires auprès des autorités municipales. Au Québec, les entreprises doivent posséder, s'il y a lieu, un permis de la Commission des accidents du travail.

Par les permis, les autorités se donnent un moyen de communication avec les entreprises. Elles peuvent en même temps exercer une forme de contrôle à leur endroit. Dans certaines municipalités, l'émission des permis sert même de source de revenus. À ce moment-là, l'émission de permis et la taxation se recoupent.

La taxation

Il a été dit à maintes reprises que le pouvoir de taxation équivaut à un pouvoir de destruction. En d'autres termes, les réglementations fiscales influent à ce point sur la marche des entreprises qu'elles peuvent en précipiter la chute et leur assurer la prospérité. La nouvelle loi des impôts au Canada, en plus d'être très complexe, ne permet pratiquement plus d'échappatoires aux entreprises. Interrogez un comptable qui exerce à son compte et il vous parlera longuement du travail accru qu'a apporté la nouvelle loi et du désespoir de certains entrepreneurs.

Les lois fiscales ne visent donc pas seulement à procurer des revenus aux gouvernements, elles conditionnent l'activité même de l'entreprise. En fait, le législateur peut perturber l'organisation de toute entreprise simplement par l'introduction d'amendements à la loi.

Que se passerait-il si les lois fiscales étaient amendées de façon que les frais de représentation et les intérêts sur emprunt ne soient plus déductibles à titre de dépenses d'exploitation de l'entreprise?

L'inspection

Les gouvernements n'hésitent pas à utiliser des inspecteurs pour veiller à l'application des lois. Les abattoirs ne peuvent pas, par exemple, écouler des viandes sur le marché sans avoir reçu, au préalable, le sceau de qualité de la part d'un inspecteur travaillant sur place mais rémunéré par l'État. La Ville de Montréal emploie plus de vingt-cinq inspecteurs en bâtiment afin de faire appliquer les règlements du Code de la construction par les entrepreneurs. Si l'inspecteur prend une entreprise en flagrant délit de négligence, une amende sévère est aussitôt infligée, et à la rigueur, les autorités peuvent ordonner l'arrêt des activités de la firme.

Les poursuites judiciaires

Les autorités gouvernementales intentent des poursuites au civil ou au criminel lorsque des entrepreneurs ne respectent pas la loi. Ainsi, un détaillant peut être poursuivi par une municipalité pour ne pas avoir respecté un règlement de zonage. Un capitaine de navire sera accusé et condamné s'il déverse ses restes de mazout dans le fleuve.

La persuasion morale

Les gouvernements s'assurent des contacts réguliers avec les chefs d'entreprises. Ils tentent alors de les convaincre d'agir selon leurs politiques. De nombreuses querelles ou crises ont été ainsi réglées par des conversations directes entre les responsables gouvernementaux et les dirigeants d'entreprises. L'intervention du gouvernement québécois lors de la crise provoquée par la pénurie de papier journal en est un exemple. Ce qui était un problème grave, la veille, ne l'était plus le lendemain, à la suite de conversations en hauts lieux.

Le contrôle administratif

Le contrôle administratif des gouvernements s'exerce particulièrement sur les industries dont les activités influent sur le bien-être public. La compagnie de téléphone Bell ne peut, par exemple, augmenter ses prix sans l'approbation du gouvernement fédéral. Les compagnies aériennes doivent obtenir la permission du fédéral pour agrandir leur rayon d'action. Elles doivent, de plus, voler à des altitudes fixées par le fédéral, quand elles évoluent au-dessus du territoire canadien. Les gouvernements des provinces et les municipalités n'hésitent pas non plus à s'assurer un contrôle administratif pour les domaines de l'électricité, du gaz et de l'eau.

PROBLÈMES POSÉS PAR LA LÉGISLATION GOUVERNEMENTALE

Le contrôle gouvernemental sur les entreprises est réel et gênant, mais il s'exerce toujours dans les limites dictées par un sain réalisme. La politique de contrôle des gouvernements favorisera toute initiative susceptible d'accroître la productivité et le bien-être du peuple; elle éliminera tout ce qui ira à l'encontre de cet objectif. Cela étant dit, ce n'est pas une preuve de l'infaillibilité et de la sagesse du gouvernement. Le contrôle gouvernemental n'échappe pas à la critique.

La portée des erreurs

Lorsque la bureaucratie gouvernementale ou un homme politique fait une erreur, tout le pays peut en subir les conséquences. La politique de l'assurance-chômage était telle au Canada entre les années 69 et 72 qu'il était assurément plus intéressant pour certains d'être chômeurs que de travailler. Trois mois de travail suffisaient à rendre la personne éligible aux prestations. Le résultat fut l'endettement de la Commission d'assurance-chômage pour plusieurs centaines de millions de dollars. L'ouvrier payeur de taxes a dû, comme toujours, réparer les pôts cassés.

Les hommes politiques qui ont appuyé le projet de construction de la digue de Canso reliant la Nouvelle-Écosse à l'île du Cap-Breton ont-ils pensé que cela bloquerait la voie d'échappement naturelle du courant du Labrador et provoquerait l'envasement graduel des côtes de l'estuaire du Saint-Laurent? La baisse du taux d'oxygénation des eaux côtières risque de provoquer à brève échéance l'effondrement de l'industrie du homard au Canada. Le niveau de vie de milliers d'hommes est dans la balance. Qui va réparer l'erreur? Est-il déjà trop tard?

Le problème majeur posé par un système de réglementation et de contrôle gouvernemental consiste à trouver des moyens de minimiser les risques d'erreurs. Une mauvaise décision peut être catastrophique et, là comme ailleurs, il peut être impossible de redresser la situation par la suite.

Les coûts

Les impôts et taxes que l'on paie nous font sentir l'augmentation constante des coûts de l'administration des lois existantes et de l'introduction des nouvelles lois. Le système de points de démérites mis en vigueur le premier mars 1973 par le ministère des Transports du Québec a nécessité, pour son administration, l'engagement de nouveau personnel. Le phénomène se reproduit à chaque nouvelle loi et entraîne, qu'on le veuille ou non, une augmentation de taxes. Le problème qui est sous-jacent est le suivant: combien de services gouvernementaux pouvons-nous nous permettre?

L'initiative

L'accroissement des réglementations gouvernementales tend à diminuer l'initiative chez l'individu. Au début du siècle, l'esprit d'initiative ne subissait aucune entrave en Amérique du Nord, et cela a grandement contribué à notre bien-être actuel. Mais aujourd'hui, l'individu qui veut faire les choses différemment ou tout simplement lancer une nouvelle tendance doit surmonter les mille contraintes que lui imposent les organismes de contrôle gouvernemental. Celui qui veut instaurer un nouvel ordre des choses dans un gouvernement s'expose à rencontrer de sérieuses difficultés. La bureaucratie a réussi à abattre plus d'un individu qui voulait emprunter des voies non orthodoxes pour concrétiser de nouvelles idées. Même des ministres ont gâché leur carrière politique en tentant d'apporter des réformes trop radicales dans leur ministère. Bref, la bureaucratie est un château-fort de la résistance au changement; il est souvent plus important pour un fonctionnaire de connaître la marche à suivre pour s'acquitter de sa tâche que d'être informé de l'objectif véritable de sa fonction. Le poids de la bureaucratie réprime toute initiative et nous ne savons pas comment traiter ce mal, peut-être nécessaire.

La créativité

Qualité reliée de près à l'initiative mais tout de même différente, la créativité individuelle est un des principaux facteurs qui ont permis notre haut niveau de technologie et notre évolution dans les arts et les sciences humaines. La créativité est certes vitale au développement de notre système et nous devons à tout prix la favoriser. Mais, de nos jours, le fardeau des formalités et les normes gouvernementales étouffent la créativité individuelle. L'appareil gouvernemental encourage des organismes de recherche publique ou para-publique plutôt que des individus. Au cours des dix dernières années, le gouvernement québécois a créé ou suscité par des subventions la naissance d'organismes tels que l'Institut de recherche médicale sur l'hypertension, l'Institut de cardiologie, l'Institut de recherche en électricité du Québec (IREQ), l'Institut national de la recherche scientifique (INRS), le Centre de recherche industrielle du Québec (CRIQ).

Le complexe de l'infaillibilité

L'expérience a prouvé à maintes reprises que le pouvoir absolu altère la capacité d'évaluer le bien-fondé des décisions. Ainsi, les gouvernements ont la fâcheuse tendance de croire que leurs décisions sont les meilleures pour l'intérêt public et qu'ils ne peuvent se tromper. Cela peut mener à des excès contre lesquels il n'existe qu'un antidote: la rotation rapide des gouvernements. Les élections ne peuvent circonscrire le complexe de l'infaillibilité gouvernementale, mais elles en empêchent le développement incontrôlé.

Les objectifs

Ironiquement, les organismes gouvernementaux poursuivent parfois des objectifs contraires. Le ministère du Travail et de la Main-d'oeuvre peut vouloir augmenter le salaire minimum et le ministère de l'Industrie et du Commerce s'y opposer. Le ministère de l'Expansion économique régionale à Ottawa peut planifier de nombreux développements dans des zones désignées en même temps que le ministère de la Voirie provinciale décide de retarder le développement du réseau routier dans ces mêmes régions. Pendant que les gouvernements accusent les entreprises qui augmentent exagérément leurs prix de provoquer l'inflation, le ministère de l'Agriculture accorde de son côté la permission d'augmenter de deux cents le prix de la pinte de lait.

Il n'y a pas de solution à ces problèmes, car la complexité de notre système oblige les gouvernements à servir plusieurs maîtres, et chacun d'eux peut justifier ses demandes de plusieurs façons. Les compromis qui sont atteints ne plaisent pas toujours au public, mais souvent il n'y a pas d'autres solutions.

PROSPECTIVES

L'histoire du contrôle gouvernemental est assez simple et sa caractéristique principale est sa croissance qui s'effectue à un rythme de plus en plus rapide à tous les niveaux. Au Canada, nous assistons, dans plusieurs domaines, à une lutte pour le contrôle entre les instances gouvernementales fédérales et provinciales. Le gouvernement d'Ottawa montre des tendances centralisatrices et, à ce sujet, s'oppose aux provinces qui défendent leur autonomie. L'Alberta revendique farouchement le droit que prétend posséder Ottawa sur le contrôle des ressources pétrolières. Cette dissension s'accentuera encore, surtout à la suite des changements dans la conjoncture économique, politique et sociale.

D'autre part, cette extension des activités gouvernementales a fait éclore un nouveau besoin: celui de former de bons administrateurs publics. Par le passé, les gouvernements n'ont pas souvent été capables d'attirer dans leurs rangs les administrateurs d'expérience. Ils ne pouvaient pas concurrencer l'entreprise privée.

Mais l'État a maintenant réussi à redresser sa situation et à structurer la fonction publique. Tout n'est pas parfait, loin de là! Il y a cependant un mouvement vers l'épuration d'une vieille bureaucratie et l'instauration de procédés de gestion mieux adaptés au contexte nord-américain. Cette évolution, quoique trop lente aux yeux de plusieurs, mérite d'être encouragée.

Le gouvernement québécois, conscient de ce problème, a mis sur pied, dans la capitale, une École nationale d'administration publique rattachée à l'Université du Québec. Il espère, et nous aussi, que cette école fournira à l'état québécois la main-d'oeuvre qualifiée dont il a besoin pour la gestion de ses affaires.

CONCLUSION

Le contrôle gouvernemental sur les activités économiques a toujours existé et le problème qui se pose n'est pas de savoir si oui ou non il y aura contrôle, mais plutôt de savoir comment l'exercer sagement et comment ne pas limiter ou annihiler les qualités et les caractéristiques qui ont donné son dynamisme à notre système: l'initiative, la créativité, la liberté d'entreprise.

Les gouvernements ont les mêmes problèmes de gestion que les entreprises et comme elles, ils recherchent de bons administrateurs, des politiques sensées et de l'efficacité dans leurs actions.

Enfin, il faut noter l'irréversibilité du mouvement qui accorde de plus en plus de contrôle au pouvoir gouvernemental.

les impôts

Les impôts furent inventés peu de temps après la création du monde et depuis ce temps, les gens s'en plaignent. Cependant, les impôts sont une réalité nécessaire à tout système.

Les impôts sont le prix que nous payons pour les services gouvernementaux, c'est aussi simple que cela. Plus le gouvernement nous fournit de services, plus nous payons d'impôts. Nous ne pouvons pas échapper à cette réalité. Certaines choses sont gratuites dans ce monde, mais certainement pas les gouvernements.

Cette discussion aura pour objet le régime des impôts et les problèmes que cette imposition peut occasionner. Le pouvoir d'imposition est un pouvoir de destruction. Incontestablement, toutes les activités et les institutions peuvent être détruites rapidement par de mauvaises politiques fiscales.

Il est important de comprendre qu'une saine politique fiscale est essentielle au bon fonctionnement de notre système économique. Malheureusement, trop de personnes ne comprennent pas la nécessité économique des impôts.

CHARGE FISCALE DES ENTREPRISES

Théoriquement, les entreprises ne payent pas d'impôts, car elles les transmettent aux consommateurs. Certaines taxes, comme la taxe de vente provinciale, sont perçues des clients par les entreprises et son remises aux gouvernements. C'est ainsi que les entreprises jouent le rôle d'agences de perception pour le gouvernement. Certaines autres taxes sont à la charge des entreprises qui les incluent dans leur prix de vente. Ainsi, ces taxes sont reportées sur les consommateurs sous forme d'augmentation de prix.

Le tableau 27.1 donne une liste des différentes taxes qu'un magasin de vêtements pour homme devra payer au Québec. Le travail de bureau qu'impose l'acquittement de ces taxes est effrayant. Des déclarations doivent être soumises continuellement pour toutes ces taxes par chaque entreprise.

TABLEAU 27.1 Total annuel des taxes payées par un magasin de vêtements pour hommes, Montréal, Québec, 1973

DONNÉES: Ventes: $300 000; salaires: $50 000; évaluation de l'immeuble: $100 000; profit: $30 000; dette à long terme et capital: $100 000; achats: $150 000; valeur locative: $12 000.

Taxes scolaire et foncière (municipal)	$3 350
Taxes d'eau et d'affaires (municipal)	2 040
Assurance-chômage — part de l'employeur (fédéral)	700
Régime des rentes — part de l'employeur (provincial)	900
Assurance-maladie — part de l'employeur (provincial)	400
Impôts sur les profits (provincial)	3 600
Impôts sur les profits (fédéral)	4 500
Taxe sur capital (provincial)	200
Taxe sur place d'affaires (provincial)	50
Taxe sur les achats (fédéral)	18 000
TOTAL	$33 740
Taxe de vente provinciale perçue des clients	$24 000
Remise au gouvernement	23 520
Impôts sur le revenu payés par le propriétaire	$4 070

En 1969, la compagnie General Motors a payé aux États-Unis, en taxes et impôts, un total de $2 537 000 000, c'est-à-dire 10½% de ses revenus.

Les frais d'administration des travaux fiscaux pour une entreprise ne sont sûrement pas sans importance. En effet, la compagnie General Motors emploie à son siège social cinquante personnes qui travaillent strictement à des problèmes d'impôts. En plus, chaque usine possède un service qui s'occupe de ses affaires fiscales. Ainsi, l'on réalise que les frais d'administration des impôts pour une entreprise sont assez importants.

IMPACT SUR LA CONDUITE D'UNE ENTREPRISE

Même si les entreprises transfèrent leurs impôts aux consommateurs, cela ne signifie pas que les lois d'impôt n'ont pas d'effet sur leur situation économique. Aujourd'hui, plusieurs décisions qui se prennent au sein d'une entreprise sont influencées par des considérations fiscales. Quand une entreprise se demande si elle doit louer ou acheter une pièce d'équipement, l'impôt constitue un élément très important. Les placements dans certaines entreprises sont souvent conditionnés par les positions fiscales. Si ce n'était des lois d'impôt, les compagnies entreprendraient beaucoup moins de projets. Le fait de dépenser 50% d'un dollar ou 100% d'un dollar a une grande influence sur les décisions. En effet, avec un taux d'impôt d'environ 50% sur un revenu supérieur à $50 000, l'homme d'affaires considère que chaque dollar dépensé coûte effectivement à son entreprise 50 cents.

Exemple

Bénéfices	$100 000	Bénéfices	$100 000
Impôt (50%)	50 000	Publicité supplémentaire	40 000
Solde	$50 000		60 000
		Impôt (50%)	30 000
		Solde	$30 000

Ainsi, l'on se rend compte par cet exemple que la publicité supplémentaire qu'a fait l'entreprise n'a coûté en réalité que $20 000 et non $40 000. L'impôt a donc contribué à 50% à cette dépense de $40 000.

FONDEMENTS DE L'IMPOSITION

L'imposition n'est pas une pure création administrative dénuée de fondements, même si en pratique, elle laisse parfois cette impression. Certains cyniques affirment que la stratégie de l'imposition se fonde sur le vieil adage suivant: «Plumez le canard là où il crie le moins». Aujourd'hui, cependant, il reste de moins en moins de plumes et il faut trouver un moyen pour ne pas tuer le canard.

Critères d'imposition

Il y a quatre critères fondamentaux qui définissent les limites de l'imposition: profit, capacité de payer, commodité administrative et restriction-motivation.

LE PROFIT Un des premiers arguments que l'on ait invoqué pour justifier l'imposition était que les individus qui profitaient des activités du gouvernement devaient payer des taxes. Le premier exemple est la taxe sur l'essence qui est prélevée pour payer la construction et l'entretien des routes. Ainsi, l'automobiliste qui achète de l'essence paie une taxe grâce à laquelle il peut bénéficier des routes. En théorie, c'est la forme de taxe la plus logique, car il est normal que l'on paie ce que l'on reçoit. Malheureusement, il existe plusieurs obstacles à l'utilisation de cette forme de taxe. Ainsi, les personnes qui retirent le plus de bénéfices du gouvernement sont souvent celles qui sont les moins en mesure de payer. Il serait difficile pour les gens qui reçoivent de l'aide du bien-être social de supporter financièrement les programmes de bien-être.

CAPACITÉ DE PAYER Quand le gouvernement a instauré l'impôt sur le revenu, il a dû trouver de nouveaux arguments, à la fois pour justifier son action et pour aller chercher le plus de revenus possibles. C'est ainsi qu'il a établi que l'impôt sur le revenu devait être gradué de telle sorte que l'argent soit obtenu de ceux qui ont le plus les moyens de payer. L'on revient encore au vieil adage: «Plumez le canard là où il crie le moins». Théoriquement, un millionnaire qui paie 50% d'impôt sur son revenu critiquera beaucoup moins que le pauvre homme qui est imposé sur $1 000. Aussi, la philosophie qui veut que les riches soient plus taxés est un appel à la masse, car beaucoup de personnes travaillent dur pour atteindre un certain niveau de vie.

La taxe de vente provinciale est aussi fondée sur la capacité de payer, car si un individu a les moyens d'acheter un article, il a aussi les moyens de payer la taxe. Ainsi, si l'on suit cette argumentation, plus on consomme, plus on paie de taxes. Plusieurs critiques traitent ce genre de taxes de rétrograde, car les grosses familles consomment beaucoup et ce sont normalement ces familles qui sont le moins en mesure de payer des taxes.

Les taxes foncières s'appuient également sur la capacité de payer. Si quelqu'un a les moyens de posséder une propriété, il a théoriquement les moyens de payer des taxes. Cependant, encore là, ce n'est pas toujours vrai. Prenons, par exemple, des retraités qui possèdent une maison: les personnes de cette catégorie ont généralement des revenus modiques et ne peuvent pas toujours payer les taxes sur une maison qu'ils ont achetée à une époque où ils retiraient des revenus plus élevés.

Un autre exemple où le critère de la capacité de payer s'applique, c'est la taxe d'accise. La taxe d'accise porte sur des biens dits de luxe comme les bijoux, le tabac, les cosmétiques, etc. Nous pouvons nous demander si ces articles, qui étaient considérés comme des biens de luxe quand le gouvernement a instauré la taxe d'accise, le sont encore aujourd'hui.

RESTRICTION — MOTIVATION Plusieurs taxes sont prélevées pour restreindre certaines activités ou pour motiver certains secteurs de la société à faire ce que désire le gouvernement. Ainsi, il existe des taxes qui servent à restreindre les importations et les exportations de certains biens. Les taxes sur la boisson servent à en limiter la consommation.

Plusieurs caractéristiques de l'impôt sur le revenu influencent la conduite des entreprises. Le taux réduit d'impôt pour les entreprises manufacturières et l'amortissement accéléré sur l'équipement de fabrication sont des moyens de stimuler les investissements dans ce domaine. Le gouvernement permet la déduction des dons de charité aux fins d'impôt pour inciter les gens à contribuer aux oeuvres de charité.

COMMODITÉ ADMINISTRATIVE Certaines taxes n'existent qu'en raison de leur commodité administrative, elles ne sont pas élevées et leur perception ne pose aucune difficulté. Une des raisons pour lesquelles on maintient la taxe foncière est sa facilité d'administration et de perception; le contribuable ne peut passer outre, car sa propriété peut être saisie.

Les taxes de vente sont très répandues parce qu'elles sont faciles à percevoir quand les magasins de détail en comprennent et acceptent les exigences.

L'impôt sur le revenu est parfois difficile à percevoir. C'est là un de ses inconvénients. Le concept de la déduction à la source pour l'impôt sur le revenu a été introduit pour en faciliter la perception. Considérant les niveaux élevés d'imposition, il est douteux que la population tolère de payer l'impôt en un seul versement à la fin de l'année.

Qu'est-ce qu'une taxe juste?

En théorie, une taxe est juste quand elle peut être imposée d'une manière équitable pour tous et perçue facilement sans trop de frais. Personne ne peut s'y soustraire et elle n'a aucune conséquence indésirable aux points de vue social et économique.

Un économiste réputé, Henry George, préconisait une taxe unique. Selon sa théorie, tous les gouvernements pourraient imposer et prélever de chaque individu une taxe unique combinée. Il n'y aurait qu'une seule loi sur l'impôt et qu'une seule base d'imposition. Sa théorie est valable mais, malheureusement, personne n'a trouvé la formule qui permettrait d'administrer une taxe unique d'une manière équitable.

EFFETS DE L'IMPOSITION

L'imposition présente de graves dangers. L'écueil que doivent à tout prix éviter les gouvernements est l'appropriation d'une trop grande part du produit national brut, qui aurait pour conséquence de décourager toute initiative. L'histoire est riche en cultures qui se sont effondrées sous le poids de leur gouvernement devenu trop coûteux pour les gens qui avaient les moyens de payer. Elle démontre clairement que l'avidité est sans borne. Quand une taxe est conçue, elle demeure et prend sans cesse de l'importance. Un système avec des taxes soi-disant temporaires éprouvera beaucoup de difficultés, car les pouvoirs politiques ne sont pas disposés à abandonner leurs sources de revenus.

Par conséquent, la première question importante que les gouvernements doivent se poser est combien de plumes ils peuvent enlever au canard sans que la pauvre bête ne meure. Il y a beaucoup de débats dans ce pays pour savoir si ce niveau est atteint ou non. Les statistiques indiquent que le Canada occupe un rang assez bas relativement à l'imposition per capita de ses citoyens. En effet, 31,2% du produit national brut s'en va en taxes aux divers paliers de gouvernement, tandis que les gouvernements des pays scandinaves s'approprient au-delà de 40% du produit national brut. Le tableau 27.2 présente la charge comparative d'impôt de différents pays du monde.

Le tableau 27.3 montre la provenance et l'utilisation des fonds du gouvernement fédéral. Il est intéressant de noter l'importance de l'impôt sur le revenu des particuliers. Soulignons également que $0.14 de chaque dollar servent à rembourser des sommes empruntées antérieurement.

TABLEAU 27.2 Impôts payés au Canada et dans d'autres pays, en pourcentage du PNB*

	Impôts directs (sur le revenu, sur les profits des compagnies, sur les dons et successions)	Impôts indirects (taxes de vente, foncières et d'accise)	Impôt de sécurité sociale (R.R.Q., A.-C., R.A.M.Q.)	Total
Suède	20,2	13,9	8,2	42,3
Norvège	13,8	15,2	9,2	38,2
Pays-Bas	13,2	11,2	13,4	37,8
France	6,5	15,9	14,5	36,9
Australie	12,0	16,5	8,2	36,7
Allemagne de l'Ouest	10,4	13,7	10,6	34,7
Danemark	16,3	16,5	1,9	34,7
Grande-Bretagne	13,1	16,2	5,1	34,4
Belgique	10,2	13,3	9,5	33,0
CANADA	12,7	15,1	3,4	31,2
Italie	6,8	12,6	11,1	30,5
États-Unis	15,5	9,1	5,3	29,9
Japon	7,9	7,5	3,5	18,9

*SOURCE : Organisation de coopération et de développement économiques

TABLEAU 27.3 Provenance et utilisation des fonds du fédéral pour l'exercice financier 1973-1974

PROVENANCE DES RECETTES

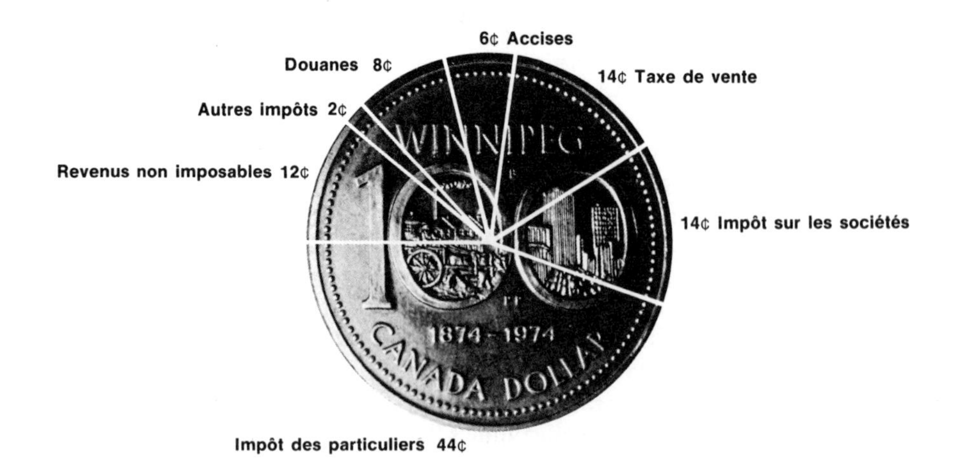

AFFECTATION DES DÉPENSES

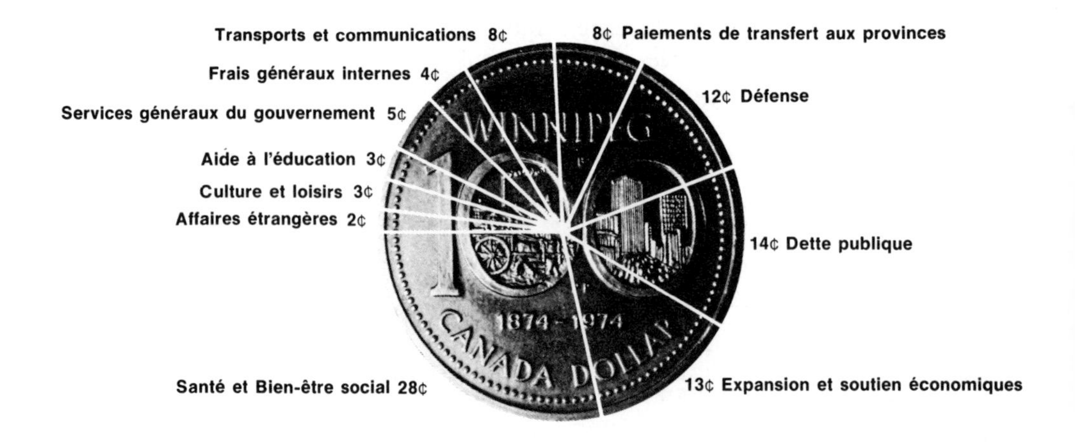

SOURCE: *Où va l'argent de vos impôts 73-74?* Conseil du Trésor. Information-Canada.

Le tableau 27.4 indique les rentrées annuelles nettes du Revenu national, Impôt, selon différentes taxes pour des exercices financiers sélectionnés.

TABLEAU 27.4 Rentrées annuelles nettes du revenu national, impôt, pour des exercices financiers sélectionnés*
(Tous les montants sont en millions de dollars)

Exercice financier clos le 31 mars	Impôt sur le revenu des particuliers	Cotisations pour le RPC	Primes d'assurance chômage	Impôt sur le revenu des corporations	Impôt sur excédents de bénéfices et autres impôts spéciaux	Impôt sur les non-résidents	Droits successoraux ou impôt sur biens transmis par décès	Total des rentrées
1917	—	—	—	—	12,5	—	—	12,5
1920	13,2	—	—	7,1	44,1	—	—	64,4
1925	25,2	—	—	31,1	2,7	—	—	59,0
1930	27,2	—	—	41,8	0,2	—	—	69,2
1935	25,2	—	—	35,8	—	5,8	—	66,8
1940	45,4	—	—	77,9	—	11,1	—	134,4
1945	767,8	—	—	276,4	465,8	28,6	17,2	1 555.8
1950	622,0	—	—	603,2	—1,8	47,5	29,9	1 300,8
1955	1 284,4	—	—	1 066,5	—	61,3	44,8	2 457,0
1960	1 752,2	—	—	1 234,2	—	73,4	88,4	3 148,2
1965	2 903,9	—	—	1 804,5	—	143,7	88,6	4 940.7
1966	3 166,6	94,9	—	1 891,1	—	170,0	108,4	5 431,0
1967	3 747,5	587,5	—	1 874,9	196,2	203,6	101,1	6 710,8
1968	4 610,5	640,6	—	1 987,5	39,1	220,5	102,2	7 600,4
1969	5 420,3	698,0	—	2 416,8	—94,5	205,6	112,4	8 758,6
1970	6 916,3	745,6	—	3 080,0	—102,7	248,6	100,6	10 988,4
1971	8 026,5	812,9	—	2 653,3	—35,1	258,2	119,8	11 835.6
1972	9 148,5	826,0	110,5	2 664,6	—1,7	287,7	132,0	13 167,6
1973	10 469,4	897,4	763,4	3 287,8	0,9	291,8	71,6	15 780,6

*SOURCE: Information Canada.

HISTOIRE DE L'IMPÔT AU CANADA

Jusqu'à la Première Guerre mondiale, le gouvernement fédéral se finançait au moyen d'impôts indirects (douane et taxe d'accise) tandis que les impôts directs étaient laissés aux provinces. Afin d'alléger le fardeau financier occasionné par la participation du Canada au conflit mondial, un régime d'imposition directe fut introduit en 1916 avec l'avènement de l'impôt sur les surplus des bénéfices commerciaux. L'année suivante, des impôts furent prélevés sur les revenus des particuliers et des corporations.

Les lois fiscales ont toujours été flexibles et, au cours des années, plusieurs modifications furent apportées aux dispositions statutaires et au mode d'application.

Durant les années 40, les impératifs financiers de la participation du Canada à la Seconde Guerre mondiale provoquèrent une montée en flèche des recouvrements d'impôts. Pour faire face au travail supplémentaire, le système de déduction d'impôt par versements fut instauré en 1942.

C'est en 1962 que la Commission royale d'enquête sur la fiscalité (la Commmission Carter) fut créée pour étudier les divers aspects de la fiscalité canadienne. Le rapport de la Commission recommanda d'apporter des modifications en profondeur à notre système fiscal et c'est à partir de ce document que le gouvernement publia, le 7 novembre 1969, son livre blanc intitulé *Prospectus de réforme fiscale.* Il invita le public à participer à la discussion du rapport. Après vingt mois de débats publics et d'étude par des comités parlementaires, le gouvernement annonçait son projet de loi sur la réforme fiscale dans son budget du 18 juin 1971. La loi entra en vigueur le premier janvier 1972.

L'événement dominant du début des années 70 est certainement l'avènement de la réforme fiscale. Cette remise à jour apporta des changements considérables et plusieurs nouvelles dispositions à la loi de l'impôt sur le revenu, parmi lesquelles un impôt sur les gains en capital, la déductibilité des frais de garde d'enfants et des frais de déménagement et une nouvelle méthode pour le calcul des dividendes imposables provenant de corporations canadiennes. La perception des impôts fédéraux sur les dons et sur les biens transmis par décès ne s'appliquait plus pour les décès survenus après 1971, ou pour les dons effectués après le premier janvier 1972.

Présentement, l'imposition se fait sous différentes formes et à trois niveaux: fédéral, provincial et municipal. Dans les pages qui suivent nous essaierons d'expliquer sommairement les rouages des différents systèmes de taxes et d'impôts qui existent aux trois niveaux d'imposition. Il est important de se rappeler que les explications et les exemples seront basés sur les lois en vigueur au 31 décembre 1973.

FÉDÉRAL

Impôt sur le revenu des particuliers

Une contribution doit être payée sur le revenu imposable pour une année d'imposition par toute personne résidant au Canada à quelque époque de l'année.

Le revenu imposable d'une personne pour une année d'imposition s'établit à l'aide d'un formulaire comme celui qui figure au tableau 27.5.

Une fois le revenu imposable calculé, il ne reste plus qu'à appliquer le taux d'impôt à ce revenu pour obtenir l'impôt à payer. Il faut se rappeler que l'impôt sur le revenu des particuliers est progressif et que le taux augmente pour chaque tranche de revenu supplémentaire. Ainsi, les premiers $500 de revenu imposable coûtent 15% d'impôt, les $500 suivants coûtent 18%, les $1 000 suivants coûtent 19% et ainsi de suite, jusqu'à 47% pour tout excédent de $10 000 de revenu imposable.

Impôt sur le revenu des corporations

Pour les compagnies, la méthode de calcul est peut-être plus simple, car c'est un taux fixe qui s'applique aux profits nets apparaissant dans les états financiers. Le taux d'impôt de base pour 1973 est de 49%. Ce taux sera réduit de 1% chaque année jusqu'en 1976, date à partir de laquelle le taux s'établira à 46%. Toutes les compagnies ont droit à une réduction de 10% calculée sur le revenu imposable comme compensation pour l'impôt payé aux provinces. Les petites entreprises ont droit à une réduction de leur taux d'imposition. Pour être considérée comme petite entreprise, une compagnie doit répondre à trois critères principaux: ne pas être une compagnie publique, être une compagnie contrôlée par des Canadiens pendant toute l'année fiscale et ne pas avoir plus de $400 000 de surplus accumulé depuis 1972. La déduction accordée aux petites entreprises est de 24% en 1973. Ce pourcentage sera diminué de 1% par année jusqu'en 1976, date à partir de laquelle le taux sera de 21%. Cette déduction ne s'applique que sur la première tranche de profit de $50 000.

Les entreprises manufacturières et de transformation peuvent profiter d'un taux d'impôt de base réduit qui se chiffre à 40%. Parallèlement, le taux de la déduction accordée aux petites entreprises est réduit pour permettre aux compagnies de profiter d'un taux d'impôt de 20%.

En résumé,

1. taux de base en 1973: 49%

taux de base en 1974: 48%
taux de base en 1975: 47%
taux de base en 1976: 46%

TABLEAU 27.5 Revenu imposable d'un particulier

Revenu:		
Salaires	xxx	
Commissions	xxx	
Pension de sécurité de vieillesse	xxx	
Prestations du Régime de pension du Canada ou du Québec	xxx	
Autres pensions	xxx	
Prestations d'assurance-chômage	xxx	
Dividendes de corporations canadiennes imposables	xxx	
Intérêts et autres revenus de placements	xxx	
Revenus de location moins les dépenses y afférant	xxx	
Revenus tirés d'une entreprise	xxx	
Revenus professionnels	xxx	
Revenus de l'agriculture ou de la pêche	xxx	
Gains en capital imposables moins pertes	xxx	
REVENU TOTAL		xxxx
Déductions:		
Cotisations au Régime de pensions du Canada ou du Québec	xxx	
Primes d'assurance-chômage	xxx	
Cotisations à un régime enregistré de pension	xxx	
Prime d'un régime d'épargne-retraite	xxx	
Cotisation syndicale ou professionnelle	xxx	
Frais de scolarité déductibles par l'étudiant	xxx	
Frais de garde d'enfants déductibles par la mère au travail	xxx	
Dépenses relatives à un emploi (3% des salaires, maximum $150)	xxx	
DÉDUCTIONS TOTALES		xxxx
REVENU NET		xxxx
Déductions:		
Exemptions personnelles ($1 000 pour un célibataire, $3 000 pour une personne mariée, $300 par enfant de moins de 16 ans à charge, et $550 pour toutes autres personnes à charge)	xxx	
Déduction pour frais médicaux et dons de charité (le plus élevé des deux montants suivants: frais médicaux moins 3% du revenu net, plus les dons de charité ou $100)	xxx	
Pertes commerciales	xxx	
Pertes en capital de l'année précédente (maximum $1 000 par année)	xxx	
DÉDUCTIONS TOTALES		xxxx
REVENU IMPOSABLE		xxxx

2. toutes les compagnies peuvent bénéficier d'une déduction de 10%;
3. les compagnies privées contrôlées par des Canadiens et qui ont moins de $400 000 de surplus accumulé depuis 1972 ont droit à une déduction qui s'établit comme suit:
   en 1973: 24%
   en 1974: 23%
   en 1975: 22%
   en 1976: 21%
   Cette déduction ne s'applique que pour les premiers $50 000 de profits;

4. les entreprises manufacturières bénéficient d'un taux de base de 40% et d'une déduction pour petites entreprises de 20%.

Exemple 1

Une compagnie privée contrôlée par des canadiens et ayant un surplus accumulé de $125 000 depuis 1972 fait un profit net de $110 000 en 1974. Elle n'est pas une entreprise de transformation. Quel est l'impôt à payer au fédéral?

Impôt de base: $110 000 x 48% =	$52 800
Abattement fédéral: $110 000 x 10% =	(11 000)
Déduction pour petites entreprises: $50 000 x 23% =	(11 500)
IMPÔT À PAYER	$30 300

Exemple 2

Si la compagnie avait été une entreprise manufacturière, l'impôt à payer aurait été le suivant:

Impôt de base: $110 000 x 40% =	$44 000
Abattement fédéral: $110 000 x 10% =	(11 000)
Déduction pour petites entreprises: $50 000 x 20% =	(10 000)
IMPÔT À PAYER	$23 000

Ainsi dans l'exemple 1, le taux effectif d'impôt est de 15% (48% — 23% — 10%) sur les premiers $50 000 et de 38% (48% — 10%) sur le solde:

$50 000 x 15%	=	$ 7 500
$60 000 x 38%	=	22 800
		$30 300

Dans l'exemple 2, le taux effectif est de 10% (40% — 20% — 10%) sur les premiers $50 000 et de 30% (40% — 10%) sur le solde:

$50 000 x 10%	=	$ 5 000
$60 000 x 30%	=	$18 000
		$23 000

Taxe d'accise

La taxe d'accise est une taxe levée sur certains biens seulement, qu'ils soient importés ou fabriqués au Canada. Les principaux biens sur lesquels s'applique la taxe d'accise sont les cosmétiques, les produits de beauté, les articles pour fumeurs, le tabac et les bijoux. Le taux d'imposition de cette taxe varie selon les produits sur lesquels elle est levée.

Taxe de vente fédérale

Cette taxe touche les produits fabriqués au Canada ou importés. Elle est de 12% et est payable par le manufacturier ou l'importateur, lorsqu'ils vendent des produits à un acheteur qui n'a pas de permis. Ainsi, par exemple, un manufacturier de meubles devra ajouter 12% sur le prix lorsqu'il vend aux détaillants:

Prix de vente des meubles:	$10 000
Taxe de 12%:	1 200
Prix de vente total:	$11 200

Beaucoup de produits sont exempts de cette taxe; par exemple les produits alimentaires, les produits de la ferme et de la forêt, les livres imprimés, le matériel d'enseignement, la machinerie servant à la fabrication, les produits semi-finis vendus à un fabricant qui en continue la transformation, toute marchandise qui entre dans un produit fabriqué et les produits d'exportation.

Régime de pension du Canada

Tous les travailleurs doivent contribuer au Régime de pension du Canada (R.P.C.) s'ils ont entre 18 et 70 ans et qu'ils résident ailleurs qu'au Québec. En effet, les résidents du Québec sont exemptés du Régime de pension du Canada parce qu'ils contribuent à leur propre régime qui s'appelle le Régime des rentes du Québec (R.R.Q.).

Les cotisations sont payables sur les revenus tirés d'un emploi et tous les emplois sont assujettis, sauf ceux qu'exercent:

1. les travailleurs itinérants en agriculture, horticulture, pêche, chasse, ou les employés des entreprises forestières qui ne travaillent pas pendant au moins 25 jours ouvrables annuellement pour le même employeur ou qui ne gagnent pas au moins $250 annuellement du même employeur;
2. les personnes occupées à des travaux occasionnels comme la garde des enfants, l'entretien des pelouses, etc.;
3. les professeurs qui participent à un échange avec un pays étranger et les personnes à l'emploi de leur conjoint;
4. certains employés fédéraux et provinciaux comme les juges;
5. les membres d'un ordre religieux qui ont fait un voeu de pauvreté perpétuelle.

En 1973, l'employé et l'employeur payaient chacun 1,8% du salaire de l'employé qui excédait l'exemption de base annuelle de $600, jusqu'à un maximum de salaire de $5 000.

Les personnes qui travaillent à leur compte doivent payer la part de l'employé et de l'employeur.

Voyons maintenant quelques exemples:

Exemple 1

Quelles sont les cotisations au R.P.C. d'un employé qui gagne un salaire annuel de $5 200?

Salaire:	$5 200
Moins: exemption de base:	600
Salaire assujetti:	$4 600

Cotisation de l'employé: $4600 x 1,8%:	$82,60
Cotisation de l'employeur: $4600 x 1,8%:	$82,60
	$165,60

Exemple 2

Quelles sont les cotisations au R.P.C. d'un employé qui gagne un salaire annuel de $15 000?

Salaire total:	$15 000
Moins: exemption de base:	600
	$14 400
Salaire assujetti: (maximum)	5 000

Cotisation de l'employé: $5 000 x 1,8%	: $90,00
Cotisation de l'employeur: $5 000 x 1,8%	: $90,00
	180,00

Assurance-chômage

Depuis le premier janvier 1972, l'assurance-chômage s'applique à presque tous les salaires jusqu'à concurrence de $7 800. Les emplois qui ne sont pas assujettis à l'assurance-chômage sont sensiblement les mêmes que ceux qui ne sont pas assujettis au Régime de pension du Canada. Les personnes qui travaillent à leur compte ne sont pas assujettis à l'assurance-chômage et n'ont rien à payer.

En 1973, les cotisations de l'employé étaient de 1% du salaire jusqu'à un salaire maximum de $7 800. En 1973 et 1974, certaines personnes versent des contributions réduites qui sont respectivement de 60% et 80% de la cotisation ordinaire. En 1975, ces cotisations réduites n'existeront plus. La cotisation de l'employeur est de 1,4 fois celle de l'employé. Voyons maintenant quelques exemples:

Exemple 1

Quelles sont les cotisations à l'assurance-chômage d'un employé qui gagne $5 200?

Cotisation de l'employé: $5 200 x 1% =	$52,00
Cotisation de l'employeur: $5,200 x 1,4% =	$72,80
	$124,80

Exemple 2

Quelles sont les cotisations à l'assurance-chômage d'un employé qui gagne $15 000?

Cotisation de l'employé: $7 800 (maximum) x 1% =	$78,00
Cotisation de l'employeur: $7 800 x 1,4% =	109,20
	$187,20

PROVINCIAL

Impôt sur le revenu des particuliers

Le Québec est la seule province à prélever elle-même un impôt sur le revenu des particuliers. Les contribuables des neuf autres provinces n'ont qu'une seule déclaration d'impôt à produire et ils se servent du revenu imposable qu'ils y ont établi pour calculer les impôts provincial et fédéral.

Pour ce qui est du Québec, la méthode de calcul du revenu imposable est la même dans les deux déclarations. La seule différence est qu'au provincial les enfants à charge de moins de 16 ans n'ont droit à aucune exemption personnelle. Comme au fédéral, les taux d'impôt au Québec sont progressifs et augmentent avec le revenu imposable.

Impôt sur le revenu des corporations

Le Québec et l'Ontario sont les seules provinces à prélever elles-mêmes un impôt sur le revenu des corporations. Les huit autres provinces font prélever leur impôt par le fédéral qui le leur remet. Que l'on produise une seule déclaration d'impôt ou deux, comme au Québec et en Ontario, la manière de calculer le revenu imposable est exactement la même que celle du fédéral. Les taux d'impôt pour les dix provinces du Canada sont les suivants:

Alberta	11%
Colombie-Britannique:	12%
Manitoba:	13%
Nouveau-Brunswick:	10%
Terre-Neuve:	13%
Nouvelle-Écosse:	10%

Ontario:	12%
Île-du-Prince-Édouard:	10%
Québec:	12%
Saskatchewan:	11%

Ainsi, une compagnie établie au Québec et ayant un revenu imposable de $100 000 pour une année d'imposition paiera en impôt provincial la somme de $12 000.

Taxe sur le capital et places d'affaires

La taxe sur le capital est une taxe que les compagnies qui exploitent au Québec doivent payer sur leur dette à long terme et sur la part des actionnaires. Le taux normal de cette taxe est de 1/5 de 1% sur le capital à long terme et permanent. Ainsi, une compagnie qui a une dette à long terme de $52 000, un capital-actions de $26 000 et un surplus de $114 000 paiera la taxe sur capital de la manière suivante:

Dette à long terme:	$52 000
Capital-actions:	26 000
Surplus:	114 000
Capital imposable:	$192 000

Taxe sur capital: $192 000 x 1/5 de 1% = $384,00

La taxe sur places d'affaires est une somme fixe qui doit être versée par chaque compagnie du Québec pour chacune des places d'affaires qu'elle possède. Cette taxe est de $50 par place d'affaires ou $25 si le capital imposable selon la taxe sur capital est inférieur à $25 000.

Ainsi, une compagnie qui a un capital imposable de $125 000 et qui possède une usine et trois magasins devra payer $200 ($50 x 4) de taxe sur places d'affaires.

Taxe de vente provinciale

Toute personne qui acquiert un bien mobilier pour fins de consommation ou d'utilisation, dans la province de Québec, doit payer la taxe de vente au détail, lors de l'achat ou lors de certaines locations. Au Canada, il y a quelques provinces où la taxe de vente au détail n'existe pas.

Au Québec, le taux de cette taxe est de 8% sur le prix de vente. On appelle mobilier tout bien qui n'est pas un immeuble d'après les lois de la province. Le gaz et l'électricité ainsi que le service de téléphone font partie de cette catégorie. Une vente signifie une vente pure et simple, une vente conditionnelle ou à tempérament, un échange, un bail ou toute autre considération acceptée par le vendeur. Le prix de vente signifie le prix en argent, la valeur des services rendus, la valeur réelle de l'objet échangé et tout autre considération acceptée par le vendeur. Une vente au détail signifie toute vente faite à un acheteur ou à un usager pour fins de consommation ou d'usage et non de revente.

Toute personne qui fait un achat au détail est assujettie à la taxe. Cette taxe n'est payée qu'une seule fois par le consommateur ou usager ultime, lors de l'achat et non au moment du paiement des marchandises. Lorsque les marchandises sont acquises à la fois pour l'usage personnel de l'acheteur et dans le but d'être louées, la taxe s'applique alors à la fois sur le prix d'achat et les paiements de location.

Les articles suivants sont exempts de la taxe:

1. la bière, le cidre doux et le tabac (qui sont taxés en vertu de la loi sur les tabacs et de la loi sur les spiritueux);

2. l'essence, le kérosène, le mazout (ces articles sont taxés sous la loi de la taxe sur la gazoline);
3. les aliments, excepté les bonbons, à la condition de n'être pas vendus dans un restaurant;
4. l'outillage et la machinerie de ferme;
5. les spectacles (qui relèvent de la taxe sur les «amusements»);
6. les bateaux à usage commercial;
7. l'eau;
8. les prescriptions pharmaceutiques;
9. les articles vendus aux divers gouvernements;
10. les articles expédiés à l'extérieur du Québec;
11. les repas (taxés sous la loi de la taxe sur les repas);
12. les journaux, les livres imprimés, les périodiques et les fournitures de classe;
13. les vêtements et chaussures d'enfants;
14. la machinerie industrielle achetée entre le 19 avril 1972 et le 31 mars 1975.

Les fabricants peuvent bénéficier d'une réduction du taux de la taxe de vente au détail sur les biens meubles qu'ils consomment ou utilisent. Le taux de taxe de vente sera calculé d'après la proportion des ventes faites au Québec sur les ventes totales, le tout assujetti à un taux minimum de ⅓ de 8%.

Régime de rentes du Québec

Comme nous l'avons dit précédemment, le Régime de pension du Canada ne s'applique pas au Québec puisque cette province a son propre régime qui s'appelle le Régime de rentes du Québec. Les modalités d'application sont exactement les mêmes que celles du Régime de pension du Canada, sauf que, en 1973, l'exemption de base annuelle était de $700 et que le salaire maximum assujetti au R.R.Q. était de $5 200.

Régime d'assurance-maladie du Québec

Comme pour le Régime de rentes et l'assurance-chômage, les contributions sont prélevées à la source par l'employeur sur le salaire versé à l'employé et sont ajustées à la fin de l'année dans la déclaration d'impôt de l'individu.

Les employeurs contribuent 8/10 de 1% du salaire brut versé à leurs employés dont le lieu de travail est au Québec ou dont le salaire brut est versé depuis un établissement situé au Québec. Pour les employeurs, il n'y a aucun maximum.

Les particuliers qui, pour fins d'impôt provincial sur le revenu, ont droit à un statut de personnes mariées ou l'équivalent et dont le revenu net excède $4 000, ainsi que les autres particuliers dont le revenu net excède $2 000, doivent payer une contribution de 8/10 de 1% de ce revenu net. Lorsque le salaire constitue les ¾ ou plus de ce revenu net, la contribution maximum est de $125; dans les autres cas, la contribution maximum est portée à $200. Les particuliers dont le revenu net n'excède pas $4 000 ou $2 000, selon le cas, n'ont aucune contribution à payer. Cependant, l'employeur ne tient pas compte de ces minima et déduit la contribution de toute rémunération qu'il verse. Les trop-perçus sont remboursés par le ministère du Revenu sur réception de la déclaration d'impôt. Voyons maintenant quelques exemples:

Exemple 1

Quelles seront les contributions payées au R.A.M.Q. par un particulier qui gagne un salaire de $15 000 ($14 500 net) et qui a des revenus de placements de $4 000?

Contribution de l'employé: ($14 500 + 4 000) x 0,008 = $148
maximum: $125
Contribution de l'employeur: $15 000 x 0,008 = $120
$245

Exemple 2

Quelles seront les contributions payées au R.A.M.Q. par un particulier marié qui gagne $3 900 ($3 700 net) et qui n'a pas d'autres revenus.

Contribution de l'employé:	nil
Contribution de l'employeur: $3 900 x 0,008 =	$31,20
	$31,20

Commission du salaire minimum

La Commission a été formée pour fixer des salaires et des heures de travail raisonnables et pour réglementer certains aspects du travail dans les industries.

Les employeurs remettent chaque année une contribution de 1/10 de 1% du total des salaires payés. Cependant, le taux ne s'applique que sur les premiers 8 000 dollars versés à chaque salarié.

Par exemple, si une compagnie a trois employés dont les salaires annuels sont de $10 000, $7 900 et $3 400, le montant versé à la Commission du salaire minimum sera le suivant:

1er employé:		$8 000
2e employé:		$7 900
3e employé:		$3 400
	$19 300 x 0,001 =	$19,30

Commission des accidents du travail

La Commission des accidents du travail a été formée pour procurer une assurance aux employés qui sont victimes d'accidents industriels survenus au travail. Le taux de cette taxe dépend du genre d'industrie et est payable par l'employeur seulement.

Une fois que le taux a été déterminé en fonction du genre d'industrie, le calcul se fait exactement de la même façon que pour la Commission du salaire minimum sauf que le montant maximum du salaire annuel cotisable par employé est de $9 000.

Impôt sur les dons

Avec l'avènement de la réforme fiscale du premier janvier 1972, le gouvernement fédéral a abandonné ce champ de taxation. Ainsi, depuis 1972, l'impôt sur les dons n'existe qu'au niveau provincial.

L'impôt sur les dons doit être payé sur tous les dons faits par un résident. Tous les dons d'une valeur supérieure au montant de certaines exemptions annuelles sont assujettis à l'impôt sur les dons selon un taux progressif allant de 15% sur les premiers $25 000 jusqu'à 50% sur les dons dépassant $200 000. Il faut se rappeler que l'impôt sur les dons est toujours payable par le donateur. S'il arrive que ce dernier ne peut pas payer l'impôt, le donataire devra s'en charger.

Certains dons sont exempts de l'impôt:

1. dons à cause de mort;
2. dons à des corps gouvernementaux;
3. dons à des oeuvres de charité ou des associations d'athlétisme amateur;

4. dons faits à des individus, à condition que le total pour une année n'excède pas $100 par personne;

Il existe certains gestes qu'un contribuable peut poser et qui, aux yeux du gouvernement, sont considérés comme des dons:

1. transférer une propriété sauf par contrat de mariage;
2. disposer d'une propriété en échange d'une rente viagère, sauf si la transaction est effectuée avec une compagnie autorisée à faire le commerce des annuités;
3. conférer un bénéfice par l'abandon d'un droit de réclamer une propriété;
4. laisser quelqu'un toucher un revenu à sa place;
5. don fait par une compagnie contrôlée par un individu à une personne reliée par le sang, le mariage ou l'adoption. On présume, alors, que le don a été fait par l'individu.

En calculant la valeur imposable des dons pour une année, le donateur peut déduire d'un don fait à un individu la moindre des sommes suivantes: la valeur du don ou $2 000; par ailleurs, le total des déductions ne doit pas dépasser $10 000. Pour les dons faits au conjoint, le donateur peut déduire la valeur du don jusqu'à concurrence de $5 000. En plus, un cultivateur a droit à une exemption de $25 000 une fois dans sa vie pour le don de sa ferme à ses enfants.

Exemple

Au cours d'une année, un individu fait des dons aux personnes suivantes:

Épouse	$25 000
Un fils	3 000
Une fille	5 000
Une soeur	1 500
Sa mère	6 000
Un frère	1 000

Quel est le montant des dons imposables?

	Dons	Exemptions	Dons imposables
Épouse	$25 000	$5 000	$20 000
Fils	3 000	2 000	1 000
Fille	5 000	2 000	3 000
Soeur	1 500	1 500	
Mère	6 000	2 000	4 000
Frère	1 000	1 000	
		Total des dons imposables:	$28 000

L'impôt sur ce montant serait de $4 350.

Impôt sur les biens transmis par décès

Comme pour l'impôt sur les dons, l'impôt sur les biens transmis par décès n'existe maintenant qu'au niveau provincial. L'impôt sur les biens transmis par décès consiste à taxer la valeur totale de tous les biens qu'une personne décédée laisse à ses héritiers. Les taux varient selon la valeur nette de la succession, le lien de parenté qui existe entre la personne décédée et le bénéficiaire, ainsi que la valeur des biens transmis à chaque personne. Il existe trois niveaux de legs:

1. en ligne directe: conjoint, père, mère, grand-père, grand-mère, fils et fille;
2. en ligne collatérale ou indirecte: frère, soeur, neveu, nièce, oncle, tante, cousin, cousine;
3. étrangers et parents éloignés;

Il n'y a aucun impôt sur les successions de moins de $150 000 transmises en ligne directe; les legs en ligne indirecte ou à des étrangers donnent droit à une exemption de $10 000. Il n'y a aucun impôt sur les biens transmis pour fins religieuses, charitables ou éducatives. Comme dans le cas des dons, il n'y a aucun impôt quand une personne décédée lègue sa ferme à ses enfants à condition que la valeur n'excède pas $25 000. Si la valeur de la ferme excède $25 000, seulement l'excédant est imposable.

MUNICIPAL

Taxe foncière

La taxe foncière est calculée sur l'estimation municipale d'un terrain ou d'un immeuble et est payable par le propriétaire. Les taux peuvent varier selon les municipalités. À Montréal, le taux général de la taxe foncière est de $1,82 pour chaque tranche de $100 d'évaluation. En plus, une surtaxe de $0,40 par $100 d'évaluation est imposée sur les propriétés de plus de $100 000.

Taxe scolaire

La taxe scolaire fonctionne exactement selon le même principe que la taxe foncière. Certaines commissions scolaires perçoivent elles-mêmes leurs taxes, tandis que pour d'autres, la perception se fait par la municipalité qui se charge par la suite de la redistribution des sommes encaissées. À Montréal, la taux de la taxe scolaire est de $2,66 par $100 d'évaluation.

Ainsi, si une personne possède une maison à Montréal qui est évaluée à $24 000, elle paiera $436,80 de taxes foncières et $638,40 de taxes scolaires.

Taxes d'eau et d'affaires

Les taxes d'eau et d'affaires sont calculées sur la valeur locative des immeubles et sont payées par les occupants. Si l'occupant d'un immeuble en est le propriétaire, il devra payer ces taxes en plus des taxes foncières et scolaires. La taxe d'eau est imposée aux entreprises et aux particuliers tandis que la taxe d'affaires ne s'applique qu'aux établissements commerciaux. À Montréal, le taux de la taxe d'affaires est de $11,50 par $100 de valeur locative et celui de la taxe d'eau de $8,50.

Ainsi, un particulier qui occupe un logement dont la valeur locative est estimée à $1 500 par année devra payer $127,50 de taxe d'eau. Un individu qui tient un commerce dans un établissement dont la valeur locative est de $2 000 par année devra payer $170 de taxe d'eau et $230 de taxe d'affaires.

CONCLUSION

Il est clair que notre système d'imposition connaît de graves malaises. Les gouvernements cherchent constamment de nouveaux champs d'impositions et les contribuables sont surtaxés. D'un autre côté, les contribuables exigent de plus en plus de la part des gouvernements et, pour que ces derniers puissent donner ce que les citoyens demandent, il faut augmenter les impôts existants ou en trouver de nouveaux. Cependant, il serait important que les citoyens réalisent que les gouvernements ne font qu'administrer leur argent et que les services qu'ils réclament se paient.

glossaire

ABSENTÉISME *(absenteeism):* Comportement de celui qui est souvent absent; manque d'assiduité des employés à un travail exigeant leur présence en un lieu.

ACHAT DE CRÉANCES (*factoring*): Opération par laquelle une entreprise cède ses comptes à recevoir à une tierce partie moyennant considérations.

ACTIF (*assets*): Tous les biens et les droits qu'une personne ou une compagnie possède.

ACTIFS IMMOBILISÉS OU TANGIBLES (*fixed assets*): Terme comptable qui identifie des biens immeubles: terrains, bâtiments, équipements fixes...

ACTION ORDINAIRE (*common stock*): Représente une part de propriété de la compagnie. Le détenteur d'actions ordinaires a le droit de vote et exerce un plus grand contrôle sur les activités de la compagnie que le détenteur d'autres types d'actions. Il prend également plus de risques.

ACTION PRIVILÉGIÉE (*preferred stock*): Action dotée de certains avantages et affectée de certaines restrictions. Elle donne droit à un dividende avant l'action ordinaire, mais son détenteur n'a aucun pouvoir de décision sur les opérations de l'entreprise.

AGENT (*agent*): Personne chargée des affaires et des intérêts d'une autre personne ou d'un groupe de personnes et pour le compte desquelles elle agit.

AGENT INDUSTRIEL *(industrial distributor):* Grossiste exerçant dans le domaine de la vente d'équipements industriels.

AGENT MANUFACTURIER (*manufacturers' agent*): Personne travaillant généralement à contrat pour la vente d'une gamme de produits sur un territoire réservé. Son pouvoir est limité quant à la fixation des prix et des conditions de vente.

AMORTISSEMENT *(depreciation):* C'est la somme dont est diminuée chaque année la valeur de certains actifs afin qu'ils puissent éventuellement être remplacés. Elle ne présente pas un déboursé monétaire et est déductible du revenu de l'entreprise.

ANALYSE DE TÂCHE (*job analysis*): Étude détaillée des différentes tâches et activités inhérentes à une fonction.

ANALYSE DU MARCHÉ (*market analysis*): Intégré à la recherche commerciale, elle consiste essentiellement à mesurer le potentiel d'un marché et à en déterminer les caractéristiques.

ANCIENNETÉ (*seniority*): Priorité ou statut particulier obtenu par suite de l'écoulement du temps à l'emploi.

ARBITRAGE (*arbitration*): Méthode de règlement des conflits entre parties par des personnes impartiales de l'extérieur. Permet d'éviter des procès longs et onéreux pour les deux parties.

ASSURANCE-VIE (*life insurance*): Contrat par lequel une compagnie d'assurance accepte de payer au bénéficiaire de l'assuré une somme prévue à l'avance, dans le cas du décès de l'assuré pendant que la police d'assurance est en vigueur.

AVANTAGES SOCIAUX (*fringe benefits*): Bénéfices offerts aux employés en plus du salaire.

AVOIR NET *(equity):* Le total des actifs moins le total des dettes égale l'avoir net.

BILAN (*balance sheet*): État comptable indiquant la situation financière de l'entreprise à un moment précis dans le temps. Il indique l'actif, le passif et l'avoir net.

BILLET PROMISSOIRE *(promissory note):* Effet de commerce par lequel une personne s'engage à payer une certaine somme, avec intérêt s'il y a lieu, à un bénéficiaire.

BON D'ACHAT (*purchase order*): Formulaire de commande transmis à un fournisseur.

BOYCOTTAGE (*boycott*): Le fait de s'abstenir de négocier avec une entreprise ou un individu.

BREVET *(patent):* Droit d'exclusivité qu'un inventeur obtient sur son invention.

BUDGET (*budget*): Expression monétaire des programmes d'actions qu'entend réaliser une personne ou une compagnie. Le budget précise les résultats attendus: revenus et dépenses.

CADRE (*executive*): Personne qui exerce une fonction d'autorité sur d'autres employés et qui, en conséquence, est responsable de leur travail.

CAISSE D'ÉCONOMIE *(credit union):* Coopérative qui s'occupe des épargnes et des prêts pour ses membres; elle est généralement restreinte à un groupe homogène d'une industrie. *Exemple:* Caisse d'Économie des employés du C.N.

CANAUX DE DISTRIBUTION *(channels of distribution):* Systèmes institutionnalisés grâce auxquels un fabricant peut faire parvenir sa marchandise aux consommateurs.

CAPITAL (*capital*): C'est la richesse en argent et / ou en biens détenue et utilisée dans une entreprise à propriétaire unique, une société ou une compagnie.

CAPITAL-ACTIONS (*capital-stock*): L'ensemble des actions, et leur valeur, qu'une compagnie a été autorisée à émettre selon sa charte.

CAPITALISME (*capitalism*): Système socio-économique issu de la révolution industrielle dans lequel le surplus de revenu, en excédent du total des coûts, retourne aux propriétaires du capital.

CARTEL *(cartel)*: Concentration horizontale qui réunit des entreprises de même nature dans le but de créer un monopole.

CENTRALISATION (*centralized management*): Concentration du pouvoir de décision en un seul endroit, soit au siège social de l'entreprise.

CHÈQUE (*check*): Instrument négociable où le signataire demande à la banque de payer un montant d'argent à un bénéficiaire désigné.

COLLUSION (*collusion*): Une entente entre deux parties préjudiciable à une tierce partie. C'est une conspiration.

COMMERCE DE DÉTAIL (*retailing*): Vente au consommateur.

COMMERCE DE GROS (*wholesale*): Activité intermédiaire entre la fabrication et la vente aux consommateurs.

COMPAGNIE (*corporation*): Type d'entreprise où la propriété est déterminée par la possession d'actions.

COMPAGNIES MUTUELLES (*mutual companies*): Firmes contrôlées par les utilisateurs de leur service particulier, telles que les compagnies d'assurance ou les banques d'épargne.

COMPAGNIE PRIVÉE (*closed corporation*): Une entreprise dans laquelle la propriété est limitée à quelques actionnaires et dont les actions ne sont pas vendues à la Bourse.

COMPTES À RECEVOIR (*accounts receivable*): Argent dû par les clients d'une entreprise. La totalité des comptes à recevoir apparaît à la section des actifs à court terme au bilan.

CONCESSION (*franchise*): Contrat entre deux parties qui permet au détenteur de la concession d'exploiter un type particulier d'entreprise dans certaines conditions.

CONCURRENCE (*competition*): Rivalité entre plusieurs personnes poursuivant un même but; rapport entre producteurs, commercants, qui se disputent une clientèle.

CONNAISSEMENT (*bill of lading*): Document écrit fournit par un transporteur où sont indiqués le nom de l'entreprise à l'origine de la livraison et celui du destinataire, ainsi que la liste des articles livrés.

CONSEIL D'ADMINISTRATION(*board of directors*):Groupe de personnes élues par les actionnaires et qui sont responsables de la bonne gestion des affaires de l'entreprise.

CONSIGNATION (*consignment*): Action de remettre des marchandises entre les mains d'un dépositaire qui se charge de les vendre. Le fabricant demeure le propriétaire des marchandises jusqu'à leur vente. Le dépositaire ne paie le fabricant que lorsque les marchandises sont vendues.

CONTRAT (*contract*): Entente par laquelle deux ou plusieurs personnes s'engagent à faire certaines choses. Un contrat légal comprend les éléments suivants: une offre, une acceptation, une considération, des parties compétentes aux yeux de la loi et un objectif légal.

CONTRÔLE DES STOCKS (*inventory control*): Le fait de s'assurer le décompte des marchandises qui entrent et de celles qui sortent afin de commander les quantités nécessaires à la bonne marche des affaires.

COOPÉRATIVE (*cooperative*): Entreprise détenue et gérée uniquement par ses membres. Achète pour ses membres. Fait la mise en marché et distribue les produits de ses membres. Utilise ses propres magasins de détail.

COURTIER *(broker):* Un individu ou une institution agissant au nom d'un acheteur ou d'un vendeur, selon la situation. Il ne prend pas possession personnellement des biens achetés ou vendus, il ne fait que négocier l'échange des titres de propriété. *Exemple:* courtier en immeubles; courtier en valeurs mobilières.

COÛT DES MARCHANDISES VENDUES (*cost of goods sold*): Pour un détaillant, c'est le coût d'achat de la marchandise vendue. Pour le fabricant, c'est le coût de la matière première, de la main-d'oeuvre et des frais généraux. Le coût des marchandises vendues déduit des ventes nettes nous donne le profit brut ou la marge brute.

CRÉANCIERS (*creditors*): Ce sont des individus ou des entreprises à qui de l'argent est dû.

DÉCENTRALISATION (*decentralized management*): Mode de gestion qui consiste à permettre que la décision se prenne au plus bas niveau possible de l'échelle hiérarchique.

DÉLÉGATION DE POUVOIR (*delegation of authority*): Action d'accorder à un subordonné le pouvoir d'assumer une responsabilité ou de prendre une décision.

DEMANDE D'ACHAT (*demand deposit*): Avis transmis au service des achats pour lui demander d'acheter un ou plusieurs articles.

DÉPÔT À DEMANDE (*demand deposit*): Argent placé dans une institution financière et qui doit être remis à son propriétaire sur demande. *Exemple*: compte courant à la banque.

DISPONIBILITÉS (*current assets*): Argent ou biens qui peuvent se convertir en argent dans un court laps de temps. Comprennent les comptes à recevoir, les inventaires et les billets à recevoir à court terme.

DISSOLUTION *(dissolution):* Terme juridique impliquant le paiement des dettes de la compagnie au moyen de l'argent récupéré par la vente des actifs. S'il reste des actifs, ils sont distribués aux actionnaires.

DIVIDENDE *(dividend):* C'est la part du revenu net de la compagnie après impôt qui est distribuée aux actionnaires.

DROIT D'AUTEUR (*copyright*): Droit de propriété d'un auteur sur ses écrits.

ÉCHÉANCE (*maturity*): C'est la date à laquelle un emprunt doit être remboursé.

EFFETS DE COMMERCE (*negociable instruments*): Instrument d'échange qui se substitue à la monnaie légale.

EMBARGO (*embargo*): Mesure de contrainte tendant à empêcher le libre commerce.

EMPRUNT (*loan*): C'est un contrat qui permet à un individu de disposer d'une somme d'argent moyennant le versement d'un intérêt et le remboursement de ladite somme à échéance.

ENDOSSEMENT (*indorsement*): Signature à l'endos d'un effet de commerce qui en transfère la propriété à une autre personne.

ENTREPOSAGE (*warehousing*): Action de déposer des biens dans un endroit en attendant leur vente ou le paiement des droits de douane.

ENTREPRENEUR (*entrepreneur*): Personne qui possède et exploite sa propre entreprise.

ENTREPRISE À PROPRIÉTAIRE UNIQUE (*sole proprietorship*): Entreprise possédée par un seul individu.

ÉPUISEMENT (*depletion*): L'épuisement est un terme comptable utilisé par des entreprises qui exploitent des richesses naturelles (minerai, gaz, forêt, pétrole, etc.). Il consiste à diminuer du revenu d'une année financière des montants basés sur la valeur totale d'un gisement ou d'une exploitation. Tout comme l'amortissement, il ne représente pas de déboursé monétaire.

ESCOMPTE (*cash discount*): Montant qui peut être déduit de la facture, si le paiement se fait dans une période de temps donnée.
2/10 N/30 — 2% d'escompte si la facture est payée dans les dix jours; montant total à payer dans trente jours.
8 / 10 FDM — 8% d'escompte si le montant est payé dix jours après la fin du mois.

ESCOMPTE COMMERCIAL (*chain of discounts*): Séries de réductions offertes par le vendeur à l'acheteur sur la facture originale. *Exemple*: $1 000 escomptes 40-10-5 = $1 000 x 0,60 x 0,90 x 0,95 = $513

ÉTATS FINANCIERS (*financial statements*): Ce sont l'état de pertes et profits, le bilan et l'état des bénéfices nets non répartis ou surplus accumulé. Les grandes entreprises y ajoutent souvent un état de la provenance et de l'utilisation des fonds.

EXPANSION (*growth*): Dans le monde des affaires, le mot expansion est associé à l'accroissement des activités économiques dans leur ensemble ou à la croissance d'une entreprise en particulier.

EXPORTATEUR (*exporter*): Personne qui vend et / ou exporte des marchandises à des clients en pays étrangers.

EXPROPRIATION (*right of eminent domain*): Opération administrative par laquelle le propriétaire d'un immeuble est obligé d'abandonner au gouvernement la propriété de son bien moyennant indemnité, lorsque l'utilité publique l'exige.

FACTURE *(invoice):* Document où sont indiquées les différentes marchandises livrées par le vendeur à l'acheteur. La date de livraison, les conditions de vente, les quantités, le prix unitaire, le prix global pour chaque article, et tout autre renseignement pertinent apparaissent également sur la facture.

FAILLITE (*bankruptcy*): État des affaires d'une entreprise où les dettes (PASSIF) sont supérieures à l'avoir (ACTIF).

FONDS MUTUEL (*mutual fund*): Compagnie de placement qui vend des parts à des investisseurs et utilise cet argent pour l'achat d'actions ou d'obligations d'autres compagnies. Le détenteur de parts possède ainsi une portion d'un immense portefeuille de valeurs.

FRACTIONNEMENT D'ACTIONS (*stock split*): Division des actions existantes en unités de plus petite valeur, afin de faciliter l'échange.

FRANCO À BORD — F.A.B. *(free on board — F.O.B.):* Terme qui indique le lieu où l'acheteur devient propriétaire des marchandises et à partir duquel il doit payer son transport. *Exemple:* F.O.B. usine de Québec: indique que l'acheteur doit payer le transport des marchandises depuis Québec.

FUSION (*merger*): Combinaison légale de deux ou plusieurs compagnies en une seule. La compagnie dominante absorbe la ou les plus petites.

GARANTIE (*warranty*): Obligation d'assurer à quelqu'un la jouissance d'une chose, d'un droit ou de le protéger contre un dommage éventuel.

GARANTIE COLLATÉRALE (*collateral):* Biens nantis; remise au créancier d'un bien pour sureté de la dette.

GRAPHIQUE D'ACHEMINEMENT (*flow chart*): Diagramme du cheminement logique des opérations dans la poursuite d'un ou de plusieurs objectifs.

GRÈVE (*strike*): Arrêt de travail décidé par des employés syndiqués afin d'appuyer leurs revendications.

GROSSISTE (*middleman*): Intermédiaire, dans l'achat et / ou la vente de marchandises, entre le fabricant et le consommateur.

HORS BOURSE (*over the counter*): Moyen d'échange pour les valeurs mobilières non inscrites en bourse.

IMPORTATEUR (*importer*): Personne qui achète des marchandises sur les marchés étrangers.

INJONCTION (*injunction*): Ordre de la Cour de faire ou de ne pas faire certaines choses.

INSOLVABILITÉ (*insolvency*): Condition qui existe lorsque les actifs sont insuffisants pour couvrir les dettes.

INTÉRÊT (*interest*): C'est le montant que l'emprunteur paie au prêteur pour l'usage de son argent. En d'autres termes, c'est le coût d'utilisation de l'argent d'autrui.

LAISSEZ FAIRE (*laissez faire*): La non-ingérence d'un supérieur dans certaines des activités d'un subordonné.

LIQUIDATION (*liquidation*): Action de vendre les actifs pour payer les dettes lors d'une dissolution ou d'une mise en faillite de l'entreprise. S'il reste de l'argent, il est distribué aux propriétaires.

LIQUIDITÉ (*liquidities*): Argent ou valeurs facilement convertibles en argent.

LOCK-OUT (*lock-out*): Fermeture d'atelier ou d'usine décidée par des patrons qui refusent le travail à leurs ouvriers pour briser un mouvement de grève ou riposter à des revendications.

LOGICIEL (*software*): Ensemble des programmes, procédés et règles relatifs au fonctionnement d'un ensemble de traitement de l'information.

LOGISTIQUE (*logistics*): L'ensemble des opérations concernant la fourniture, le mouvement et la répartition du matériel et de l'équipement dans l'entreprise.

MAISON DE COURTAGE (*brokerage*): Entreprise qui achète et vend pour le compte des autres. Elle perçoit une commission pour ses services.

MANDANT (*principal*): Le mandant est un individu pour le compte duquel une autre personne exécute une ou plusieurs opérations en qualité d'agent ou de mandataire.

MARGE BRUTE (*gross margin*): C'est le total des ventes nettes moins le coût des marchandises vendues. On l'appelle également profit brut.

MARGE DE CRÉDIT (*line of credit*): Financemment à court terme accordé par la banque jusqu'à une limite prédéterminée.

MARKETING (*marketing*): L'ensemble de toutes les activités d'une entreprise entre le moment où un produit sort de la chaîne de montage et le moment où il est acheté par le consommateur. Ces activités incluent également l'étude des besoins et de la psychologie des consommateurs.

MATÉRIEL (*hardware*): L'ensemble des appareils employés pour le traitement de l'information.

MÉCANISATION (*automation*): L'utilisation de systèmes automatiques dans les opérations et le contrôle du processus de fabrication. L'intervention de l'homme est limité à la programmation et au contrôle du travail qui sera effectué par la machine.

MÉDIATION *(mediation)*: Action menée par un tiers en vue de permettre un arrangement, un compromis ou une réconciliation entre deux parties en dispute.

MISE A PIEDS (*layoff*): Licenciement d'ouvriers à cause d'un manque de travail.

MONOPOLE (*monopoly*): Contrôle complet par une compagnie d'un produit ou d'un marché.

OBLIGATIONS (*bonds*): C'est une valeur mobilière émise par un gouvernement, une municipalité, une comppagnie ou un organisme (*exemple:* commission scolaire) afin d'acquérir des capitaux. Elle représente un titre de créance.

OPTIMUM (*optimum*): Le meilleur résultat possible obtenu pour des circonstances particulières.

ORDINATEUR (*computer*): Machine à calculer ultra-rapide et sophistiquée qui peut emmagasiner l'information et la traiter sur demande.

PARTICIPATION AU PROFIT *(profit sharing)*: Plan par lequel les employés d'une compagnie se partagent à la fin d'un exercice financier, une part des profits réalisés.

PASSIF (*liabilities*): Les dettes d'un individu ou d'une entreprise.

PERSONNE LÉGALE (*legal entity*): Une personne ou une compagnie limitée sont, aux yeux de la loi, des individus. Comme personne légale, une compagnie peut donc intenter une poursuite et également être poursuivie.

PLACEMENT *(investment)*: C'est le fait d'investir son argent afin d'en gagner d'autre (revenus) ou d'accroître son capital. (*Exemple:* Achat d'un immeuble).

PORTEFEUILLE (*portfolio*): L'ensemble des valeurs mobilières détenues par une personne.

PRÊT À TERME *(term loan)*: Forme de crédit dont la période de remboursement varie généralement entre un et dix ans.

PRIME (*premium*): Versement fait par un assuré en paiement de sa protection d'assurance; excédent du prix d'une valeur mobilière sur sa valeur nominale.

PRIX (*price*): La valeur monétaire d'un bien ou d'un service.

PROCÉDURE DE GRIEF (*grievance procedure*): Méthode par laquelle un employé syndiqué fait valoir sa prétention à propos de sa situation de travail.

PROCURATION (*proxy*): Autorisation écrite transmise à un agent pour qu'il puisse voter à la place d'un autre.

PRODUCTION (*production*): L'ensemble des activités requises pour recueillir les matières premières et les transformer en produit fini.

PRODUCTIVITÉ (*productivity*): Rapport du produit aux facteurs de production; rendement.

PROFIT (*profit*): Différence entre les revenus et les dépenses encourues pour les obtenir.

PROGRAMMATION *(scheduling)*: Établissement de plans et d'horaires de travail.

PROGRAMME (*program*): Un ensemble d'instructions codées destinées à faire exécuter par un ordinateur une tâche particulière.

PROMOTION DE VENTES (*sales promotion*): Ensemble d'activités destinées à faciliter la vente des produits.

PUBLICITÉ (*advertising*): Ensemble des moyens utilisés pour promouvoir une idée, un produit ou un service. La publicité est payée et le commanditaire est identifié.

QUOTA DE VENTE (*sales quota*): Projection d'un volume de vente désiré pour une période.

RECHERCHE COMMERCIALE (*marketing research*): La cueillette, l'enregistrement et l'analyse systématique des données portant sur la mise en marché des biens et services. Ce travail peut être mené par une agence ou par l'entreprise elle-même.

RENDEMENT (*yield*): C'est ce que rapporte une valeur. On exprime le rendement en pourcentage du coût de la valeur. *Exemple:* Une obligation du Canada payée $100 rapporte un intérêt annuel de $9,50. Le rendement est de 9½%.

RÉSEAU (*network*): L'expression des relations qui s'établissent entre les éléments d'un système.

REVENU (*income*): Recettes qui résultent des activités de l'entreprise.

ROTATION DU PERSONNEL (*labor turnover*): Remplacement de personnel dû à l'abandon régulier d'emploi d'un certain pourcentage de la force ouvrière de l'entreprise.

SANS VALEUR AU PAIR (*no-par stock*): Action dont la valeur n'a pas été fixée au préalable.

SEGMENTATION (*market segmentation*): Division du marché en segments démographiques suivant des critères de religion, de personnalité et de style de vie. Élaboration des plans de mise en marché pour chacun des segments à atteindre.

SIGNATAIRE (*marker*): Personne qui signe un billet ou un chèque.

SOCIÉTÉ (*partnership*): Association de personnes qui entreprennent des activités en vue de réaliser des profits.

SOCIÉTÉ DE GESTION (*holding compagny*): Compagnie qui détient le capital d'une autre compagnie dont elle assume généralement le contrôle.

SOUMISSION (*sealed bid*): Offre écrite et secrète de matériel ou de services à un prix défini.

SPÉCULATION (*speculation*): Opération financière ou commerciale qui consiste à profiter des fluctuations naturelles d'un marché pour réaliser un bénéfice.

SUBSIDE (*subsidy*): Assistance financière accordée à une entreprise par un gouvernement.

SYNDIC (*referee*): Représentant légal, désigné par le tribunal, de la masse des créanciers du failli, dont il gère et liquide les biens et au nom duquel il agit en justice.

SYSTÈME (*system*): Ensemble possédant une structure constituant un tout organique; ensemble d'idées, logiquement solidaires, considérées dans leurs relations; ensemble coordonné de pratiques tendant à obtenir un résultat.

TAXE D'ACCISE (*excise tax*): Taxe spéciale prélevée sur la fabrication, la vente ou la consommation de biens, tels les boissons alcooliques, le tabac et l'essence.

TRAITEMENT DES DONNÉES (*data processing*): Ensemble des activités nécessaires à la compilation mécanographique ou électronique des informations.

TRANSPORT RAIL-ROUTE (*piggyback freight*): L'expédition par rail de remorques pour camions; à la gare d'arrivée, les tracteurs s'attelent et poursuivent les livraisons.

TROC (*barter*): Le fait d'échanger des biens et services sans utiliser l'argent.

USURE (*usury*): Intérêt de taux excessif, le fait de prendre un tel intérêt.

VALEUR AU PAIR (*par value*): Montant indiqué sur une action: c'est le montant minimum auquel la compagnie peut vendre ses actions.

VENTE À DÉCOUVERT (*short sale*): Opération boursière par laquelle un spéculateur vend des actions qu'il ne possède pas encore. Lorsque le temps de livraison arrive, il doit se les procurer au prix du marché d'alors réalisant ainsi un profit ou une perte.

index

B

C

D

E

F

G

P

Q

R